La historia de la Corte Suprema de Justicia de Colombia, 1886-1991

Tomo I: De la Regeneración al régimen militar, 1886-1958

COLECCIÓN HISTORIA Y MATERIALES DEL DERECHO

La Colección Historia y Materiales del Derecho, impulsada por la Facultad de Derecho de la Universidad de los Andes, se encuentra orientada a difundir los esfuerzos teóricos, metodológicos y temáticos suscitados en la región hispanoamericana alrededor del vasto mundo de la historia del derecho. Los inmensos retos que afronta el mundo actual exigen redefinir los esquemas tradicionales de aproximación histórica al derecho y las viejas temáticas construidas a partir de ellos. Por ello, esta colección promueve la publicación de investigaciones comprometidas con la exploración seria de fuentes y problemas históricos y con la aplicación versátil y diversa de métodos y herramientas de análisis.

La historia de la Corte Suprema de Justicia de Colombia, 1886-1991

Tomo I: De la Regeneración al régimen militar, 1886-1958

Mario Alberto Cajas Sarria

Universidad de los Andes
Facultad de Derecho

Universidad ICESI

COLECCIÓN HISTORIA Y MATERIALES DEL DERECHO

Cajas Sarria, Mario Alberto
La historia de la Corte Suprema de Justicia de Colombia, 1886-1991 / Mario Alberto Cajas Sarria. – Bogotá: Universidad de los Andes, Facultad de Derecho, Ediciones Uniandes; Cali: Universidad Icesi, 2014.
2 v.; 17 x 24 cm. – (Colección Historia y Materiales del Derecho)

Contenido: v. 1. De la Regeneración al régimen militar, 1886-1958 – v. 2. Del Frente Nacional a la Asamblea Constituyente, 1958-1991.

ISBN 978-958-774-088-2

1. Colombia. Corte Suprema de Justicia – Historia 2. Control de constitucionalidad 3. Colombia – Historia constitucional I. Universidad de los Andes (Colombia). Facultad de Derecho. II. Universidad Icesi III. Tít.

CDD 342.861 SBUA

Primera edición: enero de 2015

Ediciones Uniandes
Carrera 1.ª núm. 19-27, edificio Aulas 6, piso 2
Bogotá, D. C., Colombia
Teléfono: 3394949, ext. 2133
http://ediciones.uniandes.edu.co
infeduni@uniandes.edu.co

© Universidad Icesi
Calle 18 núm. 122-135
Cali, Colombia
Teléfono: (2) 5552334
http://www.icesi.edu.co/publicaciones_derecho_ciencias_sociales
publicaciones@icesi.edu.co

ISBN obra completa: 978-958-774-088-2
ISBN tomo 1: 978-958-774-092-9
ISBN e-book: 978-958-774-093-6

Cuidado de la edición: Tatiana Grosch
Diagramación interior: Precolombi EU-David Reyes
Diseño de cubierta: Neftalí Vanegas

ÍNDICE

AGRADECIMIENTOS

La historia de la Corte Suprema de Justicia de Colombia, 1886-1991, tiene como base la investigación que desarrollé en el Doctorado en Derecho de la Universidad de los Andes, entre los años 2008 y 2012, con el apoyo del programa de doctorados nacionales de Colciencias.

Durante la investigación, la escritura del libro y el proceso editorial he acumulado muchas deudas de gratitud.

En primer lugar quiero expresar mi profunda gratitud a Diego Eduardo López Medina, tenerlo como director de tesis fue una inmensa fortuna, y su guía y apoyo hicieron posible esta publicación.

La Facultad de Derecho de la Universidad de los Andes fue un espacio académico ideal para realizar los estudios doctorales. Agradezco a Helena Alviar por el apoyo institucional cuando fue directora del doctorado y ahora como decana por impulsar la publicación del libro. Quiero también agradecer a los profesores del doctorado por su ayuda y consejo, en especial a Julieta Lemaitre y a Isabel Cristina Jaramillo.

Tuve el honor y el privilegio de contar con tres estupendos jurados de tesis. Muchas gracias a Rodrigo Uprimny, Andrés Dávila y Antonio Barreto por sus comentarios y recomendaciones. A Antonio, además, le agradezco por promover que la disertación doctoral se convirtiera en este libro.

Debo también expresar mi gratitud a los profesores Duncan Kennedy, Morton Horwitz, Mark Tushnet, Vicky Jackson y Jed Shugerman por su asesoría y consejo durante la pasantía en Harvard Law School.

Sin la Universidad Icesi, su rector Francisco Piedrahita y los decanos de la Facultad de Derecho y Ciencias Sociales, primero Lelio Fernández y ahora Jerónimo Botero, habría sido imposible realizar el doctorado, desarrollar la investigación y publicar este libro. A la Universidad y a sus directivos, muchas gracias.

También quiero agradecer a los profesores del Departamento de Estudios Jurídicos de la Universidad Icesi. Mi gratitud especial a Fernando Gandini, colega y amigo.

Jorge González siempre estuvo dispuesto a escuchar "las historias" sobre la historia de la Corte Suprema colombiana y a hacer valiosas recomendaciones. Muchas gracias a Jorge y a Sofía por ser la mano amiga en Cambridge.

Mi esposa Patty es un apoyo incondicional, ella supo compartir los días y noches con esta investigación. A Patty se debe el mérito de que este libro haya podido terminarse.

Siempre he contado con el apoyo de mi familia. Muchas gracias a mi padre, Álvaro, a mi hermano, Hernán, y a mi familia extendida: Víctor, María Eugenia, Claudia, Juan y Lili.

La investigación que recogen estas páginas está marcada por experiencias fuertemente contrastantes. Cuando realizaba la pasantía del doctorado, mi madre, Esperanza, enfermó gravemente y falleció pocas horas después de que yo regresara al país para despedirla. Cuando terminaba de escribir este libro nacieron mis hijas, primero Isabela y ahora Natalia. Este libro va dedicado a la memoria de mi madre, y a mis hijas.

A Abdón Mauricio Rojas, Mónica Vásquez y Juan Pablo Sarmiento, mis compañeros en el doctorado, mil gracias por la amistad imperecedera.

Capítulo primero

CÓMO CONSTRUIR UNA NARRATIVA DE LA CORTE SUPREMA DE JUSTICIA DE COLOMBIA EN UNA PERSPECTIVA HISTÓRICA Y POLÍTICA

La academia poco ha estudiado la historia de la construcción institucional de la rama judicial, la administración de justicia o las altas cortes en Colombia.

Tampoco hay estudios sobre el papel político de los jueces constitucionales en una perspectiva histórica. Los juristas suelen ocuparse de las cortes enfocándose en una doctrina legal aislada del contexto político y con escasas aproximaciones historiográficas. En la ciencia política, la justicia constitucional se analiza desde la preocupación por la independencia judicial o la "política judicial" con enfoques que en muy poca medida dan relevancia a las doctrinas legales, o que no rastrean las trayectorias de los tribunales en un largo período.

En particular, no existe una historia de la Corte Suprema de Justicia, ni de su trayectoria institucional como cabeza de la rama judicial y poco se conoce sobre su faceta de juez constitucional. A modo de ejemplo, aunque la reforma constitucional del año 1910 le confirió a la Corte Suprema de Justicia la facultad de decidir sobre las demandas ciudadanas en contra de las leyes que fueran acusadas por inconstitucionalidad y ejerció tal función hasta que la Constitución Política de 1991 estableció la Corte Constitucional, no hay estudios sobre esa trayectoria de la Corte Suprema y mucho menos análisis del papel que jugó como juez constitucional en la historia política colombiana.

Este libro narra la historia de la Corte Suprema de Justicia durante el período comprendido entre 1886 y 1991. En particular, se enfoca en su faceta de juez constitucional y sitúa a la Corte en el amplio contexto de la historia política colombiana. Así, con un diálogo entre derecho e historia política propone una historia de la Corte Suprema de Justicia, del control constitucional y de la justicia constitucional colombiana

Este primer capítulo inicia con un balance sobre el lugar que ha ocupado el análisis de la jurisprudencia constitucional de la Corte Suprema de Justicia en la doctrina colombiana. Con esto queremos poner en evidencia la carencia de suficientes estudios que se ocupen de la Corte y de su control constitucional, así como la ausencia de perspectivas históricas y políticas en las valiosas pero fragmentarias contribuciones de la academia local.

En un segundo término ofrecemos un panorama general de las experiencias comparadas que abordan el trabajo del juez constitucional desde enfoques históricos o políticos, con un especial énfasis en el caso de la Corte Suprema de los Estados Unidos.

Por último, presentamos nuestra propuesta para narrar la historia de la Corte Suprema de Justicia de Colombia desde su trayectoria como juez constitucional, en una perspectiva política, entre 1886 y 1991.

La Corte Suprema de Justicia colombiana como historia: la jurisprudencia en la doctrina constitucional y la historia de la Corte en la doctrina local

En Colombia los debates constitucionales son de lejos anteriores a la conformación del derecho constitucional como disciplina.[1] En la trayectoria republicana

1 Diego Eduardo López pone de presente la movilidad del derecho constitucional, que en síntesis explica así: el discurso constitucional fue inicialmente concebido como una "extensión, sin solución de continuidad de los proyectos políticos de grupos, facciones o partidos identificados por claros objetivos políticos". Es decir, que ser constitucionalista significaba pertenecer a un grupo político enfrentado a otro. Luego, con el triunfo y la expansión del ideal constitucionalista en los estados nación, lo que fue proyecto político determinado se convirtió en el "telón de fondo" jurídico de toda forma de hacer política. De este modo, el derecho constitucional pasó de ser "ideal y práctica política" a convertirse en un campo especializado del derecho, ocupando el espacio indisputable del que tradicionalmente había gozado el derecho civil. Con esto, la doctrina constitucional pasó a ser una "empresa cuasi científica de aclaración y glosa de los contenidos, ahora objetivizados en los códigos constitucionales". En palabras de López Medina: "[...] los textos de derecho constitucional pasaron a ser, al igual que los tratados clásicos del derecho civil, obras que podían ser criticadas o avaladas por razones de estilo, rigor o actualidad, por su capacidad de exponer (o no) la totalidad del material relevante de la materia [...] Sin embargo, estos textos dejaron de ser criticables por su sentido o posición política o ideológica [...] el derecho constitucional se unía así al sueño positivista de aislar lo móvil y político de lo fijo y jurídico". Y, finalmente, esta forma de entender el derecho constitucional, afirma López, parecer ser de cierta utilidad en "épocas de estabilidad institucional" pero muestra todas sus insuficiencias en épocas de crisis, cuando el consenso constitucional se rompe y el derecho "[...] le pasa a ofrecer a los actores políticos un lenguaje de negociación y discusión que se distingue de sus argumentos morales o políticos, pero que, sin embargo, conserva con ellos la impronta y los fines ideológicos o partidistas que lo constituyen [...]". Diego Eduardo López Medina, "Derecho constitucional, política y paz: un comentario sobre los fundamentos del derecho constitucional en Colombia", en *La otra guerra: El derecho como continuación del conflicto y lenguaje de la paz,* Óscar Guardiola-Riviera, *et al.,* (eds.), Universidad de los Andes, Universidad Javeriana, Instituto Pensar, Plaza y Janes, Bogotá, 1999, pp. 33-60.

podemos hablar de distintas etapas de un constitucionalismo que primero fue construido por los políticos y después de un derecho constitucional como disciplina construida por los juristas.[2] Y aunque la reconstrucción de lo que podríamos llamar las etapas del derecho constitucional patrio no es un propósito central de nuestro trabajo, creemos que es importante delinear algunos de los momentos de ese derecho constitucional, de modo que podamos poner en evidencia cómo la experiencia judicial de la Corte Suprema fue poco explorada y ocupó un lugar marginal, incluso para aquellas perspectivas internas, es decir, para la doctrina del derecho constitucional local.[3]

Veamos, entonces, el mapa historiográfico sobre la posición que ocupó el derecho constitucional judicial bajo la vigencia de la Constitución de 1886, que, como sabemos, terminó en 1991 con la expedición de una nueva Carta Política.

Una primera fase se caracteriza por los debates políticos sobre la organización del Estado e inicia aproximadamente con los albores de la República y atraviesa todas las coyunturas de las guerras civiles del siglo XIX.[4] La nota común son los debates entre élites políticas. Varios textos de derecho constitucional pueden encon-

2 Diego López también nos alerta sobre la reticencia de los "cultores" del derecho constitucional a entender que este responde a "estilos" o "épocas". López expone que tal negativa supone que el derecho constitucional, por ser "derecho", no responde a la "expresión estilística y temporal de sensibilidades políticas, sociales o culturales, sino a la empresa intemporal, plana y continua de exponer las instituciones jurídicas básicas del derecho civil y público". Es decir, que el mapa mental de la biblioteca del jurista es plano: los libros se yuxtaponen el uno sobre el otro, de modo que solo basta con abrirlos "para iniciar una digestación de opiniones que termina, casi siempre, en una posición ecléctica o medianera". Según López, en el derecho constitucional, la atemporalidad de esa "biblioteca plana" "niega las diferencias de estilo, época, epistemología y política que tales textos, a diferencia de sus lectores nacionales, abiertamente reconocen". Tal ilusión tiene sus efectos: legitima y justifica la pretensión del derecho constitucional de "disciplina jurídica imparcial" que rige la discusión política; y a pesar del "nacionalismo" que implica el positivismo, la "conmensurabilidad de la biblioteca plana cimienta la transnacionalidad de las doctrinas jurídicas [...]". Diego Eduardo López Medina, "Derecho Constitucional, política y paz...", *op. cit.*

3 Santiago León propone una sugestiva clasificación de las tendencias de la doctrina constitucional local en el siglo XX: "El constitucionalismo como una manera de organizar la sociedad colombiana" ("exégetas" e "institucionalistas") y "El constitucionalismo como elemento de dominación" ("tendencia marxista" y "tendencia de la crítica al constitucionalismo como disciplina"). Ver: Santiago León Gómez, *El* herbarium *del jurista: una aproximación taxonómica al constitucionalismo colombiano,* tesis de Maestría en Derecho, Universidad de los Andes, Bogotá, 2009.

4 Marco Palacios acota mucho más esta etapa: caracteriza la historia política nacional de 1876 a 1902 como una "época en que la política y la forma constitucional abrumaron el discurso político y orientaron las acciones de los principales actores: radicalismo federal y centralismo católico conservador [...]". Para Palacios, las cuatro guerras nacionales de ese período "dan buena cuenta del desgarramiento de las élites acerca de cómo deberían ser las relaciones del tambaleante Estado nacional colombiano con el individuo, la Iglesia y las provincias". Marco Palacios, *Entre la legitimidad y la violencia: Colombia, 1875-1994,* Norma, 2ª edición, Bogotá, 2003, pp. 19 y 25.

trarse en esta etapa: la gran mayoría de ellos se ocupa de la "ciencia constitucional" y tan solo tocan a la "Alta Corte" para referirse a ella como integrante del Poder Judicial,[5] pero no para analizar su jurisprudencia.

Durante las tres últimas décadas del siglo XIX es más visible la discusión sobre el control constitucional y el papel de la Corte Suprema. Sin duda es el período comprendido entre la expedición de la Constitución en 1886 y la reforma constitucional del Acto Legislativo 03 de 1910 el que evidencia un mayor fervor del debate político y jurídico sobre el control constitucional, como en parte lo podremos apreciar en el siguiente capítulo del libro.

Después de que la reforma constitucional de 1910 le atribuyera a la Corte Suprema de Justicia la facultad de decidir sobre la constitucionalidad de las leyes que ante ella demandara cualquier ciudadano, se hizo más notorio el papel político y jurídico de la justicia constitucional. Sin embargo, los textos de derecho constitucional entre las décadas de los años veinte y cuarenta solo aluden marginalmente a la corporación. Escasamente mencionan sentencias de constitucionalidad sin arrojar muchos datos de los fallos o de su incidencia en la doctrina local. Y prácticamente ninguno sitúa a la Corte dentro del régimen político colombiano.

Eduardo Rodríguez Piñeres es quizás uno de los primeros en analizar la jurisprudencia constitucional de la Corte en: "Relaciones entre los poderes Judicial y Legislativo", que presentó en el "Segundo Congreso Científico Panamericano", estudio que fue publicado en la obra *Por el reinado del Derecho* (1927).[6] Rodríguez Piñeres presenta la "solución colombiana" para asegurar la supremacía de la Constitución y la compara con las experiencias de otros países, mostrando las bondades de la opción local. Luego se refiere a algunas de las primeras sentencias de la Corte Suprema en ejercicio de sus funciones de juez constitucional.

En la misma línea de Rodríguez Piñeres encontramos la tesis de grado para optar al título de abogado en la Universidad Nacional de Colombia de Alfredo Araujo Grau: *Jurisdicción constitucional* (1936),[7] que de inmediato se convirtió en uno

5 Por ejemplo, José María Samper en *El derecho público interno: Historia crítica del derecho constitucional colombiano desde 1810 hasta 1886,* Biblioteca Popular de Cultura Colombiana, 135, Ministerio de Educación, Bogotá, 1951.

6 Eduardo Rodríguez Piñeres, *Por el reinado del Derecho,* Imprenta de La Luz, Bogotá, 1927.

7 Araujo se ocupa con amplitud de la justicia constitucional y dice: "[...] la tendencia moderna en derecho público es realizar el régimen democrático con el máximum de eficacia, organizando el Estado de manera que sus poderes estén siempre en aptitud de cumplir a cabalidad su contenido social, sin que tenga importancia el que esto traiga consigo la violación de principios abstractos, más o menos caducos". Es uno de los pocos que acepta que la Corte es competente para juzgar la constitucionalidad de las leyes por vicios de trámite, así como las reformas a la Constitución. Sobre este último aspecto comenta: "No se ha presentado el primer caso de acusación de una reforma como violatoria de este

de los principales referentes doctrinales sobre la justicia constitucional local. Araujo no solo estudia el tema con amplitud sino que incluye referencias jurisprudenciales.[8]

Miguel Moreno Jaramillo fue sin duda uno de los doctrinantes de la época que más influyó en el modo como la Corte Suprema de Justicia inicia una aproximación iuspublicista al control constitucional. Su insistencia sobre la necesidad de que la corporación flexibilizara los procesos de constitucionalidad fue notable, al punto de ser uno de los artífices de la Ley 96 de 1936, que prácticamente fue el primer estatuto procesal de la acción pública de inconstitucionalidad desde 1910. Estas ideas están expuestas en las sentencias en las que salvó su voto o en las que fue ponente entre mayo de 1935 y diciembre de 1937, cuando fue magistrado de la Corte. También en su obra *Estudios Jurídicos* (1938).[9]

> En mi sentir, viene predominando en ella desde 1910 —sin culpa de nadie y con la más perfecta buena fe en todos— su espíritu de juzgadora habitual. La costumbre de fallar día por día en contiendas particulares le ha impreso un carácter fundamental de que ella no se despoja cuando, sin dejar de ser juzgadora ni de administrar justicia, ejerce por representación, o si se quiere como delegataria, la excelsa función constituyente de guardar la integridad del estatuto.

Francisco de Paula Pérez en *Derecho Constitucional Colombiano* (1942) también toma en consideración la jurisprudencia de la Corte, principalmente las sentencias más representativas sobre los límites de las competencias de los poderes públicos que han sido materia de decisión de la corporación, pero sin que las sentencias constituyan el núcleo de sus análisis.

La obra de Tulio Enrique Tascón, quien es considerado uno de los autores canónicos del derecho público moderno en Colombia, tampoco se ocupa de la jurisprudencia de la Corte. Esto, por ejemplo, puede notarse en *Comentarios a la*

---

precepto. Pero creemos que, de presentarse, sería competente la Corte Suprema de Justicia para conocer de ella, en virtud de la primera parte del artículo 41 [...] la frase 'integridad de la Constitución' que allí se emplea está indicando que cualquier violación constitucional debe ser sancionada [...]". Sobre las leyes aprobatorias de tratados públicos sostiene que la Corte es incompetente, pues cree que tal "doctrina desvirtúa la esencia de nuestro régimen político, estrictamente constitucional [...] al permitir la existencia de actos que escapan a la jurisdicción que a la Corte confiere el artículo 41 del Acto Legislativo 03 de 1910". Por esto propone que se acoja la tesis de Jorge Soto del Corral, quien, como ministro de Relaciones Exteriores, había señalado que la Constitución debería reformarse de modo que los tratados pudieran ser juzgados por la Corte antes de su ratificación. Alfredo Araujo Grau, *Jurisdicción constitucional,* Talleres Gráficos Mundo al Día, Bogotá, 1936, pp. 94 y 95.

8 Otra excepción es el trabajo de Miguel Moreno Jaramillo, *Colombia constitucional: apuntes de derecho constitucional,* Librería de Antonio J. Cano, Medellín, 1915.

9 Miguel Moreno Jaramillo, *Estudios Jurídicos,* Tipografía Industrial, Medellín, 1938, p. 104.

Constitución Nacional (1939 y 1944).[10] No obstante, es importante decir que Tascón destaca el control constitucional de las leyes como función de la Corte.

Al cierre de la primera mitad del siglo XX debemos destacar los esfuerzos por reconstruir la jurisprudencia de la Corte que hizo el comparatista y constitucionalista estadounidense J.A.C. Grant, profesor de la Universidad de California. Sus trabajos se destacan por las cuidadosas y completas reconstrucciones de las doctrinas de la corporación, como lo podemos encontrar en: "Judicial Review by Executive Reference Prior to Promulgation: The Colombian Experience" (1948);[11] "'Contract Clause' Litigation in Colombia: A Comparative Study in Judicial Review" (1948);[12] "Judicial Control of the Constitutionality of Statutes and Administrative Legislation in Colombia: Nature and Evolution of the Present System" (1950),[13] y "Judicial Control of Legislation: A Comparative Study" (1954).[14]

Regresando a Colombia, para la década de los cincuenta la situación permanece casi que inalterada con respecto a los años que hemos mencionado. Por ejemplo, uno de los influyentes autores de la época como lo es Alfredo Constaín, en *Elementos de derecho constitucional* (1959),[15] se refiere al control constitucional principalmente criticando aquellos casos en que la Corte se ha declarado incompetente para decidir sobre acciones de inconstitucionalidad, y lo hace con base en algunas de sus sentencias. Sin embargo, en los demás temas del "constitucionalismo colombiano"

10 Tascón está más preocupado por el diseño institucional de la Corte: "[...] Los partidarios de las magistraturas vitalicias arguyen que garantizan la independencia del juez, que contribuyen a formar un personal que sea garantía por su sabiduría y experiencia; que le permiten al magistrado consagrarse en absoluto al estudio de las leyes, desocupándose del cuidado de sus negocios, por tener una posición asegurada, y que alejan al Poder Judicial de las pasiones políticas y de las intrigas electorales. Mas la experiencia del paso de 1886 a 1905, en que hubo en Colombia magistrados vitalicios, demostró que estas razones son inconsistentes. Seguros los magistrados de su empleo, carecen de estímulo para el estudio; la inamovilidad de por vida hace que el cargo sea desempeñado hasta edad avanzada, cuando ya el trabajo de los magistrados no puede dar rendimiento; y el error que se comete con un mal nombramiento, se hace irreparable [...] Las censuras que se hacen a la actual constitución de la Corte, no se refieren propiamente al carácter de temporales, sino a la manera como son nombrados los magistrados [...]". Tulio E. Tascón, *Comentarios a la Constitución Nacional,* segunda edición, corregida y aumentada con el comentario a las reformas de 1936 y años posteriores, Librería Colombiana y Editorial Minerva, Bogotá, 1939, pp. 286-287, ver también la segunda edición, corregida y aumentada con el comentario a las reformas de 1936 y años posteriores, Bogotá, Cronos, 1944.

11 J.A.C. Grant, *Southern California Law Review,* Vol. 21, 1948.

12 J.A.C. Grant, "'Contract Clause' Litigation in Colombia: A Comparative Study in Judicial Review", en *The American Political Science Review,* Vol. XLII, diciembre, 1948, No. 6.

13 J.A.C. Grant, "Judicial Control of the Constitutionality of Statutes and Administrative Legislation in Colombia: Nature and Evolution of the Present System", en *Southern California Law Review,* Vol. 23, No. 4, julio, 1950.

14 J.A.C. Grant, "Judicial Control of Legislation: A Comparative Study", en *American Journal of Comparative Law,* No. 186, 1954.

15 Alfredo Constaín, *Elementos de derecho constitucional,* Temis, 3ª edición, Bogotá, 1959, pp. 422-431.

no presenta referencias jurisprudenciales. Por su parte, el influyente doctrinante Francisco de Paula Pérez en la tercera edición de su *Derecho Constitucional Colombiano* (1952)[16] se ocupa en mayor medida de la jurisprudencia para rechazar las posturas de la Corte que la han llevado a declararse inhibida sobre varios tipos de actos sometidos a su jurisdicción. Y, por último, Álvaro Copete Lizarralde en *Lecciones de Derecho Constitucional Colombiano* (1957) dedica algún espacio al mismo tema.[17] En general, todos ellos hacen referencia a la jurisprudencia de la Corte pero en muy pocas páginas y con mínimos detalles.

Un poco más adelante nos encontramos con el debate sobre la reforma constitucional de 1968, que proponía la creación de una Corte Constitucional pero que terminó en el establecimiento de una Sala Constitucional dentro de la propia Corte Suprema. Los efectos de ese cambio en el diseño institucional del control constitucional doméstico, al igual que la franca expansión de la justicia constitucional en Europa, reanimaron los estudios sobre la justicia constitucional local. Es muy elocuente el testimonio de Carlos Restrepo Piedrahita,[18] constitucionalista y gran impulsor de la jurisdicción constitucional en Colombia:[19]

> Hasta los años 1966-1968 [...] la doctrina y la opinión pública escasamente se habían ocupado y preocupado al respecto. Ni siquiera el evidente hecho histórico de que el Estado colombiano ya desde mediados del siglo XIX venía encaminándose, con sucesivos avances, en su derecho constitucional positivo hacia la enmienda de 1910 había sido estímulo suficiente para que los jurisconsultos y hombres de Estado profundizaran con riguroso espíritu científico [...] [En] el pasado unos pocos muy contados juristas se aproximaron con incuestionable seriedad intelectual al comentario y comprensión de lo que en 1945 vino a ser denominado con la expresión jurisdicción constitucional, pero aquello fue esporádico [...] La *intelligentsia* jurídica colombiana tradicionalmente había estado de preferencia inclinada al derecho privado. El derecho público, en especial su disciplina constitucional, ocupaba una posición periférica, marginal en el interés de esa clase profesional.

16 Francisco de Paula Pérez, *Derecho Constitucional Colombiano,* Biblioteca de Autores Colombianos, Tomo II, 3ª edición, Bogotá, 1952.

17 Copete cita algunas sentencias y las comenta en el capítulo IX: "Jurisdicción Constitucional". Álvaro Copete Lizarralde, *Lecciones de Derecho Constitucional Colombiano,* apuntes de clases, Temis, 2ª edición revisada, Bogotá, 1957.

18 Sus valiosos estudios no se ocupan de la jurisprudencia de la Corte pero, sin duda, contribuyen a la historiografía de la justicia constitucional. Entre otros, véanse: *Tres ideas constitucionales: supremacía de la Constitución, Corte Constitucional y Ombudsman,* Universidad Externado de Colombia, Bogotá, 1978; y *25 años de evolución político constitucional: 1950-1975,* Universidad Externado de Colombia, Bogotá, 1976.

19 *Aspectos del control constitucional en Colombia,* Universidad Externado de Colombia, Bogotá, 1984, pp. 9-12.

No obstante las preocupaciones por la reforma de 1968, los textos de derecho constitucional no pasaron a tratar con mayor profundidad las doctrinas de la Corte.[20] Los que sí se incrementaron fueron los comentarios o referencias marginales a algunas sentencias, principalmente en los apartados sobre "guarda de la Constitución" o "justicia constitucional", pero sin que la jurisprudencia hubiera cobrado protagonismo en los textos de derecho constitucional. Algunos ejemplos los podemos encontrar en *Constitucionalismo colombiano* (1966-1983) de Luis Carlos Sáchica,[21] y *Guarda de la Constitución* (1975) de Eustorgio Sarria. Una brillante excepción a esta tendencia es la de Jaime Sanín Greiffenstein en *La guarda de la Constitución* (1971), quien ofrece un profuso e interesante recorrido jurisprudencial sobre las distintas posturas doctrinales de la Corte Suprema. Sanín aboga por una expansión del control constitucional y quizás es uno de los más fervientes defensores del papel de la Corte como juez constitucional.[22]

Las sentencias que declararon la inconstitucionalidad de las reformas constitucionales de 1977 y 1978,[23] junto a la inconstitucionalidad de las medidas de emergencia económica en 1982, sumadas al creciente debate sobre el control de los decretos de estado de sitio por la Corte, incidieron en una "nueva ola" de preocupaciones por la justicia constitucional —aunque no necesariamente con el análisis profundo de la jurisprudencia—, que se extendió hasta el proceso constituyente de 1990 y 1991. Desde luego, hubo otros factores, como la expansión de la justicia constitucional en las "nuevas democracias" —al finalizar la década de los ochenta y al comienzo de los noventa—, que influyeron en los debates nacionales sobre la reforma de la Constitución de 1886, que durante ese mismo período se dieron en el país hasta terminar con la expedición de la Constitución de 1991 por una Asamblea Constituyente. Pero, aun en este período, y no obstante la centralidad de la discusión sobre el papel de la Corte Suprema como juez de la Constitución —al que muchos querían poner fin—, fueron muy pocos los análisis que se ocuparon del trabajo de la corporación.

20 Un texto de la misma época sin referencias a la jurisprudencia de la Corte es *Teoría Constitucional Colombiana*, de Ernesto Saa Velasco, Universidad del Cauca, Popayán, 1976.

21 Luis Carlos Sáchica, *Constitucionalismo colombiano*, Temis, 2ª edición, Bogotá, 1966; 3ª edición, 1972; 7ª edición, 1983.

22 A Jacobo Pérez Escobar también tendríamos que contarlo entre aquellos doctrinantes locales que, en buena medida, integraron a sus textos de derecho constitucional la jurisprudencia de la Corte. Jacobo Pérez Escobar, *Derecho Constitucional Colombiano*, Horizontes, 2ª edición, Bogotá, 1977.

23 "La Jurisdicción Constitucional [...] galvanza los espíritus de los estudiosos desde cuando en 1978 y 1980 la Corte declaró inválidos dos sucesivos y distintos actos de enmienda de la Constitución". Cf. Carlos Restrepo Piedrahita, *Aspectos del Control Constitucional, op. cit.*, pp. 9-12.

Una de las excepciones corrió por cuenta de los trabajos de Manuel José Cepeda Espinosa, quien hacia mediados de los ochenta irrumpió con importantes análisis políticos y jurídicos de las decisiones de la Corte. Fue editor de *Estado de sitio y emergencia económica*,[24] obra que reúne a varios autores en torno al análisis crítico de las sentencias sobre emergencia económica y estado de sitio durante gran parte del Gobierno de Belisario Betancur (1982-1986). Otro de los trabajos de Cepeda, que tal vez es pionero en el análisis de la jurisprudencia constitucional colombiana tomando como base la trayectoria del control constitucional con relación a algunos temas específicos, es "La reforma de 1936 y las libertades públicas: ¿qué ha hecho la Corte Suprema?, en *Estado y Economía: 50 años de la reforma de 1936*.[25] Luego, en *Derecho, política y control constitucional* (1986)[26] analiza el rol político del juez constitucional y para eso se basa en la experiencia de la Corte Suprema de los Estados Unidos. El punto de vista "externo" de este último trabajo ofrece un valioso marco analítico para entender la jurisprudencia y enfocar el "gobierno de los jueces" en la Corte colombiana de la década de los ochenta.

Ya casi al cierre de la década de los ochenta aparece un valioso trabajo al que debe atribuirse una enorme influencia política y académica —y que para muchos se convirtió en la "carta de batalla" de quienes clamaban la derogación de la Constitución de 1886—, *Cartas de Batalla: una crítica del constitucionalismo colombiano* de Hernando Valencia Villa. Sin duda la obra es un primer gran esfuerzo por historizar el constitucionalismo nacional desde una perspectiva crítica y caracterizarlo a través de categorías generales o "constantes estructurales". Sin embargo, es necesario anotar que ni la Corte Suprema ni su jurisprudencia son protagonistas.[27]

24 Manuel José Cepeda Espinosa (editor), *Estado de sitio y emergencia económica*, Contraloría General de la República, Bogotá, 1985.

25 Cepeda analiza cincuenta años de jurisprudencia constitucional en donde la Corte ha tenido que, de alguna forma, interpretar la reforma constitucional de 1936. Para esto, escoge grandes temas que analiza según 211 sentencias de la Corte relacionadas con: intervención económica, propiedad, protección al trabajo, derecho de huelga, asistencia pública, libertad de enseñanza, libertad de conciencia y de cultos, derechos de los extranjeros, estado civil y protección del patrimonio familiar. Según su análisis, la Corte se concentró en tres grandes temas: intervención del estado en la economía, propiedad y protección al trabajo, en donde se produjeron casi el 72% de todas las sentencias "sobre las libertades públicas analizadas". Destaca que a partir de la década de los setenta se producen el 65% de los fallos de la Corte estudiados, en un incremento que "se inició en realidad a finales de los años sesentas, después de la reforma constitucional de 1968". Manuel José Cepeda Espinosa, "La reforma de 1936 y las libertades públicas: ¿qué ha hecho la Corte Suprema?, en *Estado y Economía: 50 años de la reforma de 1936*, Álvaro Tirado Mejía (comp.), Contraloría General de la República, Bogotá, 1986, p. 103.

26 Manuel José Cepeda Espinosa, *Derecho, política y control constitucional*, Universidad de los Andes, Facultad de Derecho, Bogotá, 1986.

27 Hernando Valencia Villa, *Cartas de Batalla: una crítica del constitucionalismo colombiano*, Cerec, Bogotá, 1997, p. 13.

Ahora bien, en cuanto a los trabajos que se han publicado después de la Constitución de 1991,[28] son muy escasos aquellos que se han enfocado en la Corte Suprema de Justicia como juez constitucional.[29] No obstante, hay esfuerzos por vincular la jurisprudencia de la Corte Suprema con la jurisprudencia de la Corte Constitucional sobre temas específicos y con el fin de encontrar un "común denominador" entre ambos tribunales, pero casi siempre desde el enfoque único de la doctrina legal. Dentro de ese tipo de aportes podemos contar la obra colectiva *Itinerario de la jurisprudencia colombiana de control constitucional como mecanismo de protección de derechos humanos* (2009),[30] que apunta a un recorrido jurisprudencial del control constitucional en materia de derechos humanos.[31] Algunos de los capítulos se refieren a hechos históricos relacionados con la Corte o tratan otros temas como la interpretación constitucional o el control constitucional.[32]

Otra muestra de lo inexplorado que sigue siendo el trabajo de la Corte Suprema la ofrece la obra colectiva de la Academia Colombiana de Jurisprudencia titulada

28 Un ejemplo de trabajos sobre el control constitucional sin abordaje de la jurisprudencia de la Corte es "El control constitucional en Colombia en los últimos cincuenta años", de Álvaro Echeverry Uruburu, en la obra colectiva *Cambios y perspectivas del derecho colombiano en la segunda mitad del siglo XX*, Tomo I: *Teoría Jurídica y Derecho Constitucional*, Pedro Pablo Morcillo (ed.), Ediciones Jurídicas Gustavo Ibáñez, Bogotá, 2000.

29 Laureano Gómez Serrano, en *El control constitucional en Colombia: evolución histórica*, hace un interesante recorrido por la trayectoria del control constitucional. Aunque no propiamente desde la justicia constitucional, hace alusión a varias sentencias de la Corte Suprema. La interpretación política ondula entre el análisis de coyunturas de reformas constitucionales o momentos canónicos de la historia política nacional pero sin ahondar en posibles causalidades. Hay un predominio de la visión "evolucionista del control" y una narrativa cronológica desde 1810 hasta los tiempos de la Corte Constitucional. No obstante, contribuye con una descripción panorámica del control constitucional. Laureano Gómez Serrano, *El control constitucional en Colombia: evolución histórica*, UNAB, Bucaramanga, 2001.

30 Johanna del Pilar Cortés Nieto, *et al.*, *Itinerario de la jurisprudencia colombiana de control constitucional como mecanismo de protección de derechos humanos*, Colección Textos de Jurisprudencia, Universidad del Rosario, Bogotá, 2009, p. 23.

31 "En el caso de la jurisprudencia constitucional colombiana se puede decir como hipótesis que, salvo algunas excepciones, el denominador común ha venido siendo el humanismo. Lo anterior no quiere decir que no haya diferencias palpables entre la jurisprudencia constitucional de la Corte Suprema y la de la Corte Constitucional [...]". Óscar Dueñas Ruiz, "1. Método y Contexto", en *Itinerario de la jurisprudencia colombiana de control constitucional como mecanismo de protección de derechos humanos*, Colección Textos de Jurisprudencia, Universidad del Rosario, Bogotá, 2009, p. 38.

32 Uno de los ensayos de la obra es "Los guardianes de la Constitución", de Óscar Dueñas y Dídima Rico, que se refiere a unos momentos del control constitucional. Los subtítulos del ensayo son: "Inicio difícil", "El acto reformatorio No. 3 de 1910 y su nueva Corte", "Cortes anteriores a la 'Revolución en marcha'", "La Corte durante el primer período de López Pumarejo", "El Estado de sitio casi permanente", "Reforma de Rojas Pinilla", "Reforma de Lleras Restrepo y sus implicaciones", "Última década del control en la Corte Suprema de Justicia" y "la Corte Constitucional provisional y el proceso de ruptura". Johanna del Pilar Cortés Nieto, *et al.*, Editorial Universidad del Rosario, Bogotá, 2009.

Historia constitucional de Colombia (2010,)[33] que no se ocupa de la *historia* de la Corte Suprema como juez constitucional.

Después de 1991 también se han publicado trabajos sobre la administración de justicia en el siglo XX y que, en parte, se refieren a la Corte Suprema de Justicia. Entre los más completos podemos considerar *El caleidoscopio de las justicias en Colombia: análisis socio-jurídico* (Santos, 2001). El capítulo IV, "Contexto social y político de las transformaciones institucionales de la administración de justicia en Colombia", de Gabriel Nemogá Soto, se ocupa de narrar la trayectoria de los cambios en el aparato judicial, pero en atención a sus propósitos, las referencias a la jurisprudencia constitucional de la Corte son limitadas.[34] Mauricio García Villegas ofrece un muy elaborado e interesante análisis del estado de sitio en buena parte del siglo XX en "Constitucionalismo perverso: Normalidad y anormalidad constitucional en Colombia: 1957-1997". En cuanto al período, en palabras de García, su delimitación obedece a que en 1957 se reconstituye la normalidad constitucional luego del régimen militar. Él se enfoca en la "historia, el uso y la justicia" del estado de sitio y aunque ese régimen de excepción no se reconstruya a partir del control constitucional que ejerció la Corte, su trabajo sin duda ofrece valiosas interpretaciones.[35] Y, por último, en la misma obra, aunque su objeto no es la jurisprudencia constitucional, "Las transformaciones de la administración de justicia en Colombia",[36] de Rodrigo Uprimny, ofrece valiosas perspectivas que sirven de insumo para narrar aspectos de la trayectoria institucional de la corporación.[37]

33 Jaime Vidal Perdomo (comp.), *Historia constitucional de Colombia,* Tomo II, Colección Clásicos, Academia Colombiana de Jurisprudencia, Bogotá, 2010.

34 Por ejemplo, se mencionan fallos de la Corte de 1935 y 1948 pero solo como elementos complementarios al contexto que se pretende narrar. Cf. *El caleidoscopio de las justicias en Colombia,* Boaventura de Souza Santos y Mauricio García Villegas, Colciencias, Icahn, Universidad de los Andes, Universidad Nacional, Siglo del Hombre, Bogotá, 2001, pp. 215-255.

35 García plantea el leve cambio de un control débil del estado de sitio entre 1957 y mediados de los ochenta en donde la Corte empieza a "poner en tela de juicio la compatibilidad de un control débil con el principio de supremacía constitucional". Y continúa: "Desde finales de la década del setenta, sin embargo, el control de constitucionalidad empieza a ser tímidamente tomado en serio. La Corte decidió anular dos proyectos de reforma constitucional y recortar los poderes presidenciales". Mauricio García Villegas, "Constitucionalismo perverso. Normalidad y anormalidad constitucional en Colombia: 1957-1997", en *El caleidoscopio de las justicias en Colombia, op. cit.*, pp. 317-368.

36 *Ibídem,* pp. 261-315.

37 No se podría dejar de reconocer la enorme influencia política y académica que ejerció al final de la década de los ochenta —y que para muchos se convirtió en la "carta de batalla" de quienes clamaban la derogación de la Constitución de 1886— la rigurosa *Cartas de Batalla: una crítica del constitucionalismo colombiano* de Hernando Valencia Villa. Es innegable su inmenso valor crítico, y, aparte de la coyuntura política de su publicación, es importante destacar que se trata de un primer gran esfuerzo por historizar el constitucionalismo nacional y caracterizarlo a través de categorías generales o "cons-

Así las cosas, en nuestro país ha existido una importante tradición en los estudios sobre derecho constitucional, constitucionalismo y constituciones, pero no ha ocurrido de igual modo con la justicia constitucional, o con su rol político a través del tiempo. En nuestro contexto es claro que aún hace falta narrar historias como la de la Corte Suprema de Justicia, desde su control constitucional, en una perspectiva política.

Todo lo anterior sin duda abre un universo de posibilidades para la investigación, pero al mismo tiempo nos deja ver los enormes desafíos de emprender una tarea como la que aquí nos proponemos. En primer lugar, por la ausencia de modelos teóricos que se pregunten por el rol político de la Corte Suprema de Justicia colombiana. En segundo término, porque no existen trabajos académicos que con una visión de conjunto analicen las doctrinas y el cambio doctrinal de la corporación. Así mismo, por la falta de metodologías puestas a prueba sobre el terreno local que sirvan para construir ese fenotipo político "especial" que le hemos atribuido al tribunal, y por la carencia de mapas o de análisis integrales sobre el trabajo de la Corte. Y, por último, pero no menos importante, por la escasez de fuentes o de insumos para la historia de la Corte Suprema de Justicia de Colombia.[38]

Las experiencias comparadas sobre las *historias* de las cortes supremas

En otros contextos se han narrado historias de las cortes supremas de justicia. Empero, en esas experiencias comparadas no todas las historias se narran desde el control constitucional, o si lo hacen no necesariamente lo abordan con una perspectiva política. Pero, además, no todos los que analizan políticamente a las cortes como jueces constitucionales tienen en consideración la categoría del tiempo como eje interpretativo.

---

tantes estructurales". Sin embargo, para los propósitos de este trabajo es necesario poner de presente que la valiosa obra de Valencia Villa se ocupa muy poco —casi nada— de la justicia constitucional: los análisis de los "grandes fallos" quedan casi ocultos en el aparato crítico y la descripción de la historia política del constitucionalismo colombiano. Se echa, pues, de menos el análisis del papel de la Corte Suprema de Justicia en esta obra, que en palabras del autor: "[...] pertenece tanto a la historia constitucional como a la historia crítica del derecho". Hernando Valencia Villa, *Cartas de Batalla: una crítica del constitucionalismo colombiano*, Cerec, Bogotá, 1997, p. 13.

38 Es importante anotar que en el país no existe un archivo o fondo documental dedicado a la Corte Suprema de Justicia. Más aún, la única publicación oficial de la corporación ha sido la *Gaceta Judicial*, que se editaba en medio de penurias fiscales: en muchas ocasiones dejó de imprimirse y la Corte debía "escoger" cuáles sentencias publicaba, dada la limitación de la obra. Al parecer gran parte de la pérdida documental sobre la Corte se debería a la destrucción del Palacio de Justicia en 1985. De manera fragmentaria algunas piezas documentales están diseminadas por las bibliotecas de Bogotá o por uno que otro fondo de los ministerios. Es más que ilustrativo que ni siquiera en el Archivo General de la Nación haya un fondo documental sobre la Corte Suprema del siglo xx.

El balance de los estudios en torno a la Corte Suprema de Justicia de Colombia como juez constitucional así como el análisis de algunas experiencias análogas en otros contextos nos sirven para ampliar el panorama sobre los distintos grados de desarrollo académico de nuestro objeto de estudio. Esto nos ayuda a situar en su justa dimensión la necesidad de proponer una historia de la Corte Suprema de Justicia que pueda ser narrada desde su control constitucional en una perspectiva política, permitiéndonos así diferenciar los distintos grados y las distintas necesidades de creación o de acumulación de conocimiento sobre la Corte como institución y sobre el control constitucional, en donde sin duda el contexto importa mucho.

La Corte Suprema de los Estados Unidos: entre juristas, politólogos e historiadores

Existe un importante consenso en que la Corte Suprema de los Estados Unidos es el tribunal que más ha captado la atención de los juristas y de los investigadores en las ciencias sociales. Esta Corte ha sido —y es— ampliamente explorada desde puntos de vista "internos" (jurídicos) como "externos" (políticos, sociales, económicos, etc.).[39] La academia americana es rica en los modos de aproximase a la historia judicial, en general, y a la Corte como particular objeto de análisis historiográfico, político y jurídico.

En una gran medida, quienes escogen a la Corte Suprema como objeto de investigación suelen tener en consideración la dimensión temporal del *Judicial Review* (control constitucional), bien porque importa mucho el momento en que se produjo una decisión o porque resulta relevante rastrear la doctrina del tribunal durante un período determinado. Así, son diversos los enfoques que pueden constituir "historias de la Corte Suprema y del control constitucional",[40] aun cuando solo se ocupen de la doctrina legal desde la perspectiva del tiempo. Esto guarda estrecha

39 Algunos critican el fetichismo de la academia estadounidense que centra sus estudios en la Corte Suprema, y proponen avanzar hacia el análisis de la *política en la adjudicación* de otros jueces. Por ejemplo, Cass Sunstein analiza la "politización" de los jueces federales en *Are Judges Politics?*: An *Emprirical Analysis of the Federal Judiciary*, The Brookings Institution, 2006. Lawrence Baum se ocupa del surgimiento y las consecuencias de las "cortes especializadas", cuya influencia en la vida social y económica de los estadounidenses, afirma, es igual o mayor que la de la Corte Suprema. Cf. *Specializing the Courts,* University of Chicago Press, 2011.

40 La bibliografía sobre aproximaciones historiográficas a la Corte y a su papel como juez constitucional es profusa y sus perspectivas analíticas son variadas. Por ejemplo, véase el ensayo bibliográfico de Peter Charles Hoffer, Williamjames Hull Hoffer y H.E.H. Hull en *The Supreme Court: An Essential History,* University Press of Kansas, 2007, pp. 464-478. También: Lucas Powe Jr. en *The Supreme Court and the American Elite, 1789-2008,* Harvard University Press, 2009, pp. 389-393. También: Sanford Levinson en sus actualizaciones de *The American Supreme Court,* el clásico de Robert Mc Closkey de 1960, Chicago University Press, 2010.

relación con los sentidos "históricos" o de ruptura y continuidad temporal que se atribuyan al precedente judicial de la Corte: por ejemplo, este puede obrar como legitimador de las decisiones o como un "estándar" que mide el trabajo del tribunal.[41]

Así las cosas, quienes se enfocan en las doctrinas de la Corte no dejan de lado el análisis de su trayectoria jurisprudencial recurriendo en una buena medida al carácter histórico del precedente, del *Judicial Review*, y, por supuesto, del tribunal. Este tipo de aproximaciones a la Corte o a su jurisprudencia intentan responder a preguntas tan complejas como: ¿Cuáles son las razones para que la Corte decida de ese modo? o ¿La sentencia fue política o jurídica? Así, hay una marcada inclinación a caracterizar dicotómicamente el trabajo de la Corte como una cuestión del "derecho" o como un asunto de la "política". En las escuelas de Derecho, la mayoría opta por la primera caracterización, son menos los que prefieren solo la segunda, pero no son pocos los que, con sus matices, reconocen una combinación de ambos factores. Precisamente, Sanford Levinson, después de hacer una interesante y sintética revisión de los distintos enfoques "politológicos" o "legales" sobre el trabajo de la Corte, pone de presente cómo esas aproximaciones encuentran respuestas que, necesariamente, dependen del "tipo de corte" que cada enfoque prefiera, es decir, de lo que cada quien "espera de la corte".[42]

En los Estados Unidos hay distintas etapas y diversos enfoques disciplinares, bien desde el derecho, la ciencia política o la historia, así como interdisciplinares, sobre la Corte Suprema. Podría decirse que conviven los distintos modos como

41 Sobre la importancia de la "historia judicial de la Corte" para comprender el trabajo del tribunal, Peter Hoffer nos recuerda que cuando los jueces deciden casos están mirando permanentemente la historia: la historia de la Constitución y la de los precedentes de la Corte, así para entender el rol de la Corte y de los significados de sus decisiones en el sistema político se debe situar a la corporación como un "actor histórico": muchas veces importa más lo que ella haga o diga que lo que el presidente o el Congreso hagan o digan. Finalmente, porque su trabajo dentro de la estructura de pesos y contrapesos es la más obscura de todas: la forma como argumentan, razonan y deliberan es secreta y las sentencias no son de fácil comprensión para el común de la gente, de modo que la historia de la Corte tiene el papel de ayudar a levantar ese velo y situar a los magistrados de la Corte en sus contextos históricos, regresando al lugar y al momento en que escribieron sus fallos, pues de ese modo se puede tener una mejor idea de su entorno, sus intereses y sus propósitos al fallar. Peter Charles Hoffer, *The Supreme Court: An Essential History*, *op. cit.*

42 "De todos modos, bien sea que se quiera describir esto como una cacofonía de voces disonantes o simplemente el tono general de un debate académico vigoroso, parece innegable que uno obtiene imágenes muy diferentes de lo que debería estar haciendo la Corte dependiendo de quién hace la pregunta. Y concomitantemente, uno obtendría respuestas muy diferentes a la pregunta sobre qué tan buen trabajo está haciendo la Corte —ya sea en cuanto a la selección de los casos que oye o cuando decide de fondo—, tanto de los académicos como de los abogados litigantes". Sanford Levinson, "Assessing the Supreme Court's Current Caseload: A Question of Law or Politics?", 119, *Yale Law Journal Online* 99, 2010, p. 106. En: http://yalelawjournal.org/2010/02/01/levinson.html. Recuperado el 28 de junio del 2011. (*traducción del autor*)

esas disciplinas y enfoques abordan esa institución, su jurisprudencia y su rol como juez de la Constitución. A continuación ofrecemos un panorama con los aspectos centrales de los debates que en ese contexto, en alguna medida, tienen una perspectiva histórica sobre la Corte Suprema.

La Corte entre derecho, política e historia

Los representantes del realismo jurídico americano fueron los primeros en formular poderosas críticas al trabajo de adjudicación de la Corte Suprema, en un intento por desnudar los intereses políticos y la ideología que era inherente a la labor judicial. Muy pronto esa postura crítica salió de las escuelas de Derecho con rumbo hacia otras disciplinas, particularmente la ciencia política, que, como veremos enseguida, continuó otras rutas de exploración.[43] En palabras de Keith Whittington:[44]

> A diferencia de muchos profesores de Derecho, los investigadores en ciencia política estaban más preocupados en situar a la Corte en un contexto político y en considerar la producción jurídica como una actividad política. Como consecuencia, el realismo jurídico fue profundamente absorbido en los departamentos de ciencia política. Pero sin la necesidad de entrenar abogados o sin la necesidad normativa de legitimar el trabajo de la Corte, las sensibilidades realistas permanecieron dominantes en la ciencia política hasta mucho tiempo después de que habían abandonado las escuelas de Derecho.

El auge de los estudios sobre la Corte Suprema desde la ciencia política ha ido de la mano con una relativa pérdida de interés de las escuelas de Derecho en el estudio de la corporación desde perspectivas históricas o políticas.[45] Esto, por ejemplo, nos lo pone en evidencia el constitucionalista Lucas Powe Jr., quien dice escribir sobre la Corte "desde la Escuela de Leyes". Sin embargo, algunos de los trabajos más representativos y recientes que desde el derecho constitucional se ocupan de

43 Joel Grossman y Joseph Tanenhaus, *Frontiers of Judicial Review*, John Wiley and Sons Inc., Nueva York, 1969.

44 "Once More: Unto the Breach: Post Behaviouralist Approaches to Judicial Politics" de Keith Whittington, en 25 *Law & Social Inquiry*, American Bar Foundation, 2000, pp. 601-634, p. 605. *(traducción del autor)*

45 El debate es amplio y no se puede entender desde un enfoque evolutivo pues una perspectiva no necesariamente significa la superación de la anterior. Un panorama en: Keith Whittington, "Once More: Unto the Breach...", *op. cit.*, y en: Laura Kalman, "The Constitution, The Supreme Court and the New Deal", en *The American Historical Review*, Vol. 110, 4, octubre del 2005.

determinados períodos de la Corte, narran historias del tribunal en su contexto político, hacen análisis histórico-políticos del rol judicial, o de la relación entre la Corte y las demás ramas del poder público, o de las relaciones entre independencia judicial-supremacía constitucional y supremacía judicial. Para mencionar algunos: de Lucas Powe Jr., *The Warren Court and American Politics,* y de Morton Horwitz, *The Warren Court and the Pursuit of Justice,*[46] también el clásico de Robert McCloskey, *The American Supreme Court,*[47] y *The Supreme Court and the American Elite, 1789-2008,*[48] de Lucas Powe, y varios escritos de Mark Tushnet como: "The Supreme Court and the National Political Order: Collaboration and Confrontation",[49] *I Dissent: Grand Opposing Opinions in Landmark Supreme Court Cases*[50] y *The Warren Court in Historical and Political Perspective.*[51]

Los historiadores también se han ocupado en alguna medida del trabajo de la Corte. Algunos que abordan períodos o momentos específicos del tribunal son: Marian McKenna, *Franklyn Roosevelt and the Great Constitutional War: The Court-Packing*

46 Morton Horwitz, *The Warren Court and the Pursuit of Justice,* Hill & Wang Editors, Nueva York, 1998.

47 La primera edición es de 1960 y la más reciente del 2010.

48 Lucas Powe, *The Supreme Court and the American Elite, op. cit.*

49 Mark Tushnet, "The Supreme Court and the National Political Order: Collaboration and Confrontation", Capítulo 3, en *The Supreme Court and American Political Development,* Ronald Kahn y Ken Kersch (eds.), University of Kansas, 2006, pp. 116-137.

50 Mark Tushnet (ed.), *I Dissent: Grand Opposing Opinions in Landmark Supreme Court Cases,* Beacon Press, Boston, 2008, pp. XX-XXIV.

51 Los artículos publicados en revistas son abundantes. Tan solo para citar algunos: "Legal Fundamentality without Fundamentalism" de Morton J. Horwitz, quien toma el controvertido caso *Casey* decidido por la Corte Suprema en 1992, que revivió el interés en la historia constitucional americana, respecto a la continuidad y cambio en los significados de la Constitución, a propósito de la interpretación constitucional y del papel del tribunal y sus precedentes con respecto a cada momento en la historia del país. Cf. 107 *Harv L. Rev.* 30, 1993-1994. Partiendo del fallo *Bush* vs. *Gore,* que en el año 2000 decidió en favor del primero el proceso electoral que lo llevó a la Presidencia de los Estados Unidos, Balkin y Levinson analizan la interdependencia entre posturas políticas y doctrinas legales conservadoras que han conducido a la Corte a una "revolución conservadora" durante cerca de una década. Cf. "Understanding the Constitutional Revolution", Balkin, Jack, y Levinson, Sanford, en 87 *Va. L. Rev,* octubre 2001, No. 6. También "Becoming the Supreme: the Federal Foundations of Judicial Supremacy", de Barry Friedman y Erin Delaney, quienes explican el proceso político, histórico y doctrinal de la construcción de la supremacía judicial de la Corte, acentuando el decisivo rol que jugó el sistema federal en ese proceso. Narran cómo la Corte inició la expansión de su poder judicial con la doctrina de la "supremacía vertical" del gobierno federal sobre los estados, y como esta luego se transformó en una "supremacía horizontal" pero de la Corte sobre las demás ramas del gobierno federal. *Columbia Law Review,* No. 6, octubre del 2011, pp. 1137-1193. Véase también: Lucas R. Powe, "The Court Between Hegemonies", en 49 *Wash & Lee. Rev.* 31, 1992, sobre el papel de la Corte en la construcción de un poder nacional fuerte, en el sentido de que la Corte promovió la hegemonía del poder federal sobre los estados.

Crisis of 1937 (2002);[52] y, sobre la trayectoria de la Corte, el conciso pero completo libro de Peter Charles Hoffer (*et al.*), *The Supreme Court: an Essential History* (2007).[53]

Otros historiadores han intentado romper las barreras disciplinares en sus abordajes sobre el rol político de la Corte, como es el caso de Laura Kalman, quien, por ejemplo, en su trabajo *The Constitution, The Supreme Court and the New Deal* (2005),[54] pone de presente las preferencias analíticas de cada disciplina —y los "distintos momentos ideológicos"— como se aborda esa coyuntura de cambio político y crisis constitucional por el enfrentamiento del presidente Roosevelt con la Corte Suprema en tiempos del New Deal.[55] Ella defiende la importancia de los enfoques interdisciplinarios para comprender ese momento de la política y de la jurisprudencia en los Estados Unidos y propone una interpretación "post revisionista" que apunta a la "síntesis", afirmando la "provisionalidad" de las interpretaciones sobre este tipo de cuestiones sometidas a tantas y tan complejas variables multicausales.[56]

Regresemos ahora a la ciencia política y al influjo temprano que en esa disciplina tuvieron los realistas jurídicos, que desde la escuela de leyes, en la década de los veinte, lograron motivar un gran interés de los politólogos en el trabajo de la Corte, en aquello que la ciencia política empezó a clasificar dentro del *"public law"*. Algunos de los trabajos seminales de los politólogos tratando de entender el trabajo judicial fueron los de Robert E. Cushman, *Leading Constitutional Decisions* (1925),[57] y de Herman Pritchett, *The Roosevelt Court: a Study in Judicial Politics and Values, 1937-1947* (1948).[58] El primero más enfocado a la "política" de las decisiones de la Corte, mientras que el segundo intentaba preguntarse por los "comportamientos" de los jueces, o las razones por las que estos decidían.[59]

52 Marian McKenna, *Franklyn Roosevelt and the Great Constitutional War: The Court- Packing Crisis of 1937*, Fordham University Press, Nueva York, 2002.

53 Peter Charles Hoffer, *et al.*, *The Supreme Court: An Essential History*, *op. cit.*

54 Laura Kalman. "The Constitution, The Supreme Court and the New Deal", en *The American Historical Review*, Vol. 110, No. 4, octubre del 2005.

55 Laura Kalman, "The Constitution, The Supreme Court and the New Deal", *op. cit.*

56 En palabras de Kalman: "Cuando decidimos convertirnos en historiadores aceptamos la incertidumbre. Aunque estudiemos mucho nunca lo sabremos. Aún más, cuanto más lo estudiemos, más podremos cambiar nuestras ideas. [...] En el caso de '1937' deberíamos tratar de reconstruir los mundos políticos y jurídicos de los magistrados. Recreando ambos, podemos entender mejor, al menos en el contexto del New Deal, cómo el derecho y la política se alimentan el uno al otro", *op.cit.*, p. 1079. *(traducción del autor)*

57 Robert Cushman, *Leading Constitucional Decisions*, Crofts, Nueva York, NY, 1925 (1ª edición).

58 Herman Pritchett, *The Roosevelt Court: a Study in Judicial Politics and Values, 1937-1947*, MacMillan, Nueva York, 1948.

59 Joel Grossman y Joseph Tanenhaus, *Frontiers of Judicial Review*, John Wiley and Sons Inc., Nueva York, 1969.

Sin duda el auge de los análisis politológicos sobre la Corte tuvo lugar después de la Segunda Guerra Mundial, pero luego hubo un declive que solo logró revertirse cuando las aproximaciones analíticas de carácter cuantitativo empezaron a dominar la ciencia política hacia finales de los años sesenta, con trabajos como los publicados en el libro *Frontiers of Judicial Review* (1969), editados por Joel Grossman y Joseph Tanenhaus; precisamente su ensayo introductorio lo titulan "Hacia un renacer del Derecho Público".

La llamada "revolución del conductismo" de las ciencias sociales llegó a la ciencia política entre las décadas de los cincuenta y los sesenta y fijó la agenda del análisis del trabajo de la Corte con un enfoque en la toma de decisiones, es decir, en cómo y por qué los jueces votaban: en los comportamientos judiciales o en las tendencias de sus decisiones.[60] Aportes como los de Glendon Schubert, "The Study of Judicial Decision-Making as an Aspect of Political Behavior" (1958), y *Constitutional Politics: The Political Behavior of Supreme Court Justices and the Constitutional Policies That They Make* (1960),[61] aplicaron la *teoría de juegos* a la coyuntura de la Revolución Constitucional del New Deal de 1937 (el enfrentamiento entre el presidente Roosevelt y la Corte) y sentaron las bases para futuros desarrollos en este campo. Dependiendo de la perspectiva, este enfoque cubre distintas disciplinas y teorías como el *rational choice, social choice, public choice* y la teoría política positiva. Todos ellos sitúan a la Corte en su contexto político y consideran la producción jurídica como una actividad política. Algunas de las críticas a las perspectivas conductistas han reprochado su exclusivo enfoque en los individuos, por fuera de colectividades o de instituciones que imponen limitaciones a esas acciones individuales.

Rohde & Spaeth, en su trabajo "Supreme Court Decision Making" (1976),[62] marcaron toda una era entre los enfoques "conductistas". Este par de autores pretendían encontrar las bases de un modelo que permitiera "predecir" los votos de los jueces, a través de metodologías conductistas. De ese modo, ellos asumían que los jueces no solo eran políticos sino que estaban profundamente influenciados por sus creencias y actitudes sobre las políticas públicas, las ideologías y otros factores sicológicos. Este cambio en el enfoque constituyó una variable del conductismo

60 Según Whittington, hubo avances en la explicación sobre el comportamiento judicial pero se dejó gran parte del proceso judicial relativamente inexplorado. Keith Whittington, "Once More: Unto the Breach: Post Behaviouralist Approaches to Judicial Politics", *op. cit.*, p. 601.

61 Glendon Shubert, *Quantitative Analysis of Judicial Behaviour*, Glencoe III, Free Press, Nueva York, 1959, y también: "From Public Law to Judicial Behaviour", en *Judicial Decision-Making*, Glendon Shubert (ed.), Free Press, Nueva York, 1963. Citados por Keith Whittington, *ibídem.*

62 David W. Rohde y Harold J. Spaeth, *Supreme Court Decision Making*, W.H. Freeman, San Francisco, 1976.

denominada "actitudinalismo". Según los actitudinalistas, cuando los jueces toman decisiones actúan según su preferencia, sin importar las estructuras legales o el precedente, es decir, que su discrecionalidad es bastante amplia para decidir y no están restringidos por el derecho. Para Rohde & Spaeth, la independencia judicial les permite a los jueces, a estos "actores políticos", actuar dentro de muy pocos límites.

La evidencia cuantitativa de las observaciones de tipo empírico ha sido el fundamento del modelo "actitudinal". El análisis del comportamiento de la Corte a través del tiempo constituye un elemento fundamental para la "comprobación" de las tendencias "actitudinalistas" puesto que permite comparar las "actitudes" de los jueces entre un período y otro. Para esto estudian un determinado número de casos que deje registrar la "preferencia" del voto del juez para así "predecir" como votará en el futuro. Afinando metodologías, los "actitudinalistas" llegan a concluir que, después de analizar los casos que deciden los jueces, se puede afirmar que las decisiones de la Corte siempre dependen del "libre juego de las preferencias políticas individuales" que se expresan en los votos de sus jueces. Así, por ejemplo, lo afirmaron Jeffrey A. Segal y Harold J. Spaeth en *The Supreme Court and The Attitudinal Model* (1993). Luego, los mismos autores[63] mostraron hallazgos tales como que la restricción del precedente de la Corte que actúa sobre los magistrados pone en evidencia la correlación entre las preferencias de los jueces y el curso del precedente, hasta el punto que resulta "fácil" para los magistrados lograr mantener el precedente y al mismo tiempo respetar sus propias preferencias.[64]

63 Jeffrey A. Segal y Harold J. Spaeth, en *The Supreme Court and The Attitudinal Model*, Cambridge University Press, Nueva York, 1993.

64 Bailey y Maltzman toman la propuesta de Segal y Spaetth, pero partiendo de la premisa de que los magistrados de la Corte sí tienen restricciones para actuar. Así, se enfocan en el "modelo actitudinal", pero analizando las restricciones que obran sobre los magistrados, en particular, tres factores internos: el *"stare decisis"*, la restricción judicial y la "construcción estricta de la Constitución", así como el factor externo de los "otros actores", como aquellos que operan dentro de un modelo de *"checks and balances"*: el Ejecutivo y el Congreso, en donde esos actores constreñirían las decisiones de la Corte. Concluyen que sigue abierta la pregunta sobre si los jueces tienen restricciones para tomar sus decisiones y sugieren que la respuesta tiene que ver con los modos como consideramos cuestiones tales como la legitimidad del control constitucional, la independencia judicial y el respaldo político para la rama judicial. En sus palabras: "Nuestra evidencia sugiere un retrato matizado de la Corte y de las escogencias que hacen sus magistrados: es un retrato de cómo actúan motivados políticamente pero restringidos o limitados tanto legal como institucionalmente. El derecho importa, aun cuando qué tanto cuenta para cada magistrado sea altamente variable. La política interinstitucional también cuenta. Algunas veces los magistrados valoran la restricción judicial como una deferencia hacia los poderes públicos elegidos [Ejecutivo y Congreso]; otras veces defieren a los organismos elegidos sin temor alguno (como dentro del modelo de la separación de poderes) o por persuasión [...] No hay causal única que pueda explicar todas las escogencias que hacen los magistrados, pero, sin embargo, podemos entender la Corte de modos analíticamente significativos". Michael Bailey y Maltzman Forrest, *The Constrained Court: Law, Politics and the Decisions Justices Make*, Princeton University Press, NJ, 2011, pp. 14-16. *(traducción del autor)*

De modo muy general, podríamos decir que la característica común al análisis "conductista" y "actitudinalista" es que se enfocan en las "variables internas" de la decisión judicial, sin reconocer el papel de la doctrina legal, o del derecho, sino de otros factores de tipo político y otras influencias individuales en quienes expresan sus preferencias a través de las sentencias.[65]

El neoinstitucionalismo ha sido la reacción a la visión instrumental del derecho que caracteriza a los dos modelos que acabamos de mencionar. Esta tendencia de cambio reconoce a la Corte Suprema como una institución caracterizada por rasgos que van más allá de la atención a los individuos que la integran. Según el neoinstitucionalismo, la Corte y su trabajo no se pueden analizar de igual modo a como se estudia a los poderes Legislativo o Ejecutivo, a los partidos políticos, o a otra institución que importe para la "política".

Para las aproximaciones neoinstitucionalistas, los jueces no solo crean política ni únicamente están sometidos a sus preferencias ideológicas. Tanto los procedimientos internos y las normas de la Corte como las relaciones internas entre el tribunal y su amplio ambiente político son factores que afectan sus decisiones.[66] Entienden, entonces, que los jueces no son los únicos actores relevantes y que ellos no solo deciden casos siguiendo sus preferencias políticas personales.[67]

65 Linda Keith Camp combina el modelo "actitudinal" con las influencias institucionales. Sostiene que un estudio de un largo período de los votos de los magistrados ofrece mejores explicaciones que aquellos análisis centrados en las vertientes estratégicas del conductismo. Así, analiza las decisiones de la Corte con respecto al control constitucional sobre las leyes expedidos por el Congreso a lo largo de su historia. Cf. *The U.S. Supreme Court and the Judicial Review of Congress: Two Hundred Years in the Exercises of the Courts Most Potent Power,* Peter Lang Publishing Inc., Nueva York, 2009.

66 Según Gillman y Clayton, en general, quienes investigan a la Corte en una perspectiva neoinstitucionalista se preocupan menos por las estructuras y doctrinas formales y más por las normas informales, las prácticas, actitudes y mitos, pues consideran que "las estructurales institucionales formales, que constituyen la Corte, es decir, sus procedimientos 'oficiales' y su doctrina legal, son en sí mismos entendidos como creados dentro de una estructura de cultura y de restricción", este tipo de agenda investigativa "es sensible al hecho de que la interacción entre cortes y cultura siempre está mediada por una mente socialmente construida; y entonces la actividad judicial no simplemente está influenciada por, pero es inseparable de, la red de patrones sociales de conocimiento y de evaluación (incluyendo la raza, la clase y el género) que sitúa a toda actividad política". Howard Gillman & Clayton Cornell (ed.), *The Supreme Court in American Politics: New Institutionalist Interpretations,* University Press of Kansas, Lawrence, 1999, p. 4. *(traducción del autor)*

67 Con una perspectiva historiográfica del rol político de las cortes, Gillman presenta un estudio de caso sobre las interacciones entre las agendas partidistas, el control partidario de las instituciones del orden nacional y las iniciativas de los partidos en el Congreso relacionadas con la postulación y nombramiento de jueces federales, así como la adjudicación de esos jueces y los patrones de litigio. El autor propone que el incremento del poder judicial federal en el período 1875-1891 se debió al esfuerzo del partido republicano por promover una política económica del orden nacional en tiempos en donde el partido experimentaba alta vulnerabilidad electoral. Howard Gillman, "How Political Parties Can Use the Courts to Advance Their Agendas: Federal Courts in the United States, 1875-1891", en *American Political Science Review,* Vol. 96, No. 3, septiembre del 2002.

Los neoinstitucionalistas tienen diferentes modos de aproximarse al trabajo de la Corte. Sus puntos de vista son diversos y tienden a ser interdisciplinarios. Podríamos decir que al menos hay dos variantes de los neoinstitucionalistas: el "neoinstitucionalismo del *rational choice*" (teoría positiva de las instituciones) y el "neoinstitucionalismo histórico". El primero, aunque ha convivido más con el "conductismo" desde el trabajo de Schubert (1963) y específicamente sobre la "política judicial", difiere de este considerablemente. Estos neoinstitucionalistas consideran que los jueces sí actúan según sus preferencias y que tratan de maximizarlas en el curso de su acción y que aunque están sometidos a unas restricciones, estas son mutables y en muchos casos interdependientes. Entonces, para lograr el resultado deseado, los jueces actúan "estratégicamente" pues entienden que tanto ellos como los demás son responsables por el resultado de su acción. De este modo, estiman que las restricciones son tanto las impuestas por otros actores, como por las demás instituciones y por el contexto institucional. Las restricciones son entendidas como reglas formales o normas informales que limitan las preferencias de los actores políticos. A diferencia de los enfoques conductistas, conciben las decisiones judiciales como el producto de la interacción y no de la reacción, de modo que afirman que la atención debe centrarse en el ambiente institucional como eje del análisis y no en los jueces como individuos que toman las decisiones.[68]

Por su parte, el neoinstitucionalismo histórico, con todas sus vertientes, en general, entiende las instituciones de modo diferente al neoinstitucionalismo del *rational choice*. Podría decirse que intenta "rehabilitar" los elementos tradicionales del llamado "derecho público" en la ciencia política de los Estados Unidos. Así, une las preocupaciones de tipo empíricas con la literatura sobre política judicial. Como dice Keith Whittington: "Para los historiadores neoinstitucionalistas el derecho cuenta en el comportamiento judicial, y parte de su objetivo analítico es determinar cómo el derecho debe ser entendido y cómo este juega un papel en la decisión judicial".[69] De este modo, sus enfoques sitúan a los jueces y al derecho en un amplio contexto social e intelectual que moldea el curso del derecho y que ayuda a definir el significado de este último. Las instituciones no solo establecen restricciones a las preferencias: ellas también construyen preferencias. La *historización* de las instituciones y de los actores políticos ayuda a comprender mejor el modo en que estas instituciones se construyen y cómo —en mutua interdependencia— estas influencian a los actores políticos. Es decir, que las instituciones son regulativas y a

68 Un ejemplo de estas tendencias en: Forrest Maltzman y Paul J. Wahlbeck, "Strategic Policy Considerations in Voting Fluidity on the Burger Court", en *American Political Science Review,* 90, 1996, pp. 581-592.

69 Keith Whittington, "Once more unto the Breach...", *op. cit.*, p. 613.

la vez constitutivas: restringen las preferencias porque estructuran incentivos, pero también moldean las preferencias a través de la influencia en las ideas.[70]

La teoría constitucional y el análisis doctrinal dentro de la ciencia política han permanecido por muchos años relativamente desconectados del trabajo empírico sobre la Corte, mientras que los análisis de tipo "conductistas" dejaron de lado el papel del derecho en el trabajo judicial.[71] Así pues, pese a sus diferencias, los neoinstitucionalismos encuentran puntos de convergencia y uno de ellos es que vuelven a tomar en consideración al derecho en los estudios empíricos sobre la Corte Suprema.[72] Hay, en la actualidad, una tendencia creciente hacia el análisis de la Corte bajo este tipo de enfoques.

Hay otros trabajos específicos sobre la Corte, bien con perspectivas políticas o más jurídicas,[73] que toman como eje de su análisis el "tiempo".[74] Por ejemplo, los enfocados en el papel de ese tribunal en el cambio político y social: de Gerald Rosemberg, *The Hollow Hope,*[75] y de Mathew E-K. Hall, *The Nature of Supreme Court*

70 Whittington pone de presente cómo otras perspectivas del *neoinstitucionalismo histórico* resultan de gran utilidad en el estudio del derecho y del trabajo de las cortes. Por ejemplo, la del precursor del institucionalismo histórico, Theodore Lewi (1969), que se preocupa por el modo como las instituciones, desde sus orígenes, formulan inequidades en las relaciones de poder, favorecen unos intereses sobre otros y producen explotación, de modo, que, por ejemplo, instituciones del Estado promueven la desigualdad. Otra perspectiva es la del *"path dependence"*.

71 Un diagnóstico sobre las principales dificultades disciplinares entre abogados y politólogos para abordar el análisis derecho/política en la Corte Suprema de Justicia, así como propuestas para un diálogo productivo, véanse en: Barry Friedman, "Taking Law Seriously", en *Public Law & Legal Theory Research Paper Series,* abril del 2006.

72 Para un análisis empírico sobre qué tan "contramayoritaria" puede ser la Corte con respecto a los órganos electos por la democracia representativa véase el trabajo de Mark A. Graber, "The Nonmajoritarian Difficulty: Legislative Deference to the Judiciary", que analiza las decisiones de la Corte respecto a las legislaturas y las agendas políticas afectadas por los fallos del tribunal y que explica cómo entre estos ha existido una colaboración más que una confrontación a lo largo de la historia de la política americana: *Studies in American Political Development, 7,* 1993, pp. 35-73, Cambridge University Press. En cuanto a la influencia de la opinión pública en las decisiones de la Corte véase: Barry Friedman, *The Will of the People: How Public Opinion has Influenced the Supreme Court and Shaped the Meaning of the Constitution,* Farrar, Strauss and Giroux, Nueva York, 2009.

73 Aquí el debate es bien amplio, se puede ubicar cuando menos desde 1950. Un panorama de las distintas aproximaciones en: Ronald Kahn y Ken I. Kersch, *The Supreme Court and American Political Development,* University Press of Kansas, 2006.

74 James Mac Gregor Burns se refiere a distintos períodos de la Corte, aunque su análisis está más centrado en mostrar las crisis constitucionales y cómo los grandes liderazgos o las necesidades de cambio han sido "bloqueados" por ese tribunal, que en general califica como conservador, con las excepciones de las eras progresistas de Warren y Marshall. Cf. *Packing the Court: the Rise of Judicial Power and the Coming Crisis of the Supreme Court,* Penguin Books, Nueva York, 2009. En igual sentido, Peter Irons, en *A People´s History of the Supreme Court,* Penguin Books, Nueva York, 2006, escoge unos casos emblemáticos de la Corte para ilustrarlos en una perspectiva social, política y económica.

75 La primera edición es de 1991, la segunda, de Chicago University Press, del 2008. Rosemberg,

Power (2011).[76] Con otra perspectiva, la compilación *The Supreme Court and American Political Development (2006)*,[77] editado por Ronald Kahn y Ken I. Kersch, que reúne varios trabajos sobre el rol de la Corte Suprema de Justicia desde la agenda investigativa del APD (American Political Development), a través de estudios de casos y de períodos de la Corte, y cuyos autores son principalmente politólogos, abogados, sociólogos del derecho y constitucionalistas.[78] Esto sin contar los análisis que se ocupan de la predicción de los comportamientos o "votos de los jueces" o en el patrón de sus decisiones, desde puntos de vista teóricos o empíricos.[79]

También debemos tener en cuenta aquellas investigaciones que con distintos enfoques disciplinares reúnen a investigadores en derecho constitucional, ciencia política e historia alrededor de la institución de la Corte Suprema. Un ejemplo es *The United States Supreme Court: the Pursuit of Justice*, que aborda la trayectoria del tribunal en sus más de dos siglos de existencia. Los autores provienen de escuelas de Derecho, Historia y Ciencia Política de distintas universidades estadounidenses.[80]

---

en general, es escéptico del potencial de cambio en las cortes. Sus investigaciones han analizado el impacto de casos emblemáticos de la Corte en busca de su influjo social y potencial de cambio. Según él, hay un exceso de confianza en el poder real de las cortes para lograr el cambio social.

76 Mathew E.K. Hall, *The Nature of Supreme Court Power*, Cambridge University Press, Nueva York, 2011. Este trabajo se ocupa del carácter del poder de la Corte, de modo que identifica las condiciones bajo las cuales es exitosa al lograr modificar los comportamientos del Estado y de los actores particulares. Hall dice que la Corte es más exitosa cuando las cortes inferiores pueden ejecutar sus decisiones, pero que, si sus medidas dependen de otros actores, el éxito de sus decisiones dependerá de la popularidad de sus medidas. Así la Corte es fuerte pero dependiente y también puede ser agente del cambio social, como también de otras agendas.

77 Ronald Kahn y Ken I. Kersch, *The Supreme Court and American Political Development, op. cit.*

78 Mark Tushnet (ed.), *The Warren Court in Historical and Political Perspective*, The University of Virginia Press, 1993.

79 Entre otros, el "modelo actitudinal" de la toma de decisiones por la Corte, de la que fueron pioneros Lee Epstein y Jack Knight, en su libro *The Choices Justices Make*, CQ Press, Washington, DC, 1998; y luego Jeffrey A. Segal y Harold J. Spaeth, en *The Supreme Court and The Attitudinal Model Revisited*, Cambridge University Press, Nueva York, 2002. Este, junto a diseños longitudinales de variables que inciden en las decisiones de la Corte aparecen en estudios empíricos como: "Measuring Ideological Polarization on the United States Supreme Court", de Tom S. Clark, en *Political Research Quarterly*, Vol. 62, No. 1, marzo del 2009, pp. 146-157; otros, también usando herramientas como el diseño longitudinal aplicado a la historia, incluso miden el "contexto constitucional". Por ejemplo: "The Supreme Court and Morality Policy Adoption in the American States: The Impact of Constitutional Context" de Dana Patton, en *Political Research Quarterly*, Vol. 60, No. 3, septiembre del 2007, pp. 468-488; o la correlación entre opiniones de los partidos políticos y las decisiones de la Corte en algunos casos decididos: "The Supreme Court and Opinion Content: The Influence of Parties" de Pamela C. Corley, en *Political Research Quarterly*, Vol. 61, No. 3, septiembre del 2008, pp. 468-478. Entre otros estudios, también véase, "Presidential Power over Supreme Court Decision", de Joseph Whitmeyer, en *Public Choice*, Vol. 127, No. 1/2, abril del 2006, pp. 97-121.

80 Cristopher Tomlins es el editor de *The United States Supreme Court*, Houghton Mifflin Company y The American Bar Foundation, Nueva York, 2005. La primera parte se denomina: "Birth to Near Death",

Este balance sobre las principales tendencias de los estudios sobre la Corte Suprema de los Estados Unidos parece indicarnos que la balanza se ha inclinado hacia los análisis del trabajo judicial desde perspectivas politológicas. Dentro de estos enfoques, las aproximaciones neoinstitucionalistas se toman en serio el derecho, es decir, reconocen a la doctrina legal como un factor importante para analizar el desarrollo institucional de ese tribunal. Además, todos los enfoques tanto de juristas, como de politólogos, y, por supuesto, de historiadores, reconocen el valor de la dimensión temporal del trabajo de la Corte. Unos lo hacen con mayor o menor rigor, pero todos se preguntan por el cambio constitucional, los factores que lo produjeron, las razones, las agendas políticas o las doctrinas detrás de él. Y, por último, aunque se aprecian diálogos y entendimientos interdisciplinares, en buena parte se mantienen los sesgos de los abogados, historiadores y politólogos a la hora de poner su mirada en la Corte Suprema.

Ahora bien, existen ejercicios comparativos entre la literatura sobre "cortes y política" de la ciencia política de los Estados Unidos y la de Europa. Por ejemplo, Britta Rehder[81] comenta como en los Estados Unidos la ciencia política ha abordado el papel político de los jueces por más de cinco décadas, mientras que en Europa esta perspectiva ha surgido de manera reciente. A su juicio, mientras que la academia americana se ha preocupado por la política de la acción judicial y la politización del sistema legal, las investigaciones sobre las cortes en Europa se limitan a analizar los efectos de la acción judicial, que suelen ser descritos como juridificación. Sin embargo, ella rechaza varios de los factores que el *"mainstream"* de la ciencia política americana han señalado como las razones para esta diferencia entre ambos lados del Atlántico, y aunque sugiere que los investigadores europeos deberían tomar en consideración varios de los enfoques de la *"judicial politics"* estadounidense, analiza las razones por las cuales no sería apropiado "trasplantar" los modelos "actitudinalistas" sobre las cortes al contexto europeo.[82] Entre los aspectos para analizar la

---

va de 1787 a 1864; la segunda parte, "How to be Supreme?", va de 1864 a 1930, la tercera parte, "There and Back Again", va de 1930 a 1986, y la cuarta, "Across Two Centuries: The Supreme Court and the Life of Law". También incluye otros apartados interesantes como: "First Appearances: The Material Setting and Culture of the Early Supreme Court", "Advocacy before the Supreme Court: 1791 to the Present", "The Supreme Court and Popular Culture: Image and Projection" y "The Supreme Court and Election Returns". Cuenta con las biografías de todos los magistrados y un cuadro con el presupuesto asignado para cada año de la Corte. Las biografías describen sintéticamente las doctrinas que caracterizaron a cada magistrado e incluso hay retratos de ellos, desde 1787.

81 Britta Rehder, "What is Political about Jurisprudence? Courts, Politics and Political Science in Europe and the United States", Max Planck Institute, Discussion Paper, 07/5, Colonia, marzo del 2007.

82 Ella prefiere las perspectivas "neoinstitucionalistas", en particular el enfoque "histórico-interpretativo", que, a su juicio, proponen los trabajos de Julie Novkov. Un ejemplo de esa aproximación puede

conveniencia de tal trasplante de metodologías, dice la autora que aquellas que evalúan las "preferencias" de los jueces tendrían difícil aceptación en Europa porque en ese contexto, en general, es mucho menos transparente el proceso de decisión judicial que en los Estados Unidos; que, además, esos modelos no sirven para explicar la influencia del "lenguaje legal", de los materiales jurídicos que se han construido a lo largo del tiempo, y que también se deben tener en cuenta tanto los intereses políticos como los "materiales intelectuales" que en alguna medida puedan ser usados por la Corte. Sin embargo, reconoce que las aproximaciones a la "estrategia legal" de los grupos de interés sí supondría una gran ayuda para analizar el contexto europeo que carece de tradición investigativa en ese campo.

Así las cosas, existe una abundante literatura que con distintos enfoques y herramientas interpretativas narra historias de la Corte Suprema de los Estados Unidos.[83] Todo esto lo debemos valorar en sus justas proporciones y en atención al contexto. Las investigaciones y los trabajos académicos nos ponen de presente el enorme desarrollo y la extensa tradición de los estudios sobre ese tribunal, lo cual nos revela una valiosa e incomparable acumulación de conocimiento institucional sobre la Corte. Pero también debemos considerar que se trata de una corporación estudiada casi que desde sus orígenes. A modo de ejemplo, *The Supreme Court in United States History*, de Charles Warren,[84] que cubre el período 1789-1921, es uno de los primeros pasos de la historia y las historias de ese órgano judicial, que incluye múltiples referencias relacionadas con aspectos institucionales, biográficos y doctrinales, o la serie compuesta de múltiples volúmenes, *The Oliver Wendell Holmes Devise History of the Supreme Court*, escritos por distintos autores en diferentes épocas, que son un gigantesco esfuerzo por ofrecer literatura especializada sobre el tribunal.[85]

verse en: Julie Novkok, "Racial Constructions: The Legal Regulation of Miscegenation in Alabama", 1890-1934, en *Law and History Review*, 20. 2, 2002.

83 Hasta el punto que incluso el trabajo de los magistrados auxiliares o *"Clerks"* de la Corte ha sido explorado, tanto como historia institucional como desde la perspectiva de la influencia de aquellos en el rol del tribunal. Por ejemplo, véanse: Todd C. Peppers y Artemus Ward (eds.), *In Chambers: Stories of Supreme Court Law Clerks and their Justicies*, University of Virginia Press, 2012; Todd C. Peppers, *Courtiers of the Marble Palace: the Rise and Influence of the Supreme Court Law Clerk*, Stanford University Press, 2006; Ward Artemus y David Weiden, *Sorcerers´ Apprentice´s: 100 years of Law Clerks at the United States Supreme Court*, New York University Press, 2006.

84 Charles Warren, *The Supreme Court in United States History*, tres volúmenes, Little, Brown and Co., Boston, 1922, edición revisada en 1926.

85 Incluye volúmenes tales como *Antecedents and Beginnings to 1801* de Julius Goebel Jr. (1971), *Foundations of Power* de George Haskins and Herbert Johnson (1981), *The Marshall Court and Cultural Change, 1815-1835*, de G. Edward White (1988), o *The Supreme Court in the Early Republic* de William Castro (1995).

Junto a lo anterior, debemos tener en consideración que sobre la Corte Suprema de los Estados Unidos existen numerosos archivos, fondos documentales e información. Para empezar, la jurisprudencia del tribunal está completa, publicada, disponible y es de fácil acceso. Además, se pueden obtener las deliberaciones de los magistrados en amplios acervos documentales que reposan en la corporación y en otras instituciones.[86] Incluso hay actas y grabaciones de las audiencias en el Senado de los candidatos a integrar la Corte y prácticamente se pueden conocer todas las reseñas biográficas de quienes han servido como magistrados, desde su creación en 1789.[87] Por último, hay completos archivos de prensa de periódicos tales como *The New York Times* o *The Washington Post*, que por muchos años se han ocupado, con importante despliegue, de los casos decididos por la Corte y, en general, de todo lo que a ella atañe.[88]

En suma, como resulta más que evidente, en los Estados Unidos hay un largo camino intelectual recorrido, así como abundantes recursos disponibles para quien intente aproximarse al trabajo de la Corte Suprema desde perspectivas políticas e históricas. Es clara la ventaja comparativa en cuanto a las fuentes, el ambiente intelectual y la comunidad académica que en ese contexto se ocupa de la historia judicial o del análisis de ese tribunal.

Otras historias, otras experiencias

La anterior mirada panorámica a las aproximaciones a la Corte Suprema de los Estados Unidos y a su jurisprudencia como especial objeto de investigación desde perspectivas históricas y políticas no desconoce que haya otras experiencias que se

86 Por ejemplo, The Supreme Court Historical Society, que cuenta con más de quinientos miembros, aparte de realizar una intensa actividad académica sobre la historia de la corporación, y de contar con información disponible al público, desde 1976 publica el *Journal of Supreme Court History*, una revista que aborda la historia del tribunal con distintos enfoques. Esta revista se puede consultar en: http://www.supremecourthistory.org/publications/

87 Lee Epstein, *et al.*, ofrecen una completa referencia en *The Supreme Court Compendium*, con información estadística sobre la historia institucional de la Corte y su relación con otros órganos del poder, y sobre los magistrados. Lee Epstein y Jeffrey Segal, *et al.*, C.Q. Press, 4ª edición, 2006. También hay trabajos biográficos sobre los magistrados, como por ejemplo los de Edward White: *Justice Oliver Wendell Holmes: Law and the Inner Self*, Oxford University Press, 2003; *The American Judicial Tradition: Profiles of Leading American Judges*, Oxford University Press, 3ª edición, 2007, y *Earl Warren: a Public Life*, Oxford University Press, 1982.

88 Por ejemplo, *The Nature of Supreme Court Power*, de Mathew E K. Hall, utiliza como uno de sus criterios para la selección de los casos del tribunal las publicaciones de estos dos periódicos durante la segunda mitad del siglo XX, arrojando "177 casos cubiertos". *The Nature of Supreme Court Power*, Cambridge University Press, 2011, "Appendiz I: Case Selection", pp. 168-169.

ocupen, en alguna medida, de las historias judiciales de las altas cortes.[89] A modo de ejemplo, en América Latina se han explorado historias de la Corte Suprema de Justicia en México, la mayoría de ellas enfocadas a determinados períodos de la Suprema Corte de Justicia de la Nación.[90] Buena parte de ellas son historias oficiales que se ocupan de la trayectoria institucional de la corporación.[91] Sin duda, constituye una fortaleza mexicana la enorme cantidad de información y análisis que ponen a disposición de los investigadores del alto tribunal. Un número considerable de esas investigaciones y publicaciones mexicanas han corrido por cuenta de la propia Corte, que incluso tiene un Instituto de Estudios Históricos adscrito al tribunal.[92] Por ejemplo, el tribunal publicó la monumental obra *Historia de la Suprema Corte de Justicia de la Nación, 1808-2006.*[93]

En Argentina también se han realizado estudios históricos sobre la Corte Suprema de Justicia. Algunos ejemplos son: *Historia Política de la Corte, 1930-1990,*[94] *La independencia de la Corte Suprema a través del control de constitucionalidad: respecto a los otros poderes del Estado (1935-1998),*[95] e *Historia ideológica de la Corte Suprema de Justicia de la Nación (1955-1966).*[96] Por otra parte, también hay "libros homenaje",

89 En Israel hay trabajos, como el de Pnina Lahav, que se ocupan de aspectos de la historia de la Corte Suprema de ese país a través del relato biográfico de Simon Agranat, uno de sus más influyentes magistrados. Véase: Pnina Lahav, *Judgment in Jerusalem: Chief Justice Simon Agranat and the Zionist Century*, University of California Press, 1997.

90 Véanse, entre otros: William J. Suarez-Potts, "The Mexican Supreme Court and the 'Juntas de Conciliación y Arbitraje, 1917-1924': The Judicialisation of Labour Relations after the Revolution", en *Journal of Latin American Studies,* Vol. 41, No. 4, Cambridge University Press, noviembre del 2009, pp. 723-755; Humberto Morales Moreno, "La autonomía relativa del Poder Judicial en los estados de la República Mexicana en el modelo liberal: 1824-1857", en *Revista Mexicana de Historia del Derecho,* XXIII, UNAM, pp. 99-128, 2011.

91 Para una historia de la Corte Suprema del Perú véase: Carlos Augusto Ramos Núnez, *Historia de la Corte Suprema de Justicia del Perú,* Fondo Editorial del Poder Judicial del Perú, Lima, 2008.

92 El Instituto de Estudios Históricos ha publicado textos como *Breve reseña histórica de la Suprema Corte de Justicia de la Nación* (2005), de Francisco Parada Gray, que relata la trayectoria de la Corte entre 1812 y 1917.

93 Son veintinueve tomos disponibles en DVD. Los tres primeros son: *La Suprema Corte de Justicia. Sus leyes y sus hombres; La Suprema Corte y el pensamiento jurídico,* y *La Suprema Corte: su tránsito y su destino.* Los demás se ocupan de distintos períodos de la trayectoria institucional de la Corte.

94 Arturo Peellet Lastra, *Historia Política de la Corte, 1930-1990,* Ad-Hoc, Buenos Aires, 2003.

95 Jorge Bercholc, *La independencia de la Corte Suprema a través del control de constitucionalidad: respecto a los otros poderes del Estado (1935-1998),* Ediar, Buenos Aires, 2004.

96 Héctor José Tanzi, "Historia ideológica de la Corte Suprema de Justicia de la Nación (1955-1966)", en *Revista Iushistoria-Investigaciones,* No. 3, Buenos Aires, septiembre del 2006.

como el de la Corte Suprema de Justicia de Bolivia,[97] que son relatos exaltando las instituciones o con alusiones anecdóticas al trabajo judicial.

Con muy escasos ejemplos, la ciencia política se ocupa de las cortes en América Latina, y si lo hace es principalmente abordando cuestiones sobre la independencia judicial o la "política judicial". Así, entre los ejemplos de aproximaciones empíricas que estudian la independencia judicial con una metodología basada en la interpretación del comportamiento judicial según los incentivos de cada magistrado y sus preferencias, bajo las que actúan "estratégicamente" en sus decisiones, encontramos trabajos como "Judicial Independence in Unstable Environments, Argentina 1935-1998",[98] de Matías Iarycz, *et al.*, que analiza la relación entre las decisiones de la Corte y los otros poderes y en donde los fallos son abordados según el ambiente político pero dejando de lado la doctrina.[99]

Otro de esos ejemplos es el de Santiago Besabé Serrano en *Jueces sin toga*, quien estudia el comportamiento judicial en contextos de inestabilidad, tomando el caso del Tribunal Constitucional del Ecuador entre 1992 y el 2007. Su propósito es explicar "por qué algunos jueces votan de acuerdo con sus preferencias ideológicas a pesar de desempeñar sus cargos bajo condiciones de incertidumbre laboral". Para esto toma en cuenta cómo "la seguridad en los cargos afecta los objetivos que los jueces priorizan, y cómo, también, las características institucionales del proceso de designación inciden sobre la forma sincera o sofisticada que asume el voto judicial".[100] El modelo que aplica al caso ecuatoriano, aunque considera elementos del contenido de las demandas de inconstitucionalidad y la identidad de los litigantes, no toma en cuenta las doctrinas del Tribunal en sus decisiones ni en los votos de los magistrados.[101]

97 Corte Suprema de Justicia de Bolivia, *Libro Homenaje a la Corte Suprema de Justicia de Bolivia*, Sucre, 1977.

98 Matías Iarycz, *et al.*, "Judicial Independence in Unstable Environments, Argentina 1935-1998", en *American Journal of Political Science*, Vol. 46, No. 4, octubre del 2002, pp. 699-716.

99 Otro tipo de abordaje sobre la independencia judicial es el de Rebecca Chávez Bill, "The Evolution of Judicial Autonomy in Argentina: Establishing the Rule of Law in an Ultrapresidential System", en *Journal of Latin American Studies*, Vol. 36, No. 3, agosto del 2004, pp. 451-478.

100 Santiago Besabé Serrano, *Centro de Investigaciones de Política y Economía de Ecuador* (presentado en el Congreso 2009 de la Asociación de Estudios Latinoamericanos, Rio de Janeiro, Brasil, 11-14 de junio del 2009).

101 Un análisis sobre la Corte Constitucional de Chile en su contexto político, a partir de 1970, en Javier Couso, "Models of Democracy and Models of Constitutionalism: The Case of Chile´s Constitutional Court: 1970-2010", en *Texas L. Rev.* 1517, 2011. En una perspectiva más amplia véase: Stephen B. Burbank y Barry Friedman (eds.), *Judicial Independence at the Crossroads: an Interdisciplinary Approach*, SAGE, Londres, 2002.

Con distintos enfoques y diversos modelos, la ciencia política también aborda la expansión de la justicia y el rol de los jueces en América Latina,[102] tanto en los procesos de transición a la democracia como en su consolidación —o crisis—.[103] Son trabajos que suelen dejar de lado el análisis de las doctrinas legales de la jurisprudencia de las cortes y cuya preferencia por las interpretaciones cuantitativas del trabajo y del rol judicial son comunes.[104]

Entre las aproximaciones al papel de los jueces en nuestros contextos hay interés en lo que se denomina la dicotomía "judicialización de la política/politización de la justicia",[105] que busca la caracterización general del Poder Judicial en las "nuevas democracias", es decir, sobre la fortaleza o la debilidad de los jueces en medio de las crisis políticas, o sus posibilidades de contribuir a la democratización.[106] La mayoría de este tipo de trabajos no suelen tomar en consideración la perspectiva histórica.[107]

102 Esta expansión ha sido abordada, aunque no específicamente para la región pero si como fenómeno global, por propuestas neorrealistas como las de Tom Ginsburg en *Judicial Review in New Democracies* (2007). Así mismo, aunque tampoco se centran en el caso de América Latina, un trabajo más reciente de Ginsburg y Zachary Elkins incluye a la región en su análisis sobre la expansión global de la justicia constitucional, en "Ancillary Powers of Constitutional Courts", en *Texas Law Review,* junio del 2009, 87, p. 7. En una perspectiva culturalista del proceso de judicialización véase: Javier Couso, *et al., Cultures of Legality: Judicialization and Political Activism in Latin America,* en donde la experiencia colombiana es contada por Pablo Rueda, en "Legal Language and Social Change during Colombia´s Economic crisis", Cambridge Studies in Law and Society, Cambridge University Press, 2010.

103 Por ejemplo, hay varios trabajos que se enfocan en casos de Europa del Este: "Judicial Behavior After a Change of Regime: The Effects of Judge and Defendant Characteristics", de Taavi Annus y Margit Tavits, en *Law & Society Review,* Vol. 38, No. 4, 2004, o "The Role of Constitutional Courts in the Establishment and Maintenance of Democratic Systems of Government", de Lee Epstein, *et al.,* en *Law & Society Review,* Vol. 35, No. 1, 2001.

104 Por ejemplo, la obra coeditada por Gretchem Helmke sobre el rol de los jueces en América Latina en las últimas dos décadas, *Courts in Latin America,* Cambridge University Press, 2011. Su análisis político incluye teoría de juegos. Hay un acápite sobre la Corte Constitucional colombiana a cargo de Juan Carlos Rodríguez-Raga: "Strategic Deference in the Colombian Constitutional Court, 1992-2006", pp. 81-98.

105 Entre los trabajos, véanse: "Jueces, política y derecho: particularidades y alcances de la politización de la justicia" de Karina Ansolabehere, en *Isonomía,* No. 22, abril del 2005; *The Judicialization of Politics in Latin America,* Rachel Sieder, *et al.,* Palgrave Macmillan, Nueva York, 2005.

106 Véase, entre otros: "The Role of Constitutional Courts in the Establishment and Maintenance of Democratic Systems of Government", de Lee Epstein, *et al., op. cit.;* Siri Gloppen, Roberto Gargarella, *et al., Democratization and the Judiciary: The Accountability Function of Courts in New Democracies,* Frank Cass Publishers, Londres, 2004.

107 Se destaca el trabajo sobre la relación de "dependencia" de las cortes al Ejecutivo presidencialista en América Latina, de Aníbal Pérez-Liñán y Andrea Castagnola, que analiza, en un largo período (1904-2006), a once países de América Latina, incluyendo a Colombia. El patrón de comparación es la Corte Suprema de los Estados Unidos. "Presidential Control of High Courts in Latin America: A Long-term View (1904-2006), en *Journal of Politics in Latin America,* 1, 2, 87-114, p. 109.

Así, pues, no obstante el valor de los trabajos que se desarrollan fuera de los Estados Unidos, es innegable que en ese país la historia del derecho judicial o de la experiencia judicial de la Corte Suprema cuenta con un maduro y rico desarrollo. No en vano gran parte de las aproximaciones sobre los tribunales que hemos mencionado, en especial desde la ciencia política, aplican herramientas analíticas propuestas por la academia estadounidense.

Herramientas para construir una narrativa de la Corte Suprema de Justicia desde una perspectiva histórica y política

Como hemos dicho, este libro pretende ser un primer mapa de la historia de la Corte Suprema de Justicia colombiana, narrada desde el control constitucional ampliado a su contexto político. Desde luego, para esto reconocemos los caminos recorridos por otras academias en otros contextos, y aunque innegablemente podamos nutrirnos parcialmente de algunos de los distintos modos de rastrear las historias sobre las cortes, también somos plenamente conscientes de las diferencias entre los contextos y desarrollos académicos e institucionales que sirven de marco a las aproximaciones a las cortes supremas en otras experiencias. De este modo, gran parte de nuestra tarea es encontrar los mejores modos de construir esa narrativa de la Corte Suprema colombiana.

Rastrear la trayectoria del control constitucional intentando ir más allá del análisis de la jurisprudencia de la Corte y de sus doctrinas a través del tiempo, necesariamente nos conduce a una historia —aunque parcial— de la Corte Suprema. Supone, por lo tanto, reconocer el cambio constitucional como producto de la interrelación —y a veces mutua constitución— entre "variables internas" (doctrinas, precedentes, ideologías, estrategias, etc.), y "variables externas" (contexto político, ambientes institucionales, etc.) en la jurisprudencia constitucional. Se trata de contar la historia de la Corte desde la jurisprudencia constitucional, y al mismo tiempo dar cuenta del control constitucional desde esa jurisprudencia,[108] pero atendiendo siempre al rol político de la corporación.

108 En el contexto de la Corte Suprema de los Estados Unidos, Lucas Powe señala que, pese a que los abogados suelen ser por naturaleza y formación *"Court Centered"*, tienden a ver el derecho más o menos autónomo de la sociedad en general. Por esto, los investigadores en ciencia política fueron los que incursionaron en los estudios del trabajo de la Corte desde perspectivas políticas. Sin embargo, señala que hacia los años cincuenta y sesenta este entusiasmo empezó a decaer por la división de los investigadores en ciencia política, entre quienes optaron por el análisis cuantitativo y estadístico, o quienes prefirieron la teoría, marginalizando los análisis sobre la jurisprudencia de la Corte. Para Powe: "En la actualidad, un trabajo que no sea cuantitativo sobre la Corte Suprema sería desechado como un artículo de física en una revista de derecho". Por eso afirma que su propósito es continuar la tradición

Este libro propone una narrativa más amplia de la justicia constitucional que aquellas que han existido y que predominan en los ambientes académicos e intelectuales locales. Esto significa comprender que el cambio constitucional no solo es el producto de la evolución —o involución— doctrinal de la Corte Suprema de Justicia o del derecho nacional, ni es resultado único de las condiciones políticas en que estuvo inmersa la Corte, o de las ideologías de sus magistrados, o de las estrategias políticas de cada uno de ellos, o de la corporación en su conjunto frente a otras instituciones, en una determinada decisión.

Este análisis concibe a la Corte Suprema de Justicia de Colombia como un juez que tomó decisiones —o dejó de tomarlas— en determinados ambientes institucionales y coyunturas políticas. Así mismo, actuó bajo un ambiente institucional interno (los magistrados, sus estrategias) y externo (las presiones de las otras ramas del poder público, las audiencias: partidos políticos, opinión pública), y, por supuesto, de las doctrinas jurídicas.[109]

La Corte, pues, fue un órgano judicial y a la vez un actor político, pero un actor político diferente al Congreso o el Ejecutivo,[110] pues, a diferencia de esos órganos elegidos democráticamente, la legitimidad del tribunal descansaba sobre su jurisprudencia. Sus decisiones debían expresar el ideal de un ejercicio apolítico y neutral del derecho. Como operador jurídico, la Corte estuvo sometida a las restricciones del sistema jurídico en el que debía actuar, por el discurso jurídico en el que operaba y por su pertenencia a una comunidad interpretativa de juristas.[111]

A continuación presentamos con un mayor detalle la propuesta analítica bajo la cual se estructura nuestra narrativa de la Corte Suprema de Justicia.

---

de los estudios sobre la Corte Suprema en una perspectiva política. Lucas Powe, *The Warren Court and American Politics,* Harvard University Press, 2000, pp. XII-XIII. Con el mismo enfoque también véase: *The Supreme Court and the American Elite, 1789-2008,* Harvard University Press, 2009.

109 Para el caso de los Estados Unidos, Clayton y Gillman ponen de presente la importancia de analizar las decisiones de la Corte examinando cómo las "actitudes" de los jueces son en sí mismas constituidas y estructuradas por la Corte como una "institución" y por sus relaciones con otras instituciones en el sistema político en determinados momentos de la historia. Por eso, sostienen que ese tipo de aproximación, más "interpretativo" para estudiar la Corte, descansa sobre análisis etnográficos e históricos, que no solo resultan útiles para analizar la "decisión judicial" sino también para explorar la influencia de la Corte en otras estructuras sociales y políticas. Por eso, consideran que esos enfoques son más explicativos que los de los "actitudinalistas", porque permiten ver el rol que juega la Corte en mantener o cambiar las principales estructuras y procesos políticos, sociales y económicos. Cf. Gillman, y Clayton (ed.), *The Supreme Court in American Politics: New Institutionalist Interpretations,* University Press of Kansas, 1999, p. 2.

110 Ronald Kahn y Ken I. Kersch, *The Supreme Court and American Political Development, op. cit.,* pp 17-18.

111 Ronald Kahn y Ken I. Kersch, *ibídem,* pp. 1-32.

Los períodos

Como dijimos, no hay estudios jurisprudenciales integrales en torno al control constitucional de la Corte Suprema de Justicia y ha sido poca la importancia de la corporación en la historiografía política o en los análisis políticos colombianos. Entonces, como muy poco o nada se ha historizado el rol del tribunal, no se puede hablar de unos períodos "estándar" o compartidos por la comunidad académica que nos permitan situar la trayectoria del control constitucional de la Corte.[112]

Esta historia de la Corte no necesariamente coincide con las periodizaciones del constitucionalismo colombiano, que suele narrarse desde una perspectiva cronológica, lineal o *evolutiva* de los cambios en los textos constitucionales. A modo de ejemplo, los períodos del constitucionalismo aún en los trabajos con enfoques más críticos, como *Cartas de Batalla* de Hernando Valencia Villa, suelen construirse alrededor de las constituciones que se adoptaron a lo largo del tiempo y de algunas reformas constitucionales trascendentales.[113]

Otras periodizaciones —que podríamos llamar tradicionalistas— hablan de ciclos de la historia constitucional colombiana. Por ejemplo, para Jaime Vidal Perdomo esos ciclos serían: el primero, que se refiere al siglo XIX, comprende la "génesis estatal", y el segundo es el del reformismo constitucional, o sea "cuando se consolidan las instituciones surgidas en la centuria anterior". Este segundo ciclo sería el del siglo XX, que comprende las modificaciones a la Constitución de 1886 y que se extiende hasta la expedición de la Constitución de 1991. El tercer ciclo se habría inaugurado con la Carta de 1991.[114]

112 Para el caso de la doctrina constitucional o para los análisis más sociológicos de algunos aspectos del control constitucional, como es el caso del control de los estados de sitio o de los tratados internacionales, cuando más, se formulan períodos que atienden a la dicotomía competencia/incompetencia de la Corte para conocer de la constitucionalidad de tal problema o juzgar tal acto jurídico. Entonces, sobre el estado de sitio es común encontrar la distinción entre la época en que la Corte no juzgaba los decretos frente a otra en que los controlaba de modo muy limitado; o aquella en que la Corte no juzgaba tratados internacionales a otra en que sí lo hacía, acogiendo "tesis monistas o dualistas" en derecho internacional. Tales interpretaciones del trabajo de la Corte casi siempre son atemporales, y tampoco se proponen formular posibles factores para la continuidad o el cambio constitucional, que vayan más allá de los "nuevos vientos" que soplaban en esta o aquella doctrina de la Corte.

113 Según su narrativa, desde la expedición de la Constitución de 1886: "[...] todos los esfuerzos de los políticos y gobernantes han estado enderezados hacia la preservación de la precaria pero eficaz arquitectura de poder diseñada por Núñez y Caro [...] Las setenta y siete enmiendas y entre ellas los seis reajustes mayores del código del Estado [...] han intentado preservar dicha fábrica al precio de hacer de Colombia una sociedad políticamente bloqueada [...]". Hernando Valencia Villa, *Cartas de Batalla: una crítica del constitucionalismo colombiano,* Cerec, 2ª edición, Bogotá, 1987.

114 Jaime Vidal Perdomo, "El constitucionalismo colombiano en el siglo XX", *op. cit.*

Si bien reconocemos la utilidad de los "mojones" que ofrecen algunas historias del constitucionalismo, nuestro trabajo propone otro tipo de periodización, que más bien obedece a la conjunción de las distintas herramientas metodológicas con que rastreamos la justicia constitucional de la Corte Suprema. No obstante, en la medida de lo posible, tratamos de guardar relación con algunos de esos hitos.

La delimitación temporal de esta historia de la Corte abarca el período comprendido entre los años de 1886 y 1991. Es decir, inicia cuando se estableció la Corte Suprema de Justicia como máximo tribunal judicial de carácter nacional, en la república unitaria y centralizada diseñada por la Constitución de 1886, y termina cuando el control constitucional le fue atribuido a la Corte Constitucional, como lo dispuso la Constitución Política de 1991.[115]

En este lugar es necesario hacer una precisión: los estudios sobre el control constitucional local no suelen establecer periodizaciones, ni desde el derecho, ni mucho menos desde la historia o la política. Las divisiones, cuando se hacen, parten de una diferencia tajante y casi que excluyente entre el control constitucional de la Corte Constitucional desde 1991 y el de la Corte Suprema de Justicia previo a 1991. Casi todos señalan la reforma constitucional de 1910 como el punto de partida de ese control.

Nuestra historia de la Corte supone reconocer la categoría "tiempo" o "duración" entendida según períodos de una trayectoria. Esos períodos obedecen a características del contexto político (ambientes institucionales, coyunturas del régimen político) y de la doctrina legal (doctrina jurídica, precedente, normas constitucionales o legales). Entonces, no se trata de períodos concebidos como una natural evolución doctrinal o política que marca el control de la Corte Suprema hacia el progreso o el "desarrollo constitucional".

La periodización de nuestra narrativa atiende tanto a tendencias de cambio doctrinal como a contextos políticos. Pero esto no necesariamente significa el predominio de unos sobre otros, más bien representa momentos de la trayectoria

115 Esta narrativa aspira a sentar algunas bases para contar la historia de la Corte Constitucional. Por el momento, resulta oportuno tomar las precauciones de Morton Horwitz, cuando en *The Transformation of American Law,* que publicó en 1992, cuenta que decidió terminar su período de análisis en 1960, aun cuando en ese momento se producían notables desafíos al pensamiento jurídico hegemónico de los Estados Unidos y dejando por fuera a la Corte Warren: "[...] la respuesta corta es que, para el historiador, un grado de perspectiva y distancia resulta esencial si la historia no es simplemente convertir las actuales controversias sobre el derecho [...]". Y aunque en las conclusiones de su obra reflexiona sobre las tendencias más contemporáneas del pensamiento legal americano, Horwitz nos dice que lo hace: "[...] reconociendo, que, en la perspectiva del tiempo, estas pueden lucir muy diferentes a la forma en que hoy se ven". Morton Horwitz, *The Transformation of American Law, 1870-1960: The crisis of Legal Orthodoxy,* Oxford University Press, 1992, p. 269. *(traducción del autor)*

en donde algunos rasgos son más notorios.[116] Creemos que es necesario estructurar así estos períodos si queremos dar cuenta de las múltiples causas del cambio institucional, de las distintas facetas del control constitucional y de los diferentes momentos en la historia de la Corte Suprema.[117] Con todo, reconocemos la complejidad de las reconstrucciones historiográficas de largo período en donde podría situarse esta narrativa.[118]

116 Un excelente ejemplo de períodos que toman en cuenta tantos rasgos doctrinales como contextos políticos y ambientes institucionales en Lucas Powe: *The Supreme Court and the American Elite, 1789-2008, op. cit.*

117 En el derecho comparado encontramos varios ejemplos sobre los períodos de la Corte. Muy pocos parecen preocupados por su consistencia, sin que eso disminuya el poder interpretativo de sus narrativas. En el caso de los Estados Unidos hay varios ejemplos de trayectorias de la Corte narradas según los períodos de los *"Chief Justices"*, véase: *The Supreme Court: An Essential History*, de Peter Charles Hoffer, *et al., op. cit.* En buena parte también lo hace la obra colectiva *The United States Supreme Court: the Pursuit of Justice,* editada por Cristopher Tomlins, Houghton Mifflin, Nueva York, 2005. Otros estructuran los períodos según los casos más notorios o *"landmarks"* fallados por la Corte, como *The Supreme Court & American Political Development,* editado por Ronald Kahn y Ken Kersch, *op. cit.* También, Peter Irons en *A People´s History of the Supreme Court: the Men and Women Whose Cases and Decisions have Shaped our Constitution,* Penguin Books, edicion revisada, 2006. En el caso de la historia de la Suprema Corte de México, Humberto Morales fija los períodos según las reformas legales que configuraron el Poder Judicial de ese país, en *El Poder Judicial de la Federación en el siglo XX: una breve historial institucional, 1895-1996,* Suprema Corte de Justicia de la Nación, México, 2004. Sobre ese mismo país, véanse los veintinueve tomos de la *Colección Histórica de la Suprema Corte de Justicia de la Nación* que compila Lucio Cabrera Acevedo, que incluyen 15.000 documentos, análisis y decisiones judiciales desde los orígenes de la Corte hasta el año 2006 y se estructuran por períodos que toman en cuenta aspectos institucionales y legales, y los períodos de la política mexicana. Comisión del Poder Judicial de la Federación para el Bicentenario del inicio de la Independencia y el Centenario del inicio de la Revolución Mexicana, México, 2006. En el caso de Argentina, Jorge Bercholc, en *La independencia de la Corte Suprema a través del control de constitucionalidad respecto a los otros poderes políticos del Estado, 1935-1998,* en su análisis empírico y cuantitativo del trabajo de la Corte parte del análisis de la colección jurisprudencial publicada por la *Revista La Ley,* desde 1936 hasta 1998, y toma en consideración los cambios en la composición de la corporación.

118 Un buen ejemplo sobre cómo lidiar con los períodos en las trayectorias es el caso de la historia política colombiana narrada por Marco Palacios en *Entre la legitimidad y la violencia: Colombia, 1975-1994.* Palacios es un historiador que reconoce esas dificultades sin paralizarse. Dice: "[...] aunque el autor se ha esforzado por armar un relato conforme a la secuencia lineal [...] reconoce que los tiempos de la sociedad, la economía, la cultura y la política no parecen moverse al mismo ritmo. Esto quiere decir que si una fecha nos permite abrir o cerrar convencionalmente un período (y los historiadores trabajamos con períodos convencionales) surge la interrogación: ¿se trata de un período cultural o de la política, la economía o la sociedad? Pero si todos ellos entran en la narración, ¿cuál de ellos predominó y, entonces, cómo periodizar? Hay diversas soluciones a este problema. El libro lo resuelve mediante una ponderación de los elementos característicos de una época y cuál pudo haber sido el peso relativo de cada uno [...]". Marco Palacios, *Entre la legitimidad y la violencia: Colombia, 1975-1994,* Colección Vitral, Norma, 2ª edición, Bogotá, 2004, p. 19.

Las claves de entrada a la jurisprudencia o ejes jurisprudenciales transversales

Para rastrear el trabajo de la Corte Suprema de Justicia es necesario abordar su jurisprudencia. Para esa labor parece esencial hacer una reconstrucción de los precedentes jurisprudenciales, pero no todas las sentencias pueden revisarse: la dimensión del *corpus jurisprudencial* construido por la Corte Suprema de Justicia como juez constitucional es significativa. Por ejemplo, entre 1886 y 1991, la Corte decidió 2.496 sentencias, sin incluir las decisiones sobre cosa juzgada.[119] Tan solo entre 1969 y 1979, es decir, una década después de haber entrado en funciones la Sala Constitucional de la Corte, había dictado 662 sentencias.[120] En un período un poco más amplio que el anterior, entre 1969 y 1984, la Corte conoció 1.250 procesos de constitucionalidad y decidió en promedio 84 asuntos de constitucionalidad por año.[121]

En este libro nos hemos enfocado en rastrear aquellas decisiones de la Corte que capturan en mayor grado el rol político de la corporación a través del tiempo.[122] Aproximaciones previas, así como la verificación general de los contextos

119 "Durante los ciento cuatro años en que ejerció efectivamente el poder de revisar la constitucionalidad de normas, la Corte profirió veinticuatro sentencias por año en promedio. Su carga de trabajo creció en las últimas décadas en que ejerció dicho poder. En los dieciséis años comprendidos entre la terminación formal del Frente Nacional y la expedición de la Constitución de 1991 (1971-1995), la Corte profirió cerca de 94 sentencias por año. Desde que se inició el período de 'La Violencia' hasta 1991, profirió 2.085 sentencias, es decir, un promedio de 28 sentencias por año. Lo anterior significa que tan solo el 16% de las sentencias de la Corte Suprema (411 fallos) como juez constitucional fueron proferidos entre 1887 y 1948. O sea cerca de siete sentencias por año en promedio [...]". Manuel José Cepeda Espinosa, "La defensa judicial de la Constitución: la gran fortaleza colombiana", en *Polémicas constitucionales*, Legis, Bogotá, 2007, p. 44. Según otros análisis, la Corte habría proferido 2.686 sentencias entre 1886 y los primeros días de 1992. Beatriz Toro Londoño, *et al.*, "Producción Jurisprudencial", en *Itinerario de la jurisprudencia colombiana de control constitucional..., op. cit.*

120 Las cifras son del exmagistrado Luis Sarmiento Buitrago, en *Jurisprudencia de la Corte Suprema de Justicia, 1960-1979*, Tomo I, Banco de la República, Bogotá, mayo de 1981, notas 7 y 8.

121 Datos del también exmagistrado Manuel Gaona Cruz, en su intervención en el simposio "Aspectos de la Jurisdicción Constitucional en Colombia", en *Aspectos del control constitucional en Colombia*, Universidad Externado de Colombia, Bogotá, 1984.

122 Hemos procurado tomar precauciones sobre los "anacronismos", en el sentido que plantea Renán Silva: "Captar una época histórica determinada en el plano mismo de sus coordenadas históricas, evitando trasladar a una sociedad formas sociales y culturales que le hayan sido ajenas, es uno de los supuestos básicos del trabajo del historiador. El olvido de esta regla o su violación deliberada desvirtúa no solo la posibilidad de conocimiento de esas formas singulares de vida que son las sociedades, sino que al mismo tiempo descalifica el propio oficio del historiador, quien por esta vía simplemente prolonga y proyecta en el pasado las formas sociales particulares de su sociedad sobre toda forma de existencia humana, disolviendo un sistema específico de diferencias en una universal naturaleza humana. Esa tendencia a universalizar ciertas formas sociales del presente, proyectándolas en el pasado —que es un equivalente del etnocentrismo criticado por los antropólogos—, es un aspecto destacado del anacro-

de las problemáticas relacionadas con la Corte nos condujeron a la cuestión de la competencia de la corporación para pronunciarse sobre aquellos asuntos o materiales jurídicos en donde había preferido abstenerse de fallar, o que nos ponían de presente a una Corte vacilante, o que parecían mostrarnos un mayor o menor protagonismo de la corporación. Así llegamos a cuatro claves de entrada a la jurisprudencia o ejes jurisprudenciales transversales, todos ellos relacionados con problemáticas complejas, que incorporan suficientes relaciones de interdependencia entre la doctrina constitucional y la política, de manera que ayudan a narrar la historia de la Corte Suprema de Justicia. Esos ejes o líneas jurisprudenciales son: 1) El control constitucional de estados de excepción, 2) El control de las leyes por vicios de trámite, 3) El control de los tratados internacionales, y 4) El control constitucional de las reformas a la Constitución.

Estos cuatro ejes jurisprudenciales transversales parten del análisis de las sentencias de la Corte Suprema de Justicia a través de su trayectoria como juez constitucional. Desde luego, la trayectoria de la Corte no se circunscribe a esos ejes: indicios que provienen de esas líneas o ejes jurisprudenciales mencionados o que conducen a otros ejes doctrinales, o bien datos del contexto político e institucional en determinados momentos de la trayectoria también obran como insumos para ampliar nuestra narrativa.

En suma, los cuatro ejes o puntos de entrada a la jurisprudencia sirven para rastrear la trayectoria del control constitucional desde una perspectiva histórica y política, ayudan a reducir la complejidad del universo jurisprudencial y funcionan tanto para ampliar el horizonte de la trayectoria como para restringirlo. Así, contribuyen a una mayor profundidad analítica y a una visión en conjunto.

La selección de lo que hemos denominado ejes jurisprudenciales o claves de entrada a la jurisprudencia lo justificamos, con más detalle, así:

- Nos ayudan a entender cuál ha sido el papel de la Corte como juez constitucional en cuanto árbitro de las tensiones institucionales e instancia de resolución de los conflictos entre los poderes del Estado (como entre las ramas legislativa y ejecutiva); al tiempo que muestran cómo el propio juez constitucional es protagonista de tensiones con esas ramas.
- Esos ejes jurisprudenciales transversales interpretados según el contexto político de las decisiones judiciales muestran el grado de limitaciones o restricciones a los otros poderes que la Corte Suprema fue estableciendo

---

nismo histórico [...]". Renán Silva, "Del anacronismo en Historia y en Ciencias Sociales", en *Historia Crítica,* edición especial, Universidad de los Andes, Bogotá, noviembre del 2009, pp. 278-299.

a través de las diferentes interpretaciones de la Constitución. Esas limitaciones —o la carencia de ellas— nos acercan a las realidades de la independencia judicial en el contexto colombiano.[123]

- En esos ejes la Corte interpreta materiales jurídicos. Aparentemente solo debe ocuparse de confrontar los contenidos constitucionales con las normas demandadas, pero la trayectoria jurisprudencial nos muestra la compleja interacción entre los significados atribuidos por la Corte a la Constitución en los diferentes contextos políticos y cómo sus decisiones participan en la configuración del sistema político y jurídico.[124] Así, estas líneas estructurales posibilitan un análisis de conjunto.
- La justicia constitucional colombiana ha funcionado de manera ininterrumpida desde que esta se estableció. La Corte Suprema, en particular, ha decidido en coyunturas políticas críticas, como, por ejemplo, en medio del enfrentamiento entre los partidos políticos hegemónicos; de la violencia política y social que se intenta conjurar con reformas constitucionales de estados de excepción; de las tensiones y presiones locales e internacionales para la adopción de instrumentos internacionales; de las tensiones entre facciones partidistas o entre las distintas ramas, o las tensiones democráticas que suscita el trámite de las leyes. Es decir, que cuando la Corte ejerció el control de constitucionalidad no solo definió los sentidos de la Carta Política; cuando se pronunció sobre los estados de excepción, el trámite de las leyes, los tratados internacionales o las reformas constitucionales lo hizo como parte del régimen político.

Así las cosas, las relaciones de interdependencia entre estos cuatro ejes jurisprudenciales transversales, en cuanto claves de entrada jurisprudencial y doctrinal, nos ayudan a trazar la trayectoria de la justicia constitucional y a construir nuestra narrativa de la historia de la Corte. A modo de ejemplo: el control de las reformas constitucionales, de los tratados internacionales, de las leyes por vicios de trámite y de los estados de excepción significa limitar o ampliar el poder presidencial, tanto como jefe de Estado, jefe de Gobierno o comandante en jefe de las Fuerzas Armadas en un régimen presidencialista; potenciar o reducir el poder político y las facultades normativas del Congreso de la República, y determinar cuál es la función de guarda de la integridad y supremacía de la Constitución del juez constitucional.

123 Un panorama amplio y actual sobre la separación de poderes y la independencia judicial en perspectiva comparada véase en: *Separation of Powers in Theory and Practice: an International Perspective*, Leny Groot y Wannes Rombouts (eds.), Wolf Legal Publishers, 2010.

124 Mark Tushnet, "The Supreme Court and the National Political Order...", *op. cit.*, p. 37.

El análisis de las sentencias y de los ejes propuestos no se centra únicamente en las decisiones aprobadas por la mayoría que componía la Corte en un determinado momento sino que incluye las opiniones disidentes consignadas en los salvamentos de voto. No solo se consideran las posturas que ganaron en la Corte, sino también las minorías que fueron derrotadas —o las doctrinas derrotadas— en una coyuntura determinada. Esto resulta de gran importancia. Primero, porque en los períodos de esta trayectoria las opiniones minoritarias solo se producen con respecto a una doctrina y en una coyuntura específica, mientras que en otro momento de la misma trayectoria esas doctrinas otrora minoritarias cobran fuerza e incluso reviven para convertirse en la postura triunfante en la Corte, y no pocas veces en un sentido no previsto por quien inicialmente invocó o formuló tal doctrina.[125] En segundo lugar, porque los salvamentos de voto no solo contienen posturas doctrinales disidentes sino que estos suelen despojarse de la neutralidad política que se exige a los fallos de la Corte en pleno, de modo que saben dar rienda suelta a los comentarios sobre el contexto en que se produjo la decisión, las posibles incidencias políticas en esas decisiones, e incluso las consideraciones que sobre los efectos de la sentencia rodearon el debate en el seno de la corporación.[126]

Los contextos políticos y las doctrinas

Los contextos políticos y las doctrinas están en una relación constitutiva de modo que aparecen interrelacionados. Tal interdependencia ofrece poder explicativo al cambio —o a la continuidad— del control constitucional de la Corte Suprema de Justicia a través del tiempo. Los contextos políticos o los ambientes institucionales hacen referencia tanto a los entramados de hechos políticos, como a las coyunturas críticas del régimen político,[127] así como a los cambios institucio-

125 Tushnet, por ejemplo, ha puesto de presente la importancia de las opiniones disidentes en la trayectoria jurisprudencial constitucional de la Corte Suprema de los Estados Unidos pues estas sirven para comprender la historia judicial; para abordar discusiones sobre temas constitucionales recientes como la "retórica del disentimiento" a través del tiempo; para identificar los "grandes disidentes" o aquellos magistrados que con su opinión minoritaria jugaron un rol importante en varios momentos y sobre diversos temas del debate doctrinal de la Corte; y para entender la "doctrina legal como precedente". También destaca como muchas opiniones minoritarias que con el tiempo se van convirtiendo en la decisión mayoritaria de la Corte son el producto de un complejo proceso social y político, de modo que analizar la manera gradual en que las opiniones minoritarias se van convirtiendo en precedente "es uno de los mejores modos para apreciar las conexiones entre el derecho constitucional resultantes de la interdependencia entre derecho, economía, política y en general de la sociedad". Mark Tushnet (ed.), *I Dissent: Grand Opposing Opinions in Landmark Supreme Court Cases, op. cit.*, pp. XX-XXIV.

126 Peter Charles Hoffer, *et al., The Supreme Court: an Essential History, op. cit.*, pp. 1-12.

127 Charles Tilly nos recuerda que "cada fenómeno político significativo vive en la historia, y requiere

nales —o tentativas de cambio— que afectan a la Corte y su control constitucional, y, en alguna medida, también a la rama judicial.[128] Se trata de ambientes políticos o diseños institucionales particulares que pueden variar en grado a lo largo de la trayectoria jurisprudencial.

Estos contextos y ambientes pueden caracterizarse por un alto nivel de conflicto, bien sea por las tensiones políticas externas a la Corte, o porque la Corte está inmersa en ellas debido a su interés institucional en el desenlace de la coyuntura, o porque su función de control constitucional necesariamente la conducen a que sus fallos incidan en ese desenlace político. Pero también, en algunas ocasiones, estos pueden ser menos visibles, menos conflictivos y tal vez más inactivos, al punto que en algunos casos pueden terminar ocultos bajo la doctrina legal.

La otra clave interpretativa que ayuda a construir nuestra narrativa es la doctrina. Tiene que ver con las restricciones bajo las cuales actúa la Corte: son los materiales jurídicos, como los contenidos del texto constitucional, las disposiciones legales, las doctrinas sobre el derecho constitucional, el precedente jurisprudencial o la interpretación jurídica.

La Corte tomó decisiones dentro de una comunidad interpretativa de juristas, de abogados que están entrenados en la profesión del derecho, dentro de una disciplina jurídica que exige a los jueces que sus decisiones estén fundamentadas y argumentadas, que les reclama una autonomía del derecho frente a la política. Así, entre más se percibe como político el móvil de una sentencia, menor legitimidad dentro de la profesión jurídica, y entre mayores anclajes interpretativos en el sistema jurídico tenga la sentencia, mayor será su legitimidad en la medida en que esta permite ser discutida entre quienes actúan dentro del campo jurídico.

Las doctrinas dan cuenta de las tensiones de una Corte dividida sobre si se debe o no cambiar el precedente, es decir, sobre si se marca o no otra ruta en la trayectoria del control constitucional, así como también de algunas de las discusiones doctrinales que se producen por actores distintos a la Corte.

Las relaciones de mutua interdependencia entre doctrinas y contextos políticos nos ponen de presente la complejidad de la historia de la Corte, de modo que permiten formular explicaciones multifactoriales sobre la continuidad o el cambio

---

una fundamentación histórica para su explicación". "Why and How History Matters", en *The Oxford Handbook of Contextual Analysis*, Robert E. Goodin y Charles Tilly (eds.), *The Oxford Handbook of Political Science*, Nueva York, 2006.

128 Una narrativa de la trayectoria de la independencia judicial y sus distintos significados según los arreglos institucionales y los ambientes políticos, para el caso de la justicia estatal en los Estados Unidos, véase en: Jed Shugerman, *The People's Courts: Pursuing Judicial Independence in America*, Harvard University Press, 2012.

en la trayectoria de la corporación.[129] Como lo hemos dicho antes, consideramos que la doctrina legal y el contexto político se constituyen mutuamente y el predominio de un factor sobre otro en la explicación del cambio en la trayectoria del control constitucional es una cuestión que no obedece a una "ley" o "categoría universal", sino que debe responder a un estudio concreto de las decisiones en su contexto y a través del tiempo en un largo período.[130] Así, esta narrativa prefiere ampliar el contexto interpretativo de la jurisprudencia de modo que los ambientes políticos e institucionales ayuden a explicar el cambio doctrinal; pero al mismo tiempo reconoce la relativa autonomía del derecho, es decir, de la doctrina legal de las decisiones judiciales.

Por último, consideramos que esas doctrinas también permiten una comprensión más amplia de los ambientes políticos e institucionales en cada momento de la historia política. En efecto, considerar tanto las doctrinas legales, como los ambientes políticos e institucionales dentro de un horizonte de temporalidad, es decir, con una perspectiva histórica, sin duda contribuye a un mayor grado de comprensión de los procesos políticos y las trayectorias doctrinales. Y, por último, permiten apreciar los distintos actores, intereses, agendas, momentos y ambientes intelectuales que pueden rodear no solo la jurisprudencia de la Corte sino también las propuestas de reforma de la justicia constitucional,[131] de la administración de justicia, e incluso del Estado colombiano.

129 En la obra colectiva *The Supreme Court & American Political Development* hay excelentes ejemplos de este enfoque. Kahn y Kersch, quienes hacen parte de la obra, comparten la idea de que se necesitan "investigaciones frescas y más sofisticadas sobre el estudio de las cortes y del derecho, que deberían dirigir sus esfuerzos a iluminar simultáneamente las formas como interactúan tanto la influencia interna como externa que moldea la toma de decisiones de la Corte Suprema como los modos en que los procesos políticos de largo período y el cambio constitucional afectan esa dinámica [...]". Señalan también que todos están de acuerdo en que se debe avanzar para superar la "rígida y estéril" agenda investigativa que solo se fija en el debate sobre la respectiva influencia del "derecho" o de la "política", o de los factores "internos" o "externos", en la explicación de las decisiones de los jueces. Por oposición, estiman que todos ellos están abiertos a nuevas cuestiones, más complejas, porque hay "más interesantes dinámicas en funcionamiento" que requieren "nueva evidencia empírica para abordar esas cuestiones y avanzar hacia nuevas respuestas". Finalmente, afirman que "abrazan la complejidad, y la posibilidad de que el proceso del desarrollo constitucional americano sea multifacético". Ronald Kahn y Ken Kersch, *The Supreme Court & American Political Development, op. cit.*, pp. 443-444.

130 Sobre estas interdependencias pueden verse los enfoques del *American Political Development* (APD) sobre el trabajo de la Corte Suprema de los Estados Unidos, en el sentido en que proponen superar la dicotomía *derecho/política*, de modo que no solo el contexto político importa como factor que incide en el trabajo judicial, sin que con ello acepten que la *judicial politics* se debe analizar del mismo modo como tradicionalmente se abordan los otros órganos del poder (como sí lo harían corrientes como el *rational choice*, la teoría de juegos o el "actitudinalismo"). Entonces, reconocen otras categorías interpretativas que incluyen a las doctrinas legales, es decir, a aquel "arcano" que la ciencia política o la historia muchas veces suelen desechar. Kersch Ken y Kahn Ronald, *op. cit.*

131 Por ejemplo, esta historia de la Corte también pone en evidencia los notables cambios en los

Esta historia de la Corte Suprema nos muestra que en la trayectoria del control constitucional hubo salidas institucionales o vías constitucionales para sortear todo tipo de crisis, desafío político o institucional. Así, la doctrina constitucional parece maleable, de modo que la Corte la moldea para permitir la continuidad en el régimen político, o la ruptura o transformación del mismo. Las doctrinas que la Corte formula a través del tiempo son como una caja de herramientas que le permite al tribunal tomar prestado —de manera atemporal— el material jurídico que requiera para sortear diversos desafíos: como un golpe de Estado, un régimen militar, la transición de un régimen político, reformas constitucionales —o la expedición de una nueva Constitución—, o los arreglos institucionales que afectan el *statu quo* de la Corte.[132] Así, a veces el control constitucional es permisivo u obsecuente, otras veces adaptativo o deferente, pero siempre pretende hacer ver que actúa dentro de la normalidad de las instituciones y con fundamento en los materiales jurídicos disponibles.

Para finalizar, es importante poner de presente que esta historia de la Corte no recurre a la noción dicotómica activismo-restricción judicial para trazar los períodos o caracterizar las etapas del control constitucional.[133] Creemos que tal noción no permite capturar la complejidad de los contextos políticos, los ambientes institucionales y las doctrinas legales en la trayectoria de la corporación. Es más, esa reducción del análisis del rol de la Corte según categorías tan cargadas de ideología como lo son el activismo o la restricción, podría dar lugar a comparaciones anacrónicas sobre el trabajo del tribunal. Así, por ejemplo, la Corte podría considerarse menos "activista" con respecto a la coyuntura de una decisión, pero serlo más frente a otra decisión del mismo período; o podría ser menos "activista" en un período, bajo ciertas circunstancias, que en otro con otras circunstancias y dentro de esa misma trayectoria.[134]

---

intereses, los actores y en la forma de concebir el rol de la justicia constitucional que se materializa —pero no de manera exclusiva— en textos de las reformas constitucionales de 1910 y 1945, la reforma legal de 1936, luego en las propuestas de reforma del Gobierno de Laureano Gómez en 1952, posteriormemente en las "reformas" que incorpora el general Rojas Pinilla en 1956, con la creación de la "Sala de Negocios Constitucionales", después en los intentos de crear una Corte Constitucional en 1957 y en 1968, entre 1977 y 1981, o en la década de los ochenta, y en la creación de la Corte Constitucional en 1991.

132 O que le permiten "interpretar" la Constitución para librar varias guerras: la partidista de los cuarenta, la guerra de guerrillas de los sesenta al noventa, los desafíos al régimen excluyente del Frente Nacional, la guerra contra la droga en los años ochenta y los atentados de varios grupos violentos en contra de la propia Corte y de la rama judicial, todo esto con pocos cambios en el texto constitucional.

133 Morton Horwitz, *The Warren Court and the Pursuit of Justice, op. cit.*, p. 112.

134 En el mismo sentido Morton Horwitz se refiere al discurso generalizado que pretende rotular a la "Corte Warren" como un modelo indeseable de activismo o como el período más activista en la historia de la Corte Suprema de los Estados Unidos. En su criterio, establecer una dicotomía activismo

Recapitulando, esta narrativa de la Corte Suprema de Justicia de Colombia que se construye a través de la trayectoria del control constitucional del tribunal se sirve de dos aproximaciones: ejes jurisprudenciales transversales y categorías interpretativas. Esos ejes o claves de entrada a las doctrinas de la Corte son: el control constitucional de los estados de excepción, de las leyes por vicios de trámite, de los tratados internacionales y de las reformas constitucionales. Las categorías interpretativas son: las doctrinas jurídicas y los contextos políticos o ambientes institucionales que aparecen en esa trayectoria. Así, pues, la interacción entre las categorías interpretativas y los ejes jurisprudenciales transversales entretejen los períodos y permiten rastrear la trayectoria de la Corte Suprema de Justicia y del control constitucional colombiano.

Los siguientes ocho capítulos se ocupan de cada uno de los períodos de la historia de la Corte Suprema de Justicia partiendo de su papel como juez constitucional en una perspectiva política, entre 1886 y 1991.

---

judicial/restricción judicial es pretender que existe una "norma histórica objetiva" o un parámetro bajo el cual se habrían practicado doscientos años de control judicial en los Estados Unidos. Apartándose de tal pretensión de objetividad, sostiene que una apreciación consistente de la historia constitucional americana demostraría que nunca ha existido un parámetro o estándar de restricción judicial en la jurisprudencia de la Corte, pues, por el contrario, los límites de un control judicial aceptable han sido siempre disputados y han fluctuado como respuesta a las circunstancias históricas cambiantes. De ese modo, entiende que la dicotomía activismo/restricción debe ser interpretada "según la concepción que se tenga sobre el papel de la Constitución y de la Corte Suprema en la vida americana". Morton Horwitz, *The Warren Court and the Pursuit of Justice*, *op. cit.*, pp. 112-113.

Capítulo segundo

DE JUEZ DE LA REGENERACIÓN A JUEZ CONSTITUCIONAL: ENTRE LA DEFENSA DE LA LEGALIDAD Y LA SUPREMACÍA CONSTITUCIONAL, 1886-1910

Introducción

Como es sabido, la reforma constitucional de 1910 le confió a la Corte Suprema de Justicia la atribución de juzgar la constitucionalidad de los decretos y las leyes que ante ella demandaran los ciudadanos, estableciendo así la acción pública de inconstitucionalidad. De este modo, el papel que cumplió el tribunal a partir de esa reforma bien justificaría que nuestra historia inicie con los primeros pasos que dio el tribunal como juez constitucional de las leyes. Sin embargo, la cuestión del inicio de la trayectoria de la Corte Suprema como juez constitucional no es pacífica. En efecto, en la doctrina nacional predominan enfoques según los cuales en Colombia el control constitucional empezó mucho antes de 1910, o que estiman que la Corte defendió la Constitución varias décadas antes de que se lo confiara el Acto Legislativo 03 de 1910.

En la primera parte de este capítulo ofrecemos una visión panorámica sobre las posturas dominantes en la doctrina nacional en torno a los orígenes del control constitucional y fijamos nuestro punto de vista sobre ellas. Así, proponemos replantear la discusión y avanzar hacia interpretaciones distintas, que den cuenta, tanto de los modos como los textos constitucionales establecieron nociones sobre la defensa de la Constitución, y de los contextos en que aquellas surgieron, así como también sobre el diseño institucional y sus consecuencias para el control judicial de la Constitución. Este primer apartado, además, nos sirve como marco explicativo sobre la delimitación de los inicios de la historia de la Corte Suprema, que hemos fijado en el año de 1886.

Después de varias décadas de dominio liberal radical y de experiencias federales, el proyecto político conservador, unificador y autoritario de la Regeneración impuso la Constitución de 1886 y con él surgió una Corte Suprema de Justicia de carácter nacional. El segundo apartado del capítulo rastrea el proceso de construcción de ese tribunal hecho a la medida del proyecto regeneracionista en donde la prevalencia de la ley, y al mismo tiempo del régimen de excepción, convirtió a la Constitución en letra muerta y la Corte se erigió como el guardián de la legalidad y la autoridad. Luego avanza con una corporación que supo acompañar al régimen regenerador en sus mejores tiempos, hasta que se produjo la crisis del régimen con el golpe de Estado del año de 1900 y la Corte prefirió un cambio adaptativo y legitimó un cambio en el régimen. Seguidamente, narra las vicisitudes del tribunal en tiempos en que el Gobierno de Rafael Reyes estableció una dictadura cuyo desenlace fue la coyuntura crítica del año 1910, cuando una Asamblea Constitucional dispuso que la Corte Suprema de Justicia sería el guardián de la Constitución.

De este modo, esta historia de la Corte Suprema de Justicia inicia con su creación como máximo juez nacional dentro del régimen de Estado unitario establecido por la Regeneración en la Constitución de 1886. La trayectoria del tribunal entre 1886 y 1910 nos sirve para dimensionar el cambio en el rol político de una Corte Suprema que pasó de ser juez de la legalidad y de la autoridad a ser juez de la Constitución.

Sobre los orígenes del control constitucional y el inicio de la historia de la Corte Suprema de Justicia

Esta historia de la Corte Suprema de Justicia inicia en 1886 y termina en 1991. La escogencia del punto de partida no solo tiene que ver con que en 1886 se expidió la Constitución Nacional sino con la creación de la Corte Suprema de Justicia como máximo tribunal nacional dentro del régimen de Estado unitario, que el proyecto político de la Regeneración estableció en aquella Carta Política.

No obstante, reconocemos que los extremos de nuestro período de estudio son a su vez lugares de encuentro de complejos y diversos procesos políticos y debates doctrinales que se extienden más allá de las rejillas de interpretación[1] que impone toda delimitación cronológica. En efecto, así como hoy la expedición de la Constitución de 1991 marca los análisis sobre la Corte Constitucional, aquella Carta es un punto en la trayectoria de la justicia constitucional colombiana. Del

1 La noción la propone Renán Silva. Ver: "Los demonios de la metáfora y la analogía", en *A la sombra de Clío: Diez ensayos sobre historia e historiografía,* La Carreta Histórica, Medellín, 2007, pp. 75-106.

mismo modo, aceptamos que la reforma constitucional de 1910 fue el producto de múltiples factores y trayectorias políticas y jurídicas que condujeron a esa trascendental modificación de la Constitución de 1886.

Al fijarnos ese punto de partida en la historia de la Corte de ninguna manera afirmamos que esta ejerció como juez constitucional desde 1886 y que esa función evolucionó hasta el control constitucional definitivo de las leyes, como sostienen algunos. Lo que pretendemos es ofrecer un marco interpretativo más amplio sobre el rol político de un tribunal que nació con la Constitución de 1886 y así poner en evidencia cómo cambió su papel al pasar de ser un guardián de la legalidad y la autoridad con la Regeneración, en 1886, a ser juez de la Constitución, en 1910.

Cuando nos ubicamos al inicio de nuestro período de estudio es inevitable lidiar con los modos como la doctrina colombiana suele abordar la cuestión de los orígenes o los antecedentes del control constitucional local. Esos enfoques sobre la noción del control constitucional podemos clasificarlos como maximalistas o minimalistas. Para los maximalistas, ese control abarca todo mecanismo tendiente a asegurar la supremacía del texto constitucional, bien que este haya sido de carácter nacional o local, pero sin que para ello se tenga en cuenta el diseño institucional de ese mecanismo o del órgano encargado de defender tal supremacía, o la posición institucional de ese órgano, o la efectiva defensa judicial de la Constitución que pudieron ejercer tales mecanismos. Se trata, pues, de posturas que conciben el control constitucional como aquel que suele remontarse a los inicios de la República, que muchas veces defienden una continuidad de procesos, una línea evolutiva que inevitablemente condujo al control constitucional de las leyes establecido en la reforma constitucional de 1910. Por otra parte, los enfoques minimalistas delimitan el control constitucional a aquel en donde los jueces situados en la cúspide de la estructura del poder público central, de manera independiente, deciden definitivamente sobre la constitucionalidad de las leyes o los actos jurídicos.

El debate sobre los orígenes del control constitucional también tiene que ver con el amplio consenso de la doctrina nacional sobre la original y autóctona acción pública de inconstitucionalidad establecida con el Acto Legislativo 03 de 1910. El surgimiento de la acción suele ser contado desde distintos enfoques. Algunos lo interpretan como una necesaria evolución natural o progreso doctrinal que debe rastrearse en los textos constitucionales nacionales o locales, o en ambos, al menos desde mediados del siglo XIX. Otros prefieren poner el acento en los doctrinantes y los modos como estos contribuyeron a construir el control judicial de la Constitución hasta establecer la acción pública de inconstitucionalidad en el texto de la reforma constitucional de 1910.

La doctrina colombiana, entonces, aborda los orígenes del control constitucional con distintos enfoques. Algunos rastrean los mecanismos de las constituciones nacionales o provinciales, o las leyes que disponían mecanismos según los cuales se intentaba hacer valer la Constitución sobre otras formas de producción jurídica. Un ejemplo emblemático lo encontramos en la obra de Carlos Restrepo Piedrahita, quien analiza los contenidos de varias constituciones, que, a su modo de ver, delineaban los primeros mecanismos de aseguramiento de la supremacía constitucional.[2] Restrepo, aunque aclara que tales disposiciones lo que hacían era expresar la "doctrina de la Soberanía absoluta del Congreso", más que una función judicial de defensa de la Constitución, considera que deben tenerse como expresiones del control constitucional de las leyes que luego evolucionaría hasta que este fuera asignado a la Corte en 1910.[3]

Según Carlos Restrepo Piedrahita, la Constitución monárquica de la Provincia de Cundinamarca de 1811 facultaba al Ejecutivo para objetar una ley aprobada por el Legislativo, cuando aquel consideraba que este último la había expedido contrariando las "formalidades previstas en la Constitución".[4] De igual modo, menciona

2 También en sentido evolutivo véase: David Mendieta González, "La acción pública de inconstitucionalidad: a propósito de los cien años de su vigencia en Colombia", en *Revista Universitas No. 120,* Pontificia Universidad Javeriana, Bogotá, enero-junio del 2010, pp. 61-84.

3 Sobre el control político de la Constitución en la región, entre otros, véanse los trabajos de Francisco Fernández Segado, "Del control político al control jurisdiccional: Evolución y aportes a la justicia constitucional en América Latina", en *Anuario de Derecho Constitucional Iberoamericano/2006,* Instituto de Investigaciones Jurídicas, UNAM, México, 2006, y "Los inicios del control de la constitucionalidad en Iberoamérica: del control político al control jurisdiccional", en *Revista Direito Público No. 12,* abril-mayo-junio del 2006, Instituto Brasiliense de Direito Público. Ambos trabajos, aunque adoptan perspectivas evolucionistas, presentan importante información que pone de presente los modos como la mayoría de las constituciones de los países latinoamericanos adoptaron distintos modelos de controles políticos durante el siglo XIX, en buena parte, influenciados por el ideario revolucionario francés; y luego trasplantaron y adaptaron varias modalidades de *Judicial Review* entre finales del siglo XIX y las primeras décadas del siglo XX, siguiendo el ideario pero no necesariamente el diseño institucional desarrollado en los Estados Unidos.

4 Se refiere al artículo 9 del Título I que establecía el "Senado de censura y protección", que se integraba por un presidente que era el "vicepresidente de la representación nacional", y cuatro miembros más. Ese Senado tenía como función "sostener esta Constitución y los derechos del pueblo, a fin de que, de oficio o requerido por cualquier ciudadano, reclame cualquier infracción o usurpación de todos o cada uno de los tres Poderes, Legislativo, Ejecutivo y Judicial que sea contra el tenor de la Constitución". Restrepo refuerza su argumento del control constitucional que claramente disponía esa Constitución, señalando que el artículo 3 del Título VIII se refería al Poder Judicial y establecía que el Senado era "primer tribunal de la provincia". Sin embargo, ese Senado de censura en realidad tenía como propósito defender el nuevo régimen de los usurpadores, es decir, de quienes atentaban contra la revolución de independencia, más que la defensa del texto mismo. Y pese a que el Senado era considerado un "órgano judicial" estaba lejos de serlo en la realidad; su naturaleza y funciones eran eminentemente políticas.

que la Carta Política de 1832 le atribuyó al Poder Ejecutivo y a los gobernadores la facultad de suspender los actos y resoluciones de las Cámaras de las Provincias que estimasen contrarias a la Constitución. Así mismo, se refiere a la Constitución de 1853, que facultaba al presidente de la República para objetar los proyectos de ley que estimase inconstitucionales. También señala que la Constitución de 1863 fue la primera de carácter "nacional" que asignó a la Corte Suprema Federal la facultad de suspender los actos de ley de las legislaturas estatales que se estimasen contrarios a la Constitución o a las leyes de la Confederación, y de enviarlos al Senado para su decisión definitiva sobre la validez o nulidad de esos actos. Al respecto señala: "No obstante las impropiedades técnicas que todas exhiben, no cabe duda de que en ellas el principio de supremacía se hallaba explícito. Los mecanismos de control para asegurarlo eran deficientes en verdad, no obstante lo cual se insinúan ya en ellos el instituto de la acción popular y el sistema jurisdiccional de control, que con el tiempo llegaron a consolidarse en nuestro constitucionalismo".[5]

Constitucionalistas contemporáneos como Julio César Ortiz también encuentran antecedentes lejanos del control constitucional en la Ley 3ª del 22 de junio de 1850, Orgánica de la Administración y el Régimen Municipal, que previó que el representante del Ministerio Público (el personero municipal) podría solicitar ante la Corte Suprema y el Tribunal de Justicia del Distrito la inconstitucionalidad de los actos generales expedidos por las entidades territoriales (provincias y parroquias). Ortiz incluso defiende un evolucionismo y una continuidad lineal del control constitucional colombiano más fuertes que los de Restrepo Piedrahita. Esto dice: "Nuestras instituciones, desde sus inicios, demandaron un control de constitucionalidad de las leyes, como instrumento de freno al poder de los caudillos nacionales y locales, y de los partidos que, con vocación hegemónica aunque republicana, mantienen hoy en día su vigencia".[6]

5 Carlos Restrepo Piedrahita, *Tres ideas constitucionales: Supremacía de la Constitución, Corte Constitucional y Ombudsman,* Universidad Externado de Colombia, Bogotá, 1978, p. 19. Otro tipo de reconstrucción en sentido similar a la de Restrepo en: J.A.C. Grant, *Judicial Control of the Constitutionality of Statutes and Administrative Legislation in Colombia..., op. cit.; El control jurisdiccional de la constitucionalidad de las leyes: una contribución de las Américas a la ciencia política,* UNAM, México, 1963, p. 78; y "Judicial Control of Legislation: a Comparative Study", *op. cit.*

6 Julio César Ortiz, "El sistema de control constitucional en Colombia", en *Revista Jurídica de la Universidad Externado de Colombia,* Vol. 5, No. 1, enero/junio de 1991, p. 35; también en "El sistema de control constitucional en Colombia", en *Boletín Mexicano de Derecho Comparado,* No. 71, mayo-agosto de 1991, pp. 481-516; y en "La Corte como Tribunal Constitucional", en *La justicia mexicana hacia el siglo XXI,* Instituto de Investigaciones Jurídicas, UNAM, México, 1997, pp. 99-132. Disponible en: http: //www. bibliojuridica.org/libros/1/159/15. pdf, p. 111. Consultado el 11 de noviembre del 2010.

En nuestra opinión, la falta de análisis sobre los contextos políticos y los ambientes institucionales, que intenten ir más allá de las reformas en los textos constitucionales o legales o de las doctrinas que a estas subyacen, conduce a que toda actuación judicial en donde se invoque de cualquier manera la Constitución sea considerada como un antecedente o como una expresión del control constitucional previo a la mencionada reforma constitucional de 1910. Por eso consideramos que una narrativa del control constitucional contada desde la experiencia judicial, es decir, desde la mirada de la Corte Suprema de Justicia, brinda un mayor poder explicativo que aquellos enfoques que solo se centran en las doctrinas o en los textos constitucionales.

Ahora bien, con respecto a la literatura sobre la creación de la acción pública de inconstitucionalidad, en la reforma constitucional de 1910, es necesario decir que son prácticamente inexistentes tanto las perspectivas historiográficas como aquellas que aborden ese surgimiento como un hecho político que vaya más allá de los análisis sobre las discusiones de la Asamblea Constitucional de 1910 o del papel que en la creación de la acción tuvo el proyecto político republicano. Y todavía son menos los enfoques que desde la historia del derecho narran el surgimiento de esa acción atendiendo al contexto político, como a la experiencia judicial y al ambiente institucional de la Corte Suprema de Justicia entre 1886 y 1910.[7] Ese aislamiento entre los análisis doctrinales, de un lado, y las interpretaciones políticas del surgimiento de la acción de inconstitucionalidad, del otro, no permite ver bajo su mejor luz los procesos políticos y doctrinales que dieron vida al control constitucional definitivo de las leyes por la Corte Suprema de Justicia.

Por todo esto, el comienzo de esta historia de la Corte Suprema rastrea tres momentos o coyunturas que ponen en evidencia el rol político del tribunal y los diseños institucionales que involucran el control constitucional en esos años previos a 1910. Como veremos, se trata de momentos que aún no han sido contados de modo suficiente, o que si se han narrado ha sido con un relativo aislamiento, de manera que ocultan rasgos de la experiencia judicial e institucional de la Corte Suprema de Justicia.

7 Este período ha sido contado, desde perspectivas diferentes, por dos trabajos, que analizados en conjunto ofrecen un completo panorama del período que condujo a la reforma de 1910. Uno es de Jorge González Jácome, *Entre la ley y la Constitución: una introducción histórica de la función institucional de la Corte Suprema de Justicia, 1886-1915*, Pontificia Universidad Javeriana, Facultad de Ciencias Jurídicas, Bogotá, 2007, y el otro es de Fernando Correa Uribe, *Republicanismo y reforma constitucional*, Universidad de Antioquia, Facultad de Ciencias Sociales y Humanas, Medellín, 1996.

De juez de la Regeneración y la legalidad a juez constitucional: 1886-1910

Uno de los mayores triunfos del proyecto político de la Regeneración fue la expedición de la Constitución de 1886. Con la derogatoria de la Constitución federalista de 1863, la también Corte Suprema Federal desapareció para dar paso a un órgano judicial de carácter nacional dentro de la nueva república unitaria.

Desde su instalación, la nueva Corte Suprema de Justicia acompañó fielmente al proyecto político —y jurídico— de la Regeneración. La lealtad se mantuvo en tiempos de estabilidad institucional, pero una vez se produjo la crisis política y el proyecto regenerador empezó a sucumbir con la Guerra de los Mil Días, hacia finales del siglo XIX, la Corte se desorientó, perdió su norte político y prefirió el reacomodamiento estratégico poniéndose al lado de la facción conservadora que provocó el cambio en el régimen. La más clara expresión de ese reacomodamiento fue su sentencia que legitimó el golpe de Estado del vicepresidente Marroquín al presidente Sanclemente, en el año 1900.

Posteriormente, en el régimen que impuso el presidente Rafael Reyes, en 1905, la Corte tuvo que afrontar las presiones políticas de la dictadura. Reyes intentó poner en cintura al poco dócil Poder Judicial encabezado por el tribunal y al final logró imponer un cambio en el diseño institucional de la Corte Suprema de Justicia, poniendo fin a la vitalicidad de sus magistraturas, es decir, a la más preciada garantía institucional con que la Regeneración había dotado a la corporación.

En el ocaso de la dictadura de Reyes, entre 1909 y 1910, la Corte prefirió una actitud moderada y se mostró poco dispuesta a entrar en el debate político de la coyuntura, incluso con el desenlace de la crisis política en 1910 que dio lugar a la convocatoria a una asamblea constitucional, que entre sus actos legislativos creó la acción pública de constitucionalidad y convirtió a la Corte Suprema de Justicia en juez de la Constitución.

Fin del federalismo y de la Corte Suprema de los Estados Unidos de Colombia: creación y primeros pasos de la Corte de la Regeneración

El proyecto regenerador que condujo Rafael Núñez reaccionaba contra el predominio del liberalismo radical que por décadas había organizado al país bajo un régimen federal. La Constitución de los Estados Unidos de Colombia de 1863[8]

8 El 4 de febrero de 1863 se reunieron, en la población antioqueña de Rionegro, los miembros de una convención que debía escribir una nueva Constitución para Colombia. Se trataba de establecer

era el último texto constitucional que había materializado ese liberalismo y, por tanto, hacia ella enfiló baterías la Regeneración, hasta el punto de lograr que esa Carta fuera derogada íntegramente por la Constitución de 1886.[9] Como veremos, esa transformación política también modificó el papel del más alto tribunal de justicia del país.

Bajo la Constitución de 1863, la Corte Suprema Federal de los Estados Unidos de Colombia estaba compuesta por cinco magistrados elegidos para períodos de cuatro años por el Congreso de la Unión, según listas que le presentaban las legislaturas de los Estados.[10] Una de las atribuciones de la Corte era dirimir los conflictos de competencia que se suscitaran entre los Estados que conformaban la Unión, y entre los Estados y el Gobierno federal,[11] de modo que se buscaba asegurar la vigencia del pacto de unión. Con ese mismo propósito se había establecido el diseño institucional que le asignaba a la Corte la facultad de "Suspender por unanimidad de votos, a pedimento del Procurador General o de cualquier ciudadano, la ejecución de los actos legislativos expedidos por las Asambleas de los Estados, en cuanto sean contrarias a la Constitución o a las leyes de la Unión, dando, en

---

las bases legales para un régimen que surgía como resultado de una larga y violenta guerra civil encabezada por el general caucano Tomás Cipriano de Mosquera. La triunfante revolución se había hecho a nombre de los derechos de los estados federales, de su autonomía y su independencia, y contra el autoritarismo atribuido al presidente legítimo Mariano Ospina Rodríguez.

9 Sobre la influencia de la Constitución de 1886 en la construcción de la política, del Estado y del constitucionalismo colombiano, entre otros, véanse: *Cartas de Batalla* de Hernando Valencia Villa (ya citado). Así mismo, de Antonio Barreto Rozo, *Venturas y desventuras de la Regeneración.* Esas "venturas y desventuras" de la Regeneración se abordan a partir de estas hipótesis. La primera, según la cual varios de los propósitos de la Regeneración se desataron bajo diversos y a veces contrapuestos "proyectos políticos" y "proyectos constitucionales". La segunda apunta a que el proyecto de la Regeneración materializó una explicación abstracta o una explicación basada en constructos formales a la que se inclinaron los asuntos y problemas políticos concretos. La tercera hipótesis explora los modos como las partes rivales participan en el juego de la política, extremando las posturas de los antagonistas, que en el caso de la Regeneración significó la preponderancia de las posturas conservaduristas. Por último, la cuarta hipótesis intenta constatar los "lazos y vacíos, continuidades y discontinuidades, fraccionamientos e interpretaciones, entre ciertos proyectos e iniciativas del régimen constitucional colombiano de 1886 y sus propósitos correspondientes o contrapuestos bajo el ordenamiento jurídico de 1991". Antonio Barreto Rozo, *Venturas y desventuras de la Regeneración: Apuntes de historia jurídica sobre el proyecto político de 1886 y sus transformaciones y rupturas en el siglo* XX, Colección Historia y Materiales del Derecho, Universidad de los Andes, Facultad de Derecho, Bogotá, 2011, pp. 84-89.

10 "El Congreso declarará elegidos los cinco que reúnan más votos [...] Todo empate se decidirá por la suerte". Art. 76 de la Constitución de 1863.

11 Artículo 71, num. 6. Entre otros, también se le confiaba a la Corte la facultad de decidir las controversias contractuales que se suscitaran entre el Gobierno de la Unión y los Estados o entre el primero y los particulares. Constitución de los Estados Unidos de Colombia, en Carlos Restrepo Piedrahita, *Constituciones políticas nacionales de Colombia, op. cit.*, p. 365.

todo caso, cuenta al Senado para que este decida definitivamente sobre la validez o nulidad de dichos actos".[12] Como podemos apreciar, la Corte no tenía la última palabra sobre la constitucionalidad de los actos que ante ella se demandaran: su actuación se limitaba a suspender esos actos, dentro de un proceso que concluía en la decisión política del Senado de la Unión, quien definitivamente anulaba o mantenía las leyes aprobadas por las asambleas estatales.

Hubo varios conflictos políticos bajo la vigencia de la Constitución de 1863 y buena parte de ellos se atribuían al diseño institucional de la propia Carta, que, como dijimos, estableció un Gobierno federal débil y había concedido excesiva autonomía a los Estados, lo cual facilitaba la rebelión y el "caos federalista".[13] Uno de esos conflictos ocurrió en la segunda administración del presidente Rafael Núñez (1884-1886), cuando se desató la guerra liderada por los radicales en contra de su Gobierno y de la cual él salió victorioso. Con el triunfo de Núñez no solo se puso fin a la hegemonía liberal radical, sino también a la Constitución de 1863, pues este aprovechó para dar forma al proyecto político de la Regeneración con la Constitución de 1886 que abrogó la Carta de Rionegro.[14]

Núñez empleó varias herramientas jurídicas para avanzar con su proyecto político. Con el Decreto 594 del 10 de septiembre de 1885 convocó al Consejo Nacional de Delegatarios para adoptar una nueva Constitución. El Consejo se integraría por dos delegatarios principales y tres suplentes por cada Estado de la Unión. Los delegatarios serían escogidos por los respectivos gobernadores de los Estados. Pero Núñez tenía todas las de ganar en ese proceso pues ante la guerra civil de 1885 él había nombrado "Jefes Civiles y Militares" en reemplazo de los gobernadores de

12 Artículo 72 de la Constitución Política de los Estados Unidos de Colombia de 1863.

13 Carlos Restrepo Piedrahita señala que, ya para 1878, Justo Arosemena abogaba por el establecimiento de un "sistema de control jurisdiccional más amplio que el existente en Estados Unidos del Norte, donde la Corte Suprema tan solo confronta la ley y la Constitución en casos particulares sometidos a los tribunales". Según Restrepo, Arosemena no veía por qué la Corte estadounidense no podía declarar la invalidez de las leyes que encontrase como inconstitucionales. Así mismo, Restrepo comenta que el "programa conservador" de 1878 "proponía como necesario hacer de la Corte Suprema federal un verdadero poder moderador y guardián de la Constitución, dándole la facultad de decidir, sin apelación, cuando está turbado el orden federal y se ha de proceder a restablecerlo". Carlos Restrepo Piedrahita, *Tres ideas constitucionales*, *op. cit.*, p. 27.

14 Núñez había pasado de reformador a regenerador. Antes de la guerra de 1885 es un federalista que solo piensa hacerle algunos ajustes a la Constitución de 1863, pero, luego de la guerra, se "convierte" al centralismo y traza las líneas de una nueva Constitución. El proyecto político de la Regeneración, que se materializó con la Constitución de 1886, no solo contaría con la sagacidad de Rafael Núñez, sino también con la inteligencia y capacidad política del conservador Carlos Holguín, y el dogmatismo ultraconservador y católico de Miguel Antonio Caro.

los Estados, de modo que el Consejo quedó compuesto por dieciocho miembros afectos al nuñismo.[15]

El propósito central de la Regeneración era garantizar el orden y para eso la Constitución de 1886 se apoyaba en tres elementos: la centralización radical del poder público, el fortalecimiento de los poderes del Ejecutivo, y el apoyo a la iglesia católica y la utilización de la religión como fuerza educativa y de control social.[16] Con la Constitución de 1886,[17] los regeneradores sepultaban los últimos intentos por establecer un régimen federal; optaban por el autoritarismo, la concentración de poderes en el Ejecutivo y escogían una extrema centralización política y administrativa del país. En la nueva Carta, el Estado tenía un carácter unitario, la soberanía residía en la nación, los Estados pasaban a convertirse en departamentos y se eliminaba la elección de funcionarios regionales.

La Constitución de 1886 también establecía que toda legislación tendría carácter nacional.[18] En el andamiaje institucional que implantaba el régimen de la Regeneración,[19] la Corte Suprema de Justicia tendría entre sus principales funciones la de servir como Corte de Casación[20] encargada de garantizar la "unidad

15 Como dice Jorge Orlando Melo: "[...] este procedimiento, como fácilmente se ve, permitía la más completa ruptura con la Constitución del 63, con el federalismo y con el radicalismo. Ninguno de los representantes de este grupo tendría representación en el Consejo de Delegatarios, habían sido derrotados y la nueva Constitución sería la de los vencedores". "La Constitución de 1886", en *Nueva Historia de Colombia,* Tomo I, *op. cit.*, p. 44.

16 Según Antonio Barreto, la Regeneración no fue un proyecto monolítico, sino que "constituyó un punto de encuentro bastante peculiar entre propuestas vinculadas con distintos horizontes políticos y doctrinarios, a veces entretejidos, en ocasiones en mutua tensión y, en otras, en abierta contradicción". El autor aborda la Regeneración según estos tres "rostros doctrinarios": "La Regeneración como restauración de un orden: tintes escolástico-católicos", "La Regeneración como instauración de un orden: tintes antiutilitaristas" y "La Regeneración como renovación de un orden: tintes del positivismo sociológico naturalista". Antonio Barreto Rozo, *Venturas y desventuras de la Regeneración, op. cit.*

17 Carlos Restrepo Piedrahita pone de presente que el jurista Rafael Rocha Gutiérrez afirmaba la necesidad de que la Corte y los jueces pudieran ejercer control de la Constitución por vía incidental sobre las leyes nacionales y de los Estados, según el proyecto de Constitución que formuló en París, en 1886. Carlos Restrepo Piedrahita, *Tres ideas constitucionales, op. cit.*, p. 29.

18 Jorge Orlando Melo, "La Constitución de 1886", *op. cit.*, p. 48.

19 Al respecto véase: Jorge González Jácome, *op.cit.*, p. 62; también Diego Eduardo López Medina, "El papel de los jueces y de la jurisprudencia en la Constitución de 1886: apuntes históricos sobre la Corte de Casación de la Regeneración", en *Justicia constitucional: el rol de la Corte Constitucional en el Estado contemporáneo,* Ricardo Sanín (ed.), Pontificia Universidad Javeriana-Legis, Bogotá, 2006, pp. 25-42.

20 La Corte tenía otras competencias, varias de ellas provenientes de sus anteriores funciones institucionales asignadas en antiguas Constituciones. Por ejemplo, el recurso de revisión, el juicio de responsabilidad y penal a altos dignatarios del Estado, gobernadores y altos funcionarios departamentales, y a los magistrados de la propia Corte. La Sala Plena era la encargada de declarar la exequibilidad de las ordenanzas departamentales.

del derecho", es decir, de la legislación y de la jurisprudencia nacional en el nuevo régimen centralista.[21] Bien lo había dicho el presidente Núñez en 1885 cuando les señaló a los miembros del Consejo Nacional de Delegatarios las líneas centrales de lo que él buscaba en la nueva Carta Política: "El particularismo enervante debe ser reemplazado por la vigorosa generalidad. Los códigos que fundan y definen el derecho deben ser nacionales".[22] En ese mismo sentido, resulta elocuente el testimonio de José María Samper, quien después de ser delegatario del mismo Consejo pasó a ser magistrado de la Corte Suprema de Justicia que se estableció bajo la Constitución de 1886, y quien, sin duda, fue el comentarista más influyente de esa Carta Política:[23]

> La organización federal, fundada en el principio de la soberanía de los Estados, hizo suprimir por completo en la legislación y jurisprudencia colombianas aquellos recursos, reconocidos en todos los países de régimen unitario, que se otorgan para buscar justicia o remedio, ante el más alto tribunal de la nación, contra los abusos de los tribunales inferiores [...] Según la Constitución de 1863, la Corte Suprema federal no era el más alto tribunal, sino para los asuntos federales; y como los Estados eran soberanos, dentro de ellos mismos debían fallarse todos los negocios contenciosos, que correspondían a sus juzgados y tribunales por derecho propio [...] Una vez restablecida la unidad de soberanía, y con ella el régimen de la centralización, vuelve a existir la antigua jerarquía judicial en toda la república.

Pero no solo la unificación del derecho era considerada una tarea central para la empresa regeneracionista, también había que asegurar la fidelidad del máximo tribunal de justicia del país. En parte esto se lograba atribuyendo al Ejecutivo la potestad de designar a los siete magistrados que integrarían la nueva Corte Suprema

21 En palabras de Diego López: "La Corte Suprema de Justicia era una de las piezas centrales del proyecto político de la Regeneración, ya que aseguraba la interpretación uniforme del nuevo derecho nacional válido en todo el territorio de la República [...] En la medida en que el Código Bello había sido uniforme (aunque independiente y soberanamente) promulgado por los Estados de la Unión, resultaba perfectamente posible que en el país ya existiera jurisprudencia discordante sobre este mismo texto legal. La Ley 61 de 1886 no escondía el propósito de nacionalización de la jurisprudencia: 'Ninguna de las atribuciones asignadas a la Corte Suprema en la Constitución o en esta ley será ejercida por los Tribunales de Distrito, aun cuando conforme a la legislación de alguno de los extinguidos Estados, correspondiera ejercerla al Tribunal Superior del Estado'". Diego Eduardo López Medina, "El papel de los jueces y de la jurisprudencia en la Constitución de 1886", *op.cit.*, pp. 31-32.

22 Jorge Orlando Melo, "La Constitución de 1886", *op. cit.*, p. 47.

23 José María Samper, *Derecho Público interno en Colombia, op. cit.*, p. 360.

de Justicia. La medida de seguridad no estaba completa, pensaban los regeneradores, si no se garantizaba la continuidad de ese tribunal por un largo período: uno tan largo como el que solo podía brindar el carácter vitalicio de las magistraturas en la Corte Suprema de Justicia.

Los regeneradores pensaban que esas dos piezas del diseño institucional —designación de la Corte por el Ejecutivo y vitalicidad de las magistraturas— no solo asegurarían la continuidad de la tarea unificadora que se emprendía con la Constitución de 1886 sino también la dependencia de ese tribunal al Poder Ejecutivo. Se trataba, pues, de otro rasgo que caracterizaba la apuesta por el presidencialismo acentuado que hacía la nueva Carta Política, que se oponía a la débil posición del Ejecutivo federal en tiempos de la Constitución de 1863. Y para que no quepa duda sobre el propósito que tenía el nuevo modo de integración de la Corte Suprema, esto decían las disposiciones provisionales de la Carta de 1886: "ARTÍCULO A. [...] Los nuevos Magistrados de la Corte Suprema nacional tomarán posesión de sus empleos el día 1 de septiembre del año en curso. [...] ARTÍCULO M. El presidente de la República nombrará libremente, la primera vez, los magistrados de la Corte Suprema y de los Tribunales Superiores y someterá los nombramientos a la aprobación del Consejo Nacional".[24]

Por último, con el cambio constitucional de 1886 no solo dejó de existir la Corte Suprema Federal sino que sus magistrados dejaron sus cargos para dar paso a la Corte Suprema de Justicia de la Regeneración: la nacional, la centralizada y la unificadora.[25]

La Corte Suprema de Justicia de la Constitución de 1886 como un tribunal distinto a la Corte Suprema Federal

Ya hemos dicho que no compartimos la tesis de que la Corte Suprema de Justicia fue garante de la supremacía de la Constitución antes del año 1886, de modo que el control judicial de la Constitución evolucionó al menos desde ese año y hasta el año 1910 cuando se creó la acción pública de inconstitucionalidad. A nuestro modo de ver, no se puede hablar de una continuidad en el diseño institucional y en las funciones de la Corte Suprema de Justicia, a la manera de una evolución en las distintas constituciones que antecedieron a la reforma constitucional de 1910,

24 Ver artículo "M" de la Constitución Política de 1886.

25 El único magistrado de la Corte Suprema Federal que fue nombrado como magistrado de la Corte Suprema de Justicia fue Antonio Morales.

que, como es sabido, estableció el control definitivo de constitucionalidad de las leyes a cargo de la Corte.

Como vimos, en la Constitución federal de 1863, la Corte Suprema Federal no tenía la atribución de decidir definitivamente sobre la constitucionalidad de los actos legislativos de los Estados: ese poder lo tenía el órgano político: el Senado de la Unión. De igual modo, como acabamos de mencionar, factores como la posición institucional tanto del Poder Ejecutivo como del Poder Legislativo y de la Corte federal en el diseño de la Constitución, ponen en evidencia tanto la débil jerarquía de la Unión sobre los Estados como la fragilidad del derecho de la Unión con respecto al derecho de los Estados.[26]

Las competencias de la Corte Suprema de Justicia de la Unión no se pueden entender de manera aislada de los rasgos del diseño institucional de la Constitución de 1863. En esa Carta los poderes federales eran débiles frente a unos Estados fuertes. En estos últimos era realmente en donde residía el poder de la Unión. Como resultado de tal diseño, las competencias del Gobierno federal eran muy restringidas. Por ejemplo, el presidente de la Unión era elegido por los Estados según la mayoría relativa de los electores de cada legislatura, y su período, al igual que el de los congresistas, era de tan solo dos años. Además, todo acto del Legislativo o del Ejecutivo federal que violara la "Carta de Derechos" y las garantías consagradas en la Constitución[27] o que atentara contra la "soberanía de los Estados" podía ser anulado por la mayoría de votos de la Legislatura del Estado que así lo dispusiera,[28] lo que en la práctica permitía a los Estados *escoger* la ley federal que estaban obligados a acatar.[29] Como si esto fuera poco, era notable el poder que ejercía el Legislativo

26 Miguel Malagón Pinzón analiza una decisión de la Corte sobre una ley relacionada con la autonomía del Colegio Mayor del Rosario en 1879, que finalmente fue anulada por el Senado de la Unión, bajo la vigencia de la Constitución de 1863. El autor considera que la acción pública proviene del derecho colonial, particularmente del recurso de agravios consagrado en la Constitución de 1811, y que subsistió durante gran parte del siglo XIX. Algunos de los trabajos en donde el autor defiende esta tesis son: "La acción pública de inconstitucionalidad en la Colombia del siglo XIX, a través de una ley sobre el Colegio Mayor del Rosario", en *Revista Estudios Socio-Jurídicos,* julio-diciembre, año/Vol. 9, No. 002, Universidad del Rosario, Bogotá, 2007, y en " El control de la administración pública en Colombia durante el siglo XIX y comienzos del XX", en *Revista de Estudios Socio-Jurídicos,* Vol. 9, No. 1, Universidad del Rosario, junio del 2007.

27 Precisamente, uno de los rasgos definitorios de esa Constitución era el amplio reconocimiento de derechos y garantías constitucionales.

28 Art. 25. Constitución de los Estados Unidos de Colombia, 1863, en Carlos Restrepo Piedrahita (comp.), *Constituciones Políticas Nacionales de Colombia,* Universidad Externado de Colombia, 3ª edición, abril del 2004, p. 354.

29 La Corte aquí tenía la función de declarar cuáles eran los actos que habían sido anulados por las legislaturas de los Estados. Art. 71, num. 14, *op. cit.,* p. 366.

sobre el Gobierno federal, a tal punto que tanto los secretarios de Estado y los diplomáticos debían ser aprobados por el Congreso. Más aún, el nombramiento del jefe del Ejército, aunque se atribuía al presidente de la Unión, debía hacerse con base en una lista de hasta "ocho generales disponibles" que el Congreso le fijaba y además la Cámara de Representantes se reservaba el derecho de removerlo "cuando lo estime conveniente".[30]

De igual modo, un análisis de la Corte Suprema de Justicia de la Unión debe considerar tanto la posición institucional de los órganos federales frente a los Estados, como las relaciones entre esos órganos federales, para de ese modo aproximarse a la situación institucional en que se encontraba la Corte en todo el andamiaje del Estado y de los Estados en la Constitución de 1863.

Por todo esto, lo que suele denominarse el control constitucional de la Corte antes de 1886 debe matizarse. En donde otros ven continuidad —o evolución— nosotros vemos ruptura. La Corte Suprema Federal de 1863 no tenía el mismo rol institucional, aunque algunas de sus funciones se parecieran a las de la Corte Suprema de Justicia creada en la Constitución de 1886. La primera era una corporación judicial que garantizaba la vigencia del pacto de la unión, mientras que la segunda buscaba la unificación del derecho dentro de una república unitaria y centralista. La Corte de 1863 era conformada por magistrados que llegaban a sus cargos después de un complejo proceso de elección en el que participaban varios órganos políticos y en el que no intervenía directamente el Ejecutivo de la Unión, mientras que en la de 1886 el presidente de la República era quien nombraba a los magistrados. Por último, en la Corte federal la magistratura tenía un período delimitado de cinco años, mientras que la Corte Suprema era vitalicia.

30 En opinión de Jorge Orlando Melo, aparentemente, la Carta de 1863 esperaba que en cada Estado, sin la tutela del Gobierno federal, se consolidaran, por el "puro proceso civilizador de la educación y de la práctica política, los principios señalados en la Constitución, que ordenaba que los gobiernos fueran populares, electivos, representativos, alternativos y responsables". Esto, sin embargo, dejó al Gobierno de la Unión sin la capacidad de reaccionar ante las insurrecciones locales en contra de gobiernos legítimamente constituidos, como en 1864, cuando el presidente Manuel Murillo Toro debió aceptar el nuevo régimen impuesto en el Estado de Antioquia al interpretar que la Constitución prohibía al Gobierno de la Unión intervenir en asuntos internos de los Estados. Según Melo, la Ley de Orden Público de 1867, vigente hasta 1880, terminó por imponer esa interpretación de la Constitución como la "única posible". Jorge Orlando Melo, "Del federalismo a la Constitución de 1886", en *Nueva Historia de Colombia,* Tomo I, *op. cit.,* p. 19.

La nueva Corte Suprema Nacional de 1886[31]

El presidente Rafael Núñez renunció a la Presidencia de la República antes de la promulgación de la Constitución de 1886. En su reemplazo, el Consejo Nacional de Delegatarios eligió como jefe del Ejecutivo al general José María Campo Serrano, quien ejerció el poder desde el 1 de abril de 1886 hasta el 6 de enero de 1887. Así, fue Campo y no Núñez quien sancionó la Constitución, el 5 de agosto de 1886, y nombró a los magistrados de la Corte Suprema de Justicia, quienes luego fueron confirmados por el Consejo Nacional de Delegatarios.[32]

El régimen regeneracionista se encargó de conformar una Corte Suprema que lo representara con fidelidad. En su mayoría, los magistrados que designó el Ejecutivo eran reputados juristas y destacados políticos cercanos al régimen regenerador. Los liberales quedaron con una muy tenue representación. Los nombrados por el general Campo fueron: Manuel Antonio Sanclemente, Benjamín Noguera, José María Samper, Rito Antonio Martínez, Antonio Morales, Julián R. Cock y Julio E. Pérez.

El 3 de septiembre de 1886 se instaló la nueva Corte. Los magistrados que tomaron posesión de su cargo fueron: Rito Antonio Martínez[33] (presidente), José María Samper[34]

31 La *Gaceta Judicial* (en adelante *G.J.*) No. 1 habla de la "Instalación de la Corte Suprema Nacional". *G.J.*, No. 1, Año 1, 12 de febrero de 1887, p. 1.

32 El artículo 150 de la Constitución de 1886 establecía que para ser magistrado de la Corte se requería "ser colombiano de nacimiento y en ejercicio de su ciudadanía, haber cumplido treinta y cinco años de edad y haber sido Magistrado de alguno de los Tribunales de Distrito de los antiguos Estados, o haber ejercido con buen crédito, por cinco años a lo menos, la profesión de abogado o el profesorado en Jurisprudencia en algún establecimiento público". Para ser juez había que estar "versado en la ciencia del derecho" pero no necesariamente ser abogado. Los magistrados de las cortes y de los tribunales sí tenían que ser abogados de profesión. El presidente de la Corte sería elegido por la misma corporación para un período de cuatro años (Art. 148).

33 Conservador, padre del prestigioso líder de los conservadores históricos Carlos Martínez Silva.

34 Murió en 1888, tan solo alcanzó a estar un año en la Corte. Era un liberal radical que en sus años maduros tomaría posturas autoritarias. Gran opositor ideológico del regeneracionista Miguel Antonio Caro, pero cuya decepción con el caos federalista y con el liberalismo radical lo llevaron a conciliar con el nuñismo. Había sido diputado por Bolívar en la Asamblea Constituyente de 1886, secretario de Hacienda, diputado y representante a la Cámara. Se cuenta entre los intelectuales y constitucionalistas más influyentes del siglo XIX. Un análisis de las disputas políticas y doctrinales sobre el derecho entre Samper y Caro lo presenta Jorge González Jácome en su muy sugestivo trabajo *Los debates del pensamiento jurídico colombiano entre 1886 y 1920*, Pontificia Universidad Javeriana, Grupo Editorial Ibáñez y Depalma, Bogotá, 2011, pp. 51-93. Según alguno de sus biógrafos: "Tres etapas de su vida son decisivas en su quehacer periodístico: las reformas educativas de Mariano Ospina Rodríguez en 1842, las reformas liberales de medio siglo y el cambio de pensamiento y actitud en su vida personal, que se inició con una pausa política (su viaje a Europa en 1858) y continuó con su conversión religiosa y su nueva posición frente a los radicales y la Regeneración. Después de su viaje, dice Jorge Orlando Melo, se sintió ya incapaz de

(vicepresidente), Antonio Morales,[35] Froilán Largacha Hurtado,[36] Manuel José Angarita,[37] Luis S. De Silvestre[38] y Salomón Forero.[39]

El tribunal rápidamente contó con una publicación periódica que difundía sus decisiones. La *Gaceta Judicial* apareció el 12 de febrero de 1887 y en el "Objeto" de la publicación podemos leer el propósito que inspiró la creación de la Corte Suprema de Justicia:

> El régimen federal absoluto que imperó en la República desde 1863, había creado diferencias más o menos profundas y sustanciales en la legislación de los nuevos Estados, que al presente son Departamentos nacionales, produciendo discordancias

---

dar apoyo pleno a un liberalismo que consideraba excluyente e intolerante". Lucella Gómez Giraldo, en Biblioteca Virtual, Luis Ángel Arango. Disponible en: http://www.banrepcultural.org/blaavirtual/biografias/sampjose.htm. Consultado el 30 de agosto del 2011.

35 Nació en 1850, boyacense, abogado de la Universidad del Rosario. Antes de llegar a la Corte había sido diputado a la Asamblea, secretario de Hacienda y de Gobierno del Estado Soberano de Boyacá. Fue procurador y representante a la Cámara de Representantes de la Unión y candidato a la Presidencia del Estado de Boyacá. Fue elegido como magistrado para la Suprema Corte Federal en 1884 y luego fue designado magistrado vitalicio de la Corte Suprema en 1886. Murió el 18 de diciembre de 1891, estando al servicio de la corporación.

36 Liberal, nacido en Popayán, abogado egresado de la Universidad del Cauca, en donde también ejerció la docencia. Fue profesor de la Universidad Externado de Colombia, por invitación de Nicolás Pinzón, su fundador, en 1886. Ejerció varios cargos ministeriales e hizo parte del ejecutivo plural establecido en la Constitución de 1863. En la elección del vicepresidente de la Corte, en 1886, fue derrotado por José María Samper. Murió el 5 de mayo de 1892, a los 68 años de edad, estando al servicio del tribunal.

37 Alcalde de Bogotá entre 1872 y 1873, fue un destacado líder liberal y prestigioso abogado civilista.

38 Conservador. Secretario del presidente conservador Mariano Ospina Rodríguez. Participó en la guerra civil de 1876-1877. Fue un prestigioso novelista y periodista. "Había nacido este paladín de la fe católica y de las ideas regeneradoras en Bogotá. Fundó 'La Patria'. [...] En la cosa pública nuestro novelista intervino concurriendo en varias ocasiones al Congreso, sirviendo una magistratura en el Tribunal del estado soberano del Tolima y en la Corte Suprema Nacional, y como secretario de Gobierno y encargado del despacho de Hacienda en el mismo estado soberano del Tolima, al lado del presidente don Antonio B. Cuervo, de quien fue luego jefe de estado mayor en la contienda de 1876, y compartió con este y con el general Manuel Casablanca la derrota en Garrapata, el 21 de noviembre del mismo año. "Tránsito", en *Don Luis Segundo de Silvestre,* Biblioteca Virtual, Biblioteca Luis Ángel Arango. Disponible en: http://www.banrepcultural.org/blaavirtual/literatura/transit/transit1.htm. Consultado el 28 de agosto del 2011.

39 Era conservador, clerical y muy cercano al proyecto regeneracionista. Fue periodista y autor de varias obras. Sus seudónimos eran "Alberik" y "Probo". "Nació en Chocontá (Cundinamarca) en 1838. Fue redactor de *La Prensa* en 1869, y ha publicado tres opúsculos: uno sobre Celibato eclesiástico, otro sobre Diezmos y la Biografía del ilustrísimo señor Obispo de Antioquia, Doctor Domingo Antonio Riaño". Isidoro Laverde Amaya, *Bibliografía Colombiana, 1852-1903,* Imprenta a cargo de Foción Mantilla, 1866. Disponible en: http://www.banrepcultural.org/blaavirtual/bibliografias/bicol/bicol/bicol10.htm. Consultado el 27 de agosto del 2011.

> en la vida social, en la familia, en la constitución de la propiedad, y en los procedimientos judiciales de los colombianos, que a la verdad no tenían razón de ser en el seno de un pueblo natural e históricamente unido por comunes sentimientos, intereses y necesidades. Al mal de la diversidad de nueve cuerpos de legislación se añadía toda la legislación propiamente nacional y nada era más difícil que hacer imperar en Colombia la unidad del derecho y la uniformidad de la justicia. [...] Guiado por altos propósitos de concordia nacional y de unificación de todos los grandes elementos de la prosperidad con que contaba el país, el Consejo Nacional Constituyente reconoció la verdad de los hechos históricos y la necesidad de acomodar a ellas las instituciones políticas y resueltamente proclamó la unidad de la República. [...] Procediendo con la necesaria consecuencia, dio nuevas formas al Poder Judicial, y admitió los recursos de casación, entre los nuevos procedimientos judiciales, con el muy loable fin de asegurar la justicia en todas partes, y abrir campo a la fijación, por medio del más alto Tribunal, de principios y reglas que, estableciendo una Jurisprudencia nacional, sirviesen de sólida garantía a todos los intereses que tienen en la ley salvaguardia.[40]

Sobre la Corte Suprema erigida por el proyecto regenerador, dice José María Samper: "Es de notar el extraño contraste ofrecido por el Consejo Nacional, en sus procedimientos relativos a la Corte Suprema. Como cuerpo constituyente, procuró dar a este alto tribunal toda la importancia y respetabilidad posibles; y a poco, obrando como cuerpo legislativo, ha deprimido a esa misma Corte, privándola de seis o siete de sus más importantes atribuciones legales". Así mismo, refiriéndose a la conformación y el nuevo papel de la corporación, señala:

> Se ha creído por algunos censores que sería excesivo el número de siete magistrados que componen la Corte Suprema. Podía ser fundada la observación respecto del primer año de ejercicio, por cuanto al verificarse la transición del régimen federal al unitario, era posible que no se multiplicasen mucho las atenciones de la Corte; pero es seguro que, a vuelta de poco tiempo, serán numerosísimas y complicadas las atenciones de ese eminente tribunal, mayormente cuando estén organizados los recursos de casación y se emprendan trabajos serios y constantes para uniformar

40 La publicación dice que la *Gaceta* es necesaria porque el *Diario Oficial* no ofrece las condiciones para servir de instrumento de difusión del trabajo unificador de la Corte Suprema. La *Gaceta* se creó mediante el Decreto 02 del 31 de enero de 1887, que desarrolló la Ley 61 de 1886, que organizó provisionalmente al Poder Judicial tras la expedición de la Constitución de 1886. *G.J.*, No. 01 del 12 de febrero de 1887.

la jurisprudencia nacional, como expresión filosófica y comentario práctico de la legislación.[41]

Si bien el régimen regeneracionista confió a la nueva Corte la importante tarea de unificar el derecho nacional tras la experiencia federalista, otra trascendental función para el tránsito del régimen federal al centralismo político y administrativo de la Constitución de 1886 se reservó al órgano político. La "disposición transitoria I" de la Carta Política establecía que las leyes de los antiguos y extintos Estados de la Unión que hubiesen sido demandadas ante la antigua Corte Suprema Federal, o que hubiesen sido suspendidas por ella, o sobre las que no hubiese recaído "resolución unánime" de esa Corte, pasarían al Consejo de Delegatarios para que este decidiera sobre la "validez o nulidad definitiva" de esas leyes. La medida, aunque parecía respetar el diseño institucional de la Constitución de 1863 en donde el Senado de la Unión decidía sobre las leyes suspendidas por la Corte Suprema Federal, parecía no confiar lo suficiente en un órgano judicial como para dejarle cuestiones del depuesto federalismo que podrían ser vitales para asegurar la transición al régimen unitario. En este sentido, la Carta de 1886 no parecía avanzar hacia el control constitucional definitivo de las leyes.

La nueva Corte Suprema de Justicia también "decidiría definitivamente sobre la exequibilidad de los actos legislativos que hayan sido objetados por el Gobierno como inconstitucionales".[42] Tal función muchas veces se considera como una con-

41 José María Samper, *op.cit.*, pp. 359-360.

42 Siguiendo a Carlos Restrepo Piedrahita, en las discusiones de los proyectos para la nueva Constitución, un ilustre delegatario, el constitucionalista José María Samper, había propuesto otra disposición que no alcanzó a ser aprobada: se trataba de la regla según la cual la Constitución era superior a todas las normas jurídicas, de modo que todos los jueces y funcionarios se obligaban a aplicarla con preferencia sobre las demás normas, y que las leyes objetadas por el presidente y declaradas como constitucionales por la Corte Suprema se aplicarían sin confrontarlas con la Constitución. Por otra parte, en el proyecto de Constitución de 1886, que el 13 de mayo de 1886 presentaron los miembros del Consejo Nacional de Delegatarios, Felipe Paul, José Domingo Ospina Camacho, Miguel Antonio Caro y Carlos Calderón Reyes, aparecía Caro explicando la iniciativa de establecer la función de la Corte como árbitro de las objeciones presidenciales ante los proyectos de ley aprobados por el Congreso. Para Caro, llegadas las objeciones a la Corte, no se trataba ya de una discusión política entre "colegisladores" sino de una "cuestión de derecho". Caro entendía que si estas reglas sobre las objeciones presidenciales quedaban aprobadas en la nueva Constitución, "no habrá probabilidad, no habrá posibilidad moral de que se expidan leyes inconstitucionales [...]". Restrepo comenta que en el proyecto de Caro no había ninguna novedad pues ya las constituciones ecuatorianas de 1869 y de 1878 contenían reglas similares. De igual modo, siguiendo a J.A.C. Grant, sostiene que en los Estados Unidos había un sistema similar, como, por ejemplo, el de la Constitución del Estado de Nueva York que estuvo vigente entre 1777 y 1821. *Tres ideas constitucionales: supremacía de la Constitución, Corte Constitucional y Ombudsman*, Universidad Externado de Colombia, Bogotá, 1978.

cesión del Ejecutivo en favor del Legislativo en medio de un diseño institucional marcadamente presidencialista, como era el de la Constitución de 1886. Bajo tal interpretación, en la medida en que la Constitución le confería al presidente de la República el poder de vetar los proyectos de ley aprobados por el Legislativo, la controversia pasaba a un tercero imparcial que sería la Corte. Sin embargo, a nuestro juicio ese diseño institucional tan solo en apariencia limitaba el poder presidencial "en favor" del órgano legislativo pues, aparte de que la Corte había sido integrada por el Ejecutivo, su competencia solo se activaba si el presidente de la República decidía objetar un proyecto. Así, aunque esta función de la Corte muchas veces se considere como parte de la evolución natural del control constitucional que inevitablemente conduciría al control constitucional de las leyes establecido en la reforma constitucional de 1910, a nuestro modo de ver ese argumento tiene como raíz la apreciación formal o conceptualista de los textos constitucionales sin mirar el contexto, lo que sin duda romantiza el perfeccionamiento institucional que habría obrado entre 1886 y 1910. Como lo veremos a lo largo de este capítulo, más que una evolución, parece más acertado hablar de una trayectoria imbricada de múltiples agendas, actores, doctrinas y contextos políticos cuyo desenlace fue la reforma constitucional republicana de 1910.

Entre la supremacía constitucional y la prevalencia de la ley y otros decretos

La propia Constitución de 1886 entregó al Ejecutivo herramientas jurídicas encaminadas a incrementar el poder presidencial incluso sobre la misma Carta Política y que no solo ponen en tela de juicio que la Regeneración haya defendido una noción de "supremacía" de la Constitución, sino también la dinámica de un verdadero control constitucional de la Corte Suprema de Justicia antes de 1910. Como veremos, se trataba de un elenco de previsiones constitucionales y de futuros desarrollos legales que dejan ver que, no obstante el talante autoritario de la Carta, los mismos regeneracionistas desconfiaban de la capacidad que podía tener la Constitución para "garantizar el orden".

Esas herramientas permiten apreciar que la noción de supremacía constitucional resultaba contraria a los ideales del orden y de la autoridad, en especial tal como los concebía Miguel Antonio Caro, quien pensaba que la Constitución podía dejar abiertos peligrosos espacios para que la oposición política facciosa controvirtiera las decisiones jurídicas del régimen y por esto creía que era necesario prever compuertas para el escape de la Constitución y el uso de herramientas eficaces para reprimir a los facciosos. Así, la premisa mayor de los regeneradores caristas era mantener el orden en todos los frentes, incluso si esto significaba suspender la Carta Política.

Se trataba, pues, de verdaderas herramientas jurídicas al servicio del régimen que servían para reprimir a la oposición política que se levantaba en contra del autoritarismo regenerador. Por ejemplo, la Constitución facultaba al Ejecutivo a actuar en contra de la prensa, con disposiciones tales como el artículo transitorio "K" que decía: "Mientras no se expida otra ley de imprenta, el Gobierno queda facultado para prevenir y reprimir los abusos de la prensa". La ley, efectivamente, tardó en expedirse, así que el Ejecutivo dictó el Decreto 151 del 17 de febrero de 1888, que dividía los delitos en subversivos y ofensivos, y en donde el juzgamiento de los primeros quedaba a cargo del Ejecutivo, en cabeza de su ministro de Gobierno. Al amparo del decreto recién mencionado, el Gobierno reprimió a los opositores ordenando varios confinamientos, y obligó a salir del país a varios periodistas y políticos de la talla del liberal Nicolás Esguerra.[43]

Después de expedido el Decreto 151, el Congreso aprobó la Ley 61 de 1888, pero en lugar de desarrollar el mandato constitucional no se ocupó de la "imprenta" o de regular la prensa sino que convirtió en permanentes las facultades presidenciales del "Artículo K" de la Constitución, con lo que autorizó al Ejecutivo a "prevenir y reprimir administrativamente los delitos y culpas contra el Estado que afecten el orden público" y lo facultó para que, de manera ilimitada, impusiera penas como las de confinamiento, destierro, prisión y pérdida de derechos políticos por "el tiempo que él crea necesario".

Otras disposiciones de la propia Constitución de 1886 también permitían al Ejecutivo imponer su voluntad sobre el texto de la Carta Política. El artículo transitorio "L" decía: "Los actos de carácter legislativo expedidos por el Presidente de la República, [antes de la sanción de la Constitución], continuarán en vigor, aunque sean contrarios a ella, mientras no sean expresamente derogados por el Cuerpo Legislativo o revocados por el Gobierno". Se trataba, pues, de una cláusula claramente favorable al poder presidencial, que restringía la aplicación directa e inmediata de todo el texto constitucional.

Otro de los materiales jurídicos importantes para entender las doctrinas constitucionales regeneracionistas y el papel de la Corte en ese proyecto es la Ley 153 de 1887, que sometía la supremacía de la Constitución a los caprichos del legislador —o de los regeneradores—.[44] El artículo 6º de esta ley establecía: "Una disposición

43 Alfredo Vásquez Carrizosa, *El poder presidencial en Colombia, op.cit.*, p. 207.

44 Al respecto, se puede consultar el estudio sobre el "control constitucional" visto desde el "clasicismo teórico" que propone Diego López en *Teoría Impura del Derecho: la transformación de la cultura jurídica latinoamericana,* Legis, 1ª edición, Bogotá, 2004, pp. 204-212.

expresa de ley posterior a la Constitución se reputa constitucional y se aplicará aun cuando parezca contraria a la Constitución".[45]

Ahora bien, no se tiene noticia de que en la Corte se haya registrado algún tipo de juicio a la validez de disposiciones como el Decreto 151 o la Ley 61 de 1888.[46] Lo que sí encontramos en la jurisprudencia del tribunal son rastros doctrinales de que la Corte no tenía compromiso alguno con la defensa de la "supremacía de la Constitución". Un buen ejemplo de esta última tendencia es la sentencia de casación fallada por la corporación el 14 de septiembre de 1889,[47] que resolvió una acusación de nulidad en contra de una sentencia del Tribunal de Cundinamarca.

El caso fue el siguiente. Una pareja contrajo matrimonio por el rito católico en 1883, es decir, en tiempos del régimen federal y bajo la vigencia de una ley del Estado de Cundinamarca del año de 1864, según la cual los matrimonios religiosos carecían de efectos civiles. En 1886, los cónyuges celebraron entre sí un contrato de compraventa de un lote mediante el cual uno de ellos le compró el inmueble al otro cónyuge. Posteriormente el cónyuge vendedor incurrió en mora por una acreencia y ante el incumplimiento en el pago de la obligación el acreedor persiguió el inmueble mencionado y obtuvo su embargo por un juzgado de circuito. La esposa adquiriente, a través de su representante (que era su esposo), reclamó una acción de dominio alegando su propiedad sobre el inmueble que ella había comprado en 1886. El acreedor ejecutante pidió al juez que se declarara la nulidad del contrato de compraventa entre los cónyuges. El juez le dio la razón al acreedor en una sentencia de 1888, que luego fue confirmada por el Tribunal de Cundinamarca, en 1889.

La Corte confirmó los plenos efectos civiles del matrimonio católico celebrado por la pareja en 1883 y declaró la nulidad del contrato de compraventa celebrado por ellos en 1886. Para esto, la corporación argumentó que después de la compraventa había sobrevenido la expedición de las leyes 57 y 153 de 1887, que habían establecido que los matrimonios católicos celebrados antes de la fecha de la apro-

45 En páginas posteriores se pondrá en evidencia cómo la interpretación del artículo 6 de la Ley 153 fue usado por la Corte tanto para limitar su poder para interpretar la Constitución, como para incrementarlo.

46 Esto también lo constatan autores como Manuel José Cepeda, quien señala: "Eran tiempos difíciles para ejercer el control constitucional, máxime frente a las leyes expedidas por el Congreso. [...] una de las leyes más represivas de que se haya tenido noticia en la historia nacional nunca fue controlada en su validez. Se trata de la tristemente célebre 'Ley de los Caballos', restrictiva de libertades y garantías básicas [...]". *Polémicas constitucionales,* Legis, Bogotá, 2007, p. 54.

47 La Corte estaba integrada por Rito Antonio Martínez (presidente), Lucio Pombo, Ramón Guerra, Luis M. Isaza, Froilán Largacha, Mariano de Jesús Medina y José I. Trujillo. Corte Suprema de Justicia, sentencia del 14 de septiembre de 1889.

bación de esas leyes tendrían plenos efectos civiles desde la fecha en que aquellos se hubiesen celebrado, es decir, que aquellas leyes tenían efectos retroactivos. Entonces, según la interpretación de la Corte, los efectos de esas normas se retrotraían a 1883, de modo que se debía entender que para la fecha de la celebración del contrato de compraventa del lote (1886) el matrimonio católico tenía plenos efectos civiles y, en consecuencia, la compraventa entre los cónyuges era inválida pues la legislación nacional de 1887 prohibía a los cónyuges celebrar contratos entre sí.

La cónyuge que recurrió ante la Corte expresó que al aplicar retroactivamente la Ley 153 de 1887 se le vulneraban los derechos adquiridos, tal como estaban consagrados en el artículo 31 de la Constitución de 1886. La corporación no aceptó el argumento y con este razonamiento recordó que su misión no era defender la supremacía del texto constitucional sino el imperio de la ley:[48]

> Al Poder Judicial no le está atribuida la interpretación general y auténtica de la Constitución ó de las leyes substantivas, ni le es permitido dejar de observar estas porque las juzgue contrarias a la Constitución. Solo en el caso del artículo 90 de la misma Constitución puede la Corte Suprema decidir si un proyecto de ley es ó nó exequible, por ser ó nó conforme a la Constitución. No está establecido en la República ningún Tribunal o autoridad que tenga la facultad de declarar que una ley deja de ser obligatoria por ser contraria a un precepto constitucional.

De este modo, la Corte reforzó la jerarquía de la Ley 153 de 1887 en el orden jurídico nacional, en detrimento de la noción de supremacía de la Constitución como fuente del derecho. Esto dijo:[49] "[El] artículo 6 de la Ley 153 antes mencionado, dice que una disposición expresa de ley posterior á la Constitución, se reputa constitucional y se aplicará aun cuando aparezca contraria a la Constitución. Pero si no fuere disposición terminante sino obscura ó deficiente, se aplicará en el sentido más conforme con lo que la Constitución preceptúe [...]".

Con su decisión, la Corte no solo defendió una legalidad que se imponía sobre la Constitución sino que agenció el ideario político regeneracionista cuando decidió defender el ideal de una sociedad católica, que había sido afectada por el orden jurídico del liberalismo radical. La corporación no solo interpretó que la Ley 153 de 1887, en cuanto que fijaba efectos civiles retroactivos a los matrimonios católicos, no violaba ningún derecho adquirido, sino que ofreció algunas de las razones

48 Corte Suprema de Justicia, sentencia del 14 de septiembre de 1889, *G.J.*, No. 155, Año III, 28 de septiembre de 1889, p. 403.

49 *Ibídem*, p. 403.

por las que esa ley debía aplicarse pues cuando aquella se aprobó: "[...] con un fin manifiestamente moral, no hizo otra cosa que satisfacer una exigencia de las condiciones sociales del pueblo colombiano, vulneradas por leyes anteriores que estaban en manifiesta pugna con el sentimiento religioso y la conciencia de la gran mayoría de sus habitantes. La ley se limitó a legitimar un acto verificado de conformidad con la costumbre secular del país, constitutivo de obligaciones de derecho natural". Y agregó:[50] "El reconocimiento de los efectos civiles de un matrimonio religioso es un beneficio innegable para los contrayentes y para su familia, á la vez que constituye la reparación de un agravio inferido a la moral y á la constitución misma de la sociedad, porque acarrea la legitimidad de los hijos y de los padres y la entrada inmediata en el ejercicio de los derechos y deberes que emanan de esa misma legitimidad".

Para la Corte, además, el tránsito legal de un régimen federal al de un estado unitario había significado dotar al país de una legislación nacional en materia civil y penal que buscaba "poner en armonía las leyes positivas con la moral cristiana y las costumbres inmemorables", de modo que el legislador había fijado unas reglas para armonizar las leyes antiguas con las nuevas, y si al cumplir ese propósito se habían dictado leyes que establecían efectos retroactivos, "los jueces necesariamente tienen que atenerse a ellas, porque su poder no alcanza hasta dejar de cumplir leyes posteriores á la Constitución, porque puedan suponerse contrarias a esta".[51]

Por último, hay un caso que ha sido comentado por algunos constitucionalistas como un antecedente del control constitucional, pero que analizado en su contexto nos ayuda a comprobar una vez más que el rol político de la corporación en tiempos de la Regeneración fue obsecuente con ese régimen cuando había un clima de estabilidad institucional.[52] Se trata de la primera ocasión en que, bajo la vigencia de la Constitución de 1886, la Corte Suprema de Justicia debió dirimir una controversia entre el Poder Ejecutivo y el Poder Legislativo al conocer sobre las objeciones presidenciales a un proyecto de ley aprobado por el Consejo Nacional de Delegatarios.

El proyecto de ley concedía una pensión mensual a la viuda e hijas del sargento O'Levy y fue objetado por el Ejecutivo, de modo que le fue devuelto al Consejo, quien, a su vez, declaró que las objeciones eran infundadas y, por tanto, se lo devolvió al Gobierno el 14 de febrero de 1887. Una vez el proyecto objetado llegó a manos del ministro del Tesoro, este, interesado en evitar que se ordenara al tesoro nacio-

50 *Ibídem,* p. 403.

51 *Ibídem,* p. 403.

52 Manuel José Cepeda Espinosa, *Polémicas constitucionales, op. cit.,* pp. 48-49.

nal reconocer esa pensión y frenar otras que se le ocurrieran al Consejo, en lugar de remitirlo de inmediato a la Corte para que esta decidiera sobre las objeciones, prefirió engavetarlo y tan solo se lo hizo llegar al tribunal cuatro meses después, cuando había expirado el plazo que tenía la Corte para decidir, según la Ley 61 de 1886 —que reglamentaba el trámite de las objeciones presidenciales a los proyectos de ley—. Cuando el ministro le remitió a la Corte el proyecto objetado, hasta el propio Consejo Nacional de Delegatarios estimaba que el tribunal había perdido su competencia para pronunciarse, tal como lo dijo un delegado que actuó en representación de ese Consejo en la audiencia pública que convocó la Corte Suprema.[53]

Pero a pesar de la morosidad del Ejecutivo, la Corte razonó que estaba facultada para pronunciarse sobre las objeciones pues a su juicio era necesario distinguir entre los términos, es decir, las formalidades del trámite de las objeciones, y entre el "derecho esencial é inmanente de la Corte" para decidir al respecto. Dijo el tribunal:[54]

> El ejercicio de las facultades inherentes á la Soberanía nacional, en todos sus ramos y manifestaciones, no prescribe sino tratándose de derecho penal; á diferencia de lo que sucede á los individuos, los cuales sí pierden su derecho sino lo ejercitan a tiempo. [...] Si la Corte se declarara sin jurisdicción en un caso como el presente, la ley acusada quedaría sin efecto; pero también quedaría establecido el más pernicioso antecedente en contra del régimen constitucional, pudiéndose después anular el Poder Legislativo, con sólo retardar la presentación á la Corte de un proyecto objetado.

La Corte si bien se declaró competente para pronunciarse extemporáneamente sobre estas objeciones presidenciales, encontró que el Ejecutivo había interpretado

53 El trámite de las objeciones presidenciales en lo que tenía que ver con la Corte estaba reglado en la sección tercera, No. 1, de la Ley 61 de 1886: "La decisión sobre exequibilidad debe ser solicitada por el respectivo Ministro del Despacho, en el perentorio término de seis días, a contar desde aquel en que el Congreso hubiere declarado infundada la objeción de inconstitucionalidad. A la solicitud se acompañará copia de todo lo conducente. [...] Presentada la solicitud de que se habla, se dará traslado al Procurador, por el término de tres días y en el mismo auto en que esto se disponga, se señalará para audiencia pública uno de los cinco días siguientes al en que termine el traslado conferido al Procurador. [...] En la audiencia de que se trata, serán oídos el Procurador General de la Nación, un miembro del Senado y otro de la Cámara de Representantes, designados para ello por estas Corporaciones; designaciones que deben hacerse luego que el Congreso haya declarado infundada la objeción de inconstitucionalidad. [...] La Corte resolverá por mayoría de votos y dentro de los seis días siguientes al de la terminación de la audiencia. Si declara que el auto acusado es exequible, el Presidente sancionará la ley; si declara lo contrario, se archivará el proyecto".

54 Corte Suprema de Justicia, Acuerdo No. 45 del 6 de julio de 1887, *G.J.*, Vol. 1, No. 30, p. 236.

la Constitución correctamente al objetar una ley que decretaba una pensión que no estaba destinada a satisfacer derechos reconocidos por una ley preexistente.

Tan solo uno de los siete magistrados salvó su voto en la sentencia O'Levy. El magistrado de origen liberal Manuel J. Angarita consideró que la Ley 61 de 1886 debía interpretarse en su sentido literal y, por lo tanto, la Corte no debió haberse pronunciado de manera extemporánea. Él dudaba que la doctrina sentada por la corporación sirviera para imponerle límites al Ejecutivo y mucho menos que el fallo evitaría que el Gobierno hiciere "ilusoria" la acción del legislador. Estimaba que, en lo sucesivo, el Ejecutivo podría continuar dilatando el envío a la Corte de los proyectos de ley objetados, de modo que al mantenerlos en suspenso burlaba la voluntad legislativa y que, además, el Gobierno podría optar por no volverle a enviar a la Corte ninguno de esos proyectos sin que la corporación pudiese hacer nada por evitarlo, configurándose así una mayor imposición del Ejecutivo sobre el Legislativo. Por todo esto, consideraba que la Corte debió abstenerse de asumir una jurisdicción que conduciría al mismo punto: la preeminencia del Ejecutivo sobre los demás órganos del poder público. En palabras de Angarita: "Es preferible, en mi opinión, que el día que el Gobierno tenga la pretensión de hacer ilusoria la acción legislativa, y ocurra á la Corte extemporáneamente, haya ocasión de que este respetable Tribunal llame la atención pública sobre la violación de la ley por parte del Gobierno".[55]

Como se puede apreciar en el caso O'Levy, la Corte Suprema no renunció a su papel de árbitro entre los poderes Legislativo y Ejecutivo y les demostró a ambos que estaba dispuesta a hacer valer su función atribuida por la Constitución de 1886. Pero si bien le hizo saber al Gobierno que sus estrategias dilatorias para impedir la acción del tribunal no eran suficientes para que este se abstuviera de cumplir su mandato constitucional, tal afirmación de competencia sobre el proyecto de ley O'Levy en últimas favorecía al propio Poder Ejecutivo. Es decir, que la audacia interpretativa de la Corte Suprema para sortear la restricción legal que le imponía un plazo para decidir sobre las objeciones presidenciales había terminado respaldando al Gobierno en su propósito de salvaguardar las maltrechas finanzas públicas, y también le habían ayudado a este a frenar el apetito fiscal del Consejo Nacional de Delegatarios, que, como "cuerpo legislativo", se mostraba dispuesto a conceder pensiones sin mirar las cuentas del tesoro nacional.[56]

55 *Ibídem*, p. 237.

56 Cepeda destaca la defensa del "régimen constitucional", de la integridad del Poder Legislativo frente al Ejecutivo y de la supremacía de la Constitución que significa este fallo de la Corte. Sobre este último principio, estima el autor que la Corte entendió que si se abstenía de pronunciarse sobre las objeciones bajo el argumento de que su jurisdicción había caducado, sentaría un peligroso antece-

Así las cosas, en tiempos de estabilidad del régimen regeneracionista, la Corte Suprema de Justicia resolvió el caso de la pensión O'Levy inclinando la balanza en favor del Ejecutivo. En la primera oportunidad que tuvo de ejercer la facultad constitucional de decidir sobre las objeciones presidenciales le demostró al Gobierno que no había que temerle al arbitraje de la Corte entre las disputas de los poderes Legislativo y Ejecutivo. El tribunal le recordó al Gobierno que dentro del proyecto regenerador y el diseño institucional de la Constitución de 1886, la preeminencia del Ejecutivo estaba más que asegurada.[57]

En suma, con instrumentos legales como los mencionados a lo largo de este apartado, la Regeneración estableció un régimen autoritario y represivo, por fuera de la Constitución de 1886, que estaba lejos de lograr el tan anhelado respeto a la "autoridad" y el "orden" que decía buscar el proyecto político regenerador. Así mismo, como lo hemos puesto de presente, en tiempos en que el régimen regenerador gozaba de estabilidad, la Corte Suprema acompañó el proyecto con su doctrina legal y con su comportamiento institucional.

La Corte en el golpe de Estado del año 1900

Como lo dijimos previamente, la Corte Suprema de Justicia que se instaló con la Constitución de 1886 defendió el ideario político de la Regeneración y operó dentro de los marcos institucionales que le fijaban la Constitución y la doctrina de la "supremacía legal" del artículo 6º de la Ley 153 de 1887. Empero, la crisis política que fracturó al regeneracionismo, que condujo a la Guerra de los Mil Días y a un golpe de Estado en los albores del siglo XX, desorientaron políticamente al tribunal y le hicieron alinearse con los actores políticos que desafiaban el proyecto regeneracionista y que producían un cambio en el régimen en el año 1900.

Del conservatismo de Caro a la crisis de la Regeneración

Como afirma David Bushnell, aunque Rafael Núñez decía que si el país no se acogía el proyecto de la Regeneración la patria se vería abocada a la catástrofe, la Regeneración no solo fue incapaz de prevenir dos de las catástrofes con las que

---

dente, pues de ese modo el Legislativo quedaba inerme ante la delación del Ejecutivo de cumplir su deber constitucional de remitir el proyecto objetado a la Corte, dentro de los términos fijados por la ley. Manuel José Cepeda, *Polémicas constitucionales, op. cit.*, pp. 48-49.

57 Después de este incidente, el Congreso aprobó la Ley 153 del 24 de agosto de 1887, cuyo artículo 323 disponía que era el secretario del Congreso y no el ministro del ramo el encargado de remitirle a la Corte Suprema el proyecto objetado por el Gobierno.

el país cerró el siglo XIX y empezó el siglo XX, sino que fue factor de dos tragedias nacionales: la Guerra de los Mil Días[58] y la separación de Panamá.[59] Entre esas dos catástrofes se sitúa el segundo momento de interés que nos ayuda a caracterizar el rol político de la Corte Suprema de Justicia, en el período que va de 1886 a 1910.

Núñez fue elegido presidente para el período 1886-1892. En 1888 se retiró a su natal Cartagena, aunque se reservó el ejercicio directo de su cargo para momentos de crisis. En su reemplazo asumió el designado presidencial Carlos Holguín Holguín, quien representaba al partido nacional, la facción conservadora creada para defender el proyecto de la Regeneración. Al final del sexenio se iniciaba la campaña presidencial para el período 1892-1898, y, como era natural, Núñez volvería a la Presidencia. Entonces, la disputa se centraba en quién sería la fórmula vicepresidencial de Núñez. La designación del candidato agudizó la ya notable división que se había creado entre los partidarios de la Regeneración (nacionalistas), liderados por Miguel Antonio Caro, y los conservadores históricos, es decir, quienes apoyaban a Marceliano Vélez,[60] que era una facción conservadora, principalmente antioqueña, que se oponía a la Regeneración.[61]

Hay que anotar que el programa político del candidato Vélez incluía la garantía de independencia judicial y afirmaba que la Constitución no podía dejarse anular "por la simple mayoría de un Congreso a virtud del absurdo principio de la constitucionalidad de las leyes". Una postura política que pone en evidencia que ya flotaba en el ambiente la idea de la supremacía constitucional como una herramienta para limitar la arbitrariedad del autoritario régimen regeneracionista.[62]

Núñez inicialmente apoyó a Vélez pero cambió de opinión debido a la presión de un grupo de nacionalistas que veían a los veliztas como un serio peligro para la

58 Un estudio historiográfico sobre el período, incluyendo esta coyuntura, en Charles Bergquist, *Coffee and Conflict in Colombia, 1886-1910,* Duke University Press, 1979.

59 David Bushnell, *The Making of Modern Colombia: a Nation in Spite of Itself,* University of California Press, Berkeley, Los Ángeles, 1993, p. 148.

60 Vélez canalizaba poderosos sectores de oposición antioqueños al proyecto regenerador, en especial por el inadecuado manejo económico del Gobierno, específicamente porque se sentían afectados por el establecimiento del Banco Nacional en 1881 y con la imposición del papel moneda de curso forzoso que había fijado la Constitución de 1886. Fernando Correa Uribe, *Republicanismo y reforma constitucional, op. cit.,* p. 16.

61 En su programa político, Vélez incluía una garantía de independencia judicial y afirmaba que la Constitución no podía dejarse anular "por la simple mayoría de un Congreso a virtud del absurdo principio de la constitucionalidad de las leyes".

62 La preocupación de los empresarios por las "ideas republicanas" no solo tenía origen en la necesidad de respetar las "reglas de juego político", sino en garantizar las condiciones para el desarrollo económico que se veía afectado por el enfrentamiento entre liberales y conservadores, y que habían devenido en una gran cantidad de guerras entre facciones durante gran parte de la segunda mitad del siglo XIX.

"unificación" nacional, no solo porque, según ellos, esto se había logrado con la Regeneración y la Constitución de 1886, sino porque la llegada de élites empresariales antioqueñas al poder político producía desconfianza entre las élites bogotanas. Así que Núñez decidió apoyar a Caro,[63] quien finalmente fue electo vicepresidente.

El poder del vicepresidente Caro adquirió verdaderas dimensiones con la muerte de Núñez en septiembre de 1894 y de Carlos Holguín un mes después. Caro quedaba como el único heredero de la Regeneración y ahora tenía el camino despejado para imponer su propio estilo: el más extremo entre los regeneracionistas, que logró materializarse durante los cuatro años que le quedaron al frente del Ejecutivo. Su Gobierno estuvo marcado por la intensa oposición de los conservadores históricos liderados por Carlos Martínez Silva[64] y también de la precaria minoría liberal. Ambos grupos fueron fuertemente reprimidos por el Gobierno, con encarcelamientos, censura de prensa y el marginamiento absoluto del poder. Su régimen fue rechazado con un alzamiento militar de los liberales en enero de 1895, que fracasó estruendosamente a los dos meses de haberse iniciado la contienda.[65]

Y es que para Caro imponer un régimen autoritario y excluyente no era cosa nueva, recordemos que a él se debe la mayor parte de la concepción autoritaria de la Carta Política de 1886. Por ejemplo, Caro consideraba que el artículo 121 de la Constitución Nacional, que permitía al Ejecutivo expedir decretos legislativos en caso de guerra o de turbación del orden público, significaba que la Constitución comprendía dos órdenes de legalidad: la de tiempos de paz y la de tiempos de guerra, de modo que, al imponerse la "legalidad marcial", se autorizaba al presidente de la República a "defender el orden" a cualquier precio. Un testimonio fiel de la concepción autoritaria y conservadora lo encontramos en su "Mensaje al Congreso" de julio 20[66] de 1896:[67]

63 Fernando Correa Uribe, *Republicanismo y reforma constitucional, op. cit.*, p. 15.

64 Marceliano Vélez era el otro líder de los históricos. En 1896, este grupo publica "Motivos de Disidencia o Manifiesto de los 21" y en agosto de 1897 produce un documento de diecinueve puntos o "las bases" de su oposición a los "nacionalistas", con una crítica histórica a la Regeneración y una propuesta de reforma a la Constitución de 1886.

65 A este conflicto se le llamó también "La guerra de los sesenta días". La victoria militar del Gobierno de Caro en parte fue obra de los generales del Ejército Juan N. Mateus, Próspero Pinzón, Jorge Moya, Juan N. Valderrama y Rafael Reyes. Este último se alzó con los méritos. Carlos Eduardo Jaramillo, "Antecedentes generales de la Guerra de los Mil Días y el golpe de Estado del 31 de julio de 1900", en *Nueva Historia de Colombia,* Tomo I, Historia Política, Planeta, Bogotá, 1989, p. 66.

66 Miguel Antonio Caro: "Mensaje que el vicepresidente de la República, encargado del Poder Ejecutivo, dirige al Congreso Nacional, reunido en Bogotá el 20 de julio de 1896", Imprenta Nacional, Bogotá, 1896, reimpreso en *Miguel Antonio Caro, escritos políticos,* tercera serie, estudio preliminar de Carlos Valderrama, Biblioteca Colombiana XXXV, Instituto Caro y Cuervo, Bogotá, 1991, pp. 247-271.

67 Para cerrar con broche de oro su mensaje, en señal del profundo moralismo católico de su

> Periódicos procaces hemos visto en todas las épocas; pero nunca se había organizado una conjuración tal al servicio exclusivo y diario de la calumnia. [...] parece que la impotencia de derribar por las armas un Gobierno honrado y justo, hubiese sugerido la idea de matarlo con el veneno, comprometiendo sin pudor la honra nacional [...] y haciendo en cierto modo imposible la vida pública para los hombres de bien. [...] Debemos esperar, con esta ocasión, que expidáis una ley de imprenta, pero no una ley que embrolle el derecho, sino que hasta donde alcance el poder de la sanción legal a reprimir el mal, ofrezca medios expeditos que permitan proteger a las víctimas de la calumnia y librar a la sociedad de los escándalos a que está expuesta.

Y luego en el mismo mensaje se refiere a la situación de orden público, señalando que, así se haya logrado la paz, el estado actual de las cosas es el de una "paz armada":

> No tenemos la culpa que así sea; la amenaza obliga a la defensa. A las necesidades de esta situación responden las leyes que invisten al poder público de facultades especiales para contener a los agitadores y prevenir la agresión: leyes que, estén o no escritas emanan de un derecho social incontrovertible, y cuyos efectos cesan sin derogación expresa, desde el momento en que los mismos que las censuran porque temen, quieran sinceramente abolirlas, cesando de conspirar, ellos primero.

Caro aspiraba a continuar al frente del Ejecutivo para el período constitucional 1898-1904. Para no inhabilitarse dejó su cargo en 1896 y en su reemplazo asumió el poder el designado a la Presidencia, el general Guillermo Quintero Calderón. Al igual que Núñez, Caro quiso gobernar por interpuesta persona pero Quintero se apartó de sus lineamientos, se mostró dispuesto a una reconciliación con la facción de los históricos e incluso nombró como ministro a un militante de ese grupo. Para Caro todo eso era inaceptable, así que reasumió la Presidencia. Su decisión automáticamente lo inhabilitó para aspirar a ese cargo en el período inmediato y entonces optó por otra estrategia con tal de no apartarse del poder: impuso como sucesor al octogenario conservador nacionalista Manuel Antonio Sanclemente, un exmagistrado de la Corte Suprema de Justicia que estaba alejado de la política y de la vida pública.

---

postura política y jurídica, Caro dice: "Sin perjuicio de que el Gobierno ejerza la debida vigilancia, y esté, como lo está, preparado para todo, juzgo, sin embargo que para asegurar la paz, más que facultades extraordinarias y de recursos legales, necesitamos de mayor suma de virtudes cristianas y cívicas, de la religión del respeto. [...] De vosotros pende el porvenir de la República. ¡Qué Dios los ilumine!". Miguel Antonio Caro, *Miguel Antonio Caro, escritos políticos, op. cit.*, pp. 178-191.

Sanclemente ganó la presidencia en un ambiente colmado de denuncias sobre arbitrariedades del Gobierno para favorecer su candidatura y de fraude electoral.[68] La elección de Sanclemente fue la piedra de toque que agudizó la crisis del régimen regeneracionista. El presidente electo era considerado un títere de Caro y para completar, debido a su avanzada edad y menguada salud, debía deambular por varias poblaciones de Cundinamarca en busca de un clima más favorable que el de la fría sabana bogotana. Y lo esperaba un Congreso dividido: en el Senado dominaban las mayorías del partido nacionalista y la Cámara de Representantes estaba compuesta mayoritariamente por conservadores históricos.

Los quebrantos de salud impidieron que Sanclemente tomara posesión de su cargo. El vicepresidente José Manuel Marroquín ejerció como presidente desde el 7 de agosto de 1898. En su administración, contrario a lo que esperaba Miguel Antonio Caro, optó por la independencia y atendió las solicitudes de los liberales y de los conservadores históricos, al punto que derogó la "Ley de los Caballos", y aceptó tramitar una reforma electoral que ofreciera garantías a las minorías. La actitud de Marroquín enfureció a Caro, quien presionó a Sanclemente para que asumiera su cargo.

Así, el 3 de noviembre de 1898, un anciano y enfermo Sanclemente regresó a Bogotá a posesionarse como presidente de la República, en medio de fuertes protestas callejeras: incluso fueron apedreadas varias personas que lo acompañarían a tomar posesión de su cargo.[69] Según la Constitución, el presidente del Congreso era el presidente del Senado y el vicepresidente era el presidente de la Cámara de Representantes. El artículo 116 de la misma Carta indicaba que el acto de posesión debía cumplirse ante el presidente del Congreso. El Senado no se reunió y la Cámara de Representantes, presidida por José Vicente Concha (quien pertenecía a los históricos), se negó a posesionarlo.[70] La Cámara, además, aprobó dos proposiciones: "Una por unanimidad en que se declara que si el doctor Sanclemente se posesiona ante la Corte Suprema, tal acto es ilegal y atentatorio contra la Constitución, y la Cámara en tal caso no le reconocerá su carácter de presidente; y otra en que se declara que no habiéndose posesionado el señor doctor Sanclemente dentro del

68 Un análisis del proceso electoral de ese año en: Charles Bergquist, "Economía política de la elección presidencial de 1897", en *Colombia en el siglo XIX: ensayos de Bergquist, Bushnell, Earle, Gilmore, Jiménez, Linch, Marlane, Murray y Sowell,* Planeta, Bogotá, 1999, pp. 269-307.

69 Otto Morales Benítez, *Sanclemente, Marroquín, el liberalismo y Panamá,* Statmato Editores, Bogotá, 1998.

70 Según el artículo 116 de la Constitución de 1886, "El Presidente de la República electo tomará posesión de su destino ante el Presidente del Congreso", Carlos Restrepo Piedrahita, *Constituciones Políticas..., op. cit.,* p. 410.

término fijado por el Código Político y Municipal, la Presidencia de la República se encuentra vacante".[71]

El enfrentamiento en el legislativo adquirió graves dimensiones. La facción gobiernista de los conservadores nacionalistas que dominaba el Senado cerró filas en favor de Sanclemente. Por su parte, los conservadores históricos se atrincheraron en la Cámara de Representantes, apoyados por los minoritarios liberales, que de todos modos veían alguna esperanza en que se truncara el Gobierno nacionalista, que en últimas era el del régimen de Caro.[72] El Senado expresó:

> Dígase al presidente titular que el Senado de la República cree que puede y debe tomar posesión de su cargo ante el presidente de la Corte Suprema [...] Dígase al vicepresidente de la República, encargado del Poder Ejecutivo y al presidente de la Corte Suprema de Justicia, que el Senado espera, sin sombra de duda, que ellos apoyen y confirmen por su parte esta doctrina constitucional para salvar este momento crítico, el orden legal y asegurar la tranquilidad y la confianza en el imperio de las instituciones.[73]

En semejante conflicto interinstitucional trabado entre el Ejecutivo y el Legislativo —o mejor entre históricos y liberales contra nacionalistas— entraría en escena la Corte Suprema de Justicia. En efecto, el artículo 117 de la Constitución establecía: "Si por cualquier motivo el Presidente no pudiere tomar posesión ante el Presidente del Congreso, lo verificará ante el Presidente de la Corte Suprema de Justicia y, en defecto de esta, ante dos testigos".[74] La corporación interpretó la Constitución en el sentido que Sanclemente podía posesionarse ante la Corte. Para cumplir con el acto, incluso los magistrados tuvieron que desplazarse hasta el sitio en donde Sanclemente se hallaba alojado, pues su enfermedad le impedía movilizarse hasta la sede del tribunal.[75] Al final, la Cámara, con históricos y liberales, debió conformarse con la constitucionalidad del hecho cumplido de la pose-

71 *El Correo Nacional*, 4-XI, 1898, periódico citado por Otto Morales Benítez en: *Sanclemente, Marroquín, el liberalismo y Panamá, op. cit.*, capítulo III, segunda parte.

72 "El Autonomista informa sobre los sucesos y trae una resolución de la Cámara en la cual se insiste en que el presidente debe posesionarse ante el Congreso. El Senado mantiene su posición de que lo puede hacer ante la Corte. Pero la Cámara llega a desconocer el acto y 'Resuelve: Declárase ilegal la posesión que tome ante la Corte Suprema el señor doctor Manuel A. Sanclemente, del puesto de presidente de la República'". Se da orden de continuar entendiéndose con Marroquín como presidente legítimo. Otto Morales Benítez, *op. cit.*

73 *Ibídem.*

74 Constitución Política de 1886, *Constituciones Políticas de Colombia, op. cit.*, p. 410.

75 Alfredo Vásquez Carrizosa, *op. cit.*, p. 216.

sión de Sanclemente, por supuesto dando la victoria política a Sanclemente y a los conservadores nacionalistas.[76] El presidente, una vez se posesionó, emprendió su regreso a Villeta, Cundinamarca, a donde debía residir por prescripción médica.

Históricos y liberales no quedaron contentos con que Marroquín le hubiese "devuelto" el poder a Sanclemente. Fiel a los deseos de Caro, el presidente Sanclemente dio marcha atrás a las iniciativas de reforma que había emprendido su vicepresidente. Pronto se intensificaron las intrigas y las denuncias sobre el desgobierno y los desafueros del gabinete ministerial. Se decía que el presidente estaba senil, que ya no se encontraba al frente del poder sino que este era ejercido "de facto" por su ministro de Gobierno, Rafael Palacio. En febrero de 1899, una facción mayoritaria de liberales se levantó en armas en contra del Gobierno,[77] dando origen a la cruenta Guerra de los Mil Días, que solo terminaría hasta 1902[78] con la victoria del Gobierno conservador, después de dejar como saldo 100.000 muertos y facilitar las condiciones para la secesión del departamento de Panamá, en 1903.[79]

En medio del fragor de la guerra y de la frágil posición política de Sanclemente, que gobernaba desde Villeta, los conservadores históricos empezaron a abrir los caminos para una posible negociación con los liberales y poner fin al conflicto.[80] Y de nuevo la Corte Suprema regresó a la arena política cuando un grupo de estos opositores intentó que la corporación ejerciera un "juicio de interdicción" en contra del presidente, argumentando que este padecía de una supuesta debilidad mental que lo inhabilitaba para ejercer el cargo. El propio Sanclemente comentó el hecho y dijo que Lucio Pombo, magistrado de la Corte Suprema, le escribió a su hijo una carta en la que le comentaba que había un rumor creciente sobre el presunto fallecimiento del presidente en Villeta, y que sabía que había personas interesadas en enviar un memorial solicitándole a la Corte que enviase una comi-

76 Fernando Corre Uribe, *op. cit.,* p. 42.

77 La declaración de guerra fue firmada el 12 de febrero de 1899.

78 Durante la Guerra de los Mil Días, el Ejecutivo gobernó mediante decretos legislativos. Una compilación de esas medidas en: *Decretos Legislativos expedidos durante la guerra de 1899 á 1902,* compilación realizada por Manuel José Guzmán, Edición del Boletín Militar, Imprenta del Vapor, Bogotá, 1902, pp. 133-134.

79 Malcom Deas, "Reflexiones sobre la Guerra de los Mil Días", en *Revista Credencial No. 121,* Bogotá, enero del 2001.

80 Ya desde el 13 de agosto de 1899, los conservadores históricos habían declarado que la Junta de Delegados del Partido Conservador se desligaba del Gobierno y que "en la actualidad no existe vínculo político alguno entre el Gobierno, que es nacionalista, y el Partido conservador [...] que la Junta no cree justo, patriótico ni decoroso que el partido conservador se haga responsable de los actos del círculo nacionalista contra los intereses patrios". Citado por Carlos Eduardo Jaramillo en "Antecedentes generales...", en *Nueva Historia de Colombia, op. cit.,* p. 74.

sión médico-legal para verificar si aquel estaba en condición de ejercer su cargo. Según el presidente, su hijo Sergio le contestó al magistrado con gran indignación: "¿Cree usted que la Corte Suprema, de la cual es miembro, recibiera sin indignación la solicitud a que me refiero, y accediera á ella? Si usted lo cree, no así yo, porque tengo la más elevada idea de esa corporación que hace honor a la República por su recto proceder y por las distinguidas condiciones de los que la componen?".[81]

Como era de esperar, Sanclemente, al conocer esa intentona de los opositores dijo que jamás consideró que la Corte tuviese la competencia de ordenar tal revisión médica, ni mucho menos la de adelantarle un juicio de aquellos a la máxima cabeza del Ejecutivo, y que, además, él no se sometería a semejante humillación.[82] Finalmente, ni la Corte ordenó tal dictamen médico ni se realizó el juicio de interdicción en contra del presidente de la República: como veremos enseguida, la oposición a Sanclemente ensayó otra estrategia, tal vez más efectiva.

Marroquín se toma el poder

El 31 de julio de 1900, el vicepresidente Marroquín recibió el apoyo del grupo conservador de los históricos y, aprovechando que Sanclemente ejercía su cargo fuera de la capital, con la ayuda de un sector mayoritario del Ejército y de la Policía asumió el poder en la capital del país[83] y ordenó la detención del presidente Sanclemente, quien fue confinado en Villeta hasta su muerte, en 1902.

El mismo día en que asumió la presidencia, Marroquín nombró su nuevo gabinete ministerial mediante el Decreto 01 de 1900, que publicó junto a un "Manifiesto" en el *Diario Oficial* y cuyo propósito era justificar la toma del poder. El flamante jefe del Ejecutivo, después de hacer un llamado a los alzados para que

81 Manuel A. Sanclemente, "El Pretorianismo", Villeta, 12 de octubre de 1900, en *Manifiestos y Protestas del Presidente de Colombia Sr. Sanclemente, y otros documentos relativos al crimen de alta traición consumado en Bogotá el 31 de julio de 1900,* editados por Eduardo Espinosa, Nueva York, 1901, p. 33.

82 Eduardo Espinosa, quien para la época del golpe de Marroquín era cónsul de Colombia en Nueva York, y amigo personal de Sanclemente, compiló documentos sobre el golpe. Algunos de los escritos son del presidente Sanclemente, en donde este denuncia los vejámenes a que estaba siendo sometido: menciona que incluso sus archivos personales fueron tomados por los militares a órdenes de Marroquín. Espinosa dice que en Colombia no hay prensa libre ni libertades, por lo que él se siente en el deber de hacer públicos varios documentos que dan cuenta de los hechos que han "ultrajado al legítimo presidente de Colombia", hoy "preso por los usurpadores". Eduardo Espinosa, *op. cit.*

83 El apoyo político al golpe vino tanto de los conservadores históricos como de sectores liberales que veían en Marroquín una posible salida a la guerra y al casi exterminio político que vivían. Las expectativas de cese de la guerra desaparecerían a los pocos meses de instalado el nuevo régimen de Marroquín. Cf. Carlos Eduardo Jaramillo, "Antecedentes generales de la Guerra de los Mil Días y golpe de Estado del 31 de julio de 1900", *op. cit.*

depusieran las armas y regresara la paz, bajo el argumento de que no tenía sentido seguir luchando contra "un Gobierno que ya no existe", les advirtió que si no renunciaban al empeño de seguir en la guerra se vería obligado "a la penosísima necesidad de continuar la guerra y de hacerlo con toda la energía [...] y en defensa de los principios salvadores que encarna la actual Constitución". Entre sus apartes dice el "Manifiesto":[84]

> Me he visto hoy en la imperiosa e ineludible necesidad de no desatender la voz de la opinión pública que de tiempo atrás viene clamando por la restauración de un Gobierno justiciero, probo y enérgico [...] que por medios rápidos y adecuados procure la terminación de la pavorosa guerra que hoy desangra y postra á la República [...] Incapacitado el primer Mandatario para residir en la capital de la República y para dirigir los negocios públicos por sí mismo y con la atención y consagración que demanda la acción ejecutiva en todos los países, y señaladamente en los regidos por un Gobierno netamente presidencial, como el que nuestras instituciones consagran, la opinión pública venía clamando de tiempo atrás por el restablecimiento de la normalidad legal.

El golpe de 1900 daría lugar a una contundente y trascendental intervención de la Corte Suprema de Justicia en la coyuntura política de la sucesión presidencial forzada por el vicepresidente en contra de Sanclemente. Se trata del pronunciamiento de la corporación sobre el Decreto Legislativo 46, dictado por Marroquín el 24 de agosto de 1900, "sobre procedimientos judiciales", relacionado con suspensión y continuidad de términos en procesos judiciales civiles y penales, que también disponía algunas reglas de competencia. El decreto había sido dictado bajo el amparo del estado de sitio que estaba vigente con motivo de la Guerra de los Mil Días. En sus apartes se lee:

> El Vicepresidente de la República, encargado del Poder Ejecutivo
>
> DECRETA:
>
> Art. 1. Continuarán suspendidas las actuaciones judiciales en materias civiles, que tengan el carácter de juicios ordinarios o que sean juicios especiales convertidos en ordinarios".
>
> [...]

84 "Manifiesto" firmado por José Manuel Marroquín el 1 de agosto, publicado en el *Diario Oficial,* No. 11306, Año XXXVI, Bogotá, 2 de agosto de 1900.

Art. 6. Se adelantarán los recursos de casación pendientes en la Corte Suprema de Justicia, en que ya estuviere hecho el fundamento del recurso ante la misma Corte o en que se hubiere vencido el término que otorga la ley para hacerlo.[85]

La Corte refrenda el golpe de Marroquín

El 21 de septiembre del año 1900, la Corte Suprema de Justicia se reunió en Sala de Acuerdo de Negocios Civiles con el fin de considerar si estaba o no obligada a cumplir con lo dispuesto en el mencionado Decreto 46. La corporación argumentó que para decidir sobre la cuestión de la aplicación de esa norma era "preciso resolver antes sobre su exequibilidad, la cual depende de la facultad constitucional y legal que el Sr. Vicepresidente de la República haya tenido para asumir el ejercicio del Poder Ejecutivo".[86] Y en un esfuerzo por justificar su competencia para entrar a juzgar si el decreto de Marroquín se ajustaba a la Constitución, facultad que no le asignaba el texto de la Carta Política de 1886, la corporación razonó que su deber era hacer cumplir la Constitución, tal como lo había hecho cuando dio posesión al presidente Sanclemente, el 3 de noviembre de 1898. En efecto, el tribunal recordó que "al llenar esta alta Corporación el deber que el Código Fundamental le imponía de posesionar al Presidente electo, en uno de los casos previstos en el mismo Código reconoció que este era el que debía prevalecer sobre cualquiera disposición legal posterior; oscura o deficiente".[87]

85 "ART. 7. Quedan en vigencia los anteriores decretos legislativos que versan sobre la misma materia del presente, en cuanto no fueren opuestos a él". Decreto 46 del 24 de agosto de 1900, *Diario Oficial,* No. 11317, Bogotá, martes 28 de agosto de 1900, p. 583.

86 La Corte la conformaban: Luis M. Isaza, presidente y quien estaba en la corporación al menos desde 1891; Abraham Fernández de Soto; Carmelo Arango, liberal, quien había sido gobernador de la provincia de Cartagena y luego sería artífice de la Unión Republicana, diputado en la Asamblea Constitucional de 1910 y ministro de Obras Públicas del presidente conservador Marco Fidel Suárez, en 1919; Baltasar Botero Uribe, quien había sido gobernador de Antioquia entre 1899 y 1892; Jesús Casas Rojas, político conservador, ministro de Instrucción Pública, diputado, parlamentario, ministro de Fomento, juez civil, procurador de distrito de Cundinamarca; Otoniel Navas, reconocido civilista e intelectual de la región de Santander, quien fue magistrado del Tribunal Supremo del Estado de Santander, en 1884, y al menos desde 1898 hacía parte de la Corte; y Lucio Antonio Pombo, conservador vallecaucano que había sido jefe municipal en Buga, juez del circuito y procurador del Estado del Cauca y que al menos desde 1891 era magistrado de la Corte.

87 Esta afirmación de la supremacía constitucional debe entenderse en el contexto político —y doctrinal— y según los intensos debates sobre este principio después de que los gobernantes regeneradores movilizaran varios instrumentos legales para legislar "por encima" o "por fuera" de la Constitución, como se dijo en páginas anteriores. La postura de una Corte, "comprometida" a hacer valer la supremacía de la Constitución desde la posesión de Sanclemente, aparte de que pueda interpretarse como un uso puramente instrumental para fundamentar su respaldo a Marroquín, también debe analizarse tomando en cuenta que, por ejemplo, antes de la posesión de Sanclemente y del fallo de 1900, durante

Sin duda la cuestión de la obligatoriedad del decreto dictado por Marroquín era una muy hábil estrategia argumentativa de la Corte que le permitía entrar a analizar la legalidad de la "sucesión presidencial" tras el golpe de Estado del vicepresidente. La corporación justificó ese paso con el argumento de que para establecer si el decreto debía ser aplicado por la Corte era necesario determinar si Marroquín, como jefe del Ejecutivo, era un funcionario competente para dictarlo. Así procedió a examinar la legalidad de la mencionada *sucesión*, pero partiendo del análisis de la constitucionalidad del ejercicio de la presidencia por parte de Sanclemente. Este, como dijimos, debido a su estado de salud, venía desempeñando su cargo desde distintos pueblos de Cundinamarca, y lo hacía amparado en el artículo 65 de la Ley 149 de 1888 (Código Político y Municipal),[88] cuyo texto establecía:

> ARTÍCULO 65: Cuando el Presidente con licencia del Senado ejerza el Poder Ejecutivo fuera de la capital será acompañado por uno o más de los Ministros del Despacho que autoricen sus providencias [...]
> El Presidente de la República podrá ejercer libremente sus funciones dentro de los límites del Departamento de Cundinamarca por derecho propio.

Pero contrario a la opinión del presidente Sanclemente, la corporación consideró que él no contaba con la debida autorización para ejercer su cargo fuera de la capital.[89] Para respaldar su posición razonó que los dos incisos del mencionado artículo 65 eran "contradictorios y hasta incongruentes", pues estos indicaban que el Senado podía conceder licencias al presidente para que ejerciera el poder fuera de la capital, pero al mismo tiempo establecían que este podría ejercer su

---

el breve período en que el entonces vicepresidente Marroquín alcanzó a ejercer la presidencia, este en un gesto reconciliatorio con los liberales y los conservadores históricos derogó la "Ley de los Caballos", que en la práctica ponía a la legislación por encima de la Constitución.

88 Recuerde el lector que la legislación que permitía al presidente ejercer su cargo fuera de Bogotá había sido un diseño hecho a la medida del presidente Núñez. Pero unos años antes de que Núñez hiciera aprobar la Ley 102 de 1887, él mismo dirigió la oposición del Congreso y empujó la ley que impidió al presidente Francisco Javier Zaldúa salir de Bogotá en busca de un clima más favorable para el asma que lo aquejaba, y que lo condujo a su muerte en 1882, antes de culminar su período constitucional.

89 La Corte invocó los artículos 98 (numeral 6), 120 (inciso 9), 124 y 209. El primero establecía en cabeza del Senado la facultad de conceder licencias temporales al presidente de la República por causas distintas a la enfermedad, o para ejercer el poder por fuera de la capital. El segundo disponía que el presidente podía dirigir las operaciones de guerra fuera de la capital y encargar de las demás funciones al vicepresidente. El tercero regulaba las faltas presidenciales ordenando el reemplazo por el vicepresidente. El Art. 209 determinaba que la Constitución podía ser modificada únicamente mediante un acto legislativo. Corte Suprema de Justicia, Acuerdo Número 865 del 21 de septiembre de 1900, *G.J.*, No. 711, Año XIV, 3 de noviembre de 1900.

cargo desde cualquier lugar de Cundinamarca. Así que ante esta contradicción, el artículo 65 de la Ley 149 de 1898 debía interpretarse como lo mandaba el artículo 6º de la Ley 153 de 1887,[90] que disponía que "ha de entenderse la ley en el sentido más conforme con la Constitución".[91]

La interpretación conforme significaba que la Ley 149 tenía que confrontarse con las permisiones y prohibiciones fijadas por la Carta Política con respecto al ejercicio del cargo de presidente de la República. Para la Corte, la Constitución solo le otorgaba al presidente la facultad de ejercer sus funciones fuera de la capital, pero únicamente en el caso en que lo hiciera como jefe de los ejércitos de la República, y solo si tenía que dirigir operaciones de guerra en un lugar distinto a Bogotá, caso en el cual el vicepresidente quedaba encargado de "los otros ramos de la administración.[92] Esa autorización de la Carta, dijo la corporación, era muy distinta a la licencia que podía concederle el Senado al presidente de la República para ejercer su cargo fuera de Bogotá, pero con un carácter temporal. Para la Corte: "Sería absurdo y enteramente contrario al Derecho Público interpretar que las licencias, ya para separarse temporalmente de sus funciones, ya para ejercerlas fuera de la capital, deban entenderse indefinidas y sujetas en su duración a la voluntad discrecional del agraciado, con perjuicio evidente de la buena marcha de la Administración".[93]

Para reforzar su postura en favor de la inconstitucionalidad del ejercicio de la Presidencia por parte de Sanclemente, la corporación argumentó que lo establecido en la mencionada Ley 149 de 1888 tampoco podía entenderse como una reforma de la Constitución pues la Carta solo podía ser modificada "en la forma que ella misma determina", es decir, mediante un acto legislativo. De este modo, para la Corte no había opción distinta que aplicar las reglas constitucionales, lo cual indicaba que Sanclemente solo podía ejercer su cargo en Bogotá.

A continuación, la corporación dio su paso definitivo para justificar la toma del poder por parte de Marroquín, al razonar que se había producido una vacancia en el cargo de presidente de la República: "No existiendo en la Constitución disposición alguna que permita al Presidente de la República ejercer indefinidamente

90 *Ibídem.*

91 Nótese el cambio en el modo de interpretar la Ley 153 de 1887. Hasta entonces el régimen regenerador la entendió como una forma de limitar la efectividad de la Constitución, ahora, por el contrario, la Corte consideraba que la Ley 153 debía interpretarse de modo que toda ley "respete la Constitución". Los magistrados Lucio Pombo y Luis M. Isaza, que en 1889 habían interpretado la Ley 153 en el sentido en que toda ley posterior a la Constitución de 1886 prevalecía sobre la Constitución, ahora pensaban muy distinto.

92 Art. 120, numeral 9 de la Constitución Política de 1886.

93 Corte Suprema de Justicia, Acuerdo Número 865, *op. cit.*

el Poder Ejecutivo, fuera de la capital [...] la ausencia del Presidente de la capital debe considerarse como falta que ha de llenarse por el Vicepresidente [...] de conformidad con lo dispuesto en la Constitución". A renglón seguido invocó que tenía competencia legal para "llamar al encargado del Poder Ejecutivo", en virtud del Código de Organización Judicial,[94] "lo que implica forzosamente facultad para resolver y declarar cuando es del caso hacerlo".[95]

Por todo lo anterior, la Corte sentenció que: "El Vicepresidente de la República, en virtud del título de que está investido, ha podido asumir, por derecho propio, el Poder Ejecutivo, para ejercer las funciones de Presidente, y que, en consecuencia, el Decreto número 46 del 24 de agosto último es exequible".[96]

El fallo fue aprobado por la escasa diferencia de un voto. Tres de los siete magistrados que componían la corporación afirmaron con contundencia que la Corte se había extralimitado en sus funciones al decidir sobre una cuestión que no le competía. Por el contrario, una aclaración de voto reforzó la postura argumentativa de la Corte y, además, dejó ver con claridad cómo la política había sido un factor determinante de la decisión que tomó la mayoría de la corporación.

Veamos primero la aclaración de voto del magistrado Jesús Casas Rojas,[97] quien no solo insistió en que la interpretación jurídica de la Corte era correcta, sino también en la conveniencia política que este fallo tenía para el país. Así, puso de presente la anómala situación que según su opinión constituía el ejercicio del poder presidencial en un lugar distinto a Bogotá, justo en medio de la grave confrontación armada que sacudía a la nación:[98]

94 Esta atribución fue asignada a esta Corte Suprema desde sus comienzos. En efecto, la Ley 61 de 1886, que organizó provisionalmente a la Corte, señaló entre sus funciones, en la sección 3ª: "Llamar al funcionario que deba reemplazar al encargado del Poder Ejecutivo en los casos previstos por la Constitución; 5º. Dar posesión al Presidente de la República en el caso 2º del artículo 117 de la Constitución"; y, "6º. Dar posesión al Vicepresidente de la República". El artículo 117 de la Constitución de 1886, que se menciona, señalaba: "Si por cualquier motivo el Presidente no pudiere tomar posesión ante el Presidente del Congreso, lo verificará ante el Presidente de la Corte Suprema y, en defecto de esta, ante dos testigos".

95 Corte Suprema de Justicia, Acuerdo No. 865, *op. cit.*

96 Corte Suprema, Acuerdo No. 865, *ibídem.*

97 Casas era uno de los partidarios de la Regeneración de Núñez y había sido constituyente en 1886, por el partido conservador y en representación de Cundinamarca. Fue ministro "independiente" en el Gobierno de Núñez y también parlamentario. Su familia fue bastión de la Regeneración, profundamente católica y conservadora. Su hijo, José Joaquín, fue ministro de Instrucción Pública del gabinete de Marroquín, entre 1901 y 1903, y también estuvo encargado de los ministerios de Guerra y Relaciones Exteriores por unos días. "Biografía de los constituyentes de 1886", Banco de la República, Bogotá, 1986: Javier Ocampo López, *Biografía de José Joaquín Casas*. Disponible en: http://www.banrepcultural.org/blaavirtual/biografias/casajose.htm.

98 *Ibídem*, p. 259.

> [Que] en tiempo de guerra [...] el Presidente resida fuera de la capital de la República, no accidentalmente, sino en firme, de asiento, definitivamente, y esté separado de sus Ministros y de las demás altas autoridades de la Nación, sin la necesaria y cotidiana comunicación con ellas, como si no tuviese sino vaga y lejana noticia de la general conflagración, cosa que además de abiertamente inconstitucional e ilegal, acusa y denuncia ante el público cierto menosprecio e irritante de deberes sagrados, cierto abandono del cargo presidencial, el cual consiste, sustancialmente y antes que todo, en dar seguridad a los asociados. [...]

También criticó la debilidad del Ejecutivo para enfrentar la Guerra de los Mil Días y puso como ejemplo el caso en donde las autoridades habían descubierto un plan para atentar contra Bogotá y capturaron a varios cabecillas de la frustrada operación, pero que luego el Gobierno decidió liberarlos y hasta les dio un salvoconducto. Esto dijo:

> El más benigno criterio apenas puede admitir, como hipótesis favorable, el que á tan graves desaciertos dio lugar la inconstitucional ausencia habitual del Presidente de la capital de la República, que constituyó, sin duda, una de las faltas de que tratan los dos incisos primeros del artículo 124 de la Constitución. Es como si el Presidente de la Corte Suprema quisiese, por simples razones de temperatura irse á ejercer su empleo en Medellín y autorizar desde allá, con firmas o con sello, las sentencias que en Bogotá acordaran los otros seis Magistrados [...] ¿No es abandono de un destino público, pretender ejercerlo fuera de su residencia legal sin la correspondiente licencia [...]?

Casas terminó su defensa de la sentencia argumentando que la Corte lo único que había hecho era interpretar la ley frente a una especie de laguna sobre el cauce institucional correcto en esa coyuntura. Estas fueron sus palabras:[99] “La ley nunca es completa: cuando ella es deficiente, como sucede á menudo, entra en su lugar la jurisprudencia, que es conjunto de sabios consejos y principios invariables, recogidos en el curso de los siglos. La propia conservación del individuo y la propia conservación de la sociedad, particularmente en casos excepcionales, como en el de la presente época, son, antes que todo, asuntos de derecho natural”.

Los salvamentos de voto vinieron de parte de tres magistrados. Carmelo Arango expresó su rechazo ante una decisión que “pretende aprobar los hechos del 31 de julio pasado”. Expuso varias razones de orden constitucional y legal por las que

99 *Ibídem*, p. 259.

él se había opuesto al fallo, entre ellas, que la Corte no tenía competencia para "declarar inconstitucionales las leyes" y que el Congreso es el único autorizado para interpretar la ley y determinar la vacancia presidencial. Con contundencia afirmó que la corporación "debe mantenerse alejad[a] de las pasiones políticas, y conservar la independencia y la serena imparcialidad de los Jueces, para dar á cada uno su derecho, aplicando impasible la ley escrita sin torcer su sentido ni violentar su espíritu". Y agregó: "La Corte es incompetente para resolver la cuestión más política que judicial, que se ha traído a la discusión".

El magistrado Arango aprovechó para recordarles a sus colegas Isaza y Fernández de Soto —quienes votaron con la mayoría— que en los primeros días en que Marroquín tomó el poder ellos estuvieron del lado de quienes ahora habían salvado su voto, "lo que no obsta para que el cambio de su opinión, en materia de tanta gravedad, merezca tanto respeto".[100] Y, por último, hizo alusión al ambiente político del momento: "La Corte no puede negar que es claro y evidente que el legítimo Presidente de la República ha sido desconocido por el Vicepresidente y por parte considerable del Ejército Nacional desde el 31 de julio del corriente año, lo que ha dado por resultado el establecimiento de un Gobierno *de hecho*".[101]

Por su parte, Otoniel Navas dejó constancia de su fuerte disentimiento con respecto a la mayoría, manifestando que la Corte no era competente para proferir este tipo de decisiones. Esto señaló:

> No hay disposición alguna constitucional ó legal que faculte á la Corte para proferir la Resolución de que se trata: Por tanto, hay en mi sentir, en dicha providencia, más que la mera extralimitación de funciones, [...] una violación del 195 del Código de Organización Judicial, que dice: Es prohibido á los funcionarios del Poder Judicial ejercer atribuciones que EXPRESA Y CLARAMENTE NO LES HAYAN CONFERIDO LA CONSTITUCIÓN Ó LAS LEYES" [...] Es, á mi parecer ilegal y del todo inusitado el hecho de que las autoridades encargadas de cumplir las leyes [...] entren á declarar si esas leyes son o no exequibles para el caso de aplicarlas, pues ello implica á mi modo de ver, desconocimiento de la clara y expresa delimitación de poderes que la Constitución reconoce y garantiza.

Para Navas no había razón jurídica para que la Corte se hubiera involucrado en una cuestión de tanta trascendencia política, en especial porque ya todos los magistrados de la corporación venían aplicando sin reparos el decreto dictado por Marroquín.

100 *Ibídem*, p. 261.
101 *Ibídem*, p. 261.

Pero el salvamento de voto de Baltasar Botero Uribe fue, sin duda, el más enérgico. En primer lugar, aclaró que con motivo de la posesión del presidente Sanclemente ante la Corte, en ningún momento la corporación había afirmado que la Constitución era la que "debía prevalecer sobre cualquier disposición". Por eso invitó a sus colegas magistrados a leer el acta de posesión de aquel entonces.

Botero también hizo un cuidadoso estudio del régimen constitucional y legal de la Presidencia y de la Vicepresidencia de la República, dejando en claro que la función del vicepresidente era sustituir al presidente en caso de falta temporal o absoluta. En ambos casos, precisó, la ley disponía que a la Corte Suprema de Justicia le correspondía llamar al vicepresidente para que este ejerciera las funciones del jefe del Ejecutivo. Para el magistrado, en este caso se pretendía justificar la toma del poder por parte de Marroquín argumentando que el presidente Sanclemente no tenía autorización para ejercer el cargo fuera de Bogotá, pero ese juicio era contrario a la ley, porque el Código Político y Municipal sí le permitía al mandatario cumplir sus funciones desde cualquier lugar de Cundinamarca. Además, le recordó a la corporación que ese modo de interpretar el Código era la doctrina legal aceptada por todas las autoridades desde que aquel estaba vigente, sin que se reputaran ilegales las actuaciones del Ejecutivo; que la propia Corte había posesionado al presidente Sanclemente sin que en ese momento se hiciera reparo alguno sobre la ley que le había permitido ausentarse de la capital por varios meses, luego de iniciado su período constitucional. También puso de presente que en el pasado los presidentes Caro, Núñez y Holguín ejercieron sus funciones por fuera de Bogotá, con base en la misma ley, sin que entonces la corporación hubiese puesto en duda la legalidad de tales gobiernos.

Por todo esto, para el magistrado Botero este no era un caso de vacancia presidencial y, por lo tanto, la Corte no podía llamar al vicepresidente a ejercer la Presidencia. En su sentir, lo que había ocurrido era que a Marroquín lo había llamado un grupo de militares para que se hiciera frente del Gobierno, es decir, que su posesión se había registrado en un cuartel. Esto dijo: "El hecho que se ha consumado ha sido un movimiento político, y de ningún modo un acto legal. Ese carácter propio del hecho de la referencia, explica por qué los mismos que lo han ejecutado no alegan, para justificarlo, la razón jurídica, sino la razón política, es decir, el interés ó la conveniencia [de un partido]".[102] Y a renglón seguido afirmó que ese[103] partido era el mismo que en 1898 había intentado impedir:

102 *Ibídem,* p. 261.

103 Se refiere a los "históricos", que estuvieron detrás del golpe de Marroquín y que en 1898, a través de José Vicente Concha, presidente de la Cámara de Representantes, se habían negado a posesionar a Sanclemente como presidente.

> [...] por coacción, que el Presidente electo, el mismo que ahora ha sido aprisionado, tomara posesión de su elevado cargo; [...] violencia que se hubiera consumado si los mismos Magistrados que componen hoy esta Corte Suprema, exponiéndose al peligro que amenazaba, no hubieran hecho un acto de presencia, que salvó en ese momento solemne la tradición legítima del Poder Público, y aseguró el imperio de la Constitución. Los partidos tienen sus móviles: Los Jueces no reconocen otro principio que la ley.[104]

Botero también denunció el arresto al que había sido puesto el presidente Sanclemente, quien, dijo, estaba privado de su libertad junto a su familia, en Villeta, y sin orden judicial previa. Por último, afirmó que ante el confinamiento del presidente de la República, en momentos en que el Congreso no se había podido reunir ni se habían podido realizar las elecciones para la Cámara de Representantes por causa de la guerra civil, "en estas circunstancias anormales, y en medio del estruendo de las armas", solo quedaba en pie el Poder Judicial y al frente de él la Corte Suprema de Justicia como único refugio del derecho:[105]

> La inamovilidad de sus magistrados fue establecida en mil ochocientos ochenta y seis con el fin de robustecer la independencia de este tercer poder, como guardián supremo de la Justicia; y correspondiendo á esa esperanza la Corte se ha mantenido en una región serena, alejada de las pasiones políticas y de la lucha de los partidos [...] Es bien lamentable que ahora se deje envolver en el torbellino político, y que pueda tal vez decirse que ha faltado alguna vez á su misión, que se desautoriza a sí misma, que desvirtúa las instituciones, y que da armas á la rebelión contra ellas, comprometiendo al Poder Judicial hasta ahora inmune y salvo del general naufragio.

Era evidente que el fallo de la Corte guardaba estrecha relación con la interpretación jurídica de los conservadores históricos, quienes habían promovido el golpe de Estado de Marroquín, en especial con la postura manifestada públicamente por uno de sus líderes, Carlos Martínez Silva, quien ahora había sido nombrado canciller del Gobierno instalado por Marroquín.[106] Así, por ejemplo, lo puso de presente Sanclemente en sus comunicados emitidos desde su sitio de

104 Refiriéndose a Manuel Murillo Toro, quien siendo magistrado de la Corte improbó el golpe de Estado del 10 de octubre de 1868, dijo: "[...] al entrar al santuario del derecho se desnudaba de su carácter político y cumplía sus deberes como intérprete de la Ley". *Ibídem*, p. 264.

105 *Ibídem*, p. 264.

106 Sanclemente no paraba de sorprenderse de la animadversión de Carlos Martínez Silva en su contra, sobre todo porque él había trabajado en la Corte Suprema con su padre, Rito Antonio Martínez,

confinamiento, cuando reiteró que el Código de Régimen Municipal, clara y expresamente, fundaba la legalidad del ejercicio de su cargo desde cualquier lugar del departamento de Cundinamarca, pero que según Martínez Silva la ley "no puede ni debe entenderse sino en el sentido de conceder un permiso de carácter transitorio" al presidente de la República. Para Sanclemente, tal interpretación jurídica ignoraba que el artículo 25 del Código Civil señalaba: "[...] la interpretación que se hace con autoridad para fijar el sentido de una ley oscura, de una manera general, solo corresponde al Legislador", y que el artículo 27 del mismo Código decía que "cuando el sentido de la ley sea claro, no se desatenderá su tenor literal á pretexto de consultar su espíritu". Luego, aludiendo a la claridad con que el Código de Régimen Municipal le permitía al presidente de la República ejercer su cargo desde cualquier lugar de Cundinamarca, expresó: "¿Por qué el ejercicio de esa facultad indiscutible ha podido ser el motivo para que el Sr. Marroquín, sustituto como es, se haya convertido en principal, y de segundo en primero, usurpando la autoridad conferida al Presidente por la Constitución? [...] ¿Por qué violando [la Constitución] y perjurándose, está funcionando como Presidente y gozando de las prerrogativas de tal? Dejo la respuesta al Sr. Marroquín".[107]

Como era de esperarse, la decisión de la Corte fue rechazada por el presidente Sanclemente, quien con insistencia se pronunció sobre lo que calificó como una actuación ilegal movida por los intereses políticos mezquinos de los magistrados que hacían parte de la mayoría de la corporación.[108] Por ejemplo, se refirió a unos hechos que ocurrieron pocos meses antes de producirse el golpe, cuando un grupo de ciudadanos le pidió que regresara a gobernar a Bogotá, mientras que otros le exigieron que siguiera haciéndolo desde Anapoima. Dijo que entre quienes firmaron el último de esos memoriales aparecían los nombres de los magistrados Lucio A. Pombo y Jesús Casas Rojas. Para Sanclemente era una "inconsecuencia inconcebible" que Pombo hubiera sido el ponente del fallo y que Casas fuese uno

---

a quien había tratado "con mucha deferencia y consideración" durante el "largo tiempo" que habían estado ambos en la corporación.

107 Eduardo Espinosa, *Manifiestos y Protestas del Presidente de Colombia Sr. Sanclemente, y otros documentos relativos al crimen de alta traición consumado en Bogotá el 31 de julio de 1900,* Imprenta de Eduardo Espinosa, Nueva York, 1901.

108 Miguel Antonio Caro, quien decía que ya completaba dos años fuera de toda actividad política, le expresó su respaldo personal a Sanclemente, así como sus incesantes esfuerzos por verlo libre de nuevo. Así lo pone de presente, por ejemplo, en una muy sentida carta que le dirigió a su lugar de confinamiento, en Villeta, el 4 de septiembre de 1900, y que comienza así: "Sr. Presidente: Hace ya un mes que la bandera de la traición se ostenta en el Capitolio cubriendo de baldón á la República". En la comunicación, Caro ponía como ejemplo de "martirio" católico y de un verdadero padre de familia, el sacrificio al que estaba siendo expuesto el depuesto gobernante. Eduardo Espinosa, *ibídem*, pp. 54-57.

de quienes votó con la mayoría. Dijo el presidente depuesto: "Vergüenza causa que magistrados de la Corte Suprema de Justicia procedan de la manera expresada".

Sanclemente también denunció que el magistrado Fernández de Soto, vicepresidente de la Corte, asistió a un banquete que se ofreció en honor del general Jorge Moya Vásquez,[109] en agosto de 1900, "por haber sido el héroe y principal factor de aquel salvador movimiento". Por último, sobre el magistrado Isaza dijo que su voto era producto de la pasión política que lo acompañaba.[110]

Así las cosas, aunque el fallo podría ser visto como una simple declaración de apoyo a Marroquín, luego del hecho cumplido de la toma del poder, sus efectos eran nada despreciables. La sentencia convalidaba y legitimaba la sucesión presidencial, algo muy relevante cuando, precisamente, el nuevo régimen buscaba con afán fuentes de legalidad y de legitimidad frente a la evidente usurpación de la primera magistratura. Esto cobra más sentido cuando tenemos en cuenta los ingentes esfuerzos de los sectores leales a Sanclemente —y a Caro— por restituirlo en su cargo, principalmente a través de negociaciones políticas con Marroquín. Incluso hasta un año después de la toma del mando por el vicepresidente, Sanclemente y sus seguidores mantenían su postura de que este último era el presidente legítimo y debía ser restituido en sus funciones. De este modo, el fallo, producido pocos días después del golpe de Estado, obraba como una especie de aval al nuevo régimen, y por parte del "único poder que seguía en pie", pues no olvidemos que el Congreso no sesionaba por causa de la guerra.

Para el momento en que había ocurrido el golpe de Estado había un ambiente ampliamente favorable al hecho cumplido de la sucesión presidencial. En efecto, el país parecía disolverse ante una brutal guerra civil, el clima de desgobierno era generalizado y cundía la sensación de que la salida de Sanclemente contribuiría a mejorar en buena parte la grave situación que afrontaba el país. Entonces, la Corte parecía moverse con las corrientes mayoritarias, tanto políticas como de sectores de opinión. Con esta alineación con quienes estaban protagonizando el abrupto cambio de Gobierno, la corporación dejaba atrás sus fidelidades con el agónico proyecto regeneracionista que había sido arrastrado por la crisis política que él mismo había causado.

109 Moya fue nombrado comandante en jefe de las fuerzas del Ejército Nacional en Sumapaz y con mil hombres encabezó la acción militar del golpe. Al asumir el Gobierno, Marroquín nombró a Moya como comandante en jefe del Ejército. Carlos Eduardo Jaramillo, "Antecedentes generales de la Guerra de los Mil Días...", *op. cit.*, pp. 84-85.

110 Véase: Eduardo Espinosa, *Manifiestos y Protestas del Presidente de Colombia...*, *op. cit.* También: Otto Morales Benítez, *Sanclemente, Marroquín, El Liberalismo y Panamá,* Starnato editores, Panamericana, Bogotá, 1998.

Es importante precisar que no existen rastros de que la Corte haya sido presionada por el régimen de Marroquín para producir esta decisión. Tal vez uno de los arreglos institucionales regeneracionistas había dado resultados: con las magistraturas vitalicias, la Corte gozaba de cierta independencia del Gobierno de turno. Esto, en parte, podría explicar por qué a pesar de que el fallo mayoritario se ponía de parte del vicepresidente usurpador, tres magistrados pudieron expresar con libertad su disenso, se atrevieron a calificar la actuación de la Corte de ilegal, e incluso alguno denunció la detención ilegal del presidente de la República y de su familia.

Pero más allá de la connotación política de la decisión de la Corte Suprema, este fallo podría calificar como uno en que la corporación decidió asumir la competencia para decidir sobre la constitucionalidad de un acto jurídico, sin que existiera un texto constitucional expreso que así se lo facultase e invocando la supremacía constitucional por medio de la "interpretación conforme" de la ley con la Carta Política. Así, el pronunciamiento de la corporación sobre el golpe de Estado de 1900 fue una especie de "control de oficio" sobre una cuestión no pedida: la constitucionalidad de la sucesión presidencial en una coyuntura política en donde el tribunal tomó partido por el nuevo Gobierno, con todas las tensiones internas y externas que se han narrado.

Quizás los estragos de la guerra y la percepción de que el país y el Estado se derrumbaban por causa de los caprichos de Caro y del desgobierno de Sanclemente contribuyeron a que la Corte prefiriera ponerse del lado de la transición y respaldara el golpe de Marroquín.

En suma, es notable el cambio en el comportamiento de la Corte en contextos de estabilidad política, como lo eran los años de la Regeneración entre 1886 y 1898, cuando la corporación permaneció como fiel escudero del régimen regenerador, pero en tiempos de crisis prefirió alinearse con las mayorías que apoyaban la transición y decidió respaldar francamente el golpe de Estado con que Colombia empezaba el siglo XX.

Entre el quinquenio de Reyes y la Asamblea Constitucional de 1910

En 1902 terminó la Guerra de los Mil Días,[111] en la que el conservatismo salió victorioso. Por su parte, el liberalismo debió enfrentar la catastrófica derrota militar y política, aunque había logrado un "acuerdo digno" que buscaba asegurar su

111 Distintos enfoques sobre la Guerra de los Mil Días pueden encontrarse en Gonzalo Sánchez, *et al.*, *Memoria de un país en guerra: Los Mil Días, 1899-1902*, Planeta, Unijus-Iepri, Universidad Nacional de Colombia, Bogotá, 2001.

supervivencia.[112] El país estaba sumido en una aguda crisis económica y una difícil situación política. Los conservadores históricos habían visto frustradas sus esperanzas de que una reforma constitucional con Marroquín les permitiera participar en el poder. Así, llegó entonces el momento de definir quién sucedería a Marroquín para el período 1904-1910, una coyuntura que definiría si el país recuperaba la legitimidad institucional rota tras el golpe del año 1900.

Marroquín siguió la costumbre política de la época y dio su guiño a la candidatura de Joaquín Vélez, quien representaba la continuidad en el poder de los sectores más intransigentes del conservatismo nacionalista. Sin embargo, Vélez, quien había sido un férreo gobernador militar antiliberal del departamento de Bolívar durante la Guerra de los Mil Días, cometió el grave error de insinuar que investigaría los sucesos de la separación de Panamá, que la opinión pública en parte atribuía al Gobierno de Marroquín. Ante eso, Marroquín no dudó en retirarle su apoyo y en cambio se lo dio a Rafael Reyes: un exitoso —casi heroico— militar que gozaba de amplio prestigio.

Al final Reyes ganó la Presidencia pero su elección estuvo salpicada de acusaciones por fraude que provenían del registro electoral de Padilla.[113] Los conteos electorales indicaban desde el comienzo una ventaja del candidato Vélez sobre Reyes, pero todo cambió cuando se conocieron los resultados de Padilla, que inclinaron la balanza en favor del general Reyes. Según se supo, partidarios de Reyes, encabezados por Juan Iguarán, usaron unas actas en blanco y las llenaron favoreciendo la candidatura de Reyes, de modo que este tuvo los votos necesarios para obtener la mayoría y convertirse en el presidente.[114]

La oposición a Reyes

La victoria de Reyes no fue bien recibida por los antioqueños, quienes desconfiaban de un militar que había reprimido a sectores opuestos a los gobiernos rege-

112 Marroquín se comprometió a amnistiar a los alzados en armas y a ofrecer garantías constitucionales a los liberales. En efecto, en el "Tratado del Wisconsin", firmado el 21 de noviembre de 1902 a bordo del buque estadounidense que llevaba ese nombre, los representantes del Gobierno se comprometieron, entre otros, a: indultar a los alzados en armas, restablecer de inmediato el orden público, salvo en las zonas en donde las "fuerzas revolucionarias" decidieran no acogerse a los acuerdos de paz, convocar elecciones al Congreso tan pronto cesaran las hostilidades, y a que el Poder Judicial tendría "exclusiva competencia para remover y hacer efectivas responsabilidades por delitos comunes". Alfredo Vásquez Carrizosa, *El poder presidencial en Colombia, op. cit.*, pp. 238-239.

113 Padilla era la provincia cuya capital era Riohacha, en el actual departamento de la Guajira.

114 Reyes ganó por un margen de doce votos. Fernando Correa Uribe, *Republicanismo y reforma constitucional, op. cit.*, p. 75.

neracionistas a los que este había servido. Por su parte, los liberales, en minoría, en un comienzo sintieron que había llegado la oportunidad de recuperar al menos una parte de la posición perdida con la última guerra. En cuanto al candidato Vélez, este se negó a reconocer el triunfo de Reyes y la elección fue impugnada ante el Gran Consejo Electoral, cuyos miembros pronto determinaron la legalidad del triunfo del general.[115]

Reyes también enfrentó dificultades para posesionarse en su cargo pues el Senado había elegido como presidente de la corporación a Joaquín Vélez, quien también fungía como designado a la Presidencia. Vélez, enemigo jurado de Reyes, y quien no aceptaba el fallo del Gran Consejo Electoral, se negó a posesionarlo en la Presidencia.[116] Entonces, el general debió recurrir al vicepresidente del Senado, José Vicente Concha, quien finalmente lo posesionó el 7 de agosto de 1904.

Las opiniones sobre el Gobierno del general Reyes[117] se dividen entre quienes lo califican como autoritario y aquellos que elogian su obra modernizadora del país, tal vez porque fue las dos cosas al mismo tiempo, y porque a pesar de todo gozó de amplia favorabilidad entre la opinión pública, incluso después de que se declarara dictador. La experiencia de la Guerra de los Mil Días, la pérdida de Panamá y las promesas incumplidas de concordia e inclusión política que había roto el Gobierno golpista de Marroquín, sin duda contribuyeron a posicionar a Reyes como el "hombre fuerte" que necesitaba el país.

Su administración guardaba similitudes con otros modelos que fortalecían la figura del hombre con gran capacidad de dirigir los destinos de la nación, dadas

115 Eduardo Lemaitre, *Rafael Reyes: Biografía de un gran colombiano,* Norma, 4ª edición, Bogotá, 1994.

116 *The New York Times* dio un amplio despliegue a lo que consideró una severa crisis política en Colombia. Así tituló en su edición del 7 de agosto de 1904: "A crisis impeding in Colombia: Inauguration on a New President Due to Day – Situation Very Complicated". El diario narra con gran detalle los episodios que rodearon la candidatura y la elección de Reyes. Cuenta que la oposición del Congreso colombiano no solo es en contra de Reyes, sino que ese órgano ha reaccionado aprobando una resolución que retira todos los tratados y acuerdos consulares y diplomáticos con los Estados Unidos, en una reacción nacionalista en contra del saliente Gobierno de Marroquín, a propósito del aniversario de la independencia colombiana; y que la censura en contra de los Estados Unidos ha llegado a terminar los exequátur de los representantes estadounidenses en Colombia. Así, la reacción del Congreso ha denunciado la supuesta alianza de los "traidores" Marroquín, como presidente, y Reyes, como antiguo enviado de Colombia en los Estados Unidos. Clifford Smith, excónsul de los Estados Unidos en Cartagena, afirma que si Reyes no se posesiona y triunfa una revolución que entregue el poder al candidato Vélez, se romperían las relaciones con los Estados Unidos, con lo cual el comercio se vería afectado, causando graves pérdidas a la economía colombiana. *The New York Times,* agosto 7 de 1904. Disponible en: http://query.nytimes.com/mem/archive-free/pdf?res=9C0DE1D81E3BE631A25754C0A96E9C946597D6. Descargado el 2 de agosto del 2011.

117 Humberto Vélez, "Rafael Reyes: Quinquenio, régimen político y capitalismo (1904-1909)", en *Nueva Historia de Colombia,* Vol. 1, Planeta, Bogotá, 1989, pp. 187-214.

sus dotes de eficaz administrador, dispuesto a sacar adelante las más audaces iniciativas para revolucionar las instituciones y lograr el avance del país, aunque en su empeño tuviera que recurrir a las prácticas despóticas. Este tipo de administraciones buscaban el desarrollo y la modernización, pero sin que esto significara respetar el ideal republicano. Por el contrario, la actitud republicana era vista como un obstáculo a la administración eficiente. La oposición a las políticas del mandatario, el Gobierno dividido y los controles legislativos y judiciales eran vistos como un intento por bloquear al gobernante que tenía claro el horizonte hacia el cual debía marchar el país. Como señala Henderson,[118] el estado de ánimo favorable a Reyes, que lo acompañó durante buena parte de su quinquenio, correspondía a ese ideal de la era de Bismarck que había iluminado a gran parte de los Estados europeos, y se había expandido por el mundo. Como el caso de Reyes, ya había experiencias de hombres fuertes rigiendo los destinos americanos: en Argentina, Julio Roca había gobernado en dos ocasiones, los brasileros gozaban de su era de "orden y progreso" gracias a la tarea hecha una década atrás por el general Floriano Peixoto, y Profirio Díaz estaba en su era de mayor prestigio.[119] Reyes se había asombrado con los logros de este último, a quien visitó en México, en 1903.[120] Es en ese contexto global y con la mirada local como debe entenderse la real dimensión del Gobierno del general Reyes.

A Reyes le correspondió enfrentar las secuelas de una guerra que le dejaba al país miles de víctimas humanas, miseria y destrucción, y un Estado con las finanzas en bancarrota. Desde su discurso de posesión, anunció el carácter de su Gobierno dispuesto a romper con la tradición política del país y se manifestó en favor de pro-

118 James Henderson, *La modernización en Colombia: los años de Laureano Gómez, 1889-1965,* Editorial Universidad de Antioquia, Sede Medellín, Facultad de Ciencias Humanas y Económicas, Colección Clío, Medellín, 2006, p. 82.

119 Para Henderson, las figuras de los hombres fuertes fueron tan ampliamente aceptadas que el secretario de Estado de los Estados Unidos Elihu Root dijo que Porfirio Díaz era "uno de los grandes hombres que debe ser honrado como un héroe de la humanidad". También recuerda que el presidente estadounidense Theodore Roosevelt "cautivó la imaginación de su pueblo mediante sus hazañas en Cuba, la creación de una armada de primera calidad para el país, y desde luego, por haberle arrebatado Panamá a Colombia". James Henderson, *La modernización en Colombia: los años de Laureano Gómez, 1889-1965, op. cit.*, p. 82.

120 En 1882, Manuel González y Porfirio Díaz acabaron con el "vallartismo" que dominaba en la Suprema Corte de México. Díaz incluso fue nombrado como magistrado en tiempos de la presidencia de González en la Corte. Durante el Gobierno de Porfirio Díaz, en especial en sus comienzos, los magistrados que no lo apoyaron fueron destituidos, como fue el caso del destacado jurista José María Lozano. Al respecto véase: *Historia de la Suprema Corte de Justicia la Nación, 1808-2006,* México, octavo y noveno número: *La Suprema Corte de Justicia a principios del porfirismo, 1877-1882,* y *La Suprema Corte de Justicia a fines del siglo XIX, 1888-1900,* en archivo digital.

teger los derechos civiles y políticos de los colombianos. Su modelo lo resumía con la frase: "Menos política y más administración". Buscó la reconciliación partidista y nombró a cinco ministros liberales en su gabinete, aunque su equipo de Gobierno fue conformado prescindiendo de los partidos tradicionales, en un intento por gobernar con los "más profesionales". Se propuso ambiciosas reformas económicas y administrativas para modernizar al país. Todo esto era inédito para Colombia.

Los intentos del Congreso por limitar a Reyes: el papel de la Corte

A Reyes se le enfrentó la férrea oposición del Congreso y para sortear el bloqueo su Gobierno decidió recurrir ampliamente al uso de las facultades de estado de sitio. El Congreso reaccionó limitando al Ejecutivo con la Ley 2ª de 1904,[121] que establecía que el presidente de la República solo podría dictar decretos legislativos, al amparo del estado de sitio consagrado en la Constitución Nacional, para "defender los derechos de la nación y reprimir el alzamiento conforme a la letra y el espíritu del artículo 121 de la Constitución".[122]

La Ley 2ª de 1904 también llamaba a la Corte Suprema de Justicia a arbitrar entre el Legislativo y el Ejecutivo para frenar los abusos del Gobierno y disponía que, previa demanda ciudadana, y audiencia del procurador, la Corte "decidirá sobre la validez o nulidad de los decretos legislativos [...] de conformidad con lo dispuesto en la Constitución Nacional en la materia".[123] Por último, la ley establecía que el Gobierno no podría derogar las leyes sino únicamente suspender aquellas que fueran contrarias a los decretos de estado de sitio.

A finales de 1904, el Congreso había bloqueado completamente al Gobierno del general Rafael Reyes. El período de sesiones había concluido sin que se hubiese discutido ningún proyecto de ley y con un marcado ausentismo de los parlamentarios. Un mensaje del presidente de la Cámara de Representantes, Dionisio Arango, remitido al ministro de Gobierno el 12 de diciembre de 1904, da cuenta de la grave situación política del momento:

> Sr. Ministro de Gobierno [...] Tengo la pena de comunicar a SS [...] que desde hace algunos días no ha sido posible cerrar el segundo debate de ningún proyecto en esta

121 Fernando Mayorga García, "Las reformas constitucionales del período Reyes", en *Historia Constitucional*, Jaime Vidal Perdomo (comp.), Academia Colombiana de Jurisprudencia, Bogotá, 2010, p. 33.

122 Art. 1º de la Ley 2ª del 18 de agosto de 1904, Bogotá, *Diario Oficial*, No. 12148, del 30 de agosto de 1904.

123 Artículo 2º, *ibídem*.

> honorable Cámara por falta de quórum constitucional requerido para el efecto. La mayor parte de los miembros que forman lo que últimamente se ha llamado minoría, a pesar de penetrar en el recinto de la antecámara, se ha denegado a entrar al salón de las sesiones, por lo cual solo ha podido completar quórum suficiente para deliberar. Como, en mi concepto, semejante orden de cosas, infructuoso de suyo, no puede prolongarse indefinidamente, he creído de mí deber poner el hecho en conocimiento del Gobierno para los efectos que haya lugar.[124]

Reyes buscó que el Congreso le concediera amplias facultades para legislar sobre diversos temas, entre otros, para reformar por decreto el sistema tributario y para contratar la construcción y operación de ferrocarriles.[125] Como respuesta, el Legislativo no solo negó su solicitud, sino que dilató la aprobación de la ley de presupuestos y gastos para la vigencia fiscal del año 1905. La situación llegó hasta tal punto que varios parlamentarios, como el conservador Guillermo Valencia, le solicitaron al Ejecutivo el cierre del Congreso.[126]

El curso de los acontecimientos poco a poco iba mostrando que la Ley 2ª de 1904 tenía sus días contados, al igual que la función de arbitraje judicial que esta le había atribuido a la Corte Suprema. En efecto, al amparo del estado de sitio, Reyes cerró el Congreso mediante el Decreto Legislativo 29 del 1 de febrero de 1905.[127] El ambiente político del momento lo podemos captar en los considerandos de ese decreto: "La armonía entre el Ejecutivo y el Legislativo no pudo establecerse á pesar de los permanentes esfuerzos que para obtenerla hizo el Jefe de la Nación [...] Que este precedente demuestra que una nueva convocatoria de este Cuerpo Legislativo sería ineficaz para la reorganización administrativa y política del país; y peligrosa para la tranquilidad pública".

El cierre del Congreso produjo la enérgica reacción de un grupo de parlamentarios que firmaron el manifiesto "Explicación Necesaria", pero el Gobierno no toleró el pronunciamiento que criticaba la clausura del Congreso y dejando a un lado la protección de la inmunidad parlamentaria, de que gozaba ese grupo de contradictores, dictó un célebre decreto que ordenaba el confinamiento de los catorce parlamentarios en Mocoa y Orocué.[128] Sin embargo, las medidas gubernamentales

124 Alfredo Vásquez Carrizosa, *El poder presidencial en Colombia, op. cit.*, p. 259.

125 Fernando Correa Uribe, *Republicanismo y reforma constitucional, op. cit.*, p. 81.

126 El poeta Valencia le decía en un mensaje a Reyes: "Desde los tiempos de Cromwell los gobiernos arriendan las casas de los parlamentos hostiles". Eduardo Lemaitre, *Rafael Reyes: Biografía de un gran colombiano, op. cit.*, p. 254.

127 Decreto Legislativo 29 del 1 de febrero de 1905.

128 La orden de confinamiento recayó sobre Manuel Dávila Flórez, Emilio Ferrero, Miguel Abadía

no fueron cuestionadas por la mayoría de los políticos, ni por la opinión pública.[129] Reyes, el presidente, ahora había dado pasos agigantados hacia la dictadura.

Una vez cerrado el Congreso, también mediante decreto de estado de sitio, el general Reyes acudió a la convocatoria de una Asamblea Nacional, en donde, según anunciaba el Gobierno, estarían representados los partidos liberal y conservador.[130] Es importante mencionar que la idea no era nueva ni era un capricho de Reyes, pues la propuesta de convocar a una asamblea constitucional que reformara la Constitución había estado en varias negociaciones interpartidistas durante la época de la guerra civil, y era apoyada por casi todas las facciones de los partidos, tal como, por ejemplo, se había hecho explícito a comienzos del año 1904.

Las reformas de Reyes para tomarse la Corte

La Asamblea Nacional Constituyente y Legislativa de Colombia conformada bajo el Gobierno de Reyes aprobó varias reformas constitucionales, todas dirigidas a convertir al Ejecutivo en un poder omnímodo.[131] Por ejemplo, amplió el período presidencial hasta diez años, pero solo para el caso del presidente Reyes; suprimió la vicepresidencia y estableció que el propio presidente decidiría quién sería su sucesor; centralizó aún más el poder en el Gobierno Nacional con una desintegración mayor de los viejos Estados y la creación de nuevos departamentos; suprimió las asambleas departamentales, modificó las reglas de elección del Senado y suprimió el Consejo de Estado. Precisamente sobre esto último, comenta Lemaitre,[132] "se

---

Méndez, Alcides Segovia, Jorge Moya Vásquez, Ramón P. de Hoyos, Augusto N. Samper, Antonio Varela Salazar, Simón Rojas, Leónidas Torres, Bartolomé Rodríguez, Pedro M. Corona, Botero Peñuela y Augusto Martínez. Dice Lemaitre que quienes debían ir a Mocoa nunca llegaron a su destino pues se quedaron recorriendo las poblaciones de los departamentos de Cauca y Nariño, mientras que los de Rocié sí alcanzaron a purgar una pena de cinco meses, no sin intentar planes de fuga, como aquel que fue hábilmente detectado y contrarrestado por Reyes, quien era un amplio conocedor del Putumayo. Nótese también que entre los confinados figuran varios de quienes ocuparían cargos como magistrados de la Corte Suprema, ya en la vigencia de la reforma constitucional de 1910, como es el caso de Rodríguez, Samper y Ferrero. Eduardo Lemaitre, *Rafael Reyes: Biografía de un gran colombiano, op. cit.*, p. 256.

129 Los desterrados hacían parte de un grupo de parlamentarios que habían hecho pública su oposición al Gobierno de Reyes a través de varios "manifiestos". Fernando Correa Uribe, *Republicanismo y reforma constitucional, op.cit.*, p. 82.

130 Fue integrada por tres diputados por cada departamento. La Asamblea sustituyó al Congreso y ratificó casi todos los decretos de estado de sitio dictados por Reyes.

131 La Asamblea Nacional Constituyente y Legislativa aprobó diez reformas constitucionales entre el 27 y el 30 de abril de 1905. Véase: Fernando Mayorga García, "Las reformas constitucionales del período Reyes", en *Historia Constitucional, op. cit.*, p. 37.

132 Eduardo Lemaitre, *Rafael Reyes: Biografía de un gran colombiano, op. cit.*, p. 256.

eliminó el Consejo de Estado cuyo trámite de consultas y papeleos impacientaba la actividad febril del primer mandatario, y que se habían constituido, lo mismo que la Corte, en trampa para atrapar al presidente y bastión de los amargados que veían desmoronarse su imperio".

Reyes no quería gobernar más con tantos límites. Logró entonces que la Asamblea Constituyente le aprobara el Acto Reformatorio No. 1 del 27 de marzo de 1905, que disponía la supresión de las magistraturas vitalicias en la corporación, que, como se recordará, fue uno de los seguros creados por la Constitución de 1886 para garantizar la fidelidad de la Corte al régimen regenerador, y en cambio determinó que el período de los magistrados sería de cinco años, aunque podrían ser reelegidos. Además, estableció que el presidente de la República nombraría "la primera vez" a los magistrados de la Corte[133] y que su primer período empezaría a correr el día 1 de mayo de 1905. Con este nuevo diseño institucional, claramente modificatorio del régimen de la Corte Suprema, ahora la conformación de la corporación quedaba sujeta a la voluntad del Ejecutivo. Reyes no tardó en instalar una nueva Corte que inició sus funciones en la fecha prevista. Como si esto fuera poco, también logró que la Asamblea aprobara la Ley 8ª del 5 de abril de 1905,[134] que derogó a la efímera Ley 2ª de 1904, que, como se dijo atrás, facultaba a la Corte para decidir sobre la constitucionalidad de los decretos de estado de sitio dictados por el Ejecutivo.[135] Con la derogatoria se despojaba al tribunal de la efímera facultad que el Congreso le había atribuido de frenar los excesos del Ejecutivo al amparo del estado de sitio.

Reyes pensaba que la nueva Corte que instauraría le permitiría continuar el Gobierno de "menos política y más administración": para él, ciertamente, las restricciones jurídicas que imponían los jueces solo sonaban a "más política".[136] Eduardo Lemaitre nos recuerda la opinión de Reyes, quien consideraba que la Corte era

133 Acto reformatorio No. 1 del 27 de marzo de 1905, *Constituciones Políticas Nacionales de Colombia*, compilación de Carlos Restrepo Piedrahita, *op. cit.*, p. 433.

134 Ley 8ª del 5 de abril de 1905, *Diario Oficial*, Año LXI, No. 12, p. 323, Bogotá, 10 de abril de 1905.

135 Por último, las leyes 7ª y 8ª de 1905 ratificaban "expresamente" la vigencia de cerca de treinta decretos legislativos expedidos bajo el amparo del estado de sitio declarado por Reyes en 1905. Laureano Gómez Serrano, *El control constitucional en Colombia: evolución histórica*, Universidad Autónoma de Bucaramanga, Bucaramanga, 2001, p. 123.

136 En fuerte contraste con estas reformas aprobadas a instancias de Reyes, el 13 de abril de 1905 la Asamblea ordenó, por primera vez, la "representación proporcional" de los partidos en todos los órganos colegiados de elección popular, de modo que se permitía la participación de los partidos minoritarios, que en este caso era el liberal. Para un completo análisis sobre la trayectoria histórica y el significado político de las medidas sobre "representación proporcional y "voto incompleto" véase: Sebastián Mazzuca y James Robinson, "Political Conflict and Power Sharing in the Origins of Modern Colombia", en *Hispanic American Historical Review 89:2*, Duke University Press, 2008, pp. 285-321.

el "reducto en donde se había refugiado el último batallón de las fuerzas políticas en derrota". En tono literario, Lemaitre nos explica la urgencia del presidente en reformar el tribunal:[137]

> La Carta del 86, con la mejor de las intenciones, había otorgado a los magistrados de aquella corporación el carácter de vitalicio; pero como ocurre con frecuencia, aquella garantía de independencia había tomado al alto Tribunal en una especie de supergobierno, en donde so pretexto de hacer respetar la Constitución, se entrababa la acción del Ejecutivo. Reyes adivinaba las intenciones de los golillas de la Corte que le querían amarrar las piernas con el sutil hilo de las interpretaciones casuísticas, y no se resignaba a hacer el papel de Gulliver en Liliput.

Aunque la reforma a la Corte Suprema había puesto fin a los cargos vitalicios de los magistrados, el general Reyes también hizo que su Asamblea Constitucional y Legislativa aprobara una medida dirigida a "preservar" los intereses laborales de los cesantes magistrados. En efecto, el 22 de abril de 1905, es decir, menos de un mes después de la reforma que abolió la magistratura vitalicia, se aprobó la Ley No. 29 que estableció: "Los Magistrados principales de la Corte Suprema de Justicia, mayores de sesenta años, que no fueren nombrados con aquel carácter para el período que principia el 1 de Mayo del corriente año, gozarán de una pensión vitalicia de ochenta pesos oro [...]".[138] La fórmula parecía "compensar" la pérdida de la garantía de permanencia en sus cargos de por vida que ordenaba la Constitución vigente al momento en que ellos habían sido nombrados en la corporación.[139]

137 Eduardo Lemaitre, *Rafael Reyes...*, *op. cit.*, pp. 265-266.

138 Para el caso de los "empleados civiles" que hubiesen desempeñado destinos públicos durante treinta años, la pensión sería de la mitad del último sueldo del último empleo que hubieren ejercido. La ley también se refería a las pensiones de descendientes y familiares de próceres de la independencia y de militares. La misma también disponía que se perdería el derecho a gozar de la pensión si se observaba una "conducta notoriamente inmoral" del "agraciado" o si aquel era condenado a "reclusión o presidio", si tomaba armas contra el Gobierno o si tenía un capital que le produjera una "renta mensual mayor de cincuenta pesos en oro".

139 Todo indica que la Ley 29 de 1905 fue una de las primeras —tal vez la primera— en otorgar una pensión de jubilación a quienes hubieran servido como magistrados de la Corte. La norma fue rápidamente reformada por otra ley también dictada por la Asamblea Nacional. La Ley 12 del 30 de abril de 1907 dispuso que la pensión de los magistrados de la Corte se alcanzaría a los 65 años y tras quince años de trabajo al servicio de la Corte. El beneficio se extendió a los magistrados de los tribunales superiores y también se dispuso que los jueces superiores y de circuito se pensionarían con los mismos requisitos de edad y de servicio, pero su pensión sería la mitad de la percibida por los magistrados (Art. 3, Ley 12 de 1907, D.O. No. 12.492, Año XLIII, 7 de mayo de 1907). Ya en el Gobierno del presidente Abadía Méndez, la Ley 102 de 1927 estableció que los magistrados y jueces se pensionarían a los sesenta años (Art. 7, D.O. No. 2655, 28 de noviembre de 1927). Luego la Ley 116 del 22 de noviembre de 1928

Así las cosas, Reyes logró cambiar la Corte, y fijarles períodos de cinco años a sus magistrados. Pero eso no quería decir que los enfrentamientos con la corporación cesarían; en septiembre de 1905, el tribunal seguía un proceso originado en una demanda por el presunto fraude electoral en el registro de Padilla, en las elecciones que llevaron a Reyes a la Presidencia en 1904. El magistrado liberal Carmelo Arango[140] conceptuó que ese registro era ilegal y que por lo tanto no se podía computar con los demás votos. La Corte no acogió el concepto de Arango pero el presidente Reyes consideró que el magistrado colaboraba con los "conspiradores" que hacían fuerte oposición al régimen y por eso ordenó su destitución.[141] Isaías Castro, magistrado de la Corte que no apoyó el concepto de Arango, decidió renunciar irrevocablemente a su cargo en señal de protesta por la destitución de su colega: a su juicio, la medida gubernamental constituía un grave atentado a la independencia de la corporación. Reyes reaccionó confinando a Castro[142] en Mocoa.[143]

---

estableció que la pensión de magistrados y jueces solo se otorgaría si el "agraciado" carecía de medios de congrua subsistencia, había observado buena conducta y si el magistrado o juez había llegado a los sesenta años, aunque al cumplir esa edad no estuviere desempeñando cargo judicial, y haber servido al Estado por veinte años. La pensión solo se perdería por conducta inmoral o por condena "a pena aflictiva". Art. 5º, Ley 116 de 1928, *Historia de las Leyes,* Tomo XIX-Legislatura de 1928-18, Imprenta Nacional, Bogotá, p. 270.

140 En marzo de 1909, Carmelo Arango recibió una carta firmada por quinientas figuras de la vida política nacional, incluyendo facciones del liberalismo y del conservatismo, en donde le pedían a él, a Nicolás Esguerra y al general Guillermo Quintero Calderón que conformaran el grupo que prepararía las elecciones al Congreso convocadas por el presidente Rafael Reyes. Estos luego fundaron la Junta Republicana, base de la fuerza política que logró la reforma constitucional de 1910.

141 J.H. Palacios, "Historia de mi vida" (publicación por entregas), *El Tiempo,* Bogotá, enero 16 de 1944. Citado por Fernando Correa Uribe en *Republicanismo y reforma constitucional, op. cit.,* p. 95.

142 El encarcelamiento incluso fue difundido por el períodico *The New York Times,* a través de su corresponsal en Panamá. Así tituló en su edición del 19 de septiembre de 1905: "Reyes Dictator of Colombia: Supreme Court Member Imprisioned, Panama Hears". *NYT*: http://query.nytimes.com/gst/abstract.html?res=F00F14F73C5912738DDDA90A94D1405B858CF1D3. Consultado el 20 de junio del 2011.

143 Pocos días después del incidente con la Corte, Reyes develó un plan para darle un golpe de Estado. Los conspiradores fueron detenidos y el 23 de diciembre expidió un decreto que fijaba el procedimiento para juzgarlos por varios delitos. El dirigente conservador Felipe Angulo, uno de los implicados, escogió al exmagistrado Carmelo Arango como su defensor. El 10 de febrero de 1906, Reyes y su hija sufrieron un atentado mientras daban un paseo por las afueras de Bogotá, resultando ilesos. Los responsables directos fueron capturados y luego fusilados, mientras que muchos opositores fueron arrestados o perseguidos por su supuesta autoría intelectual en el atentado. Humberto Vélez, "Rafael Reyes: Quinquenio, régimen político y capitalismo (1904-1909)", en *Nueva Historia de Colombia,* Vol. 1, Planeta, Bogotá, 1989, pp. 187-214, p. 209.

De la salida de Reyes a la Asamblea Constitucional y Legislativa en 1910

Reyes mantuvo el Congreso de la República cerrado por cerca de cinco años. En 1909 decidió convocar a elecciones para conformarlo de nuevo. Los resultados electorales le dieron un importante número de escaños parlamentarios a la oposición organizada bajo las Juntas Republicanas,[144] una agrupación política que congregaba a dirigentes políticos de los partidos liberal y conservador, cuya finalidad era garantizar el libre juego político y el equilibrio en los poderes públicos. Pero aun así los cálculos y las negociaciones de los republicanos para una eventual salida de Reyes del poder, quien parecía en el ocaso de su régimen, se hacían difíciles pues el Congreso había quedado conformado por una mayoría que simpatizaba con el Gobierno.[145]

La fórmula para una eventual sucesión presidencial era compleja. Recordemos que Reyes se había logrado deshacer del incómodo vicepresidente, el general Ramón González Valencia —quien había sido elegido en la misma fórmula presidencial de Reyes, en 1904—, gracias al Acto Legislativo 05 del 30 de marzo de 1905,[146] que suprimió tanto la vicepresidencia como la figura del designado a la Presidencia. La misma reforma constitucional había establecido que en caso de ausencia temporal del presidente, sería este mismo quien designaría al ministro que lo reemplazaría en su cargo. El Acto Legislativo 05 también había dispuesto que en caso de ausencia definitiva del presidente, el Consejo de Ministros designaría al ministro que reemplazaría al presidente, y aquel, a su vez, convocaría al Congreso para que dentro de los sesenta días siguientes eligiera al presidente por el tiempo faltante para el período constitucional. Por último, según la reforma de Reyes, en caso de que faltare un año o menos para terminar el período presidencial, el encargado seguiría en la Presidencia hasta terminarlo y convocaría a “elecciones ordinarias para Presidente, conforme a la Constitución”.

144 “Los antecedentes de la Unión Republicana como proyecto de partido político distinto a los que tradicionalmente se habían disputado el poder, se remontan a la última década del siglo XIX, cuando el grupo conservador histórico y el partido liberal luchaban por ampliar el espacio político mediante una reforma constitucional y por la práctica de un proceso electoral limpio que hiciera posible una verdadera representación de los partidos en los cuerpos colegiados y el Gobierno”. Fernando Correa Uribe, *Republicanismo y reforma constitucional, op. cit.*, p. 11.

145 Fernando Correa Uribe, *Republicanismo y reforma constitucional, op. cit.*, pp. 143-161.

146 La misma reforma constitucional en su artículo 5 había dispuesto que: “El período presidencial en curso, y solamente mientras está a la cabeza del Gobierno el Sr. General Rafael Reyes, durará una década, que se contará del 1 de enero de 1905 al 31 de diciembre de 1914”, y que, una vez Reyes no estuviere en el poder, “el período presidencial tendrá la duración de cuatro años para el que entre a reemplazarlo de una manera definitiva [...]”. Acto Legislativo 05 del 30 de marzo de 1910, *Diario Oficial,* No. 12318, Bogotá, 4 de abril de 1905.

Tras enfrentar una poderosa y organizada oposición, y cuando su vida y la de su familia parecían estar en riesgo, Rafael Reyes abandonó el país en junio de 1909 y dejó encargado de la Presidencia al ministro Jorge Holguín. Pero como Reyes no había renunciado a su cargo, se trabó una disputa política sobre la sucesión presidencial. Los liberales defendían la idea de "respetar la legalidad" de la reforma constitucional de 1905, de modo que, si ya no existían ni la vicepresidencia ni la designatura, ellos estimaban que quien estuviese encargado de la Presidencia (el ministro Holguín) procediera a convocar al Congreso para elegir a quien ejercería la Presidencia por el resto del período para el cual la Asamblea Constituyente había reelegido a Reyes, es decir, hasta 1914. Por su parte, los sectores conservadores republicanos reclamaban el derecho del general Ramón González Valencia a ocupar la Presidencia, pues él había sido legalmente elegido como fórmula vicepresidencial de Reyes en 1904, pero recuerde el lector que una reforma constitucional impulsada por el propio Reyes había dejado cesante a su vicepresidente, en 1905.

El ministro Holguín siguió ejerciendo la Presidencia y dictando decretos que le eran ordenados por Reyes desde Europa. Los republicanos y el general González Valencia no aceptaban la legalidad de los actos de Holguín, así que González, acompañado de un grupo numeroso de simpatizantes, llegó a Bogotá con la intención de posesionarse como nuevo presidente y así se lo hizo saber a Holguín. Ante el grave peligro de que estallara un nuevo conflicto armado, el ministro decidió interceptar a González antes de que ingresara a Bogotá y en Zipaquirá, una ciudad cercana a la capital del país, acordaron que González desistiría de su idea de presionar su posesión como presidente, siempre y cuando Holguín renunciara a su cargo ante el Congreso.

Pero el acuerdo González-Holguín no resolvió totalmente el problema: luego de este se presentaron varios conatos de insurrección armada en todo el país, en respaldo de la Presidencia de González. Cuando todo parecía indicar que de nuevo se llamaría a la Corte Suprema para arbitrar entre esta disputa sobre la sucesión presidencial, el Congreso recientemente elegido se instaló el 20 de julio de 1909 y trajo la tranquilidad al país, pues la Cámara de Representantes le solicitó al Senado que declarara la vacancia del cargo de presidente de la República, de modo que González Valencia procediera a posesionarse en ese cargo. Finalmente, el 27 de julio de 1909, el ministro Holguín presentó ante el Congreso la renuncia de Rafael Reyes a la Presidencia de la República, con lo cual el panorama político parecía despejarse un poco. De inmediato, el Congreso interpretó la reforma constitucional de 1905 en el sentido de que debía elegirse a quien ejercería la Presidencia por el año que le quedó faltando a Reyes para culminar su sexenio y no por el período para el cual este había sido reelegido. Como candidatos surgieron Marco Fidel Suárez (partidario de Reyes) y Ramón González Valencia, quien finalmente resultó electo.

El triunfo de González fue una victoria para los republicanos, en especial para la facción de los conservadores históricos. González Valencia se posesionó ante la Corte Suprema de Justicia y, tan pronto empezó su gestión, los republicanos impulsaron en el Congreso la idea de la convocatoria a una asamblea constitucional que no solo se ocuparía de las reformas a la Carta Política, sino de la elección del próximo presidente de la República. Después de un proceso político complejo y no libre de obstáculos, González Valencia dictó el Decreto 126 del 25 de febrero de 1910 que convocaba a una asamblea constitucional y fijaba las bases sobre las que discutiría ese órgano.

La Asamblea Constitucional sesionó entre el 15 de mayo y el 31 de octubre de 1910. Una vez se produjo la instalación, sectores liberales denunciaron que la elección del presidente González Valencia era ilegal pues la había realizado un Congreso espurio, cuya fuente de legalidad eran los actos reformatorios expedidos durante la dictadura de Reyes. Sin embargo, la Unión Republicana, que buscaba un presidente que garantizara el libre juego político, no dio trascendencia a la denuncia y más bien consideró que el primer punto que debía resolver la Asamblea era la sucesión presidencial para el período 1910-1914. Una de las propuestas para evitar la fragmentación de la Asamblea frente a la selección de los candidatos a la Presidencia fue la de declarar que el general González continuaría hasta 1914, y que, en caso de que este quisiera retirarse, la Asamblea nombraría a un vicepresidente o a un designado en su reemplazo, pero González Valencia rechazó la iniciativa pues no pretendía continuar en el poder. Entonces surgieron como candidatos José Vicente Concha y Carlos E. Restrepo. El 15 de julio de 1910, Restrepo fue elegido como presidente de la República, marcando así el triunfo definitivo de la Unión Republicana en la Asamblea Constitucional.

La Corte Suprema ante la Asamblea Constitucional de 1910

La Corte Suprema de Justicia fue centro de debate en la coyuntura política de la Asamblea de 1910 y no solo porque esta se ocupó de reformar la conformación, organización y las funciones del tribunal. Veamos algunas de las cuestiones que llevaron a la Corte a los recintos de la Asamblea.

El primer asunto tuvo que ver con la posesión del presidente Ramón González Valencia, que, como dijimos, se hizo ante la Corte Suprema el 4 de agosto de 1909 y había sido posible gracias a que la corporación decidió aplicar la Ley 42 del 28 de abril de 1905, que había sido aprobada por la Asamblea de tiempos de Reyes, y que establecía: "El Presidente de la República tomará posesión ante la Corte Suprema de Justicia, y en defecto de esta ante dos testigos",[147] aun cuando la ley era contraria al contenido de los artículos 116 y 117 de la Constitución que ordenaban: "ARTÍCULO 116. El Presidente de la República electo tomará posesión de su destino ante el Presidente del Congreso" [...] "ARTÍCULO 117. Si por cualquier motivo el Presidente no pudiere tomar posesión ante el Presidente del Congreso, lo verificará ante el Presidente de la Corte Suprema, y en defecto de esta antes dos testigos".[148] La Corte, aunque advirtió esa contradicción entre las reglas de la Constitución y la Ley 42 de 1905, prefirió no entrar en el debate político sobre la sucesión presidencial, que ya las fuerzas políticas habían zanjado con la elección de González Valencia, y posesionó al presidente González acogiéndose a las reglas de la Ley 42 y no a las que fijaba la Constitución.

Sin embargo, varios meses después, cuando González Valencia ya se encontraba en pleno ejercicio de la Presidencia de la República, la Corte decidió enviar a la Asamblea Constitucional la Nota No. 771, en la cual solicitaba a ese órgano "se provea lo conveniente para prevenir las dudas y dificultades" por la contradicción entre la Ley 42 de 1905 y el texto de la Constitución Nacional. En la nota, la Corte argumentaba que las dudas tenían que ver con que el artículo 6º de la Ley 153 de 1887 establecía que "una disposición expresa de ley posterior a la Constitución se reputa constitucional y se aplicará aunque aparezca contraria a la Constitución [...]", de modo que había una evidente contradicción, puesto que la Ley 42 de 1905 ordenaba la posesión del presidente ante la Corte o ante dos testigos, mientras que la Constitución de 1886 establecía la posesión presidencial ante el Congreso, o en su defecto ante la Corte o dos testigos.

La Asamblea tramitó la solicitud de la Corte Suprema de Justicia comisionando al diputado Carmelo Arango para que presentara una propuesta para resolverla. Recordemos que Arango fue magistrado de la Corte, salvó su voto en la Sentencia de 1900 que legitimó el golpe de Estado al presidente Sanclemente y fue destituido de la Corte por el Gobierno de Reyes, en 1905. El diputado Arango conceptuó así ante la Asamblea: "[...] no existen razones suficientes que justifiquen la abrogación de los artículos 116 y 117 de la Constitución, juzgo conveniente se derogue el artículo

147 Acto Legislativo 05 del 30 de marzo de 1905, *Diario Oficial*, No. 12318, Bogotá, 4 de abril de 1905.

148 Constitución Política de 1886, en *Constituciones Políticas Nacionales de Colombia,* compilación de Carlos Restrepo Piedrahita, *op. cit.*, p. 410.

3º de la ley citada [...]".[149] La Asamblea acogió en su integridad la propuesta del diputado Arango y con la Ley 30 de 1910 derogó la Ley 42 de 1905.[150]

Así las cosas, en la posesión presidencial de González Valencia, la Corte Suprema dio prevalencia a la Ley 42 de 1905 sobre la Constitución, reiterando su doctrina sobre la Ley 153 de 1887, según la cual la Constitución podría ser desconocida por leyes posteriores a la Carta Política. El tribunal no quiso entrar a discutir la legalidad de la posesión del presidente González, sino que prefirió dejar el debate para que, una vez se superara la tensión política sobre la sucesión presidencial del general Reyes, el asunto fuera objeto de discusión en el espacio político de la Asamblea Constitucional de 1910. De este modo, la corporación no solo reafirmaba la soberanía del Legislativo para interpretar la Constitución, sino también la incompetencia de la Corte Suprema de Justicia para dirimir una controversia entre la Constitución y la ley. Alejada de la presión política de las "posesiones presidenciales", la Corte expresó la contradicción entre la Ley 42 de 1905 y la Constitución Nacional: al dejar la controversia en manos de la Asamblea Constitucional, reafirmaba que su función no era ejercer la guarda de la Constitución.

Otro de los asuntos relacionados con la Corte que ocupó a la Asamblea fue el de la renovación del tribunal tras el vencimiento del período para el cual Reyes había elegido a los magistrados de la corporación, en 1905. Recordemos que la reforma constitucional que él hizo aprobar, aunque había acabado con la vitalicidad de las magistraturas en la Corte fijándoles un período de cinco años, mantenía el nombramiento de los magistrados en cabeza del Ejecutivo, pasando por la aprobación del Senado. Así, el presidente González Valencia procedió a nombrar a los siete magistrados que compondrían la corporación a partir del 1 de mayo de 1910, quienes ejercerían sus cargos hasta 1915.

El presidente llevó esos nombramientos a la Asamblea para que esta los confirmara, bajo el criterio de que ella hacía las veces del Senado. Sin embargo, en la sesión del 21 de mayo de 1910, los diputados Nicolás Esguerra y Holguín Caro pidieron a la Asamblea que se abstuviera de dar aprobación a los nombramientos argumentando que el único órgano competente para impartir tal aprobación era el Senado. La propuesta de los diputados produjo un intenso debate sobre la naturaleza de la Asamblea y el alcance de sus funciones. Esguerra[151] y Holguín comanda-

149 Anales de la Asamblea Nacional, sesión del 27 de julio de 1910, números 50 y 51, serie única, Bogotá septiembre 7 de 1910, p. 408.

150 La Ley 30 de 1910 escuetamente dijo en su artículo primero "Derógase el artículo 3º de la Ley 42 de 1905", *Diario Oficial,* No. 14359, del 9 de agosto de 1910. La ley la sancionó el presidente González Valencia.

151 Esta postura de las competencias limitadas de la Asamblea Nacional, que se circunscribían exclu-

ban el sector que consideraba que las facultades de la Asamblea eran exclusivamente legislativas, mientras que otros diputados, como Enrique Olaya Herrera, estimaban que ese órgano podía ejercer todas las funciones atribuidas al Congreso, sin limitación alguna, y que además era conveniente que la Asamblea tomara partido en el nombramiento de los magistrados, pues el "Poder Ejecutivo estaba dando pruebas de su apertura política al someter a la corporación los nombramientos de los magistrados de la Corte".[152] El debate prosiguió en "sesión secreta", por solicitud del diputado Esguerra. Días después, la Asamblea finalmente decidió aprobar los nombramientos realizados por González Valencia.[153]

La Asamblea Constitucional y el control constitucional de las leyes por la Corte Suprema de Justicia

La reforma del Acto Legislativo 03 del 31 de octubre de 1910 tenía como propósitos moderar el centralismo, regular el presidencialismo y enriquecer las libertades públicas.[154] La reforma "republicana" de 1910 pretendía la paz bipartidista y un diseño institucional que garantizase la libre competencia entre los partidos para acceder al poder.[155]

El 15 de mayo de 1910, el diputado por Antioquia Nicolás Esguerra le presentó a la Asamblea Constitucional un proyecto de reforma constitucional, en cuyo artículo 24 proponía que a la Corte Suprema de Justicia se le confiaría la guarda de la integridad de la Constitución y en consecuencia esta decidiría "definitivamente

---

sivamente a las facultades legislativas que tenía el suspendido Congreso, fue la misma que sostendría Esguerra para argumentar que la Asamblea no podía impartir la aprobación a un tratado que buscaba regular las relaciones entre Colombia y los Estados Unidos tras la separación de Panamá de 1903, que había buscado el presidente Reyes.

152 Acta de la sesión del sábado 21 de mayo de 1910, *Anales de la Asamblea Nacional*, serie única, No. 3, Bogotá, mayo 24 de 1910, pp. 20-21.

153 El Decreto 374 del 27 de abril de 1910 fue firmado por el presidente González Valencia y el ministro Miguel Abadía Méndez. La norma también señalaba que los nombramientos de los magistrados se someterían a la Asamblea Nacional, pero que si en diez días no se producía la confirmación, los magistrados entrarían a ejercer su cargo. *G.J.*, Año XIX, Nos. 938-939, Tomo XIX, p. 1.

154 Fernando Correa Uribe, *Republicanismo y reforma constitucional, op. cit.*

155 Varios autores coinciden en que en 1910 "se respiraba paz y esperanza en el futuro". Bien lo resume Posada Carbó: "En 1910, Colombia tenía unos 4.5 millones de habitantes, en su inmensa mayoría dispersos [...] Solo Bogotá contaba con más de cien mil habitantes (123.000) [...] Al iniciar su nuevo siglo de independencia, Colombia seguía siendo una de las economías más pobres de Latinoamérica [...] en 1910 el país comenzaba a gozar de una atmósfera de paz, cada vez más alejado de las luchas partidistas que habían provocado recurrentes conflictos civiles durante el siglo XIX [...] Para los contemporáneos, el centenario parecía marcar el principio de 'una nueva era'". Eduardo Posada Carbó, "1910 y 2010: dos momentos y cien años", en *Colombia 1910-2010,* Taurus, Bogotá, 2010, p. 25.

sobre la exequibilidad de los actos legislativos que hayan sido objetados como inconstitucionales por el Gobierno o sobre las leyes o decretos acusados ante ella por cualquier ciudadano como inconstitucionales, previa audiencia del Procurador General de la Nación". La iniciativa de Esguerra agregaba que la Corte Suprema estaría conformada por nueve magistrados que serían elegidos por las asambleas departamentales para períodos de seis años, pudiendo ser reelegidos indefinidamente, y que la corporación se renovaría por terceras partes cada dos años.[156] Después de varios debates, este fue el texto aprobado por la Asamblea en el Acto Legislativo 03 de 1910 (Art. 41):

> A la Corte Suprema se le confía la guarda de la integridad de la Constitución. En consecuencia, además de las facultades que le confieren esta y las leyes, tendrá la siguiente: Decidir definitivamente sobre la exequibilidad de los Actos Legislativos que hayan sido objetados como inconstitucionales por el Gobierno, o sobre todas las leyes o decretos acusados ante ella por cualquier ciudadano como inconstitucionales, previa audiencia del Procurador General de la Nación.

Como vemos, la Asamblea no solo estableció la acción popular o pública de inconstitucionalidad sino que modificó el diseño institucional de la Corte Suprema de Justicia. Con la reforma, la corporación ya no sería únicamente un tribunal de casación encargado de unificar el derecho nacional, como lo había querido el proyecto regenerador en la Constitución de 1886, sino que ahora tendría la responsabilidad de defender los derechos de los ciudadanos que le pidiesen hacer valer la Carta Política frente a los abusos del Poder Legislativo o de la administración, arbitrar las controversias políticas entre el Legislativo y el Ejecutivo, y, en suma, preservar el pacto político sellado con la reforma republicana de 1910. Los magistrados de la Corte ya no serían nombrados por el Ejecutivo, sino que este propondría ternas de candidatos para que fuera el Congreso quien tuviera la facultad de designar a quienes ejercerían sus cargos por períodos de cinco años, pudiendo ser reelegidos indefinidamente.[157]

156 Lácides Segovia (comp.), *Historia de las Leyes: Acto Legislativo No. 3 de 1910*, edición de la Academia Colombiana de Jurisprudencia, Colección Clásicos, Bogotá, 2010, pp. 55 y 56.

157 "ARTÍCULO 17: Es atribución del Senado [...] elegir cuatro Magistrados de la Corte Suprema de Justicia y sus suplentes, de ternas presentadas por el Presidente de la República". "ARTÍCULO 20. Son atribuciones de la Cámara de Representantes: [...] 3. Elegir cinco Magistrados de la Corte Suprema de Justicia y sus suplentes, de ternas que presente el Presidente de la República". Acto Legislativo 03 de 1910, en Carlos Restrepo Piedrahita, *Constituciones Políticas...*, *op. cit.*, pp. 259 y 460.

La Corte, pues, se erigía como árbitro de controversias entre los poderes Ejecutivo y Legislativo, y, en últimas, entre los partidos, pues la experiencia histórica de guerras y violencia política mostraba como unos y otros se atrincheraban en el Estado cuando tenían ocasión de llegar al poder, y las prácticas facciosas eran el común denominador tanto de liberales como de conservadores. Ese arbitraje judicial se concretaba con la creación de la acción pública de inconstitucionalidad,[158] que establecía que los ciudadanos podrían demandar las leyes que ellos consideraran que se apartaban o contradecían las disposiciones constitucionales.[159] El belicismo de la confrontación ahora pasaba de la política al derecho. A la Corte Suprema se confiaba la guarda de la supremacía de la Constitución, del documento político que debía garantizar la paz.[160] Por todo esto, muchos no dudan en afirmar que la reforma de 1910 —o la "reforma republicana"— fue la que realmente dio origen al régimen constitucional colombiano, pues antes de ella era difícil hablar de unas reglas del juego democrático, de un verdadero sistema de pesos y contrapesos entre las ramas del poder y, desde luego, de un adecuado sistema de defensa de la Constitución.[161]

158 La Asamblea se inclinó por aprobar una de las tres propuestas que sobre el control judicial de la Constitución se presentaron. Al respecto véase: Lácides Segovia, *Historia de las Leyes. Acto Legislativo No. 3 de 1910,* Imprenta Nacional, Bogotá, 1910, y también: "La Reforma Constitucional de 1910", de Juan Carlos Esguerra Portocarrero, en *Historia Constitucional,* compilada por Jaime Vidal Perdomo, *op. cit.,* p. 104.

159 Jorge González Jácome, *Entre la ley y la Constitución: una introducción histórica de la función institucional de la Corte Suprema de Justicia, 1886-1915,* Pontificia Universidad Javeriana, Bogotá, 2007.

160 "El año 1910 [...] tiene en Colombia un significado muy particular. Como se sabe, el año de 1900 es aún un año de guerra civil —la última gran guerra del siglo XIX, que termina el tercer año del siglo XX—. Una guerra que tiene todas las características de las viejas guerras civiles —grandes y pequeñas— del siglo XIX colombiano, sus actores, sus motivos, sus propósitos y su propio desenlace no contradicen esa antigua tradición de enfrentamiento político. Luego vendría una década signada por inestabilidades, acuerdos rotos, por la pérdida de Panamá, por una forma relativamente nueva de dictadura —la de Reyes—, y que encontrará su fin en una asamblea constituyente y una reforma constitucional [...] Ese sorprendente avance democrático, visible a partir de 1910, resultó ser una transformación política mayor cuyos efectos en Colombia se prolongarían hasta 1946 [...] A partir de 1910, y por casi cuatro décadas, el país practicará en el terreno de las relaciones políticas y sobre todo partidistas, la tolerancia y el compromiso, e intentará bajar el tono a las pasiones y a la retórica con que se procesaba la acción política. Esto permitirá un funcionamiento relativamente estable de la democracia republicana, en una época en la que la mayor parte de América Latina no gozaba de esa condición [...]". Renán Silva, "Cultura, cambio social y formas de representación", en *Colombia 1910-2010, op. cit.,* pp. 282 y 283.

161 Por ejemplo, Alfredo Vásquez señala: "El año 10 de este siglo es para Colombia la fecha de iniciación de su régimen constitucional. Lo anterior eran ensayos y aproximaciones. El derecho escrito no correspondía a la realidad de los actos ejecutivos y la Carta del 5 de agosto de 1886 había regido tan solo en la teoría de las afirmaciones gubernamentales, encontrándose casi siempre el país en estado de anormalidad bajo ley marcial". Alfredo Vásquez Carrizosa, *El poder presidencial en Colombia, op. cit.,* p. 266.

Hay una importante literatura doctrinal que se ocupa de analizar la creación de la acción pública de constitucionalidad[162] y el poder atribuido a la Corte para juzgar la constitucionalidad de las leyes expedidas por el Congreso. Un buen ejemplo lo encontramos en el trabajo de Eduardo Rodríguez Piñéres, quien después de hacer un amplio análisis de las opciones disponibles en el derecho comparado de la época, afirma que la solución colombiana de crear una acción pública de inconstitucionalidad en 1910 fue la de arbitrar el poder del Ejecutivo y del Legislativo. En concreto, sobre esta previsión constitucional expresa Rodríguez:[163]

> En vista de los inconvenientes de los sistemas examinados, partiendo de la base del sabio principio de Montesquieu de que la "virtud misma necesita frenos", en atención a las circunstancias particulares del país y a los antecedentes que se estudiarán más adelante, los constituyentes colombianos de 1910 adoptaron el sistema de conferir a la Corte Suprema de Justicia la facultad de declarar, previa audiencia del Procurador General de la Nación y a petición de cualquier ciudadano, la inexequibilidad de las leyes que se acusen ante ella en el concepto de su inconstitucionalidad.

A nuestro modo de ver son insuficientes los análisis que se enfocan en los desarrollos de los textos constitucionales y legales que datan de mediados del siglo XIX y en los debates doctrinales previos a 1910 como únicos elementos que permiten explicar la creación de la acción pública de inconstitucionalidad. Pero tampoco basta explicar esa creación como un proyecto político que gestó un grupo de representantes de los partidos en la Unión Republicana. Consideramos que la explicación que captura de mejor manera este momento, es decir, el establecimiento de la acción de inconstitucionalidad y el control constitucional de las leyes en cabeza de la Corte Suprema, es aquella que reconoce la combinación de agendas traslapadas en una coyuntura política que se desató en 1910, pero que debe rastrearse desde el proyecto regenerador de 1886 y la reacción al mismo, y en donde cumplió un papel importante el ambiente doctrinal que insistía en la necesidad de la defensa

162 A nuestro modo de ver, con un propósito no precisamente historiográfico sino más bien en una interpretación de la acción pública de inconstitucionalidad desde las perspectivas contemporáneas de la democracia deliberativa y el republicanismo en el marco de la filosofía política y la teoría constitucional, María Luisa Rodríguez Peñaranda propone una *Genealogía de la Acción Pública*. Al respecto véase el apartado II del capítulo tercero "Republicanismo y origen de la acción pública", pp. 230-269. María Luisa Rodríguez Peñaranda, *Minorías, acción pública de inconstitucionalidad y democracia deliberativa*, Universidad Externado de Colombia, Bogotá, 2005.

163 Eduardo Rodríguez, *Por el reinado del Derecho, op. cit.* El prólogo estuvo a cargo de Carlos E. Restrepo, quien sería un impulsor del control constitucional, como representante de la Unión Republicana, en el período presidencial 1910-1914.

de la supremacía constitucional como un modo de limitar tanto los excesos del autoritarismo del Ejecutivo como los problemas de un Gobierno dividido.

Entonces, la narrativa que mejor explica la creación de la acción pública de inconstitucionalidad y la instauración de la Corte Suprema de Justicia como juez de constitucionalidad de las leyes es la siguiente: para la época de la reforma de 1910 se había gestado una importante discusión doctrinal sobre la supremacía constitucional.[164] Esa doctrina poco a poco impregnó los círculos políticos y los ambientes intelectuales en el contexto de una creciente oposición al proyecto regenerador y de subordinación de la Constitución a la ley que trajo consigo el régimen instaurado por Núñez y Caro. Un régimen que francamente excluyó la disidencia de los liberales y de los conservadores históricos. Así, la idea de la cultura de la supremacía constitucional fue adquiriendo gradualmente fuerza política hasta el punto que capturó el interés de las distintas facciones conservadoras y de las coaliciones de facciones liberales-conservadoras que sucedieron a la expedición de 1886 en distintas coyunturas previas a 1910: en el período de la Guerra de los Mil Días, en el golpe de Marroquín y en el quinquenio de Reyes. La necesidad tanto de recomponer el orden institucional como de lograr la paz interpartidista en la coyuntura crítica del régimen político entre 1909 y 1910, crearon las condiciones para el diseño institucional que establecía el control constitucional de la legislación a cargo de la Corte. Por eso, tanto el tribunal como la acción pública parecían considerarse como unas verdaderas garantías jurídicas para las fuerzas políticas temerosas de las hegemonías.[165] Esas mismas fuerzas fueron las que impulsaron las agendas doctrinales y fueron dando forma al diseño institucional del control constitucional de las leyes por la Corte Suprema a través del mecanismo de la acción popular o pública de inconstitucionalidad.

Ahora bien, la noción genérica de defensa de la Constitución por los jueces no era nueva, ni la experiencia formal del control constitucional de actos jurídicos

164 Al respecto, diría el destacado magistrado de la Corte Pedro Alejandro Gómez Naranjo: "Contra el artículo 6º de la Ley 153 de 1887 hubo una fuerte reacción. Eminentes jurisconsultos de todos los partidos expresaron su opinión adversa, y hasta los Directorios políticos exteriorizaron su deseo de que fuera derogado. Se decía que la Constitución quedaba en el hecho suplantada por la ley, porque esta podía contener principios de obligatorio cumplimiento contrarios a la Carta. El artículo 40 del Acto Legislativo número 3 de 1910 fue la culminación de una campaña intensa adelantada para conseguir la derogatoria del mandato del legislador de 1887". "La guarda de la Constitución", Discurso de posesión ante la Academia Colombiana de Jurisprudencia, Bogotá, 1939. Disponible en: http://www.acj.org.co/o/activ_acad.php?mod=clasicos pedro gomez. Este criterio también aparece desarrollado por los doctrinantes Miguel Moreno Jaramillo y Francisco de Paula Pérez.

165 Ran Hirschl, *Towards Juristrocracy: The Origins and Consequences of the New Constitutionalism*, Harvard University Press, 2007.

originado en demandas ciudadanas era una novedad para la Colombia de 1910, pues, como se vio, ya se habían estrenado algunos mecanismos (como el de 1904). Pero tampoco se trata de una evolución natural del control constitucional político al control jurídico o al control judicial de la Constitución. No había, pues, antes de 1910, un juez independiente del juego político capaz de garantizar las reglas constitucionales, ni una defensa judicial definitiva de la Constitución en nombre de las minorías políticas. Las doctrinas que apoyaban el control en cabeza de la Corte surgían y estaban inmersas en determinados ambientes políticos e institucionales, en cada tiempo. Así, una relación constitutiva, interdependiente, del contexto y de la doctrina que dio forma al control constitucional, parece ser la mejor explicación.

Regresando al contenido de la reforma constitucional de 1910, como lo mencionamos atrás, la Asamblea Constitucional se ocupó de definir el número de los magistrados que integrarían la Corte, su forma de elección, así como de los períodos en los cuales estos ejercerían su cargo.[166] El nuevo mecanismo de integración de la Corte Suprema de Justicia le quitaba al Ejecutivo la atribución de nombrar discrecionalmente a los magistrados y disponía que esa responsabilidad debía compartirla con el Congreso.[167] La conformación de la corporación quedaba ahora en manos de dos órganos políticos, lo cual parecía justificarse porque el tribunal ya no solo sería una Corte de Casación sino también un juez constitucional capaz de expulsar del ordenamiento jurídico normas expedidas por el Congreso y por el Ejecutivo. Ese cambio en el modo de conformar la Corte también guardaba relación con el diseño institucional de la reforma de 1910 que fijaba reglas de pesos y contrapesos entre las ramas del poder y buscaba reforzar la legitimidad de un órgano judicial que tendría, ni más ni menos, la tarea de hacer valer la Constitución por encima de las leyes aprobadas por el Legislativo, así como la de controlar algunos actos de la administración.[168]

En cuanto a la composición de la Corte, como dijimos, la Asamblea decidió darle continuidad a los siete magistrados nombrados por el presidente González Valencia, pero agregó dos elegidos por la propia Asamblea. Dispuso, además, que

166 Acta de la Sesión del 30 de junio de la Asamblea Nacional, *Anales de la Asamblea Nacional*, serie única, No. 3, agosto 22 de 1910, Bogotá, pp. 319-321.

167 Las modificaciones al diseño de la Corte fueron objeto de un amplio debate en la Asamblea. Por ejemplo, en la sesión del 30 de junio de 1910 hubo diputados en favor de que fuesen las asambleas departamentales quienes nombraran a los magistrados, bajo el argumento de que así se garantizaría la independencia de la Corte frente al Ejecutivo y al Congreso Nacional.

168 A partir de 1910, el presidente de la Corte Suprema sería elegido por la propia Corte para períodos de un año y no de cuatro como establecía la Constitución de 1886.

los nueve magistrados terminarían sus períodos el 30 de abril de 1915.[169] Como vemos, aunque la Asamblea había respaldado la decisión de González Valencia de nombrar lo que para entonces era la Corte Suprema de Justicia, quiso tener participación en la conformación de la corporación que, en parte, tendría la responsabilidad de hacer respetar una reforma que surgía de un pacto político, al punto que dos magistrados salieron del seno del constituyente: los diputados Rafael Navarro Eusse y Manuel José Angarita. Con esta última medida, la Asamblea dejaba una salvaguarda para proteger la vigencia de su obra política.

Reflexiones finales sobre el capítulo

Al comenzar este capítulo dijimos que el punto de inicio de nuestra historia de la Corte Suprema de Justicia no era pacífico, porque fijarlo en el año 1886 en buena parte implicaba tomar un camino distinto al del amplio consenso doctrinal local, según el cual el control constitucional es producto de un proceso evolutivo que debe rastrearse varias décadas atrás. Planteamos que era necesario recurrir a otros enfoques que dieran cuenta no solo de las doctrinas sino que exploraran el contexto político y los diseños institucionales en los cuales se situaban esos posibles modos de defender la Constitución. Uno de ellos, la experiencia judicial e institucional de la Corte Suprema de Justicia, que pasó de ser un juez de la legalidad y la autoridad de la Regeneración, con la expedición de la Constitución de 1886, a juez de la Constitución, con la reforma constitucional de 1910.

Así, como lo pusimos de presente, desde su instalación, la nueva Corte Suprema de Justicia acompañó fielmente al proyecto político —y jurídico— de la Regeneración. Esa lealtad se mantuvo en tiempos de estabilidad institucional, pero una vez se produjo la crisis política y el proyecto regenerador empezaba a sucumbir, con la Guerra de los Mil Días hacia finales del siglo XIX, la Corte se desorientó, perdió su norte político y prefirió el reacomodamiento estratégico, poniéndose al lado de la facción conservadora que provocó el cambio en el régimen, cuya mejor expresión fue el fallo de la corporación que legitimó el golpe de Estado del vicepresidente Marroquín al presidente Sanclemente, en los albores del siglo XX.

En el Gobierno de Reyes, la Corte inició constituyéndose, formalmente, como un árbitro entre el Ejecutivo que intentaba gobernar bajo el régimen de excepción para superar el bloqueo político del Congreso y un Legislativo que quería limitar el poder de Reyes estableciendo que la Corte decidiría sobre la exequibilidad de esos decretos, lo que no tuvo efectos pues la corporación, en la práctica, no ejerció

169 Artículo transitorio "A", Acto Legislativo 03 de 1910.

esa atribución. La ley que duró tan solo un año fue arrasada, junto con el Congreso que clausuró Reyes, y la efímera función formal asignada a la Corte Suprema. Con la dictadura de Reyes, la Corte enfrentó, desde 1905, presiones del régimen que intentaba poner en cintura al poco dócil Poder Judicial encabezado por la Corte. Reyes logró imponer un cambio en el diseño institucional, acabando con la vitalicidad de las magistraturas, es decir, con el preciado seguro institucional con el que la Regeneración había dotado a su Corte Suprema en 1886.

En el ocaso del régimen de Reyes, entre 1909 y 1910, la Corte prefirió una actitud moderada y se mostró poco dispuesta a entrar en el debate político de la coyuntura crítica que desembocó en la salida de Reyes y la convocatoria a una asamblea constitucional. Esta Asamblea creó la acción pública de constitucionalidad y convirtió a la Corte Suprema de Justicia en juez de la Constitución.

De este modo, el capítulo ha mostrado el profundo cambio institucional de la Corte Suprema que pasó de ser un juez de la legalidad, en el marco del proyecto político de la Regeneración, a ser un juez constitucional tras la reforma republicana de 1910. La trayectoria muestra cómo se entremezclan las agendas de diversos actores, los ambientes institucionales y las doctrinas que dibujan el rol político en los inicios de la Corte Suprema de Justicia.

Capítulo tercero

LA CORTE SUPREMA DE JUSTICIA EN SU ETAPA INAUGURAL COMO JUEZ CONSTITUCIONAL: 1910-1915

Introducción

En el capítulo anterior narramos el proceso que condujo a que la Asamblea Constitucional de 1910 estableciera el control constitucional de las leyes a cargo de la Corte Suprema de Justicia, mediante la acción pública de inconstitucionalidad.

Como recordará el lector, esa primera Corte que funcionó bajo las reglas fijadas por la reforma constitucional de 1910 había sido nombrada por el presidente Ramón González Valencia y luego ratificada por la Asamblea Constitucional, ese mismo año.[1] El tribunal quedó conformado por juristas, políticos o magistrados que sabían combinar bien los dos perfiles. Sus integrantes eran: Rafael Navarro y Eusse,[2] Manuel J. Angarita,[3] Emilio Ferrero,[4] Luis Eduardo Villegas,[5]

1 Decreto 374 del 27 de abril de 1910, *G.J.*, Año XIX, Nos. 938-939, Tomo XIX, p. 1.

2 Conservador. Hizo parte de la Unión Republicana como miembro de los conservadores históricos y fue uno de los firmantes del "Manifiesto de los trece" del 1 de febrero de 1899, que exigían cambios políticos e inclusión en el Gobierno de Sanclemente. Fue diputado por la circunscripción electoral de Cúcuta a la Asamblea Constitucional de 1910.

3 Liberal. Inició su carrera como juez civil de circuito, luego fue alcalde de Bogotá entre 1872 y 1873, y entre 1875 y 1879 fue magistrado del Tribunal Superior de Cundinamarca. Autor de varios libros, como: *Codificación Nacional formada por M. J. Angarita,* Imprenta de la Luz-Librería Colombiana Camacho y Roldán, Bogotá, 1890.

4 De origen conservador. Integró la Asamblea Constitucional de 1910 como diputado por la circunscripción electoral de Cúcuta, luego de estar en la Corte fue ministro de Instrucción Pública en los gobiernos de los presidentes conservadores José Vicente Concha (1914) y Marco Fidel Suárez (1918), y de Instrucción y Salubridad Pública de Pedro Nel Ospina (1922). Fue uno de los parlamentarios confinados en 1905 por orden del presidente Reyes.

5 Jurista antioqueño, de origen liberal.

Alberto Suárez Murillo,[6] Tancredo Nannetti,[7] Constantino Barco[8] y Augusto N. Samper.[9]

Esta nueva Corte muy pronto empezó a conocer demandas dirigidas en contra de normas que le exigían actuar como árbitro entre los poderes Legislativo y Ejecutivo, que en últimas eran controversias entre partidos políticos o entre sus facciones, así como de acciones de inexequibilidad cuyos resultados afectaban la agenda política del Ejecutivo, o que la obligaban a decir la última palabra en asuntos sobre los cuales el país o las élites políticas estaban profundamente divididos.

Este primer tribunal con responsabilidades de juez constitucional, en general, prefirió tomar el camino de la abstención, es decir, el de la restricción para decidir sobre demandas de inexequibilidad contra ciertas leyes o decretos. Se caracterizó, pues, por una marcada preferencia a declararse inhibida para pronunciarse sobre aquellos asuntos que la ponían en el ojo del huracán político. Para adoptar esa estrategia selectiva sobre las demandas de inconstitucionalidad muy pronto encontró respaldo doctrinal: se trataba del criterio según el cual la Constitución solo le había encomendado a la Corte la facultad de decidir sobre la "exequibilidad de las leyes y los decretos"; de modo que buena parte de su jurisprudencia se esforzó en definir lo que se debía entender por "leyes y decretos", lo cual la conducía a establecer distinciones que excluían de su control aquellos asuntos que le representaban a la Corte un alto costo político.

Por ejemplo, la Corte dejó fuera del alcance de su control constitucional varias cuestiones que la obligaban a fungir como árbitro entre los poderes Legislativo y Ejecutivo. No obstante, hubo salvamentos de voto de magistrados que demandaban de la corporación una interpretación más amplia de sus facultades de control

6 Tolimense, era conservador. Luego de estar en la Corte fue elegido representante a la Cámara y senador de la República.

7 Payanés, intelectual de la Unión Republicana y uno de los magistrados que estuvo por más tiempo en la Corte Suprema de Justicia (1910-1935). Aunque hizo parte de la minoría liberal en la Corte en plena hegemonía conservadora, fue reelegido durante varios períodos. Fue uno de los primeros abogados egresados de la Universidad Externado de Colombia.

8 Hermano del general Virgilio Barco, célebre por el caso de su concesión petrolera. Para 1917 aparecería como socio fundador de la Compañía Colombiana de Petróleos y en 1930 continuaría su carrera judicial como miembro de la Sala de Negocios Generales del Consejo de Estado. Cf. Luis Humberto Hernández, "América Latina, petróleo y conflicto: pasado y presente", en *Revista de Ciencia Política,* No. 5, enero-junio del 2008, pp. 114-142, p. 128.

9 Fue uno de los jefes del grupo de los conservadores históricos en 1899 y, como tal, firmante del documento del 3 de agosto de 1899, por el cual los conservadores históricos públicamente se manifestaron en contra del Gobierno de Sanclemente. Luego formó parte del gabinete de Marroquín. En 1903 ocupó la presidencia de la Cámara de Representantes. Integró la Asamblea Constitucional de 1910 como diputado por la circunscripción electoral de Cúcuta.

constitucional. Los criterios de las mayorías que aprobaban los fallos y de las minorías que salvaban sus votos permiten apreciar las tensiones internas en la Corte, así como la dimensión política de las cuestiones que iban quedando por fuera del alcance del control constitucional del tribunal.

Las restricciones que la Corte se impuso en el ejercicio del control constitucional parecían un esfuerzo por mantenerse al margen de las disputas en un régimen político de transición: la Unión Republicana había logrado fijar unas reglas de juego político equilibradas y un sistema de frenos y contrapesos entre los tres poderes públicos: empero, una cosa era el espíritu republicano y los textos constitucionales que lo habían materializado en la reforma de 1910 y otra el ejercicio del control constitucional en un Gobierno dividido. En efecto, mientras que el republicanismo había logrado elegir a Carlos E. Restrepo como presidente de la República en 1910, sectores conservadores lograron dominar el Congreso muy tempranamente y ejercieron desde allí una fuerte oposición contra el Gobierno republicano.

También debemos atender a otro elemento que ayuda a comprender los "tímidos comienzos" de la Corte. Se trata del clima no muy favorable del que gozaba su flamante función de declarar inexequibles las leyes ante las demandas de cualquier ciudadano. Por ejemplo, tan solo un año después de haberse aprobado el Acto Legislativo 03 de 1910 había sectores del Congreso interesados en reformar la Constitución para poner fin al "absurdo" control judicial de las leyes. El senador conservador Marceliano Pulido fue quien presentó la iniciativa de reforma que alcanzó a discutirse pero que finalmente no vio la luz.[10] En ese sentido, resultan elocuentes las palabras del senador conservador Hernando Holguín y Caro al presentar una ponencia positiva al proyecto de contrarreforma, cuando dijo que el sistema de control constitucional adoptado con la reforma de 1910:[11]

10 Según Monroy: "De esta misma opinión participa el general Rafael Uribe Uribe, quien como miembro de la comisión que estudió en 1912 el mencionado proyecto del doctor Pulido, dice que en su concepto el informe rendido en el año anterior por el doctor Hernando Holguín y Caro es una pieza que justifica plenamente la conveniencia de tal proyecto". Por último, señala Monroy: "Por tanto, es de esperarse que nuestros legisladores deroguen, al mismo tiempo que el artículo 90 y el inciso 4 del artículo 151 de la Constitución, los artículos 40 y 41 del Acto Legislativo 03 de 1910, reformatorio de esta. Así lo creen varios de nuestros hombres más notables, como el doctor José Vicente Concha, el general Rafael Uribe Uribe, el doctor Hernando Holguín y Caro y muchos otros; esa es la opinión de la mayoría del Senado de la República, pues, como ya vimos atrás, en 1911 y 1912 aprobó hasta en tercer debate el proyecto de Acto reformatorio de la Constitución presentado por el doctor Marceliano Pulido y en el cual se derogaban las disposiciones arriba citadas; y por último, así lo exigen los principios universales de Derecho Constitucional, los intereses de la sociedad y el honor de la República". *Anales del Senado,* 1911, p. 791, citado por Tobías Monroy, en *Leyes Inconstitucionales,* tesis de grado, Colegio Mayor de Nuestra Señora del Rosario, Imprenta de San Bernardo, Bogotá, 1914, pp. 149-150.

11 *Anales del Senado,* 1911, p. 791, citado por Tobías Monroy, en *Leyes Inconstitucionales, op. cit.*

> [establece una] verdadera inferioridad del Congreso respecto a los otros poderes públicos, y principalmente respecto de la Corte Suprema, inferioridad que no puede explicarse satisfactoriamente si se tiene en cuenta que la expedición de las leyes es función natural y privativa del Congreso y que solo excepcionalmente puede el Poder Ejecutivo, conforme a los principios de derecho público universalmente recibidos, interponer su acción de un modo eficaz, a fin de obtener mayores probabilidades de acierto en la expedición de la ley.

La negativa de la Corte a arbitrar entre los conflictos del Ejecutivo con el Legislativo en el caso de las demandas por inconstitucionalidad de las leyes por vicios de trámite, el evasivo control constitucional del estado de sitio y la inhibición para juzgar las leyes aprobatorias de los tratados públicos, ponen en evidencia el comportamiento estratégico del tribunal en sus primeros años como juez constitucional de las leyes.[12]

La Corte Suprema de Justicia de 1910 había sido reformada y conformada bajo inspiración de los valores republicanos que, como dijimos, buscaban neutralizar el faccionalismo y el sectarismo; pronto caería bajo el dominio del ala más conservadora de los republicanos, que terminó rompiendo ese movimiento y se refundó como un régimen conservador. Ese nuevo régimen haría que la corporación sucumbiera ante las mayorías conservadoras que se impusieron en el país a partir de 1914. En efecto, la Corte que inauguraba el control constitucional le dio paso a una Corte conservadora en 1915, cuando se instaló una corporación elegida por un Congreso dominado por ese partido, que había elegido a los magistrados de ternas conformadas por el también conservador José Vicente Concha (1914-1918), quien había llegado a la Presidencia de la República luego de la estruendosa derrota electoral de la Unión Republicana.

Los comienzos del control constitucional de las leyes por vicios de trámite: los republicanos contra los conservadores

La jurisprudencia de la Corte sobre el control constitucional de las leyes por vicios en su trámite fue evasiva. Esta práctica le permitió a la corporación, en dis-

12 En el terreno de las objeciones presidenciales la realidad fue otra. Durante los cuatro años del período presidencial de Carlos E. Restrepo, la Corte conoció de doce objeciones en contra de leyes. Según Grant, la tendencia de la corporación, en cuanto al número de objeciones, fue la de dar la razón al Legislativo y no a Restrepo, aunque, en algunas de estas, el criterio del Ejecutivo fue acogido por el tribunal. En ninguna de ellas la Corte se abstuvo de pronunciarse. J.A.C. Grant, "Judicial Review by Executive Reference Prior to Promulgation: The Colombian Experience", *op. cit.*, p. 164.

tintos momentos, evitar fungir como árbitro de agudas disputas entre el Legislativo y el Ejecutivo, tal como lo podremos apreciar a continuación.

Ya dijimos atrás que la Asamblea Constitucional de 1910 tuvo a su cargo la elección del presidente de la República para el período 1910-1914. En la Asamblea, el partido conservador se dividió en dos facciones: la que apoyaba al candidato José Vicente Concha y la que estaba a favor de la candidatura de Carlos E. Restrepo (por la Unión Republicana).[13] El triunfo de Restrepo profundizó las distancias entre las dos facciones conservadoras. El Congreso quedó dominado por la facción conservadora que no había apoyado la candidatura republicana. Y, para completar, el derrotado José Vicente Concha presidía el Congreso, así que desde allí se encargó de liderar una feroz oposición en contra del Gobierno de Restrepo.[14]

Las disputas entre Concha y Restrepo

La administración de Carlos E. Restrepo se caracterizó por una rígida austeridad fiscal. Bajo su mandato se redujeron los grandes proyectos de obras públicas y los auxilios. Su Gobierno debió afrontar presupuestos aprobados por el Congreso que contenían egresos superiores a las rentas nacionales.[15] Pero su política fiscal solo fue uno de los frentes de conflicto con el Congreso presidido por Concha, que condujeron a su Gobierno a oponerse a varias iniciativas legislativas que ponían en aprietos al ya menguado tesoro nacional.

Restrepo, fiel al espíritu republicano, decidió tramitar las controversias institucionales bajo las reglas de la Constitución, queriendo dejar en el olvido la historia de la dictadura de Reyes, contra la que, en parte, se hizo la reforma constitucional de 1910. El mecanismo para resolver las disputas con el Congreso, liderado por Concha, fueron las objeciones presidenciales para sancionar los proyectos de ley que este aprobaba y con los que Restrepo no estaba conforme. Las principales batallas políticas entre el Legislativo y el Ejecutivo se libraron en el campo fiscal y para

13 Jorge Orlando Melo, "De Carlos E. Restrepo a Marco Fidel Suárez: republicanismo y gobiernos conservadores", en *Nueva Historia de Colombia, op. cit.*, pp. 215-242.

14 Este no fue el único escollo político que debió sortear el presidente Restrepo. Como dice Melo: "Desde antes de su posesión comenzó a advertirse el forcejeo de conservadores que temían demasiadas concesiones a los liberales. La víspera misma de su posesión, el presidente saliente, Ramón González Valencia, le señaló los riesgos de golpe militar si no formaba un ministerio a gusto del conservatismo. Restrepo no cedió y escogió un gabinete en el que figuraban tres liberales (entre ellos Enrique Olaya Herrera y Tomás Eastman) y cuatro conservadores, de los cuales el más notable era Mariano Ospina Vásquez, hermano de Pedro Nel Ospina y muy cercano al presidente". Jorge Orlando Melo, "De Carlos E. Restrepo a Marco Fidel Suárez: republicanismo y gobiernos conservadores", *op. cit.*

15 *Ibídem*, p. 229.

intentar neutralizar a un Congreso opositor ávido de recursos públicos, Restrepo optó por emplear su poder de veto. Así, esta herramienta de la Constitución de 1886, que, como vimos, establecía que la Corte Suprema resolvería sobre la negativa del Ejecutivo a sancionar proyectos de ley aprobados por el Congreso, y que estaba más al servicio del Ejecutivo que de la defensa de la Carta, ahora se ponía al servicio de un sistema de pesos y contrapesos, como el creado en 1910.

En 1911, el Congreso tramitaba un "proyecto de ley relativo a auxilios a los establecimientos públicos de beneficencia y caridad de la República",[16] que en su momento fue llamado la "Ley Concha de beneficencia".[17] El presidente Restrepo, muy preocupado por los efectos negativos que esa iniciativa legislativa tendría sobre las finanzas públicas, decidió objetar parcialmente el proyecto de ley,[18] pues, a su juicio, el proyecto rompía el equilibrio presupuestal, y era "[...] inconveniente con respecto a la disposición contenida en el artículo 4º, en virtud del cual los auxilios decretados no quedan sometidos á la rebaja de que trata el artículo 18 de la Ley 33 de 1892". La Ley 33 que citaba Restrepo disponía:

> El monto de los gastos inclusos en la Ley de Presupuestos no excederá el de las Rentas calculadas para el mismo bienio; y en caso de deficiencia de estas, se deducirá proporcionalmente por el Gobierno la diferencia o saldo de todas las partidas votadas para gastos de cualquiera naturaleza y que no sean indispensables para el

16 El proyecto pasaría a ser la Ley 65 del 12 de diciembre de 1911. Consta de cinco artículos en los cuales se conceden auxilios anuales por un total de $180.000 "pesos oro". Los establecimientos beneficiados incluyen hospitales, asilos, orfelinatos y correccionales, que aparecen enlistados en el artículo 1º de la ley y están distribuidos en todo el país. *Diario Oficial,* No. 14465, del 9 de diciembre de 1911.

17 *El Tiempo,* Bogotá, 23 de abril de 1912, p. 2.

18 La Constitución de 1886 establecía el trámite de las objeciones así: "ARTÍCULO 85. Aprobado un proyecto de ley por ambas Cámaras, pasará al Gobierno, y si este lo aprobare también, dispondrá que se promulgue como ley. Si no lo aprobare, lo devolverá con objeciones a la Cámara en que tuvo origen. ARTÍCULO 86. El Presidente de la República dispone del término de seis días para devolver con objeciones cualquier proyecto, cuando este no conste de más de cincuenta Artículos; de diez días, cuando el proyecto contenga de cincuenta y uno a doscientos Artículos, y hasta de quince días, cuando los Artículos sean más de doscientos. Si el Presidente, una vez transcurridos los indicados términos, según el caso, no hubiere devuelto el acto legislativo con objeciones, no podrá dejar de sancionarlo y promulgarlo. Pero si las Cámaras se pusieren en receso dentro de dichos términos, el Presidente tendrá el deber de publicar el proyecto sancionado u objetado, dentro de los diez días siguientes a aquél en que el Congreso haya cerrado sus sesiones. ARTÍCULO 87. El proyecto de ley objetado en su conjunto por el Presidente, volverá a las Cámaras a tercer debate. El que fuere objetado sólo en parte, será reconsiderado en segundo debate con el único objeto de tomar en cuenta las observaciones del Gobierno. ARTÍCULO 88. El Presidente de la República sancionará, sin poder presentar nuevas objeciones, todo proyecto que, reconsiderado, fuere adoptado por dos tercios de los votos en una y otra Cámara. ARTÍCULO 89. Si el Gobierno no cumpliere el deber que se lo impone de sancionar las leyes en los términos y según las condiciones que este Título establece, las sancionará y promulgará el Presidente del Congreso".

servicio administrativo y el del crédito público, de manera que en la primera liquidación que se publique de los Presupuestos queden equilibrados los totales de rentas y de gastos.[19]

Así continuaba la objeción presidencial al proyecto Concha:

> Si en el [presupuesto] de gastos se vota una partida superior a la que se computa en el de rentas, y al mismo tiempo se impide la reducción proporcional, ocurrirá el caso de que se le impone al Gobierno la obligación de hacer erogaciones que exceden a los fondos que efectivamente entran a las arcas públicas en el respectivo periodo económico con lo cual se producirá la desorganización del servicio administrativo y la bancarrota fiscal.

Restrepo decidió devolver el proyecto de ley al Congreso, sin imponerle su sanción.[20] Las dos Cámaras reconsideraron el proyecto y declararon infundadas las objeciones presidenciales y se lo devolvieron al Ejecutivo para que se le diera la respectiva sanción.[21] Sin embargo, el ministro de Gobierno, Pedro María Carreño, con la asesoría de prestigiosos abogados, fundamentó las razones constitucionales por las cuales el Gobierno de Restrepo consideraba que las objeciones presidenciales eran parciales y, por lo tanto, que el Congreso debió haber reconsiderado el proyecto en tres debates y no en dos como finalmente ocurrió. Entonces, Restrepo dictó una resolución absteniéndose de sancionar el proyecto Concha.

Como respuesta a la negativa gubernamental, el senador José Vicente Concha, en calidad de presidente del Congreso, decidió sancionar el proyecto de ley por medio de una resolución, el 2 de diciembre de 1911.[22] Estos eran algunos de los fundamentos de la resolución de Concha:

> Conforme a los principios generales de la interpretación no se puede dar a la Ley fundamental una que conduzca al absurdo, y absurdo sería que se requirieran mayores formalidades para rechazar la objeción parcial a un proyecto que la que

19 *Diario Oficial,* No. 8978, Año XXVIII, Bogotá, noviembre 9 de 1892.

20 J.A.C. Grant comenta que hubo tres proyectos de ley objetados por Restrepo y frente a los cuales la Corte decidió declararse inhibida. J.A.C. Grant, "Judicial Review by Executive Reference...", *op. cit.,* p. 164.

21 En la Cámara de Representantes fue aprobado por "cincuenta y tres balotas blancas contra siete negras". Y en el Senado por "quince balotas blancas contra cinco negras". *Diario Oficial,* No. 14453, 24 de noviembre de 1911.

22 *Diario Oficial,* No. 14465 del 9 de diciembre de 1911, *op. cit.*

> abarca su conjunto [...] el supuesto de que se hubiera incurrido en un error o informalidad manifiestos de procedimiento en la expedición de la ley, sería a las Cámaras Legislativas mismas á quienes incumbiría corregirlos, conforme a las reglas y prácticas del derecho parlamentario, porque la injerencia del Poder Ejecutivo en la cuestión haría nulas la independencia y autonomía del Poder Legislativo y violaría el principio contenido en el artículo 57 de la Constitución, conforme al cual "todos los poderes públicos son limitados y ejercen separadamente sus atribuciones". [...]

La disputa por la Ley 65 de 1911 fue una verdadera batalla política que libraron el Congreso conservador liderado por Concha y el Gobierno de la Unión Republicana de Carlos E. Restrepo, que tenía como marco la situación fiscal de la nación. Este fue tan solo uno de los ejemplos del enfrentamiento entre el Gobierno que buscaba sanear las finanzas y un Congreso hostil, dispuesto a bloquear políticamente al Ejecutivo, y claro, de una oposición conservadora que buscaba obtener unos dividendos políticos que no había podido conseguir tras ser derrotada con la elección del presidente Restrepo en 1910. El Ejecutivo usó las herramientas constitucionales a su alcance: las objeciones parciales por inconveniencia del proyecto de ley. El Congreso, por su parte, reconsideró el proyecto pero insistió en su aprobación, de modo que el propio presidente de ese órgano terminó por sancionar la ley.

La Corte Suprema como árbitro del enfrentamiento entre republicanos y conservadores

A Restrepo no le había ido del todo bien cuando la Corte había decidido sobre las objeciones presidenciales, que él le había presentado por considerar que los proyectos de ley aprobados por Concha vulneraban la Constitución.[23] Pero el trámite de las objeciones presidenciales con motivo de la aprobación de la Ley 65 de 1911 no había pasado por la Corte Suprema porque la razón del veto de Restrepo era por inconveniencia y no por inconstitucionalidad, y, según la Constitución,

23 Según Grant, el enfrentamiento de Restrepo con Concha llevó al primero a objetar varios proyectos relacionados con cuestiones fiscales. Por número, el Congreso le ganó el pulso a Restrepo ante la Corte. Así, por ejemplo, el Ejecutivo no logró que la Corte aceptara el argumento de que era inconstitucional que el Congreso donara bienes nacionales a los departamentos, que el Congreso restaurara un ítem presupuestal que había sido abolido por el Ejecutivo o que el Congreso no podía conferir una pensión de jubilación. En otros casos, Restrepo logró que la Corte decidiera según su criterio, como, por ejemplo, sobre sus objeciones a una ley que ordenaba retribuir a quienes a través de una contribución de su salario habían sostenido las pensiones de huérfanos y viudas de la guerra, de modo que obligaba al tesoro público a devolverles el costo de esas retribuciones. J.A.C. Grant, "Judicial Review by Executive...", *op. cit.*, p. 164.

solo esta segunda razón daba lugar a que la Corte arbitrara las controversias entre el Legislativo y el Ejecutivo sobre la aprobación de una ley.

Sin embargo, para superar el agudo enfrentamiento con el Congreso de Concha con motivo de la aprobación de la Ley 65, que como sabemos hacía parte de una larga cadena de leyes cuya iniciativa parlamentaria afectaba la política fiscal de Restrepo, el presidente optó por recurrir a la Corte Suprema. Esta vez quiso probar el mecanismo creado por la reforma constitucional de 1910 para que los ciudadanos demandaran la inconstitucionalidad de las leyes. El Gobierno republicano "ponía a funcionar el derecho" para resolver la trabazón política con el Congreso opositor: esta era la fórmula de Restrepo para defender la Constitución de un Congreso dispuesto a imponer su voluntad sin respetar las reglas de juego, es decir, el Gobierno actuaba tal como lo haría cualquier ciudadano interesado en la defensa de la Carta. En suma, el presidente quería ponerle frenos a un Congreso voluntarioso que arrasaba con el sistema de pesos y contrapesos defendido por el republicanismo.

Así, pocos días después de que Concha sancionó la Ley 65 de 1911, Pedro María Carreño, ministro de Gobierno, ahora "actuando como ciudadano", presentó una demanda de inconstitucionalidad en contra de la ley. Carreño mantuvo ante la Corte los mismos argumentos del presidente Restrepo para no sancionar esa ley: que el proyecto objetado en su conjunto por el presidente debería haber vuelto a las Cámaras para que se le diera tres debates y no los dos que dio el Congreso, pues el Congreso había tramitado la reconsideración de las objeciones presidenciales como si estas hubieran sido parciales.

La Corte no le dio la razón a Carreño (léase el Gobierno de Restrepo) en cuanto a sus argumentos de vicios de trámite de la ley, ni tampoco le confirmó al Congreso su tesis de que esta se había aprobado dentro del marco constitucional. En efecto, mediante Acuerdo del 20 de abril de 1912,[24] con la ponencia del magistrado Alberto Suárez Murillo, la corporación se abstuvo de decidir sobre los cargos del demandante, declarándose inhibida para conocer de la constitucionalidad de las leyes por vicios de trámite en su aprobación. Para esto, la corporación primero argumentó que su competencia para ejercer el control constitucional de las leyes únicamente le confería estas facultades: "Primero. Cuando el Gobierno objeta como inconstitucional un acto legislativo o proyecto de ley (Art. 90 de la Constitución) y

24 La Corte estaba integrada por Constantino Barco, Tancredo Nannetti, Manuel José Angarita, Emilio Ferrero, Rafael Navarro y Eusse, Bartolomé Rodríguez, Augusto Samper, Alberto Suárez Murillo y Luis Eduardo Parra. Acuerdo de la Corte Suprema de Justicia del 20 de abril de 1912, *G.J.*, No. 1019, Tomo 75, Vol. 20, Nos. 990-1039, 1912.

las Cámaras declaran infundadas las objeciones y aprueban el proyecto por las dos terceras partes de los votos. Segundo. Cuando se acusa una ley como inconstitucional por cualquier ciudadano. Tercero. Cuando se denuncia de la misma manera un decreto".[25] Luego recurrió a la definición de ley del artículo 4º del Código Civil, según la cual esta es una "declaración de la voluntad soberana manifestada en la forma prevenida en la Constitución nacional, y que su carácter general es el de mandar ó prohibir, permitir ó castigar".[26]

Según la Corte, su única misión como juez constitucional de las leyes era verificar si una ley demandada había sido "suscrita por los Presidentes y Secretarios de las Cámaras Legislativas, sancionado de acuerdo con la misma Carta fundamental y promulgado para que sus disposiciones sean obligatorias", de modo que los vicios de trámite de las leyes estaban fuera del alcance del control constitucional que la Constitución le había atribuido al tribunal, pues de lo contrario significaría aceptar el absurdo de que el tribunal le podía fijar límites a "la voluntad soberana del cuerpo legislativo expresada en forma de ley". En palabras de la corporación:

> Entiende la Corte que la facultad á ella conferida [...] no puede extenderse hasta declarar que una ley no es ley porque se hayan quebrantado en su formación algunas ritualidades prescritas por la Constitución Nacional; pues si de otro modo se entendiese aquella facultad, se daría a la Corte Suprema tal suma de poderes que invadiría el campo de acción del Cuerpo Legislativo, lo cual sin duda no ha sido la intención del Constituyente de 1910, pues ello iría abiertamente contra el principio fundamental consignado en el artículo 57 de la Carta, según el cual todos los poderes públicos son limitados y ejercen separadamente sus respectivas atribuciones, principio este que informa nuestras instituciones y es piedra angular del sistema republicano que ellas reconocen y consagran.[27]

Así, según el tribunal, la Constitución no la autorizaba para abrir un juicio sobre los antecedentes de una ley con el fin de revisar si tales actos preparatorios infringieron la Carta. Pero, además, estimaba que un eventual control de esa etapa previa a la expedición de la ley sería una grave amenaza para la seguridad jurídica y la estabilidad de las leyes pues "equivaldría a llevar una investigación a una época anterior á la existencia de la ley acusada o a deducir su inconstitucionalidad no de los propios términos de la ley misma sino de las pruebas que al efecto se presentasen".

25 *Ibídem.*
26 *Ibídem.*
27 *Ibídem.*

La Corte también consideró que en este caso la Constitución no le otorgaba facultades para decidir como si fuera una de las cámaras del Congreso y así establecer si las objeciones formuladas por el Ejecutivo al proyecto de Ley Concha deberían haber sido entendidas por las Cámaras como objeciones totales, tal como lo creyó la Cámara de Representantes, o parciales como lo hizo el Senado. Dijo la Corte:

> Digno de notarse es el antecedente que ofrece la Asamblea Nacional de 1910, la que al propio tiempo que discutía y preparaba el Acto reformatorio número 3 de ese año, dictaba la Ley 54 del mismo, que declaró sin fuerza obligatoria una disposición legal por informalidades ocurridas en su expedición, lo que revela que en el ánimo de los constituyentes de esa época estuvo que fuese el mismo Cuerpo Legislativo y no otro poder distinto quien pudiera resolver acerca de las leyes en cuya expedición se hubiesen infringido las reglas constitucionales.

Dos magistrados votaron en contra de la decisión de la Corte. Luis Eduardo Villegas y Rafael Navarro y Eusse expresaron que en la Constitución había suficientes argumentos para que la Corte se declarara competente y hubiera decidido de fondo la demanda presentada por el ministro Carreño. Esto dijeron en su salvamento:[28]

> Si lo puesto bajo la guarda de la Corte es la integridad de la Constitución es patente que aquella ha de velar porque a nuestra Carta no se le dañe, lastime o hiera, en cualquiera de sus disposiciones por ninguna ley del Congreso o decreto del Poder Ejecutivo. Las partes del Estatuto Fundamental son sus artículos. Uno cualquiera que se viole, es una de sus partes que se altera. Es algo que atenta contra la integridad de la Constitución. Y la Corte está en el deber de impedirlo, para cumplir su deber de guardar íntegramente esa Constitución.

Además, para Villegas y Navarro y Eusse, el sentido del artículo 41 de la Constitución debía interpretarse de manera amplia, es decir, en pro de la facultad de la Corte para garantizar la guarda de la Constitución. En su opinión, la decisión mayoritaria del tribunal lo que hizo fue entender en el sentido más restrictivo sus competencias, de modo que le negaron a la corporación la facultad de juzgar la exequibilidad de las leyes cuando se habían presentado vicios en su trámite:

28 Salvamento de voto de los magistrados Navarro y Eusse y Villegas, Acuerdo del 20 de abril de 1912, *ibídem*.

> Lo estatuido nuevamente es una reforma constitucional de suma trascendencia. No tiene igual en ninguna de nuestras Constituciones [...] Provee a la satisfacción de una imperiosa necesidad política, que se siente desde que comenzó nuestra vida de nación libre, y que crece tornándose más apremiante, por la experiencia de los últimos tiempos: la necesidad de que se consolide nuestra estructura política y se asegure el orden público, manteniendo a todos los grandes poderes en la esfera de sus precisas atribuciones, y constriñéndolos dentro de su órbita constitucional. Se dispuso que esa autoridad fuese la Corte Suprema de Justicia [...] Por la atmósfera serena en que obra la Corte, se la considera como menos expuesta a desvíos que el Cuerpo Legislativo, de derecho irresponsable, y el que el Gobierno, que casi lo es de hecho, por lo extenso de sus facultades, lo numeroso de sus agentes, y la fuerza que se pone en sus manos. El derecho que el más insignificante de los ciudadanos colombianos goza, de parar en el atajo del quebrantamiento de la Constitución al Presidente de la República y al mismo Congreso, y de volverlos al camino, de sus deberes fundamentales, es para nosotros el principio más sabio, original y benéfico que nuestros legisladores han traído al acervo constitucional.

Como podemos apreciar, la decisión de la Corte ponía fin a la disputa política entre el Gobierno republicano de Restrepo y el liderazgo conservador de Concha, que se había expresado con la aprobación de la Ley 65 de 1911. El ambiente político del fallo, en parte, lo captura un debate de la prensa de la época: *El Tiempo* (defensor de las ideas republicanas y de Restrepo) y *La Crónica* (cercano al senador Concha). El 9 de abril de 1912, *El Tiempo* sostuvo que *La Crónica* había publicado una información según la cual la Corte habría declarado la exequibilidad parcial de la "Ley Concha" y que al parecer "dos magistrados liberales" habrían salvado su voto.[29] El periódico también se preguntó si alguien había podido filtrar la información antes de conocerse el texto de la sentencia, o si era que el director de *La Crónica*, movido por su interés de que la corporación fallara en favor de Concha, "cree oportuno avanzar un concepto que incline las voluntades del público o de los Magistrados Supremos [...]".

La respuesta de *La Crónica* no tardó en llegar y señaló en una de sus ediciones que no entendía como *El Tiempo* se "amoscaba" por la decisión de la Corte, pues la sentencia no dejaba como vencedor ni a Concha ni a Restrepo, y agregó: "No es exacto, como lo dijimos ayer, que fueran dos magistrados liberales los opuestos al fallo; son un liberal y otro conservador, ambos oriundos de Antioquia".

29 "La Ley Concha y *La Crónica*: ¿Aventura o infidencia?", *El Tiempo*, Bogotá, 19 de abril de 1912, p. 2.

Después de conocida la sentencia, *El Tiempo* reaccionó al comentario de *La Crónica*, el 22 de abril de 1912, y dijo que no se había "amoscado" con la sentencia, sino que le había parecido sorprendente que el fallo se hubiera conocido antes de ser publicado, pero que no tenía preocupación por los resultados de la decisión de la Corte porque al fin y al cabo el presidente Restrepo había obrado como un fiel republicano "al someter la disputa a derecho". Además, expresó que si el periódico se había pronunciado en el sentido de que la sentencia sería favorable al Ejecutivo era porque dos "eminencias" jurídicas habían insistido en la inconstitucionalidad de la ley: José Ignacio Escobar y Eladio C. Gutiérrez. El periódico también rechazó el implícito cargo de que los dos magistrados que habían salvado su voto en la sentencia lo habían hecho porque eran oriundos de Antioquia, como su paisano Carlos E. Restrepo, y dijo que tal cargo era inaceptable porque acusaba de prevaricato a los miembros del tribunal.

La disputa en la prensa se cerró cuando, el 23 de abril de 1912, el senador José Vicente Concha envió una carta —que le publicó *El Tiempo*— en donde solicitaba que no se le asociara con el diario *La Crónica* y que se aclarara que en su calidad de congresista jamás había intentado presión alguna sobre la Corte para obtener un fallo favorable a algún interés político. *El Tiempo* le respondió a Concha en el mismo número y le dijo que el periódico jamás había pretendido inculparle tal cargo, sino que era el propio Concha quien había malinterpretado los comentarios con respecto a la publicación de *La Crónica*, ya que los editores de *El Tiempo* consideraban que el senador Concha era un hombre respetuoso de la independencia judicial y del fuero de la Corte.

Además, para que no quepa duda de la importancia política del fallo sobre la Ley 65 de 1911 en la coyuntura descrita, el salvamento de voto de los magistrados Villegas y Eusse apareció íntegramente publicado como un "Alcance" —edición extraordinaria—, a la edición de *El Tiempo* del 24 de abril de 1912.[30]

Así las cosas, podemos apreciar con claridad la enorme dimensión política que cobró la sentencia de la Corte en un clima político de enfrentamiento entre dos fuerzas políticas y dos poderes del Estado. La inhibición para fallar sobre la demanda, sin duda le permitió a la corporación liberarse de la presión de esas dos fuerzas y de esos dos poderes en pugna por la constitucionalidad de sus actos: el Congreso de Concha y el Gobierno de Restrepo. La Corte prefirió evitar roces con la poderosa oposición liderada por el influyente senador Concha, que además era un reputado constitucionalista, y, al mismo tiempo, evitó dar la razón al Gobierno de la Unión Republicana. Sin embargo, como se puede ver, aunque la Corte evadía

30 *El Tiempo*, "Alcance" a la edición del 24 de abril de 1912.

el control constitucional de la Ley 65 de 1911, en parte bajo el argumento de que la defensa del principio de la separación de poderes le impedía inmiscuirse en el trabajo legislativo, en últimas le permitía a Concha y al Congreso imponer una ley que no era del agrado de Restrepo y sobre la cual este último estaba convencido de que se había aprobado sin cumplir con los requisitos constitucionales. De este modo, la neutralidad de la Corte les otorgaba la medalla de la victoria a los conservadores comandados por Concha, pero al mismo tiempo le hacía ver a Restrepo que la corporación solo actuaba bajo los estrictos límites que le había fijado la reforma constitucional de 1910.

En suma, ni la exequibilidad ni la inexequibilidad de la Ley 65 de 1911 parecían dejar a la Corte muy bien librada. Ambas representaban un alto costo político: darle la razón a Restrepo y a los republicanos o apoyar las tesis de Concha y respaldar a los conservadores en el Congreso. Ese costo político no lo quiso asumir la Corte que se inauguraba como juez constitucional, entonces, prefirió la opción que parecía alejarla del conflicto político, antes que intervenir en él para respaldar a uno de los dos titanes enfrentados.

La jurisdicción contenciosa administrativa se salva de una inconstitucionalidad

Por último, en este mismo período encontramos otra reiteración de esta doctrina de la incompetencia que parecía ofrecer sus rendimientos a la Corte. En el Acuerdo del 20 de octubre de 1913, con la ponencia del magistrado Alberto Suárez Murillo,[31] la Corte resolvió la demanda de Tomás Solano Torres, quien solicitó la inconstitucionalidad de la Ley 130 de 1913 (sobre la jurisdicción de lo contencioso administrativo).

Según uno de los cargos de inconstitucionalidad formulados por Solano, la ley vulneraba la Constitución porque se había aprobado sin cumplirse el trámite señalado en el "ordinal 1º del artículo 81" de la Constitución, es decir, aquel que ordenaba: "Ningún acto legislativo será ley sin los requisitos siguientes: 1. Haber sido aprobado en cada Cámara en tres debates, en distintos días, por mayoría absoluta de votos".

La Corte se declaró inhibida para fallar sobre la demanda y dijo: "En cuanto a la razón primeramente aducida, observa la Corte que ella no es motivo para decla-

31 Corte Suprema de Justicia, sentencia del 20 de octubre de 1913. *G.J.*, Tomo XXIII, 1914, p. 243. La Corte la integraban Tancredo Nannetti, Alberto Suárez Murillo, Constantino Barco, Manuel José Angarita, Manuel José Barón, Luis Rubio Saíz, Isaías Castro, Elías Romero y Bartolomé Rodríguez.

rar la inconstitucionalidad de la Ley acusada, pues la oposición entre los mandatos legales y la Carta Fundamental debe encontrarse en los preceptos de la ley y no en las formalidades que presiden a su expedición".[32] Gran parte del fallo se dedicó a transcribir los fundamentos de la decisión inhibitoria de abril de 1912.

Esta decisión permitió a la Corte dejar intacta la ley que había establecido el Tribunal Supremo de lo Contencioso Administrativo (Consejo de Estado) y que organizaba toda la jurisdicción contenciosa administrativa.[33] La doctrina de la inhibición para conocer de la constitucionalidad de las leyes por vicios en su trámite, una vez más parecía permitir a la Corte escapar de la responsabilidad de juzgar una ley cuya trascendencia institucional en esta etapa de transición y de restablecimiento de la institucionalidad era más que evidente, en pleno clima de entendimiento "republicano".

El tímido y evasivo comienzo del control constitucional del estado de sitio en 1912

Como vimos en el capítulo anterior, el uso de la legislación de excepción fue una práctica constante entre quienes ejercieron el Poder Ejecutivo bajo la Constitución de 1886. Por ejemplo, fueron cientos los decretos legislativos dictados al amparo del estado de sitio durante la Guerra de los Mil Días[34] y luego en el quinquenio de Rafael Reyes.

La preocupación por las amplias facultades de que había gozado el Ejecutivo bajo la Constitución de 1886 se trasladó a la Asamblea Constitucional que reformó la Carta Política en 1910 e intentó fijarle límites al régimen de excepción. Así, los

32 *Ibídem*, p. 243.

33 Juan Pablo Sarmiento Erazo, *Surgimento de la dualidad de jurisdicciones en Colombia: entre la dictadura y la Unión Republicana*, Universidad del Norte, Barranquilla, 2012.

34 Por ejemplo, durante la guerra, entre 1899 y 1902, se dictaron medidas que sometían a los civiles a consejos verbales de guerra por delitos tales como: incendio, "asalto en cuadrilla de malhechores", homicidio, "la castración", "las heridas que causen mutilación de algún miembro importante", "las heridas y maltratamientos de obra, de cualquier especie, que fueran cometidos contra personas enfermas ó indefensas, o contra niños o personas del sexo femenino", la falsificación de moneda, rapto, estupro y daño en propiedad ajena. Algunos de estos delitos daban lugar a la imposición de la pena capital. El Gobierno justificaba la medida porque "muchos individuos, prevalidos de la condición de guerrilleros rebeldes, cometen delitos graves, y que es necesario el inmediato castigo de estos, para que se produzca un saludable escarmiento", y que, además, "los procedimientos dilatados que se disponen en las leyes comunes son ineficaces para poner remedio a los males excepcionales que se han presentado con ocasión de la revuelta armada". Decreto 212 del 18 de febrero de 1901, *Diario Oficial*, No. 11433, del 20 de febrero de 1901. Manuel José Guzmán (comp.), *Decretos Legislativos expedidos durante la guerra de 1899 á 1902, op. cit.*, p. 133.

constituyentes de la Unión Republicana determinaron que en adelante el presidente de la República debía declarar restablecido el orden público tan pronto como cesara la perturbación; que este sería responsable por cualquier abuso en que se hubiera incurrido durante el ejercicio de las facultades extraordinarias; que durante el estado de sitio se podrían suspender leyes vigentes pero no derogarlas, y, por último, que la vigencia de los decretos legislativos se limitaba a la duración del estado de sitio.[35]

Al poco tiempo de que la reforma de 1910 entrara en vigencia, la Corte Suprema de Justicia empezó a recibir demandas de inconstitucionalidad en contra de decretos dictados bajo el régimen de estado de sitio durante el Gobierno del general Rafael Reyes, que recordemos fueron ratificados mediante leyes aprobadas por la Asamblea Nacional Constituyente y Legislativa que él mismo estableció en 1905. Así, el 21 de noviembre de 1912, con la ponencia del magistrado Bartolomé Rodríguez,[36] el tribunal[37] resolvió la demanda presentada por el abogado Joaquín Uribe y los ciudadanos Paolo Pinzón y Aníbal Correa, quienes solicitaron declarar inexequible

35 El texto íntegro del artículo 33 de la reforma, modificatorio del artículo 121 de la Constitución de 1886 decía: "ARTÍCULO 33. En caso de guerra exterior o de conmoción interior podrá el presidente, con la firma de todos los ministros, declarar turbado el orden público y en estado de sitio toda la República o parte de ella. Mediante tal declaración el Gobierno tendrá, además de las facultades legales, las que, conforme a las reglas aceptadas por el Derecho de Gentes, rigen para la guerra entre naciones.

Los decretos que dentro de estos límites dicte el Presidente tendrán carácter obligatorio, siempre que lleven la firma de todos los ministros.

El Gobierno no puede derogar las leyes por medio de los expresados decretos. Sus facultades se limitan a la suspensión de las que sean incompatibles con el estado de sitio.

El Gobierno declarará restablecido el orden público tan pronto como haya cesado la guerra exterior o se haya reprimido el alzamiento; y dejarán de regir los decretos de carácter extraordinario que haya dictado.

Serán responsables el Presidente y los Ministros cuando declaren turbado el orden público sin haber ocurrido el caso de guerra exterior o de conmoción interior; y lo serán también, lo mismo que los demás funcionarios, por cualquier abuso que hubieren cometido en el ejercicio de las facultades concedidas en el presente artículo. Restablecido el orden público, el Gobierno convocará el Congreso y le pasará una exposición motivada de sus providencias.

En el caso de guerra exterior el Gobierno convocará el Congreso en el decreto en que declare turbado el orden público y en estado de sitio la República, para que se reúna dentro de los sesenta días siguientes; y si no lo convocare, podrá el Congreso reunirse por derecho propio". Carlos Restrepo Piedrahita, *Constituciones Nacionales de Colombia, op. cit.*, p. 462.

36 Conservador, fue congresista antes de llegar a la Corte. Había sido diputado a la Asamblea Nacional de 1910 en representación de la circunscripción electoral de Tunja.

37 La Corte estaba integrada por Constantino Barco, Tancredo Nannetti, Manuel José Angarita, Emilio Ferrero, Rafael Navarro y Eusse, Bartolomé Rodríguez, Augusto N. Samper, Alberto Suárez Murillo y Luis Eduardo Villegas.

o nulo el Decreto Legislativo 40 de 1905 "sobre desecación de lagunas, ciénagas y pantanos" y la Ley 6ª del mismo año que ratificó el decreto.[38]

En primer lugar, los actores consideraron que el decreto acusado vulneraba la Constitución porque había sido dictado por un órgano que carecía de competencia para ello, pues el Ejecutivo lo había expedido al amparo del estado de sitio:

> [cuando] no había en el país guerra exterior ni había en él conmoción interior que autorizase al Presidente para *expedir* decretos legislativos, de acuerdo con el artículo 121 de la Constitución,[39] pues la Nación estaba en paz, ya porque en el supuesto de que el orden público estuviese turbado entonces y se hubiera declarado la República o parte de ella en estado de sitio, tampoco tenía atribución el Presidente para darlo, por cuanto el objeto único de las facultades extraordinarias, o en su defecto, de las que consagra el Derecho de Gentes, de que el artículo constitucional mencionado lo investía para ese caso al Presidente, era el de defender la Nación o reprimir el alzamiento, y que a ninguno de estos objetos provenía ni aun indirectamente el decreto.[40]

Como anticipando que la Corte podría negar el cargo anterior, los demandantes solicitaron que "suponiendo que el Presidente hubiera tenido potestad legislativa para dictar el decreto acusado", se declarara la inconstitucionalidad del mismo por vulnerar los derechos adquiridos y los derechos de propiedad. Para justificar este segundo cargo, en síntesis, plantearon las siguientes razones: el Decreto 40 de 1905 ordenaba al Gobierno proceder a "deslindar los lagos ciénagas y pantanos

38 Coadyuvaron la demanda José Ignacio Uribe y Rafael Uribe B. Se opuso a la demanda Alfredo Peralta. Este último aparece en el fallo como contratista para la desecación de los valles de Ubaté y Cundinamarca. Corte Suprema de Justicia, sentencia del 21 de noviembre de 1912, M.P. Bartolomé Rodríguez, *G.J.*, Tomo 22, No. 1091-1146, p. 10.

39 El artículo 121 de la Constitución de 1886 señalaba: "En los casos de guerra exterior, o de conmoción interior, podrá el Presidente, previa audiencia del Consejo de Estado y con la firma de todos los Ministros, declarar turbado el orden público y en estado de sitio toda la República o parte de ella [...] Mediante tal declaración quedará el Presidente investido de las facultades que le confieran las leyes, y, en su defecto, de las que le da el Derecho de Gentes, para defender los derechos de la Nación o reprimir el alzamiento. Las medidas extraordinarias o decretos de carácter provisional legislativo que, dentro de dichos límites, dicte el Presidente, serán obligatorios siempre que lleven la firma de todos los Ministros. El Gobierno declarará restablecido el orden público luego que haya cesado la perturbación o el peligro exterior; y pasará al Congreso una exposición motivada de sus providencias. Serán responsables cualesquiera autoridades por los abusos que hubieren cometido en el ejercicio de sus facultades extraordinarias". Constitución Política de 1886 —ya incluye la reforma de 1910.

40 El procurador apoyó este cargo de inconstitucionalidad, pero no estuvo de acuerdo con los cargos de presunta vulneración de la propiedad y de los derechos adquiridos que formularon los demandantes.

de propiedad nacional, de los predios ribereños pertenecientes a particulares",[41] y para efectos de ese deslinde declaraba de propiedad de la nación "los terrenos que hayan estado inundados u ocupados por las aguas en los últimos diez años".[42] Para los demandantes esta disposición vulneraba el derecho de propiedad y los derechos adquiridos de los propietarios particulares de los terrenos, porque declaraba de propiedad de la nación terrenos de propiedad de particulares. De igual modo, que el decreto determinaba que el Gobierno podía dar en propiedad a las personas con quienes contratase el desagüe de lagos, lagunas, ciénagas y pantanos de la nación, los terrenos que queden en seco después de ejecutado, atentando contra los derechos de propiedad "de los dueños de tierras ocupadas por las aguas".[43]

Según los demandantes, el decreto también establecía que una vez se produjese el desagüe correspondiente, quienes hubiesen ejecutado esas obras cobrarían a los propietarios de predios colindantes la diferencia entre el avalúo de tales predios fijado antes de la obra y el asignado luego de ella, con lo cual se imponía a los propietarios una contribución sin fundamento constitucional. Y, por último, consideraron que el decreto, al disponer que el empresario que llevase a cargo la mencionada obra tendría acción ejecutiva contra el propietario beneficiado que se negare a pagarle el beneficio recibido en su propiedad, condenaba a este último sin haber sido oído o vencido en juicio, "contra lo prescrito en la Carta Fundamental, fuéra de que viola el derecho adquirido de propiedad [...]".[44]

La Corte se abstuvo de juzgar si el Ejecutivo había vulnerado la Constitución al dictar el Decreto Legislativo 40 al amparo del estado de sitio y prefirió centrar su análisis en la vulneración del derecho de propiedad y de los derechos adquiridos de los dueños de los terrenos de la laguna. De este modo estrenaba su función de juez constitucional evadiendo el espinoso asunto del límite constitucional de las facultades del Ejecutivo bajo el régimen de excepción, que en este caso era ni más ni menos que el instrumento jurídico bajo el cual el presidente Reyes había gobernado por varios años. Esto dijo el tribunal:[45]

> Considera esta Superioridad que para decidir la solicitud de que se está tratando, basta examinar únicamente si el Decreto y la Ley acusados vulneran o desconocen

41 Decreto 40 de 1905, citado por la Corte Suprema de Justicia, sentencia del 21 de noviembre de 1912, *op. cit.*, p. 10.

42 Corte Suprema de Justicia, sentencia del 21 de noviembre de 1912, M.P. Bartolomé Rodríguez, *G.J.*, Tomo 22, Nos. 1091-1146, p. 10.

43 *Ibídem*, p. 9.

44 *Ibídem.*

45 Corte Suprema de Justicia, sentencia del 21 de noviembre de 1912, *op. cit.*, p. 10.

> el derecho de propiedad de los dueños de terrenos que se crean lesionados por ellos, pues si así fuese, por esto no más son inconstitucionales y en tal caso es innecesario estudiar la causal alegada, también de incompetencia del Presidente o de la Asamblea Nacional para dictar uno y otra.

La Corte le dio la razón a los demandantes que acusaban al decreto de vulnerar el artículo 32 de la Constitución, que consagraba el "derecho de propiedad de los particulares", y el artículo 31 de la misma,[46] que garantizaba "los derechos adquiridos legítimamente salvo los casos en que han de ceder a la utilidad pública con la debida indemnización",[47] pues este ordenaba que tierras propiedad de los particulares pasaran a la nación sin que mediara indemnización. A renglón seguido, como una muestra del sello iusprivatista de las primeras décadas de control constitucional de un tribunal habituado al trabajo de juez de casación civil, la Corte enfocó su debate sobre el derecho de propiedad de acuerdo con las disposiciones del Código Civil.

En primer lugar, la Corte estimó que aun cuando el Libro 2 del Título 3 del Código Civil ("De los bienes de la Unión" - La Nación) determinara que la nación tenía derechos sobre lagos, ríos y otras aguas, ni el presidente de la República ni la Asamblea Nacional estaban autorizados para dictar normas como las demandadas porque el artículo final del mismo Título, es decir, el 684 del Código Civil, que trataba "de la accesión", establecía que: "No obstante lo prevenido en este capítulo y en el De la accesión, relativamente el dominio de la Unión sobre los ríos, lagos e islas subsistirán en ellos los derechos adquiridos por particulares de acuerdo con la legislación anterior a este Código".[48] Para el tribunal, según el citado artículo, los terrenos ocupados por las aguas no pertenecían a la nación, aun cuando tales terrenos hubiesen estado ocupados por las aguas en los diez años anteriores a la expedición del decreto, de modo que las disposiciones acusadas desconocían el

46 El artículo 31 de la Constitución Nacional de 1886 establecía: "Los derechos adquiridos con justo título con arreglo a las leyes civiles por personas naturales o jurídicas, no pueden ser desconocidos ni vulnerados por leyes posteriores. Cuando de la aplicación de una ley expedida por motivos de utilidad pública, resultaren en conflicto los derechos de particulares con la necesidad reconocida por la misma ley; el interés privado deberá ceder al interés público. Pero las expropiaciones que sea preciso hacer requieren plena indemnización con arreglo al Artículo siguiente". El artículo 32 de la misma Carta señalaba: "En tiempo de paz nadie podrá ser privado de su propiedad en todo ni en parte, sino por pena, o apremio, o indemnización, o contribución general, con arreglo a las leyes. Por graves motivos de utilidad pública, definidos por el Legislador, podrá haber lugar a enajenación forzosa, mediante mandamiento judicial, y se indemnizará el valor de la propiedad, antes de verificar la expropiación".

47 Corte Suprema de Justicia, sentencia del 21 de noviembre de 1912, *op. cit.*, p. 10.

48 *Ibídem.*

derecho de dominio de los dueños de los terrenos, "no obstante haber quedado a salvo ese derecho, al tenor del artículo copiado del Código Civil".[49]

Para la Corte también vulneraba el derecho de propiedad y los derechos adquiridos reconocidos por la Constitución la disposición que imponía a los propietarios de los terrenos colindantes a donde se hubiese realizado la desecación, el pago del "valor del beneficio" a favor de los ejecutantes de las obras de desecación, es decir, del "aumento de valor" de las propiedades beneficiadas (valorización). Según la corporación, tal disposición no correspondía a una "contribución general, indemnización, pena o apremio" sino a una privación del derecho de propiedad prohibido por la Carta Política. También determinó que como de esta disposición dependía aquella que permitía al ejecutor de las obras recurrir a la acción ejecutiva en contra del propietario beneficiario renuente, esa también se tornaba inconstitucional.[50]

Tres de los nueve magistrados que componían la Corte Suprema expresaron opiniones distintas al fallo aprobado por la mayoría. El magistrado de origen liberal Tancredo Nannetti salvó su voto y a él adhirieron los también liberales Manuel José Angarita y Constantino Barco. El salvamento también se enfocó en el debate sobre el derecho de propiedad a la luz del Código Civil, bajo el argumento de que tal derecho no había sido conculcado por el decreto acusado. Por ejemplo, estimó que la Corte había interpretado de manera errónea las normas del decreto acusado, pues este de ningún modo ordenaba que las cuencas de todos los lagos, ciénagas o pantanos que hubiese en el territorio nacional —no obstante que muchos de estos fuesen propiedad de los particulares— se declararan propiedad de la nación por el solo hecho de haber estado ocupados por las aguas durante los últimos diez años, sino que tales normas lo que en realidad ordenaban era el deslinde de las aguas de propiedad de la nación y prevenía que para esos efectos esas cuencas se reputaban de propiedad de la nación. Así las cosas, opinaba el magistrado, las disposiciones acusadas no hacían nada distinto a lo ordenado por las reglas sobre accesión del artículo 723 del Código Civil: "Si una heredad ha sido inundada, el terreno restituido por las aguas, dentro de los diez años subsiguientes, volverá a sus antiguos dueños", de modo que la propiedad de esos terrenos inundados pasaban por accesión a la nación, como dueña de los ríos o lagos que habían causado la inundación, y no según las disposiciones del mismo Código que invocó la Corte en su sentencia.[51]

49 *Ibídem.*

50 La Corte también declaró inconstitucional la Ley 6ª de 1905 en cuanto que había ratificado las disposiciones del Decreto 40 que fueron declaradas inconstitucionales.

51 El salvamento es rico en las comparaciones del origen de las normas del Código Civil sobre accesión y sus similitudes y diferencias con la doctrina chilena, española y francesa.

La única voz del tribunal que parecía dispuesta a abordar el debate de los límites del Ejecutivo bajo el estado de sitio fue la del magistrado Angarita, quien, aunque adhirió al salvamento de voto del magistrado Nannetti, agregó que estaba de acuerdo con el concepto de procurador general de la Nación, que había pedido a la Corte declarar la nulidad de la ley y del decreto acusados porque ambos "se dictaron por autoridades incompetentes".[52]

Así las cosas, en este fallo de los inicios del control constitucional de los decretos dictados bajo el régimen del estado de sitio podemos apreciar la movida estratégica de la Corte, que le evitó involucrarse en el debate sobre los límites constitucionales del Ejecutivo bajo el régimen de excepción. La corporación, pues, se alejó de juzgar la legalidad del universo normativo creado bajo el régimen de Reyes, que persistió más allá de la reforma constitucional de 1910. La cuestión de los derechos de propiedad, que a juicio de la corporación debían salvaguardarse aún bajo el régimen de excepción, parecía poner a la Corte a salvo del incómodo arbitraje político y de tener que fijarle límites a los poderosos poderes ejecutivos que habían gobernado bajo el marcado presidencialismo de la Constitución de 1886.[53] Pero, al mismo tiempo, el tribunal parecía aprovechar el clima de tolerancia política que se vivía en tiempos de la Unión Republicana para dejar sentado que su papel era proteger derechos constitucionales, como el de propiedad, frente a los abusos de los poderes públicos.

Por último, fue notable el modo en que la Corte hizo uso de materiales jurídicos de la Constitución para cumplir su papel como juez constitucional, con un marcado acento iusprivatista. Como vimos, en buena medida la Corte se desplazó del texto de la Carta política hacia los terrenos del Código Civil. Tal vez este campo era más cómodo para una corporación que por más de una década había sido el tribunal de casación en materia civil.

El juicio al Tratado Urrutia-Thompson o la evasión de un asunto espinoso

En el año 1914 llegó a la Corte la primera demanda de inconstitucionalidad dirigida contra una ley aprobatoria de un tratado público: la Ley 14 de 1914, por

52 Corte Suprema de Justicia, salvamento de voto de los magistrados Nannetti, a la sentencia del 21 de noviembre de 1912, *op. cit.*, p. 12.

53 Más adelante, en sus consideraciones a la sentencia del 12 de junio de 1945, cuando se juzga la constitucionalidad de dos decretos de estado de sitio ("Cuartelazo de Pasto"), la Corte dirá que los proyectos de reforma al estado de sitio propuestos en la Asamblea Constitucional de 1910 tenían en común su preocupación porque el presidente de la República no pudiera derogar las leyes dentro del estado de excepción, pues ya lo había hecho el Gobierno del General Reyes en sus decretos legislativos 11 y 40 de 1905, sobre desecación de lagunas. *G.J.*, Tomo LIX, p. 37.

la cual el Congreso de Colombia había aprobado el Tratado Urrutia-Thompson, entre Colombia y los Estados Unidos. La trascendencia política interna y externa de la ley y del tratado era profunda en la medida en que con ellos el Estado colombiano reconocía la independencia del antiguo departamento de Panamá. Con la demanda, la Corte quedaba en la incómoda posición de tener que decidir sobre una cuestión que agitaba las tensiones políticas domésticas y que hacía parte de la ya larga y dolorosa disputa internacional sobre la separación de Panamá a instancias de la colaboración estadounidense.

De la separación de Panamá al Tratado Urrutia-Thompson

La independencia del entonces departamento colombiano de Panamá se produjo en 1903 luego de que este fuera devastado por los efectos de la Guerra de los Mil Días.[54] De tiempo atrás, los Estados Unidos habían hecho evidente su interés estratégico sobre el territorio panameño, pues ya desde 1846 Colombia había firmado con ese país el Tratado Mallarino-Bildack, que garantizaba la soberanía de Colombia sobre Panamá y la zona de un eventual canal interoceánico que pudiera construirse, al tiempo que se satisfacían los intereses americanos en esa región.[55]

Hacia 1901 numerosas tensiones entre potencias como el Reino Unido y Francia, así como el propósito estadounidense de lograr la construcción y el dominio exclusivo sobre un canal en Panamá, urgieron al Gobierno del presidente Marroquín a negociar con los americanos para preservar la soberanía nacional sobre el istmo.[56] Así se firmó el Tratado Herrán-Hay, el 22 de enero de 1903, que cedía una franja del territorio del departamento de Panamá a los Estados Unidos

54 En Panamá se habrían librado cerca de 62 combates. Véase: *Revista Credencial Historia,* No. 174, Bogotá, junio del 2004, p. 25. Para un análisis sobre la incidencia de la Guerra de los Mil Días y la separación de Panamá véase: Thomas Fischer, "De la Guerra de los Mil Días a la pérdida de Panamá", en *Memoria de un país en guerra: Los Mil Días 1899-1902, op. cit.*, pp. 75-104.

55 "El tratado de 1914 [...] tiene como precedente remoto el de 1846, su hermano gemelo [...] En el Tratado de 1846 los actores son Colombia, señora y soberana del istmo, y los Estados Unidos, garantes de esa soberanía y concesionarios de ciertos privilegios o derechos sobre el territorio. Colombia, preocupada por la seguridad [...], ha venido buscando quién la proteja, y los Estados Unidos le brindan esa garantía. [...] Colombia en pago les da a los Estados Unidos amplísimos derechos de tránsito por cualquier medio de comunicación que en el istmo se establezca, para sus agentes, sus tropas, sus correos, sus ciudadanos, sus mercaderías, etc. [...]". José Joaquín Gori, *Los derechos de Colombia en el Canal de Panamá,* Temis, Bogotá, 1982, pp. 1-2. Sobre la intervención militar estadounidense en el departamento de Panamá, en el contexto de la Guerra de Los Mil Días, véase: Thomas Fischer, "De la Guerra de los Mil Días a la pérdida de Panamá, *op. cit.*

56 La situación llegó a ser apremiante para Colombia pues el consorcio francés Lesseps, beneficiario de la concesión para construir el Canal de Panamá, se declaró en bancarrota; a su turno, el Senado de los Estados Unidos se apresuró a aprobar la "Bill Spooner", por la cual se establecía que la ruta para

y le otorgaba a ese país la concesión para la construcción de un canal a cambio de varios millones dólares.[57] Este mensaje del presidente Marroquín exhortando al Congreso para que imparta su aprobación al tratado en junio de 1903, captura el clima político del momento:

> A mi Gobierno se le ha presentado este dilema: o deja que nuestra soberanía padezca detrimento o renuncie a ciertas ventajas pecuniarias, a que, según la opinión de muchos, tenemos derecho, o, mantiene rigurosamente nuestra soberanía y reclama de un modo perentorio la indemnización pecuniaria a que nos podemos considerar acreedores. En el primer caso, esto es, en el de consentir en el menoscabo de nuestra soberanía y en el de no aspirar a una cuantiosa indemnización, si llega a abrirse el canal por Panamá, se satisfarán los justos deseos de los habitantes de este Departamento y los de todos los colombianos, exponiéndose el Gobierno a que luego se le haga el cargo de que no defendió hábilmente nuestra soberanía, y el de que sacrificó intereses de la Nación. En el segundo caso, si el canal no se abre por Panamá, se le increpará al Gobierno el de no haber dejado que Colombia consiga ese bien, que es mirado como principio y condición de nuestro engrandecimiento. Ya he dejado entender mi deseo de que el canal interoceánico se abra por territorio nuestro. Pienso que, aun a costa de sacrificios, debemos no oponer obstáculos a tan grandiosa empresa, así como porque una vez abierto el canal por los americanos del Norte, estrecharemos y ensancharemos nuestras relaciones con ellos, con lo que ganarán incalculablemente nuestra industria, nuestro comercio y nuestra riqueza. Felizmente para mí, la inmensa responsabilidad que ha de pesar sobre quien decida esta cuestión, toca asumirla al Congreso, que es quien en definitiva ha de aprobar o desaprobar el convenio propuesto por el Gobierno americano.[58]

El Senado de los Estados Unidos había ratificado el tratado por treinta y tres votos contra cinco. Pero en Colombia se acababa de elegir y de posesionar el Senado y este había quedado conformado por una mayoría de conservadores nacionalistas. El presidente del Senado, para desgracia de Marroquín, era Miguel

---

un canal interoceánico sería por Panamá y se autorizaba al presidente Roosevelt a pagar a la compañía Lesseps un precio y a obtener una concesión a perpetuidad de la franja del canal por parte de Colombia.

57 Una reconstrucción de los antecedentes de las relaciones entre Colombia y Panamá y sobre las cuestiones limítrofes entre ambos países en: *Arreglo de límites entre la República de Colombia y la República de Panamá,* Ministerio de Relaciones Exteriores, Imprenta Nacional de Colombia, Bogotá, 1982.

58 Antonio José Uribe, Anales diplomáticos y consulares. Mensaje al Congreso de 1903, del vicepresidente Marroquín. Citado por Diego Uribe Vargas, en *Los últimos derechos de Colombia en el Canal de Panamá,* Universidad Nacional de Colombia, 1993, p. 246.

Antonio Caro, el furibundo opositor que[59] jamás perdonó el golpe de Estado que aquel dio al Gobierno de Sanclemente, que, como recordará el lector, había sido impuesto por Caro. El 18 de agosto de 1903, el Senado votó mayoritariamente en contra de la ratificación del Tratado Herrán-Hay. Varios factores influyeron en la derrota de Marroquín y de su tratado ante el Senado: no solo la animadversión de Caro contra el régimen de Marroquín sino también el espíritu nacionalista que desataron las provocadoras declaraciones de la diplomacia americana, así como el desconocimiento de los parlamentarios sobre el contexto global del momento y de las características de las negociaciones realizadas por ambos gobiernos.[60]

Desde luego, un gran peso en la decisión corrió por cuenta de los enfrentamientos partidistas locales entre las viejas facciones conservadoras.[61] Para el momento en que el Senado se había negado a aprobar el Tratado Herrán-Hay, en Panamá ya se venía gestando un movimiento separatista; pocos meses después del fracaso del tratado, el 3 de noviembre de 1903, Panamá declaró su independencia de Colombia y justo al día siguiente el Gobierno de los Estados Unidos reconoció a Panamá como un estado libre y soberano.

Sucesivos gobiernos colombianos tuvieron que dejar a un lado los sentimientos nacionalistas y el duelo por la pérdida de Panamá para tratar de normalizar

59 Se afirma que, en parte, Caro vio en la discusión del tratado una oportunidad perfecta para ajustar las viejas deudas políticas que había dejado el ascenso al poder de Marroquín con el golpe de 1900. Eduardo Lemaitre, "1903: Panamá se separa de Colombia", en *Nueva Historia de Colombia, Tomo I: historia política,* 1886-1946, p. 136.

60 Por ejemplo, estando el tratado en consideración del Congreso colombiano, el secretario de Estado Hay le envió un telegrama a Arthur M. Beaupré, secretario de la Legación en Bogotá, en donde amenazaba a Colombia con duras consecuencias si no se aprobaba el Tratado Herrán-Hay tal como había sido negociado. Decía el mensaje: "El Gobierno colombiano aparentemente no pesa la gravedad de la situación [...] En caso de que Colombia rechace ahora el tratado o dilate indebidamente su ratificación, la amistosa comprensión entre estos dos países se vería tan seriamente amenazada que en el próximo invierno adoptaría medidas que todos los amigos de Colombia lamentarían". Este mensaje fue conocido por el Congreso. Citado por Thomas Fisher, "De la Guerra de los Mil Días...", *op. cit.,* p. 95.

61 "En el Senado, don Miguel Antonio Caro con autoridad indiscutible de antiguo mandatario, y de coautor de la Constitución de 1886, jugaba el papel preponderante. [...] La falta de la firma presidencial, las modalidades del reglamento, la inseguridad de los Ministros y del Vicepresidente, hicieron que las primeras sesiones del Parlamento, concluida la Guerra de los Mil Días, estuviesen saturadas de contradicciones y de ánimo exaltado. En tal escenario, el señor Caro hizo tremenda inventiva contra el tratado y el Gobierno, alegando la inconstitucionalidad del mismo y la gravedad para la República de cercenar el territorio, en desmedro de la soberanía [...] [Desde] antes de instalarse el Congreso se sentía en el ambiente el deseo de rechazar el convenio, tanto por animadversión al Vicepresidente, como a los negociadores y de manera indudable, contra el Gobierno de Roosevelt, que con arrogancia y descaro pretendía intimidar a los miembros del Parlamento. [...] El país ignoraba la realidad de los trámites diplomáticos y los antecedentes del Tratado". Diego Uribe Vargas, *Los últimos derechos de Colombia en el Canal de Panamá, op. cit.,* pp. 259-263.

las relaciones comerciales y diplomáticas con los Estados Unidos. Poco a poco se iba haciendo insostenible mantenerse lejos del país que se estaba convirtiendo en potencia de primer nivel. Así, durante el Gobierno del presidente Carlos E. Restrepo, las negociaciones binacionales culminaron el 6 de abril de 1914, con la participación del ministro plenipotenciario de los Estados Unidos en Colombia, Thaddeus Thompson, y del ministro de Relaciones Exteriores colombiano, Francisco Urrutia, quienes firmaron el Tratado Urrutia- Thompson en Bogotá.[62]

Esta es, en síntesis, la trayectoria del Tratado Urrutia-Thompson que fue aprobado por el Congreso colombiano mediante la Ley 14 del 13 de junio de 1914. Con este, los Estados Unidos reconocía implícitamente su intervención en la independencia panameña, otorgaba a Colombia privilegios de navegación sobre el Canal de Panamá y una indemnización de veinticinco millones de dólares.

La Corte evasiva de 1914

La Ley 14 del 13 de junio de 1914, cuyo artículo único aprobaba el Tratado Urrutia- Thompson, fue demandada por inconstitucionalidad por el ciudadano Carlos José Espinosa, un militar retirado que había sido miembro de la Asamblea Constitucional de 1910 y que durante los debates de la ley había presentado al Congreso un memorial apoyado por varios ciudadanos en donde insistía que el tratado era "innecesario, inoportuno, inconveniente y depresivo para Colombia".[63]

En su demanda ante la Corte Suprema de Justicia, Espinosa sostuvo que el tratado suponía el reconocimiento de la independencia del departamento de Panamá, rompía la unidad nacional y vulneraba el artículo 1º de la Constitución Nacional, que consagraba que la Nación colombiana era una República unitaria, que, además, violaba el artículo 2º de la Constitución, según el cual la soberanía

62 *The New York Times* del 8 de abril de 1914 se refirió con amplitud a la conclusión de las negociaciones, en lo que tituló "Wilson Apology to Colombia?", haciendo alusión a la expresión *"friendly expression of regret"* que el tratado habría incorporado, en clara señal de que el Gobierno americano había accedido a aceptar su participación en la "revolución" que terminó en la secesión panameña. Recordó también que el acuerdo se logró gracias a la llegada del presidente demócrata Wodrow Wilson y su manifiesta voluntad de acordar un arreglo digno para ambas partes. Tambien informó que el tratado firmado en Bogotá solo se someterá a ratificación del Senado americano después de la aprobación por el Congreso colombiano, esto con el fin de evitar lo ocurrido en 1903, cuando el secretario de Estado de los Estados Unidos, John Hay, "terminó con su paciencia agotada cuando después de haber llegado a un acuerdo sobre los términos del tratado, en especial sobre las continuas solicitudes del Gobierno colombiano para incrementar el dinero que Estados Unidos tendría que pagar por la construcción de un canal interoceánico por Panamá, fue finalmente rechazada por el Congreso colombiano".

63 El memorial lo presentó el 25 de mayo de 1914. Carlos José Espinosa, *Nulidad del tratado del 6 de abril*, Imprenta Eléctrica, Bogotá, p. 22.

reside en la Nación, al igual que el artículo 2º de la reforma constitucional de 1910, que había fijado los límites del territorio de Colombia, de modo que el tratado reformaba la Constitución al aceptar el desmembramiento de Panamá. Así, pidió a la Corte asumir su competencia para juzgar la constitucionalidad del tratado, pues la Constitución le había atribuido a esa corporación la función de declarar la exequibilidad o inexequibilidad de "todas las leyes" sin excepción alguna. En su acusación, dijo Espinosa: "El dicho Tratado de 6 de abril del corriente año, no solo es inconstitucional, sino que traería consigo grandes males y graves peligros a la nación; luego al acceder a mi solicitud, la Corte Suprema de Justicia no solo salvaría la integridad de la Constitución, sino que prestaría un inmenso servicio a la República". Por último, mostró ante la Corte una preocupación por los nativos que habitaban Panamá, pues a su juicio el tratado borraba los límites nacionales de modo que dejaba a "los indios que la habitan a merced de los panameños, sus mortales enemigos; luego no se dispensa a estos ciudadanos colombianos la protección a que tienen derecho", con lo cual se vulneraba el artículo 19 de la Constitución, que ordenaba a las autoridades instituidas en Colombia a proteger la vida, honra y bienes de todas las personas residentes en el país.

Espinosa no solo demandó la Ley 14 ante la Corte sino que hizo una fuerte campaña para insistir en que sus argumentos debían ser acogidos por la corporación: por ejemplo, publicó un libro que transcribía íntegramente su demanda y en el que exponía sus razones para considerar acertada su postura de que el tribunal era competente para juzgar leyes aprobatorias de tratados internacionales, contrario a lo que decían otras voces que señalaban que la Corte carecía de competencia para conocer de ese tipo de demandas. En favor de su postura, Espinosa incluso afirmó que hasta los periódicos de los Estados Unidos habían considerado que el Senado de ese país no debería aprobar un tratado que era inconstitucional en Colombia. En sus palabras:[64]

> No obstante el respeto que me merecen las opiniones de quien ha afirmado lo contrario, abrigo la seguridad de que, aunque, os creáis competentes para fallar en este asunto, como en realidad lo sois; aunque declaréis inexequible la ley que hoy acuso ante vosotros, como es de esperarse de vuestro recto y elevado criterio, de ahí no podrá seguirse que Colombia esté libre del sistema constitucional de todas las naciones, ni que aquí los tratados sean del resorte del Poder Judicial, ni que el verdadero depositario de la soberanía transeúnte de la República sea la Corte. De ahí se seguirá

64 Carlos José Espinosa, *Inconstitucionalidad del Tratado de 6 de abril de 1914: Acusación ante la Corte Suprema de Justicia*, Imprenta Eléctrica, Bogotá, 1914, p. XXIII.

> que si en Colombia hay funcionarios que intentan violar la Constitución, también hay Magistrados rectos y probos que cumplen el deber de impedirlo. Aceptar la absurda teoría de que la Corte Suprema no tiene la jurisdicción para fallar sobre la exequibilidad de leyes como esta, sería sentar la doctrina de que la Constitución Nacional puede ser reformada por tratados públicos, con lo cual se habrá hallado un medio comodísimo de cambiar a voluntad las instituciones fundamentales de la República, de remover todo nuestro sistema constitucional, sin necesidad de convocar una Convención.

El 6 de julio de 1914, con la ponencia del magistrado Alberto Suárez Murillo, la Corte Suprema resolvió abstenerse de decidir sobre la demanda de inconstitucionalidad solicitada por Espinosa.[65] Para justificar la inhibición, la Corte tuvo que acudir a varias estrategias argumentativas. La primera de ellas fue distinguir entre las "leyes" y las "leyes que aprueban tratados". Así, inició su argumentación considerando que la demanda presentada en contra de la Ley 14 de 1914, aunque estaba dirigida a atacar la constitucionalidad del artículo único de la Ley 14, esa presunta inexequibilidad no se fundamentaba en que tal artículo sea "contrario a la Carta Fundamental, sino en que algunas de las estipulaciones contenidas en el expresado pacto, violan, no sólo los preceptos que se citan de la Constitución, sino que pugnan contra el espíritu mismo que informa nuestro estatuto. En otros términos, se ataca el espíritu de la Ley, no en sí mismo, sino en cuanto aprueba un tratado que tiene cláusulas que atentan contra la Constitución Nacional".[66]

Es decir, que aunque la Corte aceptaba que la Constitución le había atribuido la competencia para juzgar la constitucionalidad de todas las leyes, las leyes aprobatorias de tratados internacionales se diferenciaban de las demás, pues estas en "sentido estricto" eran excepcionales y no estaban sujetas a su competencia. En efecto, la Corte razonó que las leyes que aprobaban tratados, aunque se sometían a un trámite similar al que se seguía para el caso de las leyes ordinarias, la función que cumplía el Parlamento en unas y otras era bien diferente.[67] El tribunal también distinguió entre una ley que aprobaba un tratado y el texto de un tratado público:

65 La Corte estaba integrada por Emilio Ferrero, Luis Eduardo Villegas, Manuel José Angarita, Constantino Barco, Tancredo Nannetti, Bartolomé Rodríguez, Luis Rubio Saiz, Augusto N. Samper y Alberto Suárez Murillo. Corte Suprema de Justicia, Acuerdo del 6 de julio de 1914, *G.J.*, No. XXIII, Nos. 1147-1148, M.P. Alberto Suárez Murillo, p. 12.

66 Corte Suprema de Justicia, Acuerdo del 6 de julio de 1914, *op. cit.*, p. 11.

67 En apoyo de su argumento, dice la Corte: "[...] El papel del Parlamento, en materia de tratados —dice el ilustre profesor francés Mérignbac— no se asemeja al que desempeña en materia legislativa". Acuerdo del 6 de julio de 1914, *op. cit.*, p. 11. Mérignbac era un reputado tratadista del derecho internacional de la época, sin embargo, no es posible establecer la obra de la cual la Corte extrae su cita.

> A pesar de que [...] la ley viene a ser un elemento necesario del tratado, no por eso puede lógicamente confundirse el pacto con la ley que lo aprueba. Aquel contiene las estipulaciones recíprocas de las partes, los deberes que contrae cada una de ellas y los derechos que adquiere, y no surge a la vida jurídica sino cuando las potestades supremas contratantes lo han ratificado y se han canjeado ratificaciones. Esta, o sea la ley, es tan sólo el acto en virtud del cual uno de los dos Estados que negocian acepta las cláusulas convenidas.[68]

Las leyes aprobatorias de tratados públicos, a juicio de la Corte, hacían parte de un "acto jurídico complejo", no unilateral como cualquier otra ley que se tramita en el Congreso de un país, sino que dependen de las altas partes contratantes. La ley, por lo tanto, era considerada tan solo un acto dentro del proceso de negociación, ya que únicamente la ratificación del tratado vinculaba a las partes contrayentes. Entonces, la Corte razonó que la demanda presentada por Espinosa se dedicaba a mostrar presuntas desavenencias entre la Constitución y el Tratado Urrutia-Thompson, cuestiones sobre los que la Corte no tenía facultad constitucional para pronunciarse, pues al hacerlo estaría juzgando la constitucionalidad de un tratado y no de una ley, cuando solo estaba habilitada por la Constitución para juzgar esta última.

Pero la corporación aun enfrentaba la difícil cuestión de evadir la interpretación textual del artículo 41 de la Constitución, que la obligaba a pronunciarse sobre la constitucionalidad de "todas las leyes", no obstante que ya había distinguido que este artículo no quería decir que estaban incluidas las leyes aprobatorias de los tratados públicos. Entonces señaló que aun aceptando que la interpretación textual de ese artículo llevara al "absurdo" de considerar que la Corte era la encargada de decidir sobre la validez de un tratado público, con el fin de cumplir su función de guarda e integridad de la Constitución y de garantizar la "armonía" entre las partes de la Constitución, a la corporación le correspondería inaplicar ese artículo 41 si de su aplicación resultaren vulneradas otras reglas constitucionales.

Otro de los argumentos que invocó la corporación para respaldar su doctrina de la inhibición fue la noción de la división de poderes que, a su juicio, impregnaba la Constitución. En este caso aplicó ese criterio interpretando que la Carta fijaba una estructura de estricta separación de poderes, de modo que la corporación debía restringirse en su actuación como juez constitucional, pues le estaba vedado invadir competencias atribuidas por la Constitución a otras ramas del poder público. Esto dijo el tribunal:

68 Corte Suprema de Justicia, Acuerdo del 6 de julio de 1914, *op. cit.*, p. 11.

> [Por] más que el artículo 41 del Acto Legislativo reformatorio de la Constitución hable, en términos generales, de que a la Corte Suprema corresponde decidir definitivamente sobre todas las leyes o decretos acusados ante ella por cualquier ciudadano, como inconstitucionales, si de la aplicación del tenor literal de este precepto se llega a conclusiones que abiertamente hieran otros cánones fundamentales de la Carta, la jurisprudencia y la más sana crítica forense el no darle a aquel precepto mayor alcance que el que debe tener para llenar su fin, que es el de guardar la integridad de la Constitución. En tal virtud, si conforme al Artículo 57 del Estatuto, todos los poderes públicos son limitados y ejercen separadamente sus respectivas atribuciones; si de acuerdo con el Artículo 34 del Acto Legislativo 03, reformatorio de la Constitución, corresponde al Presidente de la República celebrar con potencias extranjeras tratados y convenios que se someterán a la aprobación del Congreso; [...] si la misma Constitución no le ha dado al Poder Judicial ingerencia *(sic)* en la formación de tratados públicos [...] es forzoso decidir que la Corte no puede acceder a la demanda promovida contra el Tratado del 6 de abril del año en curso, por carecer de facultades para ello.[69]

La Corte también acudió a la doctrina del derecho internacional según la cual se consideraba inadmisible que un Estado estuviese obligado internacionalmente y que al mismo tiempo su más alto tribunal decidiere que tal vínculo no se ajustaba a su Constitución, es decir, aquella que solo regía en una de las partes. Esto afirmó:

> Considérese la consecuencia, absolutamente inadmisible, que surgiría de que la Corte pudiese declarar la ineficacia de la ley que aprueba un tratado, después de que haya recibido la ratificación de la otra parte contratante. El Gobierno y el pueblo de la Nación se hallarían en un conflicto irresoluble: de un lado, en la obligación de cumplir lealmente las estipulaciones de un pacto internacional perfecto, en la cual estaría solemnemente empeñada la fe pública; y de otro, en el deber de acatar la decisión del más alto Cuerpo judicial del país, que al declarar inconstitucional el tratado, implícitamente dispondría que no obedeciese. No cabe en modo alguno suponer que semejante absurdo, que nace de la aplicación literal del artículo 41 del Acto reformatorio, haya estado en la mente de los que expidieron ese acto constitucional.[70]

69 Corte Suprema de Justicia, Acuerdo del 6 de julio de 1914, *op. cit.*, pp. 10 y 11.

70 *Ibídem*, p. 12.

Cabe anotar que aun cuando la Corte afirmaba que no podía juzgar la constitucionalidad de una ley que aprobaba un tratado cuando este ya ha sido ratificado por la otra parte contratante, para la fecha en que el tribunal conoció de la demanda en contra de la Ley 14 de 1914, el Senado de los Estados Unidos aún no había ratificado el Tratado Urrutia- Thompson, pues tal como lo advertía el *New York Times,* en su edición del 8 de abril de 1914, para evitar que se repitieran los eventos de la fallida negociación del Tratado Herrán-Hay en 1903, en esta oportunidad las partes habían acordado que el Tratado Urrutia-Thompson primero se sometería al Congreso colombiano y luego al Senado de los Estados Unidos, es decir, que para julio de 1914, tanto la firma del tratado por las partes como la aprobación de la Ley 14 de 1914 por el Congreso colombiano eran fases de una negociación que continuaría varios años después con la ratificación del Senado americano, en 1921.[71]

Los magistrados conservadores Bartolomé Rodríguez y Augusto N. Samper salvaron su voto.[72] Consideraron que: 1. No se puede separar la ley que aprueba el tratado del tratado mismo. 2. Si un tratado internacional viola la Constitución de una de las partes contratantes, la otra parte no puede obligar a que aquella cumpla el tratado. 3. El Congreso no tiene competencia para autorizar la desmembración del territorio nacional, ni modificar las fronteras determinadas en la Constitución, ni tampoco puede autorizar que se reciba una indemnización que en nada remedia la pérdida territorial. Por todo esto, en su concepto, la Ley 14 de 1914 era abiertamente inconstitucional.

Por su parte, el demandante, el general Espinosa, no quedó satisfecho con la respuesta de la Corte Suprema y no se detuvo en su empresa de impedir que el Gobierno colombiano avanzara hacia la ratificación del Tratado Urrutia-Thompson. Así, el 19 de julio de 1914 le solicitó al tribunal que revocara su decisión del 6 de julio y que asumiera su competencia y entrara a "estudiar el fondo" su demanda. El argumento procesal de Espinosa para hacer esta petición a la Corte consistía en que a su juicio el tribunal no había decidido de fondo sobre la demanda, pues al declararse inhibida no había dictado una sentencia sino un simple "auto interlocutorio que admite revocatoria". Para Espinosa era claro que los tribunales y la propia

71 Al respecto, y con una postura crítica sobre el contenido del tratado, véase el editorial publicado por James Brown Scott en *The American Journal of International Law,* Vol. 15, No. 3. Disponible en: http://www.jstor.org/stable/2188005. Consultado el 16 de enero del 2011.

72 Recuérdese que tanto los magistrados Rodríguez y Samper, que salvan el voto, al igual que Carlos Espinosa —el ciudadano demandante—, habían sido diputados en la Asamblea Constitucional de 1910, un órgano hostil a la propuesta de Reyes de normalizar las relaciones con los Estados Unidos por el caso de Panamá: una cuestión que en parte contribuyó a su salida del poder.

Corte admitían que los autos no ponían fin a un litigio, como, por ejemplo, como lo había admitido la Corte al dictar autos en que se declaraba incompetente para conocer de algunos recursos de casación. Además, en su escrito reiteró los cargos que formuló en su demanda inicial, pero esta vez se apoyó en los salvamentos de voto de los magistrados Samper y Rodríguez que acabamos de narrar.[73]

La Corte, mediante auto del 8 de septiembre de 1914, le puso punto final a la disputa trabada por Espinosa y decidió que no había lugar a acceder a su solicitud de revocar el fallo inhibitorio sobre la demanda dirigida en contra de la Ley 14 de 1914, pues tal decisión tenía carácter definitivo y de ningún modo se podía confundir su decisión con un "simple auto interlocutorio", puesto que el trámite de los juicios de constitucionalidad no era asimilable a ningún otro tipo de procedimiento. Los magistrados Samper y Rodríguez de nuevo salvaron su voto y respaldaron la postura de Espinosa según la cual la Corte podía revocar su decisión inicial: "Opinamos, pues que ha debido reconsiderarse la sentencia reclamada por el señor Carlos José Espinosa".

Así las cosas, como podemos apreciar, la Corte decidió este caso en un ambiente político de alta tensión y optó por restringirse en el ejercicio del control constitucional de las leyes aprobatorias de tratados internacionales en el caso del Tratado Urrutia-Thompson. Es importante señalar que el Gobierno colombiano no parecía permanecer al margen del juicio ante la Corte: pocas semanas antes de la sentencia, el ministro de Relaciones Exteriores de Colombia, Francisco José Urrutia, le escribía una nota al negociador americano Thaddeus Thompson, en donde le manifestaba que la demanda presentada en contra la Ley 14 de 1914:[74] "Carece absolutamente de eficacia, con relación a la validez de aquel acto internacional. La dirección de las relaciones exteriores compete al gobierno Ejecutivo, y la celebración de pactos públicos toca especialmente al mismo poder, con la aprobación del Congreso. La Corte Suprema no podrá apartarse de esta doctrina en el presente caso [...] por tanto habrá de declararse incompetente para considerarlo".

Con este fallo, la Corte prefería un papel muy discreto como juez constitucional. Esa postura le evitaba roces con los otros poderes públicos, así como convertirse en el centro del debate político. No quería ser la institución nacional que once

73 Carlos José Espinosa, *Nulidad del tratado del 6 de abril: inexequibilidad de la ley que lo aprueba, auto de la Corte Suprema de Justicia, Salvamento de voto de los Magistrados Rodríguez y Samper, Solicitud de revocatoria*, Imprenta Eléctrica, Bogotá, p. 22.

74 Nota 567 de junio 18 de 1914, en *Memorias de Relaciones Exteriores de 1914,* Vol. II, p. 195. Citada por Camilo González Chaparro, en "Reflexiones sobre la jurisdicción constitucional en materia de tratados internacionales", *Revista de Derecho Público,* No. 5, Universidad de los Andes, Bogotá, noviembre de 1994, p. 100.

años después declaraba que Panamá "no existía" como Estado independiente en el concierto de las naciones, pero tampoco aquella que frenaba la exitosa negociación del Gobierno colombiano con su par americano para poner fin a más de una década de tensiones binacionales. La corporación, pues, buscaba estar lo más alejada posible de una cuestión que, como la separación de Panamá, producía los más profundos sentimientos nacionalistas y que había causado tantos enfrentamientos en el contexto político doméstico.

Como lo habrá notado nuestro lector, incluso una simple lectura de las razones que presentaba el ciudadano Espinosa para acusar la inconstitucionalidad de la Ley 14 de 1914 pone en evidencia que existían fundamentos para que la Corte, en caso de que hubiese asumido su competencia, se hubiese tenido que inclinar por declarar la inexequibilidad de la ley y pronunciarse sobre el "hecho cumplido" de la separación panameña. En efecto, como lo anotaba Espinosa, con el tratado, entre otros, el país renunciaba a su soberanía sobre el antiguo departamento de Panamá, aceptaba unos nuevos límites fronterizos, de modo que se trataba de una evidente reforma al texto constitucional que la Ley 14 de 1914 convalidaba. Una decisión de ese tenor habría causado un grave perjuicio a las negociaciones del Gobierno de Restrepo con los Estados Unidos, y en últimas a la normalización de las relaciones con ese país. El camino de la inhibición le permitió a la Corte evadir esa discusión jurídica que probablemente la habrían conducido a dictar un fallo sepultando el Tratado.

Gracias a la sentencia, la Ley 14 de 1914 mantuvo su vigor y el Tratado Urrutia-Thomson siguió su trámite en los Estados Unidos. Allí fue ratificado por el Senado en el año 1921, pero no sin que antes este le incorporara unas modificaciones sobre la forma de pago de los veinticinco millones de dólares de indemnización a Colombia, sobre la inclusión de la fórmula de "sincero arrepentimiento" de los Estados Unidos por su participación en la secesión panameña y sobre el derecho de Colombia a usar el canal en caso de guerra entre Colombia y otro país.[75] El tratado regresó de nuevo al Congreso colombiano y fue ratificado con los mencionados cambios en la Ley 56 de 1921.

75 El Senado de los Estados Unidos tan solo ratificó el tratado —con algunas modificaciones— en 1921, en medio de opiniones divididas sobre la conveniencia e inconveniencia de suscribir un acuerdo que en sentir de muchos "otorgaba demasiadas concesiones a Colombia". Dos artículos publicados en la época dan cuenta de ese debate: "The Treaty Between Colombia and the United States", de James Brown Scott, en *The American Journal of International Law,* Vol. 15, No. 3, julio 1921, pp. 430-439, y "The Proposed Treaty between the United States and the Republic of Colombia", de William K. Jackson, en *Virginia Law Review,* Vol. 5, No. 4, enero 1918, pp. 247-263.

Reflexiones finales sobre el capítulo

Tal como lo hemos puesto de presente en estas páginas, la Corte Suprema, que pasó a ser juez constitucional en esta etapa inaugural en la que ejerció sus funciones bajo la reforma constitucional de 1910, entre los años 1910 a 1915, se caracterizó por un ejercicio de autorestricción del control constitucional sobre cuestiones que le implicaban un alto costo político o que la obligaban a arbitrar entre los poderes Ejecutivo y Legislativo cuando estos se enfrentaban por cuestiones de significancia política.

Este primer período pone en evidencia los difíciles inicios de la Corte Suprema como juez constitucional. Así, aunque en abstracto la reforma constitucional de 1910 le había confiado la defensa de la Constitución a través de la acción pública de inexequibilidad de las leyes y los decretos, facultad que bien podía interpretarse como un gran poder formal en cabeza del tribunal, una cosa muy distinta era el ejercicio de esa función en el terreno, es decir, en el contexto político.[76] Sus comienzos como guardián de la Constitución ocurrían en los tiempos de la transición de la dictadura de Reyes al régimen republicano. La Corte trató de adaptarse a sus nuevas funciones de juez constitucional; la inhibición hizo parte de esa estrategia adaptativa.

Pero esa adaptación no necesariamente debemos interpretarla como una debilidad de la corporación o como un comportamiento vacilante de un tribunal que no sabe cuál es realmente su papel en el diseño institucional de 1910 y en los primeros años de la vigencia de la reforma republicana. Sus abstenciones para decidir sobre cuestiones de alta trascendencia política también fueron un modo de ganar fortaleza institucional y legitimidad frente a los partidos políticos.[77] Con un comportamiento moderado, la Corte también iba ganando autonomía frente a los partidos y a las facciones partidistas.[78]

Por otra parte, el influjo de los enfoques iusprivatistas, que por entonces dominaban en el contexto local, fue evidente en el control constitucional de esta época

76 Entre las narrativas sobre cómo se construyó la supremacía de la Corte Suprema de los Estados Unidos véase: Barry Friedman y Erin F. Delaney, "Becoming Supreme: The Federal Foundation of Judicial Supremacy", *op. cit.*

77 Alexander Bickel, *The Least Dangerous Branch: The Supreme Court and the Bar of Politics*, Yale University Press, 2ª edición, 1986, en especial el capítulo cuarto, sobre "virtudes pasivas", pp. 111-183.

78 Sobre cómo los jueces evitan el enfrentamiento institucional y las razones para que a veces no lo eviten, por oposición al enfoque de Bickel, véase: Eric Posner y Adrian Vermeule, "Constitutional Showdowns", en *University of Pennsylvania Law Review*, Vol. 156, 2008. Una propuesta diferenciadora de las tensiones y las crisis constitucionales entre poderes, que envuelven a la Corte, en: Jack Balkin y Sanford Levinson, "Constitutional Crises", 157, en PA. L. REV, 707, 2009.

temprana de la Corte. Esa influencia incluso permaneció hasta unos años después y se aprecia, por ejemplo, en una de las razones por las cuales la Corte se declaró incompetente para juzgar la constitucionalidad de los tratados, pues por muchos años la corporación los asimiló a unos contratos que "dependían de la voluntad de las partes contratantes" y por lo tanto no eran objeto de control constitucional.[79] Esto también se puso de presente en el control constitucional del estado de sitio, cuando la corporación analizó la violación de los derechos de propiedad según las reglas del Código Civil. Y, por último, en la inclinación de la Corte a recurrir a las definiciones de "ley" de acuerdo con el mismo Código, tal como se apreció en el caso del control de las leyes por vicios de trámite en 1911.

79 Esa fue también la postura de varios de los doctrinantes que en distintas épocas respaldaron la tesis de la incompetencia para conocer tratados internacionales que mantuvo la Corte entre 1914 y 1986. Por ejemplo, Alfredo Araujo Grau, en *Jurisdicción constitucional* (1986), aunque es partidario de una interpretación amplia y "iuspublicista" de las funciones de "guarda de la integridad de la Constitución", considera que las leyes aprobatorias de tratados públicos y de contratos se aprueban bajo el mismo procedimiento, siendo idénticas a otras leyes en su aspecto formal, el autor explica que la Corte ha tratado en forma análoga las leyes aprobatorias de contratos de derecho privado. Aunque considera que ambos asuntos no son idénticos, sí reconoce ciertas similitudes entre la tipología legal de las leyes sobre tratados y las leyes sobre contratos. Alfredo Araujo Grau, *Jurisdicción constitucional, op. cit.* De igual modo, Tulio Enrique Tascón dice que: "La misma Corte ha sentado la jurisprudencia de que no le corresponde decidir sobre la inexequibilidad de las leyes aprobatorias de tratados públicos o de contratos, fundándose en que no debe confundirse el contrato aprobado por medio de ley con la ley misma, pues si el contrato fuera la ley misma, sucedería que aquel quedaría anulado al invalidarse la ley, lo cual podría ocurrir sin la anuencia de las partes contratantes, y ello iría contra obvios principios de derecho y de disposición expresa del Código Civil [...]". Tulio Enrique Tascón, *Comentarios a la Constitución Nacional, op. cit.*, pp. 222-223.

Capítulo cuarto

LA CORTE ENTRE LAS HEGEMONÍAS CONSERVADORA Y LIBERAL: ENTRE LA POLÍTICA Y EL DERECHO, 1915-1945

Introducción

Como lo hemos expresado a lo largo de estas páginas, la Corte Suprema de Justicia que inauguraba el control constitucional de las leyes fue conformada bajo el espíritu republicano de la reforma constitucional de 1910, que propugnaba un verdadero sistema de equilibrio entre las tres ramas del poder público, el respeto a las reglas del libre juego político y que en todo caso se evitara la concentración y el abuso del poder.

Recordemos que los reformadores republicanos habían reservado a los políticos la injerencia en la conformación de la Corte. Los magistrados eran elegidos por el Congreso de ternas propuestas por el presidente de la República, como parte del cuidadoso y equilibrado sistema de pesos y contrapesos establecido en la reforma de 1910. El período de cinco años de los magistrados, que podían ser reelegidos, no coincidía con el de cuatro años del presidente de la República ni con el de dos años de los congresistas.

Bajo ese diseño institucional se instaló la primera Corte, en pleno auge de la Unión Republicana, para el período comprendido entre el 1 de mayo de 1910 y el 30 de abril de 1915. La corporación en su mayoría quedó integrada por magistrados de origen conservador, sin embargo, esto no producía la percepción de que el órgano actuaba con criterios partidistas. Quizá porque en buena parte el tribunal supo administrar su capital político, que se acrecentaba, por ejemplo, con las posturas inhibitorias frente a cuestiones que la empujaban a la arena política, tal como lo vimos en el capítulo precedente.

Pero todo esto parecía dar un giro notable hacia mediados del año 1914, cuando la Unión Republicana fue estruendosamente derrotada y llegó a la Presidencia el conservador José Vicente Concha, quien había logrado unificar a su partido. Una vez ganaron la Presidencia, los conservadores rápidamente barrieron con las huestes republicanas y obtuvieron el dominio absoluto del Congreso. Con estos éxitos, los conservadores también tenían garantizada la mayoría de magistrados de la Corte pues, como se dijo, era el Ejecutivo quien debía proponer al Congreso las ternas de los magistrados que ejercerían sus funciones entre 1915 y 1920.

Como vemos, el diseño institucional de la franca Unión Republicana, que estaba pensado para una sistema basado en la división de poderes, no estaba calculado para un sistema de división de partidos, ni mucho menos para una hegemonía política. En efecto, si un partido lograba el control del Congreso y el Ejecutivo, este podía asegurar sus mayorías en la Corte. Era evidente que con la realidad política del año 1914 tal diseño se ponía a prueba y, como veremos, produciría la percepción de que la Corte Suprema de Justicia dejaba de ser libre de la injerencia política y pasaba a actuar alineada con el partido que tenía el poder.

Con la Corte Suprema que se instaló en el año 1915 bajo el dominio político del conservatismo, las facciones minoritarias republicanas y liberales derrotadas percibieron que el diseño institucional acordado en 1910 se había fracturado y que la corporación, tal como el Congreso y el Ejecutivo, había pasado a ser un territorio exclusivamente conservador.

Durante el período comprendido entre "las hegemonías conservadora y liberal", tanto el diseño institucional como algunas de las interpretaciones de la Corte propiciaron que el control constitucional se percibiera como un instrumento más al servicio del partido político dominante, dependiendo de la hegemonía del momento: liberal o conservadora.

Sin duda la partidización del país arrastró la percepción sobre la Corte Suprema, pero sin que esto necesariamente permita calificar con simpleza el rol de la corporación asignándole la categoría de "agente político" de la hegemonía de turno. Los magistrados que tomaban las decisiones en el tribunal no habían sido seleccionados por el Ejecutivo y el Legislativo únicamente por su carácter de juristas, sino también por alguna afinidad ideológica con los partidos políticos que los postulaban o que los elegían. Así, en sus fallos estos magistrados se veían afectados por esa ideologización de los partidos que apoyaban, pero sin que por eso podamos afirmar que sus sentencias o sus votos eran dictados por el directorio del partido político correspondiente. Su ideología revelaba su origen y afectaba significativamente su modo de ver el derecho, de manera que se inclinaban por interpretaciones que favorecían al partido que acogía sus preferencias políticas. Sus argumentaciones podían tender a favorecer el ideario o la plataforma política del partido de su preferencia. No obstante, tanto los magistrados de la mayoría, como los que representaban a la minoría política, estaban sometidos a poderosas restricciones como lo eran las normas jurídicas, la doctrina, la cultura jurídica en la que habían sido formados o la comunidad interpretativa de juristas de la que ellos formaban parte.[1]

Como lo veremos en detalle en este capítulo, a partir de 1915, las hegemonías conservadora y liberal no perderían la oportunidad de conformar una Corte Suprema de Justicia dominada por el partido de turno. Durante gran parte de la hegemonía conservadora del siglo XX y un poco más allá en el tiempo, entre 1915 y 1935, la corporación fue dominada por magistrados de origen conservador. Luego la Corte se integró mayoritariamente por magistrados liberales, durante la Segunda República Liberal e incluso un poco más allá, entre 1935 y 1950.

Si bien hubo una tendencia del tribunal a marchar con el régimen en tiempos de cierta estabilidad política, al mismo tiempo se puede hablar de una relativa autonomía de la Corte, que tal vez era posible por la fortaleza institucional y la legitimidad ganada por el tribunal gracias a su rol político moderado que había adoptado desde 1910, cuando había hecho uso de una especie de "virtudes pasivas" de los jueces, de las que habla Alexander Bickel.[2]

Este capítulo nos permitirá apreciar cómo los liberales son quienes proponen una especie de "neutralización de la justicia" recurriendo a la ciencia jurídica y a la reforma a la justicia. Sus preocupaciones pasan por nacionalizar la justicia para hacerla menos vulnerable a la acción de los políticos locales, por tratar de garantizar el adecuado funcionamiento del Poder Judicial e incluso avanzar hacia la creación de una carrera judicial.

Con la Segunda República Liberal hizo su aparición la "Corte Admirable" o "Corte de Oro", como fue llamada la Corte Suprema de Justicia que conformó el presidente liberal Alfonso López Pumarejo, en 1935. Esta corporación, aunque fue mayoritariamente liberal, también contó con destacados juristas conservadores. Como veremos, López muy inteligentemente logró una renovación total de la "Corte conservadora", pero sin dejar de crear la imagen de que el tribunal era un "órgano neutral" caracterizado por su profundo y renovador conocimiento de la "neutral" ciencia jurídica.

Así las cosas, con el fin de ilustrar de la mejor manera posible los modos como la Corte Suprema de Justicia se movió entre la política y el derecho durante las hegemonías liberal y conservadora, inicialmente veremos cómo el tribunal no solo

1 Ya nos hemos referido a esto en el capítulo introductorio. Recuérdese que nuestra postura, por varias razones, insiste en que el trabajo de la Corte puede ser leído en un sentido político, pero que esto no significa asemejar la corporación a un órgano político como el Congreso.

2 Alexander Bickel, *The Least Dangerous Branch*, *op. cit.*

mantuvo su tradicional resistencia a ejercer plena competencia sobre cuestiones que le podían representar algún costo político o institucional, o que la conducían a arbitrar entre poderes, o a inclinar la balanza en contra del partido hegemónico, sino que insistió en que se le quitara el "peso" de ejercer el control constitucional de las leyes. Luego ofreceremos algunas imágenes del partidismo que arrastró la percepción sobre la Corte Suprema en este período. Después de esta experiencia invitamos al lector a apreciar cómo se vivió la tensión entre el derecho y la política, a través de los ejes jurisprudenciales que sirven para narrar esta historia de la Corte: el control constitucional de los estados de excepción, de las leyes por vicios de trámite, de los tratados públicos y de las reformas constitucionales.

El período, en suma, nos permitirá captar los modos como se intensificaban la polarización política y los enfrentamientos partidistas, y cómo era imposible que la Corte Suprema fuera inmune a esa percepción según la cual quien tenía mayorías en el Congreso y dominaba el Ejecutivo, también podía poner de su lado a los juristas que componían el más alto tribunal del país.

La Corte que no quería ser juez constitucional

En las narrativas del derecho constitucional colombiano, y en particular de la Corte Suprema de Justicia como juez constitucional, no aparecen trazos de la resistencia expresa de la corporación a cumplir ese papel. Sin embargo, parte de la historia sobre cómo se construyó el control constitucional colombiano debe reconocer que la Corte en varias ocasiones expresamente pidió ser relevada del control constitucional de las leyes, o al menos solicitó que esa facultad fuese limitada.

La incomodidad de la Corte con su rol de juez constitucional se hizo visible con la corporación que fue integrada en 1915. A continuación damos cuenta de la nueva Corte y de los modos como expresó su descontento con la "carga" institucional de defender judicialmente la Constitución.

Como ya lo señalamos, el 1 de mayo de 1915 iniciaba otro período de la Corte. Recordemos que en 1914 el partido conservador había llegado triunfante a la Presidencia con Concha y había ganado la mayoría en el Congreso, así que esto condujo a que la Corte que se eligió entre el segundo semestre de 1914 y el primer semestre de 1915 quedara compuesta por una mayoría de magistrados conservadores y una minoritaria representación liberal.

El camino hacia el dominio conservador en las tres ramas del poder público se había trazado porque la Unión Republicana había sido incapaz de mantener un proyecto político que le permitiera enfrentar con solidez las elecciones presidenciales de 1914.[3] Los republicanos se disolvieron y Concha, apoyado por el caudillo liberal Rafael Uribe Uribe, logró un abrumador triunfo electoral que construía los cimientos para la hegemonía conservadora.[4]

La Corte Suprema de 1915 quedó conformada por los magistrados conservadores Bartolomé Rodríguez, Augusto N. Samper, Germán Pardo, Juan N. Méndez y Marceliano Pulido, y por los liberales Tancredo Nannetti, José Miguel Arango y Manuel J. Angarita.[5] Esta nueva Corte no perdió oportunidad para hacerle saber al Ejecutivo y al Legislativo que este nuevo "poder" de controlar la constitucionalidad de las leyes era excesivo, que producía desajustes en la estructura del Estado y que afectaba el ejercicio armónico de las ramas del poder público.

El clamor de la corporación para que se le quitara esta nueva "carga" se aprecia de manera palpable en algunos de los informes que la Corte le rendía al Congreso cada año. Por ejemplo, en 1916, Juan N. Méndez, magistrado de origen conser-

3 Melo nos presenta una interesante síntesis del proceso político inmediato que llevó a la derrota republicana y al triunfo conservador en las elecciones de 1914: "El partido conservador había recuperado, al menos aparentemente, su unidad en 1912, bajo la dirección de José Vicente Concha y con el apoyo del nacionalista Marco Fidel Suárez. Parecía que finalmente la vieja división entre históricos y nacionalistas llegaba a su fin, aunque no faltaron quienes consideraron que era ante todo una unión contra los republicanos, y que tan pronto se restableciera la hegemonía conservadora se abrirían las antiguas fisuras. En todo caso, sobre esta unidad se montó la candidatura presidencial de Concha [...] Proclamada en 1913, recibió en forma casi inmediata el apoyo del bloque liberal, orientado por el general Rafael Uribe Uribe. Después de algunas vacilaciones, los republicanos acogieron la candidatura de Nicolás Esguerra, y en febrero de 1914 tuvieron lugar las elecciones, en las que este sólo obtuvo unos 40.000 votos contra más de 300.000 de Concha. Se mostraba así la debilidad electoral de los republicanos y el limitado arraigo de sus propuestas políticas, respaldadas apenas por algunos núcleos modernos de los centros urbanos. Sin embargo, el régimen que concluía había tenido importantes consecuencias [...] Durante el Gobierno de Restrepo, los dirigentes conservadores y liberales hicieron una experiencia práctica de convivencia y un trabajo conjunto, cuya importancia sería difícil sobreestimar en la conservación del régimen constitucional durante los años siguientes. Aunque el país volvió a los regímenes de partido, y éstos reimplantaron las prácticas hegemónicas tradicionales, lo hicieron dentro de cierto legalismo y respeto a los derechos de la oposición". Jorge Orlando Melo, "De Carlos E. Restrepo...", *op. cit.*

4 Concha, aunque mantuvo alguna representación liberal en el alto Gobierno, no volvió a nombrar gobernadores, prefectos o alcaldes de este partido. En los ministerios de Gobierno y de Guerra no volvieron a ser llamados los liberales. Las carteras de Agricultura y Comercio, Tesoro o Hacienda sí estuvieron en manos de algunos liberales. Restrepo había mantenido tres ministros liberales entre siete ministerios, Concha los redujo a dos entre ocho ministerios. Los conservadores se mantuvieron relativamente unidos. Los republicanos poco a poco se marchitaron y se convirtieron en un grupo de liberales con orientación civilista, como Enrique Olaya Herrera, Eduardo Santos, el general Herrera y unos pocos conservadores. Cf. Jorge Orlando Melo, "De Carlos E. Restrepo...", *op. cit.*

5 Como presidente de la Corte fue designado Germán Pardo y como vicepresidente Manuel J. Angarita. La Sala de Casación quedó presidida por Juan N. Méndez y la Sala de Negocios Generales por José Gnecco Laborda. *El Espectador*, 3 de mayo de 1915, p. 1.

vador que presidía el tribunal, pidió al Congreso estudiar una contrarreforma al "muy inconveniente" Acto Legislativo 03 de 1910. Dijo Méndez:[6]

> Es ya tiempo de que el legislador medite si fue acertado de parte del constituyente dejar en manos de una corporación, sin contrapeso alguno, la facultad omnipotente de paralizar la acción de las dos potestades que por naturaleza y por principios inconcusos de Derecho Público, están llamadas a regir la República. Más compatible con estos principios sería tal vez una intervención provisional de la Corte en estas materias, mientras se dicta la interpretación auténtica de la Constitución por el órgano que esta misma establezca.

Sin embargo, como el propio Méndez lo admitió en su informe, la Corte no tenía una postura unificada sobre esta necesidad de restringir sus facultades de control constitucional, ya que los magistrados de origen liberal —y republicanos— José Miguel Arango y Tancredo Nannetti consideraban que "no debe abolirse ni modificarse aquella atribución que hoy tiene la Corte.[7] Además, el presidente de la Corte aprovechó para rendir un testimonio de la auto restricción que había caracterizado a la corporación en el ejercicio del control constitucional desde que este había sido establecido en 1910:[8]

> Merece especial mención en este informe que ha hecho la Corte de la atribución política que tiene de determinar la doctrina constitucional, tanto en el evento de un conflicto entre las Cámaras Legislativas y el Presidente de la República, con la expedición de las leyes, como en los casos de demanda sobre la anulación de estas y de los decretos ejecutivos, promovida por particulares [...] La Corte, midiendo el peligro que tan exorbitante facultad, extraña para la independencia de los otros poderes públicos, ha hecho uso de ella con sumo tiento y reserva, y se ha impuesto la norma invariable de fallar en derecho estricto, de manera que solo en los casos de que la violación de un canon constitucional sea manifiesta, ha antepuesto el juicio del Ejecutivo a la opinión de las cámaras o anulado la ley o el decreto acusados. Pero como el amparo de una ley, que, viciada en su fondo, estuvo revestida de los requisitos externos que le imprimían fuerza obligatoria, podían haberse creado derechos legítimos que no era lícito ni justo desconocer, la Corte ha establecido la

6 *Informe del Presidente de la Corte Suprema de Justicia al Congreso en 1915,* rendido por Juan N. Méndez, presidente de la Corte, 31 de junio de 1915, Imprenta Nacional de Colombia, Bogotá, p. 14.

7 *Ibídem,* p. 12, Nota No. 1.

8 *Ibídem,* p. 14.

doctrina tutelar de que las sentencias sobre inexequibilidad de las leyes tengan solo efecto de futuro, mas no retroactivo.

Más adelante, en 1919, Marcelino Pulido, magistrado conservador que presidía la Corte, en su informe al Congreso reiteró la incomodidad del tribunal con tener que ejercer el control constitucional de las leyes, y ante la falta de una reforma al respecto puso en evidencia cómo las interpretaciones de la Corte habían buscado restringir al máximo sus facultades cuando conocía de acciones públicas de inconstitucionalidad. Señaló Pulido:[9]

> La Corte ha hallado excesivo el poder que le ha conferido el artículo 41 del Acto reformatorio, como así lo expresó en su informe de 1916, y ha considerado que ya que ella subsiste, se emplee con la mayor prudencia posible; y esta no la habría si a una demanda en que se le pidiera la inexequibilidad de una ley o de un decreto por la violación de la Carta Fundamental, sin especificar ninguna de sus disposiciones, se expusiera la Corte a buscar aquella violación en todas o cada una de sus disposiciones. Esto además de ser peligroso, sería el medio más sencillo para quitar el tiempo a un sin número de peticiones.

Como podemos ver, esta segunda Corte Suprema de Justicia instalada tras la reforma de 1910, a escasos cinco años de tener a su cargo el control constitucional de las leyes, pedía por todos los medios que se la "liberara" de esa pesada responsabilidad. En esta ocasión no era el Congreso ni mucho menos el Ejecutivo quienes buscaban limitar al juez constitucional, sino la propia Corte la que no quería seguir cumpliendo con esa función. Quizá tal actitud de la Corte respondía a la experiencia que había vivido el tribunal en esos primeros años de vigencia de la reforma constitucional de 1910, cuando, como vimos en el capítulo precedente, había tenido que arbitrar varios conflictos políticos, prefiriendo el camino estratégico de la inhibición.

Todo indica que solo después del año 1915, justo cuando la corporación había quedado compuesta por una mayoría de magistrados de origen conservador y le correspondía ejercer su labor de juez constitucional frente a un Congreso y un Ejecutivo dominados por su mismo partido, la Corte se vio urgida de una reforma que le quitara el peso de tener que arbitrar entre esos poderes para así poder dedicarse a "cuestiones más jurídicas", como la casación. En efecto, llama la atención

9 *Informe que rinde el Presidente de la Corte Suprema de Justicia al Congreso de la República de Colombia en sus sesiones de 1919,* Marcelino Pulido, agosto 2 de 1919, Imprenta Nacional de Colombia, pp. 7 y 8.

que en los informes del presidente de la Corte Suprema de Justicia al Congreso de años previos ni siquiera se mencione la cuestión del control constitucional. Todos esos informes se centran en la casación o en la administración del poder judicial. Por ejemplo, el informe de 1911 se ocupa de las difíciles condiciones que enfrenta la corporación ante la grave congestión de los despachos de los magistrados que dejó la Corte saliente, en especial por las funciones de tribunal de casación, pero en él no hay referencia alguna al control constitucional de las leyes. De igual modo, los informes de 1912 y 1914 tampoco hacen referencia a la función del control constitucional. Todos ellos dejan ver la preocupación de la Corte por el alto grado de congestión de los despachos de los magistrados y la morosidad que genera la casación, que estiman urgente restringir.[10]

Entonces, mientras estuvo vigente el compromiso republicano, si bien es cierto el control constitucional de las leyes significaba un constante desafío institucional para la Corte, este siempre resultaba sorteado por el tono moderado con que la corporación ejercía su rol de juez constitucional y por el clima republicano de la época, aun cuando el Ejecutivo tuvo varios enfrentamientos con el Congreso. Pero una vez empezaron a construirse los cimientos de la hegemonía conservadora, tal vez la Corte de las mayorías conservadoras estimaba que ya no era necesario seguir desempeñando ese peligroso papel de guardián de la Constitución; esto podría explicar la insistencia del sector liberal —republicano— de los magistrados de la corporación para que se preservara esa función, que recordemos había sido diseñada para proteger a las minorías políticas.

A continuación invitamos al lector a apreciar unas imágenes que ponen de presente cómo empezó a polarizarse el clima político entre las hegemonías de los partidos conservador y liberal. Luego de esa experiencia, presentaremos las líneas jurisprudenciales que muestran episodios de la partidización y que nos pondrán de presente el ambiente político en que se movían las decisiones de la Corte Suprema de Justicia en este período.

10 *Oficio a las Cámaras, del presidente de la Corte Suprema de Justicia,* del 31 de octubre de 1911, Imprenta Nacional; *Informe de la Corte Suprema de Justicia al Congreso en agosto 8 de 1912,* Imprenta Nacional, 1912, e *Informe del Presidente de la Corte Suprema de Justicia al Congreso de 1914,* Imprenta Nacional, 1914.

Imágenes de la percepción partidista que arrastró la Corte Suprema entre 1915 y 1945

La llegada de una nueva Corte en 1915

Uno de los primeros casos en que afloró la percepción partidista sobre la Corte ocurrió en 1915. El periódico *El Tiempo,* bajo la dirección de Eduardo Santos, ferviente miembro de la Unión Republicana que había acompañado el programa político del presidente Carlos E. Restrepo, mostró gran preocupación por el modo como había quedado integrado el nuevo tribunal, que dijo había sido elegido "por el Congreso de 1914 sobre las ternas presentadas en mala hora por el Gobierno que preside el doctor Concha". Pero la despedida de los magistrados que habían servido en la Corte desde 1910 tampoco fue motivo de nostalgia. Dijo el periódico: "La Corte Suprema anterior ha muerto, y casi, casi estamos tentados a gritar: ¡Viva la Corte Suprema que desaparece!". A propósito de la posesión de los magistrados que ejercerían entre 1915 y 1920 expresó el periódico:[11]

> No sabemos si "todo tiempo pasado fue mejor", pero sin duda la muy deficiente Corte que pasa a la Historia fue mejor que la que empieza su carrera. Tuvo grandes debilidades, flaquezas deplorables, pero en su conjunto su obra fue honorable y justiciera, al menos en cuanto ello dependió de la mayoría de los Magistrados. En ella tuvo el Gobierno republicano enemigos implacables que se esforzaron por todos los medios que sugiere el rabulismo chibcha, en contrariar sus planes y en cerrarle el paso cada vez que se intentaba alguna iniciativa benéfica; el doctor Bartolomé Rodríguez y su partidario [Augusto N. Samper] no dejaron pasar las ocasiones que se les presentaron para estorbar la obra política del Gobierno que aborrecían, y dieron a la Corte un carácter nada simpático que le enajenó las simpatías de la opinión pública. Pero en cambio había allí juristas inmaculados y patriotas como los doctores Villegas, Nannetti, Suárez Murillo y Angarita; hombres laboriosos y probos como los doctores Barco y Navarro Eusse, y figuraron en ella como suplentes hombres de tan perfecta competencia y de tan alto valor moral como Isaías Castro Vélez.

Como vemos, el diario exaltaba el papel de algunos magistrados de estirpe republicana-liberal, aunque también reconocía que otros magistrados habían cumplido una labor decorosa. En términos institucionales destacaba el acertado comportamiento que tuvo al nombrar magistrados de los tribunales superiores,

11 *El Tiempo,* 1 de mayo de 1915.

procediendo "con un noble espíritu de justicia verdaderamente laudables", que hacían que se olvidaran "muchas de las flaquezas anteriores". Los elogios eran para los magistrados liberales Tancredo Nannetti y Manuel Angarita, que habían sido reelegidos por el Congreso, al igual que para José Gnecco: "modesto Magistrado de carrera, que esperemos justifique en la Corte las esperanzas de sus amigos", y también para José Miguel Arango, de quien dijo era un "brillante joven antioqueño" que honraría el puesto al que lo llevaron "la fortuna y la política".[12]

Las figuras opuestas eran los magistrados conservadores, de quienes, según el periódico, solo se podía esperar una Corte sectaria pues sus "meros nombres son todo un programa". La mayoría conservadora en la corporación quedaba integrada por Germán Pardo, Augusto N. Samper, Juán N. Méndez, Bartolomé Rodríguez y Marceliano Pulido. Así, para *El Tiempo,* se establecía una "Corte Suprema que no responde ni a los anhelos del país, sediento de imparcialidad y de justicia, ni a la necesidad imperiosa de realizar la reforma del Poder Judicial que con ahínco piden todos los hombres honrados".[13] Por último, el periódico alertó sobre el riesgo de que la nueva Corte actuara bajo intereses sectarios en favor de la política del régimen conservador que se instauraba con Concha:

> Hacemos votos porque el doctor Pardo vuelva la espalda a la política sectaria que ofusca su claro espíritu; porque los doctores Méndez, Rodríguez y Pulido cambien de almas, única manera de que dejen de ser lo que han sido, porque en la Corte Suprema reinen la imparcialidad, el recto espíritu jurídico, la competencia y el patriotismo que echamos de menos en algunos de sus miembros. Hacemos votos sinceros por todo eso, pero desgraciadamente los hacemos sin mucha fe.

Los liberales contra la Corte conservadora

Otro de los episodios que pone en evidencia la percepción partidista sobre la Corte lo situamos en tiempos de polarización política, en plena hegemonía conservadora, y ocurrió en 1925. Ese año fue ampliamente conocida la disputa pública entre el tribunal y el dirigente liberal Carlos Arango Vélez, que surgió cuando este último acusó a la Corte Suprema de Justicia de haber secundado al Gobierno conservador y de actuar movida por intereses partidistas. Para entender mejor el origen de las críticas de Arango volvamos unos años atrás, a una sentencia de la Corte que

12 *El Tiempo, ibídem.*

13 *El Tiempo, ibídem.*

se produjo en un tenso ambiente político, se trata del fallo de 1919, dictado por una corporación dominada por magistrados de origen conservador.[14]

En el Acuerdo del 21 de noviembre de 1919, la Corte Suprema de Justicia declaró inexequible el Decreto 1255 Bis de junio de 1919 expedido por el presidente conservador Marco Fidel Suárez, por medio del cual se declaraba la propiedad estatal del subsuelo petrolífero. La medida de Suárez había causado una reacción adversa del Gobierno de los Estados Unidos, que consideró que con esta se afectaban gravemente los intereses de las compañías petroleras americanas en Colombia y ejerció presión sobre el Gobierno colombiano para que "desapareciera" el decreto. La decisión de Suárez también hizo que el Senado de los Estados Unidos empantanara la aprobación del Tratado Urrutia-Thompson que surtía su trámite en esa corporación.[15] Suárez intentó bajar la tensión con los americanos explicando que el decreto no comprometía ninguno de sus intereses en Colombia, pero sus esfuerzos fueron calificados por la oposición local como indignos tanto por facciones del partido conservador, como por la minoría liberal. De ese modo, la sentencia de la Corte Suprema era un alivio para el Gobierno colombiano,[16] pues gracias a esta podía mostrar a los Estados Unidos que sus intereses en el país quedaban a salvo y así reactivaba la aprobación del mencionado tratado. En el plano local, el fallo evitaba una derogatoria del decreto que hubiese sido calificada como una concesión del Gobierno de Suárez ante las pretensiones americanas. Sin embargo, la victoria de Suárez solo fue parcial y en el plano internacional, pues la oposición percibió que la decisión de la Corte era el resultado de las presiones del Ejecutivo y solo tenía como fin favorecer los intereses de las compañías petroleras extranjeras.[17]

La decisión de la Corte fue interpretada como el respaldo de un tribunal conservador al Ejecutivo conservador cuyos ecos sonaron por varios años. Así, en

14 Hacían parte de la Corte: Marceliano Pulido, José Miguel Arango, Francisco E. Diago, Juan N. Méndez, Tancredo Nannetti, Germán D. Pardo, Gonzalo Pérez, Bartolomé Rodríguez y Augusto N. Samper. Salvaron su voto los magistrados Diago, Arango, Pulido y Méndez.

15 El autor del decreto sobre petróleos fue Carmelo Arango, quien renunció al ministerio en septiembre de 1919, al parecer como resultado de las reacciones adversas al decreto.

16 El fallo tuvo amplio despliegue. *El Tiempo* del 25 de noviembre de 1919 dijo que la sentencia fue publicada "ayer" por *El Siglo*, *El Diario Nacional* y por el *Diario Oficial* Nos. 16962 y 16963. Según el periódico, debía respetarse y acatarse el fallo "en espera de un maduro y lento examen de la sentencia y los salvamentos". El acuerdo contó con una edición especial que publicó la Imprenta Nacional en 1919.

17 Suárez decía a sus amigos que confiaba en que "la Corte Suprema de Justicia tumbaría el decreto". Marco Palacios, *Entre la legitimidad y la violencia: Colombia, 1975-1994*, Colección Vitral, Norma, 2ª edición, Bogotá, 2008, p. 107.

1925, el jurista y dirigente liberal Carlos Arango Vélez expresó en la Convención Nacional del Partido Liberal:[18]

> Tampoco el Poder Judicial con que contamos en Colombia es un Poder Judicial que haga justicia. Nuestra justicia es esencialmente conservadora en el sentido en que cuando por cualquier circunstancia los intereses del partido conservador o del Estado conservador se hallan de por medio, la obediente justicia colombiana toma también una modalidad conservadora, se transforma, en otras palabras, de justicia estricta en justicia rigurosa y sectaria. Política internacional como cuando en 1919 la Comisión Asesora de Relaciones Exteriores trasladó al Procurador General de la Nación y a la Corte Suprema la voluntad norteamericana de que fallara un asunto en un determinado sentido.

Las afirmaciones del líder liberal fueron rechazadas rápidamente en la prensa por el magistrado liberal Tancredo Nannetti, quien llevaba la voz de la Corte.[19] Sobre la acusación de la intervención del Gobierno de Suárez en el fallo de 1919, Nannetti aclaró que la corporación solo había aplicado la Constitución, "que manda respetar el Estado de Derecho", pues en su criterio el Gobierno se había excedido en su potestad reglamentaria, pues solo la ley podía determinar el carácter de la propiedad sobre el subsuelo petrolífero.[20] También dijo que el concepto de la

18 Citado por Tancredo Nannetti en su columna "Por los fueros del Poder Judicial", *El Tiempo*, 25 de octubre de 1925, p. 2A.

19 Publicó dos columnas en *El Tiempo*. La primera fue del 25 de octubre de 1925 y se tituló: "Por los fueros del Poder Judicial". El 29 de octubre, la Corte aprobó una proposición, "por la cual se aplaude la actitud del Dr. Tancredo Nannetti y se ordena insertar unos artículos de la prensa" en la *Gaceta Judicial*.

20 El argumento central de la Corte para declarar la inconstitucionalidad del decreto era que el Ejecutivo había invadido la órbita del legislador, pues el tema regulado por el decreto era de exclusiva competencia del Congreso a través de la ley: "[...] Como los artículos 3º 4º y 5º del Decreto parten de la base de que las minas de petróleo situadas en predios particulares sin distinción alguna son propiedad de la Nación, puesto que se reserva el Gobierno la facultad de conceder o nó permiso para la exploración de las minas de petróleo en toda propiedad, y luégo de concedido el permiso y verificada la exploración, señala plazo para proponer al Gobierno un contrato de explotación, y determina las condiciones para obtener el permiso, como lo hace el dueño en su heredad, en ese concepto el Decreto acusado cambia un estado jurídico establecido por la ley, y quebranta el artículo 'S' del Acto Legislativo número 3 de 1910, el cual preceptúa que nadie podrá ser privado de su propiedad en todo o en parte sino por pena o apremio o indemnización o contribución general, con arreglo a las leyes. Los artículos citados del Decreto no se contraen ni a reglamentar las leyes, que es lo que atañe al Ejecutivo al respecto [...] Compete al Congreso, en quien reside la facultad de legislar, resolver por medio de leyes y dentro de las normas constitucionales, las cuestiones relativas a la cesión gratuita que de sus minas de petróleo ha hecho el Estado a los particulares dueños del suelo en que tales minas se hallen, de modo que el ejercicio de esa cesión no sea un obstáculo para los intereses nacionales". Corte Suprema de Justicia, Acuerdo del 21 de noviembre de 1919, Imprenta Nacional, Bogotá, 1919, pp. 16-18.

Comisión Asesora de Relaciones Exteriores no fue acogido por la Corte porque ofrecía menos protección a la propiedad estatal de las reservas petroleras que el criterio finalmente adoptado por el tribunal.[21]

Nannetti agregó que la corporación había dado suficientes muestras de respeto al derecho y a la institucionalidad, como, por ejemplo, cuando dos de sus magistrados, de reconocida y profunda religiosidad, desafiando a "sus pastores", entendieron la ley sobre el matrimonio civil. Puso como ejemplo de independencia de la Corte sus decisiones como la de 1911, que "dio interpretación extensiva al artículo constitucional sobre representación proporcional de los partidos, para dar entrada a las minorías a los tribunales superiores de justicia", o la inexequibilidad de la norma que prohibía el anuncio en los periódicos de carteles y avisos, en donde la Corte hizo respetar la libertad de prensa. También hizo memoria de otros fallos como el de las cédulas bancarias que facilitó el establecimiento del Banco de la República, o cuando salvó la creación de la Contraloría General de la República ante las acusaciones de que su establecimiento recortaba facultades presidenciales.[22]

Arango respondió a Nannetti aclarando que él no había querido lanzar acusaciones a la Corte, sino en contra de la Comisión Asesora de Relaciones Exteriores, y que sus críticas no habían querido señalar al tribunal por haber tomado una decisión bajo presión gubernamental. El magistrado agradeció con cierta ironía esa aclaración, pues esta "proviene de la lógica del notable abogado que con ecuanimidad rectifica el audaz aserto" e insistió en que la Corte no era culpable de que:

> [una sentencia] basada en inconmovibles fundamentos jurídicos produjera el efecto de que el Gobierno americano retirara el ominoso protocolo con que se quiso humillar al país, y de que ella acelerara la aprobación del tratado con los Estados Unidos, por el convencimiento de que un fallo llevó a la conciencia de que muchos honorables senadores de allá, de que los derechos civiles no están en Colombia sujetos a decretos o resoluciones voltarias, sino asegurados como en el país mejor constituido del mundo.[23]

21 Según la Corte, la Comisión señalaba que la protección de las reservas se debía considerar a partir del año 1902, mientras que la corporación había preferido dejar esta cuestión abierta. Sin embargo, aclaró que dos años después del fallo, con los mismos principios de la sentencia de 1919, la Corte había declarado que esas reservas se contaban desde que había entrado en vigencia el Código Fiscal de 1872, "quedando así la nación colombiana en mejores condiciones que México, cuyas reservas nacionales arrancan de la Constitución de 1917".

22 Luego pasó revista a fallos sobre el derecho privado en donde se evidenciaría el compromiso de la Corte con el derecho y la justicia y no con los partidos políticos. *El Tiempo,* 25 de octubre de 1925.

23 "Por la Corte Suprema de Justicia", *El Tiempo,* 29 de octubre de 1925.

En esta segunda columna, Nannetti aprovechó para aclarar el punto según el cual, en el fallo de 1919, un magistrado habría cambiado su voto a última hora. Recordó que siempre hubo cinco votos, incluido el del magistrado "en duda", por la inexequibilidad del decreto, y que la discrepancia solo se refería a la fecha desde la cual se reconocerían las reservas petroleras de la nación, cuestión que al final se dejó sin decidir.[24] En sus palabras: "Hubo estudio intenso, detenido y sereno, discusiones científicas, consultas de leyes antiguas y modernas, de decisiones y conceptos de la Corte Suprema Federal y del antiguo Senado de los Estados Unidos de Colombia, etc., esto es, se ilustró el criterio por todos los medios posibles, y se falló como entendimos el derecho y la justicia".[25]

Como podemos ver, con el fallo sobre petróleos de 1919, la Corte no solo terminó tomando partido en el ambiente enrarecido de la discusión sobre el Tratado Urrutia-Thompson, que fue uno de los factores para la desestabilización del Gobierno de Marco Fidel Suárez,[26] sino que estuvo en el centro de la discusión política por el alineamiento de la corporación con el régimen conservador.[27] La decisión del tribunal fue una excusa jurídica para la disputa partidista de 1925, cuando la hegemonía conservadora empezaba a mostrar ciertas fisuras y los liberales estaban cada vez menos resignados a permanecer al margen del poder.

Esa controversia incluso se mantuvo por más tiempo: dos años después de la disputa Nannetti-Arango, el Congreso decidió citar a los magistrados que habían dictado la sentencia de 1919 para que explicaran su fallo. Dos de quienes habían salvado su voto se negaron a comparecer ante el Congreso y en cambio enviaron un mensaje cuestionando el intento del Parlamento de afectar la independencia de la Corte, y en donde, además, señalaban que como magistrados no eran responsables ante el Congreso, sino "ante Dios y ante nuestras conciencias". Al final el Congreso aprobó una proposición en la que "solemnemente reafirmaba el profundo respeto

24 Se refería al magistrado Gonzalo Pérez.

25 "Por la Corte Suprema de Justicia", *El Tiempo,* 29 de octubre de 1925, p. 11.

26 Suárez renunció en octubre de 1921. Lo sucedió el designado a la Presidencia Jorge Holguín, quien terminó su período el 7 de agosto de 1922. A la renuncia parece haber contribuido el Congreso hostil que debió enfrentar cuando este debía aprobar las modificaciones del Senado de los Estados Unidos al Tratado Urrutia-Thompson de 1914. Jorge Orlando Melo, "De Carlos E. Restrepo...", *op. cit.,* p. 215.

27 Antes de producirse la sentencia se percibía que la Corte preservaría la propiedad privada sobre el subsuelo petrolífero. *El Espectador* del 21 de noviembre de 1919 lo pone de presente: "Asegúrase que la Corte [...] declarará parcialmente inexequible, con salvamento de votos, el Decreto [...] sobre la propiedad petrolífera. Dícese que el subsuelo de las propiedades particularidades *(sic)* pertenecerá a los dueños de estas. Varios propietarios de los grandes terrenos petrolíferos, que pensaban presentar un memorial al respecto, se abstendrán ya de hacerlo, al tener conocimiento del fallo de la Corte".

que debía a las decisiones emanadas por el más alto tribunal, que por mérito y rectitud se le había confiado el honor de la República".[28]

La lucha por el dominio de la Corte tras el derrumbe de la hegemonía conservadora

La polarización política del país iba generando distintas percepciones partidistas sobre la Corte Suprema de Justicia. La corporación poco a poco era vista como una institución más en donde los partidos ejercían su poder. No parecía suficiente tener el poder Ejecutivo, ni las mayorías en el Congreso, también era importante llenar la Corte con juristas afines al partido político correspondiente.

Esto, por ejemplo, se puso en evidencia durante la transición de la hegemonía conservadora al régimen liberal, en el año 1930. Enrique Olaya Herrera había conquistado la Presidencia de la República para los liberales en las elecciones del 9 de febrero de 1930, cuando por una abrumadora mayoría de votos sacudió los cimientos de la hegemonía conservadora. Aunque desde su posesión, el 7 de agosto de 1930, propuso un Gobierno de "concentración nacional", con un gabinete integrado por liberales y conservadores, el ejercicio del poder Ejecutivo por los liberales creaba complejas tensiones políticas, pues el conservatismo mantenía su dominio en el Congreso y en las altas cortes.

El siguiente período de la Corte Suprema de Justicia inició el 1 de mayo de 1930, de modo que al presidente Olaya le correspondía gobernar con una corporación que en su mayoría estaba compuesta por magistrados conservadores, pues estos llegaban a la Corte luego de haber sido incluidos en ternas por el último presidente de la hegemonía conservadora, Miguel Abadía Méndez (1926-1930),[29] y por el Congreso dominado por ese mismo partido. Empero, en 1931 ocurrió algo realmente inesperado: el magistrado conservador Juan N. Méndez falleció al servicio

28 *Academia Colombiana de Jurisprudencia*, Vol. 10, 1927, p. 79. Citada por J.A.C. Grant, en "'Contract Clause' Litigation in Colombia: A Comparative Study in Judicial Review", en *The American Political Science Review*, Vol. 42, No. 6, diciembre de 1948, pp. 103-126.

29 Las ternas que presentó a la Cámara de Representantes fueron: Por el partido conservador: 1) Francisco Tafur A., Isaías Lozano y Abel Ramírez; 2) Julio Luzardo Fortoul, Narciso Torres Meléndez y Abraham Arenas; 3) Jesús Perilla V., Ignacio R. Pineros y Eladio Gómez; 4) Enrique Becerra, Carlos Bravo y Víctor Manuel Urrea; y por el partido liberal: 5) Luis Felipe Rosales, Salvador Iglesias y Belisario Gómez, y 6) Parmenio Cárdenas, Remigio González Gooding y Jorge Gartner. Los nombres que encabezaban las listas correspondían a los magistrados de la Corte que podrían ser reelegidos. El 29 de agosto de 1929, la Cámara eligió a seis magistrados: Fortoul, Pineros, Becerra, Rosales, Cárdenas y Tafur. Perilla fue el único que no fue reelegido. En la elección participaron 75 representantes conservadores y 35 liberales. Consejo de Estado, sentencia del 1 de abril de 1930.

de la Corte y, por lo tanto, era necesario proceder a su reemplazo. Esta parecía ser la oportunidad de Olaya Herrera para llevar a otro magistrado liberal a la Corte, que estaba compuesta por ocho conservadores y cuatro liberales.

El magistrado que reemplazaría a Méndez debía elegirlo el Senado. Para los conservadores, si Méndez había sido elegido para el período 1930-1935 por un Congreso de mayorías conservadoras y si el magistrado saliente era conservador, su sucesor tendría que ser de ese mismo partido. Pero Olaya quería otro liberal en la Corte con el fin de "aminorar en la más alta corporación judicial el tremendo desequilibrio en que se encontraban hasta antes de esa elección, los dos partidos [...] Esa tesis fue tomando cada día mayor fuerza, y tanto en el Senado como en la Corte Suprema de Justicia, no se miró con hostilidad una posible elección de un liberal para la magistratura".[30] Por eso postuló a tres juristas liberales: Ricardo Hinestrosa Daza, José Joaquín Hernández y Eduardo Rueda Fonseca.[31] Con esa terna, el Senado conservador no tenía otro camino que elegir a un liberal en reemplazo de la silla conservadora que había quedado vacante en la Corte. Pero los conservadores no estaban dispuestos a perder un magistrado en el máximo tribunal del país; antes de que el Senado hiciera la elección, el dirigente conservador Juan Uribe Cualla demandó ante el Consejo de Estado la conformación de las ternas y pidió que se suspendiera la elección. El Consejo respondió al pedido conservador declarándose incompetente para juzgar la conformación de la terna presidencial. El Senado siguió adelante y eligió al magistrado José Joaquín Hernández, el 12 de septiembre de 1931. Los conservadores siguieron insistiendo en su propósito de evitar que llegara un magistrado liberal a una plaza que consideraban como suya; esta vez Uribe Cualla le pidió al Consejo la nulidad de la elección del magistrado Hernández. El 19 de noviembre de 1932, ese tribunal decidió que la elección no

30 Así lo pronosticó *El Tiempo* del 9 de septiembre de 1931: "El nuevo magistrado de la Corte Suprema será un Liberal", cuando dijo que la Corte Suprema "daría el ejemplo" que deberán seguir otras "corporaciones similares, con la "representación proporcional" de los partidos, es decir, de igual modo a como estaban compuestas las cámaras.

31 En su demanda ante el Consejo, Uribe Cualla comentó así los perfiles de los ternados: "Ricardo Hinestrosa Daza, José Joaquín Hernández y Eduardo Rueda Rueda, todos tres ciudadanos de reconocida filiación liberal, de los cuales el primero ha ido Magistrado de la Corte Suprema en representación de minoría (liberal) y Magistrado del Tribunal Superior de Bogotá en el mismo carácter; el segundo ha sido Senador por minoría (liberal) por el Departamento de Antioquia, y ocupaba hasta el día siguiente de su elección, el elevado puesto de miembro de la Dirección Nacional del Liberalismo, posición a la cual hasta hoy no ha renunciado en forma alguna: y el último ha ocupado cargos representativos del liberalismo en corporaciones públicas, como la Cámara de Representantes y Asamblea de Santander, y en uno de los Tribunales del Departamento de este mismo nombre". Consejo de Estado, sentencia del 12 de noviembre de 1932, consejero ponente Félix Cortés.

había quebrantado la Constitución ni la ley,[32] pues en este caso lo que se había hecho era disminuir la representación de un partido mayoritario en la Corte (el conservador) en favor de una minoría (la liberal).

De este modo, en medio de estrategias jurídicas y disputas judiciales, Olaya Herrera y el partido liberal lograron reducir en algo la ventaja numérica que les llevaban los conservadores; una ventaja acumulada en cuatro períodos consecutivos de la Corte Suprema, en que el conservatismo había dominado las elecciones para la corporación, gracias a sus mayorías en el Congreso y a haber ganado el Ejecutivo desde el año 1914.

El partidismo en la disputa por la presidencia de la Corte

Como hemos dicho, la última Corte dominada por el partido conservador inició su período el 1 de mayo de 1930, pocas semanas después de que Olaya Herrera ganara la Presidencia de la República, pero antes de su posesión en el cargo, que estaba prevista para el 7 de agosto de 1930. De este modo, al Ejecutivo liberal le tocó convivir con una Corte Suprema de Justicia dominada por el partido contrario y en tiempos en que el Congreso aún seguía en mano de mayorías conservadoras.

Esta última Corte conservadora debía elegir su presidente y su vicepresidente. Entonces, el 2 de mayo de 1930, los magistrados liberales propusieron que el presidente fuese el liberal Tancredo Nannetti. La mayoría conservadora se negó y prefirió postular al magistrado conservador Juan N. Méndez, aunque le ofreció a la minoría liberal la vicepresidencia de la corporación. Los magistrados liberales, en minoría, Tancredo Nannetti, Luis Felipe Rosales, José Miguel Arango y Parmenio Cárdenas, dejaron sentada su voz de protesta: no participaron en la elección del presidente y tampoco aceptaron la vicepresidencia, pues expresaron que la mayoría conservadora había hecho predominar criterios partidistas en la conformación de la mesa directiva de la corporación. La mayoría en la Corte no se inmutó ante la protesta de sus colegas liberales; no solo eligió a Méndez sino que designó como vicepresidente al también conservador Juan E. Martínez. La minoría liberal pidió

32 Esto dijo el Consejo: "[...] No son las mayorías las que merecen el favor de la ley; estas, por su propia potencialidad, deciden de las cuestiones en el seno de la corporación de que forman parte; la ley pues de las minorías mira a que las opiniones de los grupos menores sean tenidas en cuenta. De ahí que la circunstancia de que se arrebate un derecho a la mayoría, si bien en teoría el caso merece ser dilucidado, no acaece lo mismo en su realización, pues su acaecimiento implica o bien que la mayoría cedió de su derecho estricto [...] o bien que quien alega serlo, no cuenta con el número de votos suficientes [...]". Sentencia del 12 de noviembre de 1932, consejero ponente Félix Cortés. Julio Cancino salvó voto.

que en el acta de instalación de la Corte se dejara una constancia similar a la que se había formulado por la minoría liberal en otra elección de dignatarios de la Corte, el 15 de diciembre de 1926. La constancia de 1930 decía:[33]

> Los suscritos magistrados, teniendo en cuenta:
>
> 1. Que la Corte Suprema de Justicia es una corporación ajena a las luchas políticas;
> 2. Que los señores magistrados de la mayoría sistemáticamente considera que los magistrados de filiación liberal están incapacitados por sus opiniones políticas para ocupar la presidencia de la Corte;
> 3. Que las mismas razones deben militar en lo que se refiere a la vicepresidencia.
>
> Hacen constar su firme decisión de no aceptar este último cargo, que debe recaer, como la presidencia, en uno de los miembros de la mayoría de la Corporación.

Así las cosas, estos episodios narrados nos dejan ver el partidismo en la Corte en varias imágenes. No solo hubo controversias públicas sino uso de herramientas jurídicas para garantizar la representación política en el máximo órgano judicial del país. Como lo veremos en las páginas siguientes, liberales y conservadores pretendieron extender a la Corte Suprema el dominio partidista que iban adquiriendo en el Ejecutivo y el Legislativo. Ocurrió con la hegemonía conservadora, entre 1914 y 1930, con los gobiernos de José Vicente Concha (1914-1918), Marco Fidel Suárez (1918-1922), Pedro Nel Ospina (1922-1926) y Miguel Abadía Méndez (1926-1930), y luego con la hegemonía liberal entre 1930 y 1945, bajo los gobiernos de Olaya Herrera (1930-1934), Alfonso López Pumarejo (1934- 1938), Eduardo Santos (1938-1942) y el segundo mandato de López (1942-1946).[34]

Ahora pasemos a las líneas jurisprudenciales que nos ponen de presente los ambientes políticos cargados de partidismo en los que la Corte actuó durante las hegemonías conservadora y liberal.

33 Dice *El Tiempo* del 4 de mayo de 1930: "La mayoría de la Corte Suprema se negó a elegir presidente liberal". Y agrega: "Al instalarse anteayer el personal de la Corte Suprema de Justicia, elegido por las cámaras el año pasado para un período de cinco años que principió el primero del presente mes, varios magistrados se negaron a votar por un candidato de la minoría, teniendo en cuenta viejos prejuicios de orden político. De la negativa protestaron los miembros de la minoría, quienes votaron por el doctor Nannetti y manifestaron que si no podían elegir presidente tampoco aceptaban el cargo de vicepresidente que se les ofrecía, como si la Corte fuera una corporación política".

34 López renunció a su cargo en 1945 y fue reemplazado por el designado a la Presidencia Alberto Lleras Camargo, quien terminó el período presidencial.

El control constitucional entre las hegemonías liberal y conservadora

Regresando a los ejes jurisprudenciales propuestos como punto de entrada a la historia de la Corte Suprema de Justicia, tres de ellos son útiles para capturar este período: el control constitucional del estado de sitio, el de las leyes por vicios en su trámite y el de los tratados internacionales.[35]

El control constitucional del estado de sitio

La Corte Suprema conservadora y su respaldo a la represión del Gobierno conservador

El último presidente de la hegemonía conservadora fue Miguel Abadía Méndez, quien asumió el cargo el 7 de agosto de 1926.[36] Durante su Gobierno la agitación laboral creció de la mano de un naciente sindicalismo que se levantaba en contra de las injustas condiciones laborales que afectaban a gran parte de la población obrera del país. Como dice Germán Colmenares:

> Si se comparan los dos últimos períodos conservadores, puede verse claramente la manera como la política de corte más tradicional entorpecía un proyecto de modernización económica [...] El presidente [Abadía Méndez] no mostraba un entusiasmo especial por el progreso que contagiaba al país. Su conservadurismo podía medir las consecuencias sociales de un vasto plan de obras públicas que desarraigaba a miles de peones y que triplicaba sus salarios [...] Pero si el entorno político trastornaba las empresas en que se había embarcado el Estado colombiano, estas a su turno iban dando lugar a fenómenos sociales que transformarían radicalmente el juego político. Conflictos urbanos comenzaron a desdibujar por primera vez los conflictos rurales.[37]

Abadía enfrentó graves turbaciones del orden público originadas en conflictos laborales.[38] El ambiente de agitación social había ganado vigor y este, en parte, se

35 El cuarto eje (control de reformas constitucionales) no se tendrá en cuenta aquí, pues la primera demanda en contra de una reforma constitucional solo se produce hasta 1955.

36 Eduardo Posada Carbó pone de presente que la hegemonía conservadora, como período, ha sido muy poco explorada por la historiografía nacional. Véase: Eduardo Posada Carbó, "Limits of Powers: Elections Under the Conservative Hegemony in Colombia, 1886-1930", en *The Hispanic American Historical Review,* Vol. 77, No. 2, mayo de 1997, Duke University Press, pp. 245-279, p. 246 y Nota No. 7.

37 Germán Colmenares, "Ospina y Abadía: la política en el decenio de los veinte", en *Nueva Historia de Colombia,* Tomo I, *Historia Política, 1886-1946,* Planeta, Bogotá, 1989, pp. 255-256.

38 Daniel Pécaut, *Orden y violencia: Colombia, 1930-1954,* Vol. I, Cerec, Siglo XXI, Bogotá, 1987, p. 90.

expresó en la creación del Partido Socialista Revolucionario, en 1926, y en una ola de huelgas que se extendían por todo el país.[39] Por ejemplo, en 1927 estalló la huelga de la Tropical Oil Company, que fue reprimida con severidad por el Gobierno. Al poco tiempo, los trabajadores de la empresa de teléfonos de Bogotá también entraron en cese de actividades, y luego, a mediados del mismo año, los obreros de Bavaria también se fueron a la huelga.[40]

El Gobierno conservador veía en el sindicalismo y en las protestas sociales "la amenaza de un comunismo que avanza sobre la nación". Por su parte, aunque después de la derrota de la Guerra de los Mil Días el partido liberal había quedado convertido en una fuerza política minoritaria incapaz de conquistar el poder por más de dos décadas, poco a poco parecía canalizar los sentimientos de frustración de sectores sociales como el obrero.

La respuesta conservadora a la protesta social fue la represión. El conflicto laboral y la movilización de los sectores sociales, especialmente urbanos, fueron tramitados como un asunto de orden público frente al que el Estado debía actuar con severidad y prontitud para evitar que la alianza del comunismo internacional con sediciosos locales lograra destruir las instituciones. Veamos algunas de las herramientas jurídicas que empleó el Gobierno conservador para concretar su respuesta y el papel que en ellas jugó la Corte Suprema de Justicia.

El juicio de la Corte Suprema al Decreto de Alta Policía

Para defender al Estado y a la sociedad, el presidente Miguel Abadía Méndez dictó el Decreto 707 del 26 de abril de 1927: "Por el cual se dictan reglamentos de Policía Nacional, sobre orden público, reuniones públicas y posesión de armas y

39 En septiembre de 1926 se produjo la huelga del Ferrocarril del Pacífico, en la que intervinieron ocho mil trabajadores. Al comienzo hubo una mediación no muy efectiva del Ministerio de Industrias en los conflictos laborales, pero pronto fue imponiéndose un manejo militar y de orden público.

40 "El Gobierno de Miguel Abadía Méndez estuvo rodeado por múltiples dificultades desde su comienzo, en agosto de 1926. Los altos ingresos de divisas causados por la expansión de las exportaciones cafeteras, el pago de la indemnización de Panamá y la profusión de créditos internacionales permitieron la realización de un ambicioso programa de desarrollo económico durante el anterior Gobierno. Pero el ambiente de bonanza que vivía el país era contrarrestado por el alza acelerada del costo de la vida, provocada por la expansión monetaria generada por el ingreso de moneda extranjera y por severos problemas de abastecimiento agrícola. En efecto, los propietarios rurales habían tropezado con una situación de escasez de mano de obra, ante la migración de trabajadores rurales hacia las zonas urbanas, y con un aumento en las reivindicaciones de aparceros y jornaleros". Jorge Orlando Melo, "La Ley Heroica de 1928: a propósito del estatuto de seguridad", publicado en el diario *El Espectador* de septiembre de 1978, reproducido en "Colombia es un tema", sitio de internet del autor. Disponible en: http://www.jorgeorlandomelo.com/leyheroica.htm. Consultado el 20 de enero del 2011.

municiones". El decreto decía fundarse en la facultades que el Congreso le había conferido al Gobierno en la Ley 51 de 1925, sobre reorganización de la Policía. Esa ley, a su vez, había sido aprobada durante la administración del también conservador Pedro Nel Ospina, caracterizada por la modernización de varias instituciones del Estado. La ley precisamente acogía las propuestas de la comisión de modernización del Ejército y de la Policía Nacional que ese Gobierno había contratado con Francia.

El Decreto 707 de 1927[41] fue el antecedente inmediato de la tristemente célebre "Ley Heroica", expedida en 1928 bajo el impulso del Ejecutivo liderado por el intransigente ministro de Gobierno de Abadía, Ignacio Rengifo, quien veía al comunismo en todas partes. El Decreto se dictó el 16 de abril de 1927, buscando que pudiera ser aplicado rápidamente por las autoridades con el fin de prevenir posibles hechos de gravedad que podrían presentarse el 1 de mayo de 1927, cuando sectores sindicales se aprestaban a celebrar el Día del Trabajo.[42] En general, el Decreto de Alta Policía contenía un paquete de medidas que dejaban en manos de la Policía Nacional la función de "prevenir" los actos delictivos y hechos de turbación del orden público, con un claro fin de reprimir la movilización de los sindicatos y evitar que a través de estos "el comunismo internacional se tomara a Colombia".[43]

41 Aunque no se trata de un decreto de estado de sitio, el Decreto 707, así como la sentencia de la Corte que lo declaró exequible, son de gran importancia para comprender el rol político de la Corte y de su control constitucional durante este período. Como veremos, aparecen pistas sobre las doctrinas de un tribunal que actuaba como una parte esencial del régimen conservador, que se encontraba camino a su disolución.

42 "El Gobierno trató de responder a la agitación obrera y de izquierda utilizando fórmulas represivas. Haciendo uso del llamado Decreto de Alta Policía, aprobado en abril de 1927, hizo detener a casi todos los delegados a la Convención Nacional del PSR que tuvo lugar en septiembre de ese año; los partidarios de este grupo eran hostilizados y apresados con frecuencia por las autoridades. No sólo el Gobierno consideraba nociva la agitación izquierdista, el 19 de marzo de 1928 *El Tiempo* afirmó en su editorial lo siguiente: 'Es unánime la censura contra la debilidad del Gobierno que ha permitido las constantes agitaciones socialistas y las prédicas sobre eliminación de los burgueses y capitalistas, especialmente contra aquellos señalados como enemigos de las llamadas reivindicaciones obreras'. Otros grupos liberales, sin embargo, estaban lejos de apoyar esta posición. El mismo periódico publicó el 26 de abril las declaraciones de Alfonso López Pumarejo, en las que afirmaba que 'en ocasiones muy adversas, luchando contra todo género de resistencias, Uribe Márquez, Torres Giraldo, María Cano, adelantan la organización de un nuevo partido político que lleva trazas de poner en jaque al régimen conservador; y no es el menor de sus derechos a la simpatía de los espíritus sinceramente democráticos el estar sirviendo en esta hora de confusión y cobardía de exponente del descontento general con la incapacidad administrativa de los encargados de la cosa pública'". Jorge Orlando Melo, "La Ley Heroica de 1928...", *op. cit.*

43 Eduardo Posada Carbó, citando a Malcom Deas, ofrece una mirada sobre los modestos efectos de las medidas represivas de Abadía, como el Decreto 707 de 1927: "Estas medidas, sin embargo, tuvieron poco efecto en detener la creciente oposición contra el régimen, tanto del partido socialista revolucionario, como más significativo, aún, del partido liberal e inclusive de copartidarios conserva-

El dirigente obrero Pablo Emilio Sabogal González[44] demandó por inconstitucionalidad el Decreto 707 de 1927 ante la Corte Suprema de Justicia, porque consideró que el presidente de la República había dictado medidas que solo eran de competencia del Congreso, con lo cual el Ejecutivo había invadido esferas de ese órgano y, por tanto, quebrantaba la Constitución. Además, señaló que el decreto también vulneraba la Constitución porque: atribuía funciones de los jueces ordinarios a la Policía Nacional, pretermitía "las formalidades y procedimientos legales propios de cada juicio para juzgamiento y castigo de los juicios criminales", permitía a la Policía hacer detenciones y allanamientos y cerrar lugares de reunión, restringía la libertad de tránsito y, con todo esto, se desconocían "los derechos y garantías sociales que la Constitución consagra y deja a las personas residentes en Colombia a merced y voluntad de funcionarios de policía, las más de las veces ignorantes y arbitrarios".[45]

El 13 de noviembre de 1928, es decir, más de un año y medio después de que el decreto hubiera entrado en vigencia, la Corte Suprema,[46] integrada por una mayoría de magistrados conservadores, decidió la demanda de Sabogal y declaró exequible el Decreto de Alta Policía con la excepción de unas muy pocas medidas que declaró inexequibles. Estas últimas eran poco significativas, dada la gran cantidad de disposiciones que le daban carta blanca a la fuerza pública para reprimir las protestas sociales del momento.

---

dores. Como lo ha observado Malcom Deas, esta campaña contra la amenaza roja 'no tuvo éxito y fue altamente ridiculizada'. En la costa atlántica, 'las gentes no tenían en cuenta el decreto liberticida'. Las autoridades, 'sobre todo en las ciudades le miraban sin darle ninguna importancia. Sólo en algunos poblados de la zona bananera —aunque claro que no en Santa Marta ni en Ciénaga—, las autoridades lograron ocasionalmente limitar las actividades de los sindicalistas'". Eduardo Posada Carbó, "Cien años de soledad y las bananeras", en *Boletín Cultural y Bibliográfico,* Vol. 35, No. 48, 1998, p. 10.

44 Sabogal hizo uso de varias acciones públicas en la década de los veinte, tanto ante la Corte como en acciones electorales ante el Consejo de Estado, en 1928 y 1939. Estuvo vinculado a grupos de trabajadores y a activistas "comunistas" a finales de los años veinte y comienzos de los treinta. Fue identificado por la prensa de la época como uno de quienes lideró una protesta en Girardot, el 1 de mayo de 1931, acusando al Gobierno de Olaya Herrera de haberse dejado "comprar" por los intereses norteamericanos en la industria petrolera nacional con motivo del contrato de Catatumbo. *El Espectador,* mayo 2 de 1931. Al parecer fue cercano al liberalismo de la Revolución en Marcha. En 1939 fue candidato suplente a la Cámara de Representantes por el partido liberal del departamento del Quindío.

45 Corte Suprema de Justicia, sentencia del 13 de noviembre de 1928, *G.J.,* No. 1832, Tomo XXXVI, Bogotá, enero 28 de 1931.

46 La Corte estaba integrada por José Miguel Arango, Enrique Becerra, Parmenio Cárdenas, Germán B. Jiménez, Julio Luzardo Fortoul, Juan N. Méndez, Tancredo Nannetti, Jesús Perilla, Luis F. Rosales, Francisco Tafur, Juan C. Trujillo Arroyo y Jenaro Cruz. La mayoría conservadora estaba compuesta por los magistrados Trujillo, Méndez, Fortoul, Becerra, Tafur, Jiménez, Perilla y Muñoz. La minoría liberal, que salvó el voto, la conformaban Rosales, Nannetti, Cárdenas y Arango.

La Corte consideró que la Ley 51 de 1925, que el Gobierno había invocado para dictar el Decreto 707 de 1927, tan solo se circunscribía a la reorganización administrativa y material del Ejército y de la Policía Nacional, de modo que las facultades conferidas por el Congreso al Ejecutivo no se extendían a la reglamentación de la "Alta Policía" que contenía el decreto. Para esto, la corporación no solo consultó el texto de la Ley 51, sino que exploró sus orígenes[47] y analizó el trámite surtido en el Congreso. La conclusión de la Corte fue categórica: "Todos estos antecedentes demuestran que desde un principio el legislador de 1925 sólo tuvo el pensamiento de mejorar el Ejército y la Policía Nacional por el aspecto de su administración y comodidad material".[48]

Pero la Corte conservadora quería respaldar al Gobierno de Abadía en su lucha contra el "comunismo internacional que se quería tomar a Colombia" y, entonces, buscó la doctrina que le permitiera justificar la constitucionalidad del Decreto de Alta Policía. Así, aunque admitió que las facultades legales invocadas por el Gobierno para dictar el decreto no correspondían a las conferidas por la Ley 51 de 1925, las medidas que este contenía sí correspondían plenamente a las facultades constitucionales y legales que tenía el Ejecutivo para garantizar la seguridad y el orden público en el territorio nacional. Dijo la Corte: "El Decreto, en lo que respecta a sus disposiciones sobre orden público, no se halla comprendido en las autorizaciones que el Congreso otorgó al Gobierno en el ramo de la Policía, sí está basado en atribuciones propias del Presidente de la República dimanadas de la Constitución y en las facultades delegadas por el legislador en la Ley 41 de 1915".[49]

Entonces, según el análisis de la "naturaleza" y de los "fines" del Decreto 707 de 1927, para el tribunal no quedaba ni la menor duda de que este había sido dictado en ejercicio de las atribuciones generales que la Constitución le confería al presidente de la República para preservar el orden público. Para la Corte tales atribuciones eran de dos tipos: preventivas y represivas y, en este caso, lo que había hecho el Ejecutivo era regular las atribuciones preventivas de policía, es decir, aquellas que "tienen por misión descubrir los planes y confabulaciones secretas y hacerlas malograr antes de que estallen las obras". Tales atribuciones, razonaba la corporación, buscaban preservar la tranquilidad pública y entre las posibles perturbaciones,

47 "Si el texto de la Ley 51 no fuera, como lo es, suficientemente claro en punto a la clase de autorizaciones que a juicio de la Corte recibió el Gobierno, el espíritu o intención del legislador no permitiría la menor duda, espíritu o intención manifestada en la historia fidedigna de su establecimiento, fuente a la cual se debe recurrir para inquirir el verdadero pensamiento de la ley". Corte Suprema de Justicia, sentencia del 13 de noviembre de 1928, *op. cit.*, p. 194.

48 *Ibídem*, p. 196.

49 *Ibídem*.

"la más grave y trascendental es la revolución que atente contra la seguridad del Estado y las instituciones fundamentales sobre que descansa la sociedad política".

Según el tribunal, la Ley 41 de 1915, que había creado la Policía Nacional, aunque no se había referido a las atribuciones preventivas de policía, como las de vigilancia y seguridad, hoy tales atribuciones eran reconocidas en la teoría del derecho administrativo. Así, dijo que la llamada "policía política" era el ramo específico que, siguiendo al tratadista Lacaud, estaba "encargado de la prevención contra las maquinaciones y conjuraciones que atenten contra la seguridad del Estado, y de la supervigilancia de los partidos u organizaciones que, como la de los anarquistas, amenacen el orden social".

Señaló que si bien el legislador se había abstenido de regular la cuestión de la policía política, y aún en el caso en que lo hubiese hecho, esa regulación habría sido "insuficiente, cuando no vana", pues los eventos de que se ocupaba ese tipo de policía eran tan inesperados y súbitos que escapaban "a la prudencia del legislador". De este modo, encontró plenamente justificado que el Ejecutivo se hubiese decidido a dictar el Decreto 707 de 1927, actuando como "suprema autoridad administrativa, y poder concurrente en la conservación del orden público", ya que era inconcebible que el "guardián supremo de la paz pública hubiera de permanecer impasible y encadenado ante peligros amenazantes, en espera de la reunión del Congreso que expidiese las leyes adecuadas y oportunas, si es que podía expedirlas, mediante debates encendidos e intrincados. Semejante teoría rayaría absurda y criminal de lesa patria".[50]

La Corte respaldó al Gobierno con su interpretación constitucional favorable al decreto y en una viva alusión al contexto en que se producía la medida de Abadía, puso de presente los "peligros" para la tranquilidad pública, la seguridad del Estado y la estabilidad del Gobierno que enfrentaba el país (riesgos de una revolución comunista), de modo que se justificaba la expedición de un decreto como el Decreto de Alta Policía. Dijo la corporación:

> Que aquellos peligros existen, es un hecho innegable. Pueden no tener todavía en Colombia la intensidad que en otras naciones, pero despuntan ya amagos y manifestaciones de ellos; y es lo cierto, con evidencia, que un partido político social existe hoy en el mundo, con organización vasta y robusta, con programas definidos, con centros poderosos, como la Unión Soviet, con proselitismo ardoroso y pujante, cuya acción universal no respeta fronteras, sino que penetra en todas las naciones [...] prevaliéndose en pro de sus designios de cuantos problemas políticos, económicos o

50 *Ibídem*, p. 197.

sociales surgen en el seno de cada país, y cuyas conquistas han escalado ya en varias naciones las cimas del poder público [...] Sus doctrinas no se ocultan ni disfrazan, sino que son pregonadas como un nuevo evangelio que ha de derribar la autoridad constituida, destruir el régimen de la familia y de la propiedad y borrar en el alma humana la dulce, gloriosa, y consoladora noción de la patria.

Como vemos, para la Corte había una amenaza comunista que avanzaba por el mundo y quería tomarse a Colombia. Su apreciación era que existían amenazas reales contra la "tranquilidad pública" y que estas no eran de poca monta sino tan graves que exigían la pronta actuación de los poderes públicos del Estado, y por supuesto, incluyendo la Corte Suprema. La corporación comentó que ya había experiencias en los países poderosos que "no han vacilado en empuñar el escudo protector, valiéndose de circunstancia que al parecer son ajenas a la defensa".[51] Citó el caso de los Estados Unidos, que no había querido reconocer al régimen bolchevique de Rusia y en donde un informe presentado al Senado por el secretario de Estado, Frank Billings Kellogg, en enero de 1924, había advertido que las acciones de ese régimen han logrado "encender el resentimiento de los países de la América Latina y del Extremo Oriente contra el Gobierno y pueblo de los Estados Unidos".[52] En palabras de la Corte: "Estos antecedentes [...] los aduce la Corte [...] para demostrar las proporciones magnas que en todo el mundo presenta el problema de la propaganda comunista, de la cual no está exenta Colombia [...] ha llegado el momento en que el Poder Legislativo y el Presidente de la República, con acción armónica, vigorosa y oportuna, den vida y aliento a la atribución constitucional de conservar el orden público".

51 La preocupación de los Estados Unidos sobre el avance del comunismo en América Latina había crecido durante la década de los veinte. La invasión a Nicaragua por tropas americanas en 1927 se había justificado, en parte, para frenar el "avance bolchevique" en Centroamérica. Manuel Caballero, *La internacional comunista y la revolución latinoamericana, 1919-1943*, Editorial Alfa, 3ª edición en español, Caracas, 2006, pp. 125-127.

52 En América Latina, el movimiento obrero y la izquierda se habían aglutinado en la "Liga Antiimperialista de las Américas", Ladla, creada en México a finales de 1924, que fue importante para Moscú durante la segunda mitad de la década de los veinte, cuando la región empezó a ser tenida en cuenta como un posible espacio para la revolución socialista. El panamericanismo antiestadounidense de la Liga se manifestaría, entre otros, en la lucha obrera contra el *trust* del Azúcar en Cuba, en 1925, su lucha a favor de la independencia Filipina de los Estados Unidos, campañas en Argentina y México en defensa de la soberanía nacional contra los intereses americanos en la explotación de petróleo y en el apoyo a Sandino para liberar a Nicaragua de la invasión americana, en 1927. Daniel Kersfefeld, "La Liga Antiimperialista de las Américas: una construcción política entre el marxismo y el latinoamericanismo", en *El comunismo: otras miradas desde América Latina*, Elvira Concheiro, *et al.*, UNAM, Centro de Investigaciones Interdisciplinarias en Ciencias y Humanidades, México, 2007.

La corporación, además, buscó otro respaldo a su argumento de que el decreto, aunque había excedido las facultades otorgadas por el legislador, se fundaba en las competencias del Ejecutivo para velar por la seguridad y el orden público. Así, trajo de los Estados Unidos la doctrina de las "facultades incidentales o implícitas de los poderes nacionales", que según el tribunal era "propia del derecho constitucional moderno". Para la Corte, según esa doctrina desarrollada por la jurisprudencia de la Corte Suprema de los Estados Unidos: "[...] no existe en la Constitución atribución alguna que no entrañe y lleve consigo en su aplicación otras que, si bien tácitas, son vitales para las primeras y necesarias a su ejercicio". Ese trasplante doctrinal, decía el tribunal, provenía de "el intérprete soberano de la Constitución de aquella República ha sido fuente y norma de las Constituciones colombianas [por lo cual] no es dable a la Corte en esta ocasión, cuando por vez primera debe establecer jurisprudencia sobre el particular, prescindir de estos antecedentes históricos, como medio indispensable para fijar el sentido y alcance de las disposiciones de nuestra propia Constitución".[53]

La corporación luego entró a analizar los alcances de esa doctrina. Según su interpretación de la jurisprudencia americana, la Constitución de los Estados Unidos le atribuía a los poderes de la Unión facultades explícitas que llevaban consigo otras tácitas (implícitas), pero vitales para el ejercicio de las primeras. El tribunal, además, sostuvo que la jurisprudencia local ya había adoptado esa doctrina, tanto con respecto al Congreso como al Ejecutivo, y precisó:

> La doctrina constitucional sobre facultades incidentales que se deja expuesta, no significa que el funcionario o la corporación que haya de ejercitarlas tenga un poder arbitrario para ejecutar actos o dictar disposiciones que traspasen la atribución expresa que les ha conferido la Constitución y a la cual deben ser anexas aquellas facultades. Esta doctrina de manera alguna consiente la dictadura, ni autoriza la usurpación; ella fielmente interpretada, no es sino la manifestación en derecho público del derecho natural que reconoce a quien ha de cumplir un deber o realizar un fin legítimo, la facultad de emplear los medios lícitos que para ello sea necesario.

Así las cosas, su papel como juez de la Constitución obligaba a la Corte a hacer una "apreciación amplia" de las necesidades de cada momento e interpretar el contexto para adaptar los contenidos constitucionales a las exigencias de la realidad. Dijo:

53 *Ibídem*, p. 198.

> [...] Este principio aplicado a la acción y ejercicio de las instituciones políticas o legales, les comunica aliento y fecundidad; él ha existido siempre como medio indispensable para que el precepto literal de la ley, estrecho en su sentido, pueda adaptarse a los progresos de la civilización y a las necesidades y a las relaciones de la vida política [...] No otro fue el fundamento del antiguo Derecho Pretoriano que [...] instituyó la potestad de auxiliar y de suplir el mandato de la ley en razón de utilidad pública.[54]

Y continuó:

> La Constitución no es un conjunto de cánones rígidos y paralizados que solo puedan articular la acepción estrecha de su texto [...] La teoría de que las atribuciones que ella confiere son meros punteros que marcan mecánicamente ciertas facultades estrictas de los poderes del Estado, insonoras, mezquinas en su alcance, sordas a las necesidades, esa teoría, si bien cuenta todavía con defensores, ha sido abandonada, por considerarla escasa y estéril, en los Gobiernos de régimen Constitucional.

Una vez sorteado el obstáculo de la inconstitucionalidad del decreto por carencia de competencia por parte del Ejecutivo, la corporación se ocupó de los cargos dirigidos contra casi todos los artículos del decreto que privilegiaban la seguridad y el orden público sobre cualquier garantía constitucional a la libertad individual. Así, estimó que no vulneraban la Constitución aquellas medidas que ordenaban a la Policía "velar por la conservación de la paz pública [...] descubriendo las tramas, maquinaciones y conciertos contra la seguridad de la Nación", de modo que facultaban a los jefes de policía para interrogar a posibles sospechosos de promover ofensas a "intereses públicos o privados" relacionados con la seguridad pública y a solicitarles cauciones, en caso de que sus respuestas no sean satisfactorias, e incluso a confinarlos hasta por tres meses "después del juicio ordinario de policía". Según su criterio, esas medidas limitaban la libertad pero no al punto de cercenarla, y, además, buscaban prevenir el delito, de modo que se ajustaban a la Constitución.[55]

54 *Ibídem,* p. 200.

55 La Corte hizo alusión a hipotéticos casos que ameritaban el buen juicio de la Policía. Por ejemplo, cuando estalla una huelga y el jefe de policía la considera "como legítima e inocente, por el solo hecho de que existe una ley que reconoce y regula el derecho de huelga, cuando tiene por objeto reparar injusticias y obtener mejoramientos equitativos entre las relaciones entre patrón y obrero, la autoridad de otro lugar en que resulte una huelga análoga, podría hallarla [...] digna de represión, atendiendo a sus condiciones y fines que la ponen fuera de aquella ley y la dejan comprendida en los programas anarquistas que, como el Manifiesto de la Izquierda Socialista de Nueva York, de reciente data, proclama estas enseñanzas: 'No es tiempo todavía de que la revolución social quede consumada;

En cuanto a las limitaciones a las reuniones públicas, la Corte consideró que, no obstante lo pacífica que pudiera ser una reunión, era innegable que muchas de ellas eran verdaderas "asambleas políticas" y que eventualmente pueden existir peligros a la tranquilidad pública y al orden social en esas congregaciones, de modo que las restricciones se dejaban al "buen juicio" de la Policía, que debería obrar apreciando los indicios y previa prueba suficiente. Dijo la Corte que con esta medida solo se trataba de permitir un ejercicio "naturalmente circunscrito por la moral y la justicia; que toda libertad tiene su límite: el derecho de los demás y principalmente el derecho del Estado para garantizar la paz y el orden público".

Con respecto a la disposición que ordenaba a la Policía disolver reuniones públicas y detener a los responsables de que en estas tengan lugar "manifestaciones o actos sediciosos que puedan degenerar en delitos contra la tranquilidad y el orden público" castigados por el Código Penal o "se hagan excitaciones" que amenacen la seguridad de la nación o los intereses particulares o públicos, la corporación consideró que debía diferenciarse una reunión en donde el "tribuno" realiza incitaciones y amenazas que no ocasionan "tumulto o alboroto" en los concurrentes, de aquellas en donde se sigue la agitación turbulenta de la concurrencia. En el primer caso, la medida es inconstitucional porque "viola el derecho de reunión pacífica porque impone una sanción inmerecida sobre personas que no cometen atentado alguno", y en el segundo, la disposición cabe dentro de una "necesaria y racional reglamentación del derecho de reunión".

Otra de las llamativas disposiciones del decreto, también relacionada con las reuniones públicas, que muy pronto cobraría importancia con ocasión de la Masacre de las Bananeras, a la que haremos referencia enseguida, era aquella que establecía que quien estuviera al frente de un operativo de acción preventiva, para disolver una reunión "invitará de viva voz y hasta por dos veces, a los concurrentes a disolverse, y si no fuere atendido, ordenará la disolución con dos toques de corneta o de tambor o enarbolando y bajando alternativamente una bandera blanca. Si a pesar de lo dispuesto en el anterior, se desatendiere la orden o fueren agredidos los funcionarios por medios violentos, se procederá a disolver el tumulto haciendo uso de la fuerza y a detener a los rebeldes [...]".[56]

---

pero los momentos de la lucha revolucionaria en las huelgas deben procurarse y ser impulsadas a tal punto que alcancen vigor y efecto de acción y fuerza revolucionaria, y en las cuales se deben manifestar abiertamente el pensamiento y designio de implantar la dictadura del proletariado. Estas huelgas han de convertirse en manifestación violenta de la lucha'". Frente a esta última posibilidad, la Corte recordó que quienes habían intentado practicar este tipo de "enseñanzas en los Estados Unidos, han merecido severa represión de las autoridades".

56 Artículos 8 y 9 del Decreto 707 de 1927.

Para la Corte estas medidas eran constitucionales pues solo fijaban un procedimiento para "hacer efectiva la prevención", que más que agravar el rigor que ocasionan las disposiciones policiales, las "atenúan, puede decirse, con estas manifestaciones de benevolencia y urbanidad".

En cuanto a la acusación de inconstitucionalidad en contra de las disposiciones que regulaban el porte de armas y municiones, que según el demandante eran inconstitucionales porque imponían restricciones a la adquisición de armas y municiones, la Corte encontró que esos límites a la comercialización tenían respaldo en la Carta Política y en la doctrina de la corporación fijada en fallos como el del 17 de agosto de 1926, cuando declaró que era constitucional que para controlar la recaudación del impuesto sobre extracción de platino se establecieran regulaciones a la extracción de ese metal.

Fue una verdadera excepción que la Corte hubiese declarado inexequible la disposición que le confería a la Policía la potestad de detener provisionalmente a las personas cuando hubiera "motivos fundados para temer un movimiento contra la paz pública o el orden social", hasta por veinticuatro horas, con el fin de averiguar los hechos e imponerles las sanciones respectivas. La corporación consideró que esa medida vulneraba la Constitución porque la única excepción constitucional al *habeas corpus* en tiempos de paz era aquella que permitía que el Gobierno, previo dictamen de sus ministros, pudiera aprehender a quienes fueran sospechosos de poder atentar contra la paz pública. Así, señaló que esa excepción era aceptada por el derecho público "con fundamento en la necesidad del orden social como superior al derecho del individuo", pero que en el caso del Decreto 707, esa autorización a la Policía sí reñía con los postulados constitucionales que ordenaban al Gobierno sujetarse a las formalidades legales.

Así las cosas, en un clima de intenso conflicto social y laboral, bajo la amenaza de la revolución comunista y de un partido liberal que parecía renacer a la sombra de los movimientos sociales, la mayoría de los magistrados de la Corte parecían inclinarse a hacer valer sus preferencias ideológicas, de modo que la única interpretación jurídica plausible era la que respaldaba la política represiva de la tambaleante hegemonía conservadora. El resultado: la corporación se percibía como una institución más de la hegemonía conservadora, que se mostraba deferente con un Ejecutivo ávido de instrumentos legales para garantizar su estabilidad y lograr así la supervivencia del régimen.

La interpretación según la cual las preferencias ideológicas de los magistrados conservadores terminaron alineándose con las del Ejecutivo presidido por el partido al que ellos pertenecían, no solo se aprecia en el fallo sino en el profundo desacuerdo que este produjo en el seno de la Corte, en donde los votos de los magistrados se dividieron entre los conservadores de la mayoría que adoptó la sentencia, y la minoría liberal que salvó su voto. El primero de los salvamentos de voto fue el de Luis Felipe Rosales, quien se opuso a la tesis de las facultades implícitas que adoptó la Corte, porque consideró que no se atenían al orden constitucional colombiano, según el cual todo empleo tiene funciones detalladas en la ley o el reglamento y que el presidente era responsable por sus actos u omisiones. Criticó la adopción de tal doctrina y acusó a la Corte de haberla interpretado en un sentido diferente a como realmente había surgido en el contexto del constitucionalismo de los Estados Unidos, pues las "facultades implícitas" eran entendidas por la Corte Suprema americana únicamente con respecto a las atribuciones del Congreso, pero jamás en el sentido de que el Ejecutivo tuviera tales facultades.[57] También discrepó de las medidas policiales establecidas en el decreto, a las que calificó como abiertamente inconstitucionales por violar el derecho a la libertad individual y las garantías constitucionales.

José Miguel Arango también expuso las razones de su disidencia. A su juicio, el modo como obró la corporación era "para decir lo menos, insólito". Señaló que en el transcurso de la discusión del fallo, en la Corte se solicitaron los antecedentes de la teoría de las "facultades implícitas" en los Estados Unidos, pero que estos no fueron suministrados en ese momento, sino que luego aparecieron con el fallo aprobado por la Corte. Manifestó que él estudió a los comentadores de la Constitución americana como Burgess, quien claramente explicaba que la doctrina defendida por la Corte Suprema de los Estados Unidos se aplicaba únicamente al Congreso. Luego coincidió con el magistrado Rosales en que la Corte debió haber declarado la inexequibilidad de todas las restricciones a la libertad que fijaba el decreto.

Parmenio Cárdenas, también elegido en la Corte en representación del partido liberal, se apartó del fallo por razones similares a las de sus otros dos colegas en la minoría, pero se enfocó más en los aspectos penales de las medidas. Dijo Cárdenas:[58] "Es sorprendente que a estas horas de la vida de la República, cuando el progreso se ha extendido en todo su territorio y cuando la paz es un hecho cumplido y

57 Citó el libro de Woodrow Wilson: "El Gobierno Congresional", para explicar que la teoría tiene como origen la necesidad de fijar las competencias del "derecho del poder legislativo nacional" frente al cual la Corte se habría declarado, tempranamente, "sin autoridad para discutir el privilegio de la legislatura de determinar la naturaleza y la extensión de sus propias facultades en la elección de los medios destinados a dar efectos a sus prerrogativas constitucionales". Corte Suprema de Justicia, sentencia del 13 de noviembre de 1928, *op. cit.*, p. 212. Sin duda se refiere a *Congressional Government: a Study in American Politics*, Houghton Mifflin, Boston, 1900, que alcanzó quince ediciones. Tesis doctoral en Princeton, escrita cuando tenía veintiocho años. La obra destaca el papel del Congreso en el sistema político. Una versión reciente en: Transaction Publishers, 4ª edición, New Brunswik, Nueva Jersey, 2009.

58 Salvamento de voto del magistrado José Miguel Arango, *ibídem*, p. 218.

permanente, vengan los señores Magistrados de la mayoría a conceder facultades implícitas al Ejecutivo en una materia tan delicada como es la penalidad en contravenciones al orden público, dizque por carecer aquel de los medios necesarios para restablecerlo".

Para el magistrado de origen liberal, aunque la Corte no había citado a León Duguit sí había tomado varios párrafos de su *Tratado de Derecho Constitucional* (Tomo IV), pero no precisamente en la parte que él defendía la idea de que solo el Parlamento podía expedir leyes que establecían penas, que consideraba una facultad indelegable en el Gobierno, aún en el caso de guerras como la de 1914 (Primera Guerra Mundial). De este modo criticó a la Corte de hacer una lectura parcial, y por conveniencia, del famoso doctrinante francés.

Por último, Tancredo Nannetti, a diferencia de los otros magistrados que salvaron su voto, consideró que el presidente de la República sí estaba autorizado por la Constitución y por la Ley 41 de 1915 para expedir el decreto que se demandó, pero estimó que ese argumento no requería aplicar la teoría de las "facultades implícitas", que había sido erróneamente usada por la Corte, pues esta no había sabido comprender la real dimensión de tal doctrina en el contexto del sistema constitucional de los Estados Unidos, que no equiparaba al Legislativo con el Ejecutivo. Sin embargo, compartió la postura de los demás salvamentos de voto de los magistrados liberales que coincidieron en la inexequibilidad de las normas que restringían gravemente la libertad,[59] el derecho de reunión, la propiedad y la industria.

La sentencia se produjo tan solo trece días después de que el Congreso dominado por los conservadores hubiera aprobado la célebre "Ley Heroica" o Ley 69 del 30 de noviembre de 1928: "por la cual se dictan algunas disposiciones sobre el orden social", que suscitó intensos debates parlamentarios y que fue votada por el Parlamento con la total oposición del liberalismo y de algunos conservadores.[60]

59 Por ejemplo, sobre la facultad que se dio a la Policía para detener personas sospechosas de poder afectar la tranquilidad ciudadana y el orden social y de imponerles penas, estimó que: "Sustituir la ley o el reglamento que desarrollan y dan vida al principio constitucional para su aplicación práctica en sus correspondientes detalles, por los dictados de la razón del funcionario que puede escoger los medios que él crea adecuados a esos fines, aunque sean a su juicio, coherentes con la letra y el espíritu de la Constitución, es caer en el peligro de la arbitrariedad que tienden a conjurar las disposiciones de la Carta". *Ibídem,* p. 223.

60 Jorge Orlando Melo sintetiza en unos cuantos párrafos las intensas disputas entre la minoría liberal y las facciones conservadoras en el Congreso, a propósito de la "Ley Heroica" de 1928. Dice Melo: "La minoría liberal, representada por los senadores Carlos Arango Vélez y Pedro A. Gómez Naranjo, se opuso al proyecto por considerar que los hechos realmente delictivos contemplados en él se encontraban ya castigados por el Código Penal. El senador Gómez Naranjo [...] declaró que el proyecto atentaba 'contra garantías individuales, libertades de pensamiento, de prensa, de asociación y otros' y afirmó que 'los liberales no podemos vincularnos a una ley para restringir las libertades públicas' y 'en

Esa ley iba más allá de las restricciones a la libertad y de las medidas "preventivas-represivas" del Decreto de Alta Policía. El artículo 1º de la Ley 69 es muy diciente: "Constituye delito agruparse, reunirse o asociarse bajo cualquiera denominación, para alguno o algunos de los siguientes propósitos: [...] provocar o fomentar la abolición o el desconocimiento, por medios subversivos, del derecho de propiedad o de la institución de la familia, [...] 3º. Promover, estimular o sostener huelgas violatorias de las leyes que las regulan [...]".

Como podemos ver, el fallo sobre el Decreto de Alta Policía se produjo en medio de la fuerte confrontación entre quienes apoyaban el uso de las medidas necesarias para mantener el orden social, lo cual quería decir que se debía detener el avance del comunismo internacional, que, se creía, se expresaba a través de las protestas sociales que enfrentaba el Gobierno Abadía, y de aquellos quienes se oponían a tales medidas. Este último grupo estaba integrado, en su mayoría, por los sectores liberales que cada vez más se mostraban dispuestos a derribar la hegemonía conservadora.

Con su fallo, la Corte se mostraba deferente con la política represiva del Ejecutivo conservador, en una decisión que se producía tras cerca de dieciocho meses de vigencia del Decreto 707 de 1927, y de paso también enviaba el mensaje de que futuras medidas que se aprobaran en ese sentido, como las que tenía listas el Congreso conservador, también estaban dentro de los cauces de la Constitución.

La Corte se dividió entre conservadores y liberales a la hora de decidir sobre la constitucionalidad del Decreto de Alta Policía. La mayoría conservadora apoyó el fallo, mientras que los liberales votaron en contra. Además, el ambiente político de la decisión nos deja ver que la corporación dominada por los conservadores decidió respaldar la empresa anticomunista, una bandera de la administración Abadía, argumentando una base constitucional, como era la necesidad de que el Ejecutivo supliera funciones del Legislativo ante la ausencia de regulación en un asunto de interés nacional, en especial después de considerar que la ley que le confería facultades extraordinarias no tenía el alcance como para que el Gobierno expidiera un decreto de la magnitud y el contenido del decreto demandado. Y para

---

nuestra condición de liberales, como defensores de la libertad, no queremos que se les cierre el paso a los partidos nuevos, que representan las corrientes del pensamiento moderno'. Otros liberales argumentaron que el proyecto tenía una finalidad política, 'cual es la de apartar la atención pública de los grandes problemas que confronta el país, y atraer la burguesía capitalista para que rodee al Gobierno, salvador de los peligros imaginarios creados por ese mismo Gobierno'. Francisco José Chaux insistió en que el proyecto buscaba implantar una dictadura 'disfrazando aquella aspiración con pretextos de defensa social', sostuvo que el proyecto violaba diversos artículos de la Constitución y destacó cómo el Gobierno se preocupaba por frenar formas de protesta popular mientras no resolvía problemas más urgentes, como la amplia corrupción oficial". Jorge Orlando Melo, "La Ley Heroica de 1928...", *op. cit.*

eso trajo la doctrina estadounidense de las "facultades implícitas", que los salvamentos de voto con suficiente ilustración muestran como "acomodada", debido a que esta no se aplica ni se ha aplicado para conferir poder al Ejecutivo en el contexto de los Estados Unidos. Es, entonces, la minoría liberal la que pone de presente la irregular "adaptación" de la teoría estadounidense.

El fallo, entonces, pone de presente las complejas relaciones de las disputas doctrinales que se entrelazan con las plataformas ideológicas de los dos partidos en aquel momento: el conservador en el poder y el liberal en la oposición. También es evidente la interdependencia entre el derecho y política: de las restricciones que el derecho impone a los jueces constitucionales y de la autonomía que el derecho a veces pretende cobrar en medio de un ambiente de confrontación política. En efecto, los salvamentos de voto de los magistrados liberales no entran en confrontaciones partidistas ni aluden a aspectos políticos sobre el comunismo o la protesta social del momento. Por el contrario, ellos lo que hacen es encontrar las debilidades doctrinales de las "facultades implícitas" en que se funda la mayoría conservadora de la Corte, haciendo de estas un terreno fértil para dirigir sus ataques en contra de la sentencia.

Por último, podemos ver a una Corte que se mueve con gran versatilidad entre distintos criterios interpretativos que superan el textualismo. Así, sin dejar de lado la interpretación del espíritu de la norma y buscar las trazas de la historia en su expedición, también incursiona en la apreciación de la realidad en que actúa la Constitución, lo que a su juicio obliga a que la corporación esté en una permanente actualización. Esa necesidad que construye la Corte le permite incorporar la doctrina de las "facultades implícitas", justo cuando el contexto muestra el peligro comunista, que ni el constituyente ni el legislador parecen haber advertido oportunamente, pero que sí supo identificar el Ejecutivo para actuar y colmar el vacío legal sobre las facultades preventivas de la policía política. La llamada Corte conservadora se concede esa libertad interpretativa para respaldar las medidas represivas del último Gobierno de la hegemonía conservadora: ese que la corporación dice que, al igual que ella, ha actuado como lo demanda la necesidad del momento: "en defensa del Estado y de la sociedad".

La Masacre de las Bananeras de 1928 ante la Corte Suprema de 1931

La huelga contra la United, la reacción del Gobierno y la masacre de 1928

La United Fruit Company era una empresa americana cuyo poder de soborno a las autoridades y capacidad de movilizar a los gobiernos en favor de sus intereses la convertían en poder omnímodo en los lugares en donde hacía presencia.[61] En Colombia, la empresa llegó a finales del siglo XIX y para la segunda década del siglo XX ya dominaba la producción y exportación de banano del país, gracias a su operación en la zona bananera del Magdalena (bajo el nombre de Frutera Sevilla).

Para 1928, la agitación laboral en la zona bananera había arreciado. El sindicato de la Frutera Sevilla presentó un pliego de peticiones solicitando la abolición del sistema de contratistas, el aumento general de los salarios, el descanso dominical remunerado, la indemnización por accidentes y la construcción de viviendas decorosas para los obreros.[62] En respuesta a los trabajadores, la empresa invocó la Ley 69 de 1928,[63] que declaraba la ilegalidad anticipada de cualquier pretensión obrera que tratara de obtener "mediante huelgas o cualesquiera otros medios de fuerza concesiones por parte de los patronos", y consideró que la solicitud de los diez mil trabajadores era claramente subversiva.[64]

El 11 de noviembre de 1928, los trabajadores decidieron irse a la huelga. La United acudió al Gobierno, quien no vaciló en enviar tropas del Ejército, bajo el mando del general Carlos Cortés Vargas, a la zona bananera del Magdalena. Hubo varios enfrentamientos entre los militares y los huelguistas, y el uso de la fuerza pública fue justificado por el "peligro" a que se veían expuestas las "vidas de los directivos de la empresa", así como "las propiedades en la zona bananera". La situación era muy tensa: bajo la "amenaza comunista" crecían los rumores de que los trabajadores atacarían las instalaciones y a los directivos de la compañía, en una especie de "revolución bolchevique".

Después de varias semanas de huelga, el 5 de diciembre de 1928, los trabajadores tuvieron noticia de que el gobernador del Magdalena se reuniría con ellos en la estación del tren en Ciénaga. Entre tanto, en Bogotá, el Gobierno de Abadía expedía el Decreto de Estado de Sitio No. 01 del 5 de diciembre, "por el cual declaraba turbado el orden público en la provincia de Santa Marta y el Departamento de Magdalena", cuya justificación era que en la zona había un "desconocimiento de las autoridades legalmente constituidas"; "se había atacado a fuerzas del Ejército

61 La expresión "Banana Republic" se refería a los débiles Estados centroamericanos dependientes de la economía del banano y de los intereses de la United Fruit. A la compañía se la responsabiliza por golpes de Estado, invasiones de tropas estadounidenses, guerras fronterizas entre países centroamericanos y por la masacre obrera ocurrida en Colombia en 1928. Cf. Marcelo Bucheli, *Bananas and Business: The United Fruit Company in Colombia, 1899-200,* New York University Press, 2005.

62 "La Masacre de las Bananeras: Diciembre 6 de 1928", en *Revista Credencial Historia,* Edición No. 190, Bogotá, 2005.

63 Ley 69 del 30 de octubre de 1928, "Por la cual se dictan algunas disposiciones sobre defensa social", *Diario Oficial,* No. 20934 del 2 de noviembre de 1928.

64 "La Masacre de las Bananeras...", *op. cit.*

y a personas y propiedades particulares", por lo que era necesario acudir a la "ley marcial". El decreto designaba al general Cortés como jefe civil y militar de la zona. El mismo día en que Abadía dictó el Decreto de Estado de Sitio, Cortés tomó posesión de su cargo y de inmediato dictó el Decreto 01 por el cual se "disolvería toda manifestación de más de tres personas".

El 6 de diciembre, los huelguistas estaban concentrados en Ciénaga esperando al gobernador del Magdalena, que nunca apareció. Cortés llegó con sus tropas al lugar en donde estos se encontraban y leyó a la multitud los decretos que ordenaban el inmediato retiro de todas las personas de ese lugar. Los manifestantes no se movieron, desacatando así la orden del general. Rápidamente se exacerbaron los ánimos entre los trabajadores y la tropa, hubo disparos del Ejército contra la multitud y un número indeterminado de personas murieron. Durante los días siguientes se produjeron numerosas capturas y el movimiento sindical fue desarticulado por la fuerza pública.

La Masacre de las Bananeras ha sido utilizada con fines políticos por distintas tendencias ideológicas: liberales, conservadores, comunistas y movimientos sociales.[65] Aún hoy es incierto el número de personas que perdieron la vida entre el 5 y 6 de diciembre de 1928, y podría oscilar entre cien y mil. En lo que sí hay acuerdo es que la "Masacre de las Bananeras" fue el comienzo del fin de la hegemonía conservadora, que perdería el poder con la elección del candidato liberal Enrique Olaya Herrera, en 1930.

Una de las medidas de estado de sitio que tomó el Gobierno de Abadía para reprimir la huelga fue el Decreto 02 del 31 de diciembre de 1928, sobre el juzgamiento de los delitos cometidos en la zona bananera "durante el imperio de la ley marcial". Entre los considerandos del decreto se lee:

> [...] Que en la actualidad se hallan detenidos en la Provincia de Santa Marta [...] muchos individuos sindicados por los delitos cometidos durante la revuelta reciente-

65 En una perspectiva diferente a las tradicionales, que suelen asociar la masacre a un proceso revolucionario gestado por sectores obreros, influenciados por idearios y nacientes grupos socialistas, Bucheli considera que la huelga bananera de 1928 no fue una confrontación revolucionaria de los obreros del Magdalena, sino, más bien, una lucha por la modernización de las relaciones laborales existentes. En sus palabras: "Los trabajadores de la United Fruit deseaban formalizar sus relaciones con la compañía y ser reconocidos como empleados. Hubo una retórica revolucionaria entre quienes apoyaron la huelga, pero no hay realmente nada revolucionario en las concesiones que pedían los trabajadores. El carácter 'revolucionario' del paro fue atribuido luego por la izquierda (ellos tenían mártires en esa confrontación) y por la derecha (el ejército abrió fuego contra los huelguistas pacíficos y desarmados, como una batalla en la guerra global contra el comunismo)". (*traducción del autor*) Marcelo Bucheli, *Bananas and Business...*, *op. cit.*, p. 11.

> mente allí ocurrida. Que es indispensable que esos detenidos sean juzgados, lo más pronto posible, para satisfacer los intereses de la justicia y evitar que se prolongue la detención de las personas que resulten inocentes y al mismo tiempo obtener el castigo inmediato de las personas responsables [...].[66]

El decreto ordenaba que los sindicados por delitos de cualquier índole con motivo o causa en el "movimiento subversivo", así como los que en lo sucesivo fuesen capturados en relación con esos hechos, serían juzgados por consejos verbales de guerra y de conformidad con el Código Militar. Además, establecía que con el fin de no "distraer" a los oficiales del Ejército que se encontraban atendiendo sus tareas militares por los hechos de Santa Marta, el Ministerio de Guerra "de acuerdo con el Jefe Civil y Militar" de la zona designaría a los integrantes de los consejos de guerra verbales.[67] Es decir que no solo cambiaban las reglas para los civiles que estaban siendo juzgados con motivo de los hechos de las bananeras sino que los ponía a órdenes de la justicia militar y de "jueces" *ad hoc*, casi que puestos por el propio comandante de las tropas involucradas en la masacre.

La Corte conservadora y su juicio sobre la Masacre de las Bananeras: 1931

El 13 de marzo de 1929, Julio Navarro T.,[68] dirigente socialista de la época, presentó ante la Corte[69] una demanda de inconstitucionalidad en contra del Decreto 02 de 1928. Para Navarro, el decreto vulneraba varias normas constitucionales relacionadas con el debido proceso; la legalidad, la favorabilidad y la irretroactividad de la ley penal. La demanda fue instaurada justo un día antes de que el Gobierno Nacional dictara el Decreto 4 de 1929 restableciendo el orden público en la Provincia de Santa Marta.

El tribunal tardó más de dos años para resolver la demanda. La sentencia fue dictada el 27 de agosto de 1931. Para entonces, aunque la corporación seguía integrada por casi los mismos magistrados que en 1929 conocieron la demanda

66 Corte Suprema de Justicia, *G.J.*, No. XXXVI de 1931, p. 472.

67 *Ibídem.*

68 Para 1920 ya era conocida la influencia política de Navarro en el naciente socialismo colombiano. Hacía proselitismo en la zona del Magdalena. Carlos A. Flórez, "Identidades políticas del socialismo en Colombia, 1920-1925", en *Revista Opinión Jurídica*, Vol. 9, No. 17, Universidad de Medellín, 2010, pp. 167-191.

69 Componen la Corte: Juan E. Martínez, Ignacio González Torres, Miguel Arango, Enrique A. Becerra, Parmenio Cárdenas, Germán R. Jiménez, Julio Luzardo Fortoul, Manuel Vicente Jiménez, Tancredo Nannetti, Carlos Arturo Díaz, Francisco Tafur A. y Juan C. Trujillo Arroyo.

suscrita por Navarro y que la mantuvieron en reposo, el contexto había cambiado. El tribunal que se pronunciaba con la distancia del tiempo transcurrido desde la Masacre de las Bananeras seguía siendo mayoritariamente conservador pero ya no dictaba sus sentencias bajo el régimen de la hegemonía de ese partido, pues este se había despedido del poder Ejecutivo un año antes, en medio de un profundo desprestigio, de una aguda división interna y dejando al país sumido en una crítica situación económica. Recordemos, además, que buena parte de la debacle conservadora en las elecciones de 1930, que dieron el triunfo al liberal Enrique Olaya Herrera, se atribuye al modo como el Gobierno de Abadía enfrentó la crisis de las bananeras de 1928.

La Corte de 1931 prefirió la abstención antes que tener que pronunciarse de fondo sobre el decreto que había permitido someter a los civiles dirigentes del movimiento de las bananeras a las temibles reglas y procedimientos de la justicia castrense.[70] Así, el 27 de agosto de ese año, con la ponencia del magistrado conservador Enrique A. Becerra, la Corte decidió que no había lugar a pronunciarse sobre la demanda de Navarro porque el Decreto 02 de 1928 había perdido su vigencia, ya que este había restablecido el orden público en la región bananera, de modo que el decreto demandado había dejado de existir.[71] La corporación afirmó que tal postura doctrinal era pacífica en su jurisprudencia: la reforma constitucional de 1910 la había facultado para pronunciarse sobre la "exequibilidad" de las leyes o decretos, y una norma que no estaba vigente no permitía que la Corte estableciera si aquella era exequible "o ejecutable". Esa doctrina, dijo el tribunal, ya había sido expuesta en sentencias como la del 21 de junio de 1926 y la del 19 de septiembre de 1927, cuando había afirmado que carecía de competencia para decidir las demandas de inexequibilidad en contra de decretos que habían perdido su vigencia, y que se fundaba en la interpretación "correcta" de los vocablos "exequibilidad o

70 En septiembre de 1929, el entonces representante a la Cámara Jorge Eliécer Gaitán había protagonizado un célebre debate por los hechos de las bananeras. Luego del debate era clara la responsabilidad de las tropas al mando del Gobierno conservador en alianza con la United. Con su intervención puso en evidencia la persecución de personas inocentes a instancias de las medidas de estado de sitio. Para entonces, 54 personas habían sido juzgadas al amparo de esas medidas y en el Congreso los liberales pedían una ley de indulto para los condenados por los consejos de guerra y la revisión de las sentencias por la Corte Suprema. Ismael Correa Díaz Granados, *Anotaciones para una historia de Ciénaga, Magdalena,* Editorial Lealon, s/f, p. 155. Disponible en: http://ciruelo.uninorte.edu.co/pdf/BDC313Parte3.pdf. Consultado el 10 de marzo del 2012. También: Adriana Mercedes Corso, "El gravamen bananero: Un caso de historia política en el departamento del Magdalena, 1925-1930", en *Revista Investigación y Desarrollo Universidad del Norte,* 7, 1998, pp. 89-103.

71 Corte Suprema de Justicia, *G.J.,* No. XXXVI de 1931, p. 472.

inexequibilidad", que con claridad hacían referencia a los actos que podrían o no podrían ejecutarse.[72]

La Corte, pues, prefirió tomarse su tiempo antes de resolver sobre un asunto que se originaba en un ambiente político de alta tensión, como era la huelga de los trabajadores de la zona bananera, la masacre ocurrida en la zona y la posterior represión del Gobierno conservador en contra de los dirigentes y participantes del movimiento sindical de 1928.

Una decisión de fondo sobre el decreto podría haber tenido importantes consecuencias políticas. Por ejemplo, un fallo de inconstitucionalidad en el año 1929 habría significado una derrota legal para el Gobierno de Abadía, justo cuando su administración y los conservadores insistían en la necesidad de neutralizar la amenaza comunista que se materializaba en la "revuelta" de las bananeras. Esto, sin duda, habría erosionado la legalidad de las medidas represivas, les habría ofrecido argumentos jurídicos a los liberales que criticaban la política represiva del régimen conservador y, por último, podría haber afectado los procesos que se seguían en contra de quienes eran acusados de participar en los hechos de las bananeras. Por otra parte, la exequibilidad habría puesto a la corporación en una situación jurídica y política compleja, pues significaba avalar un decreto que creaba todo un régimen especial de juzgamiento de civiles por los militares y disminuía las garantías procesales, de modo que afectaban las garantías y libertades individuales reconocidas por la Constitución.

El fallo inhibitorio se producía cuando ya gobernaban los liberales con Olaya, justo cuando el liberalismo había usado como parte de su plataforma política la condena categórica a la represión conservadora y una política de comprensión y promoción de las organizaciones sindicales. Pero si bien la dilación de la corporación parecía haberla alejado de la tormenta política de las bananeras, la decisión de 1931 no era tan del todo pacífica para la Corte: ahora al Ejecutivo lo presidía un liberal y el conservatismo poco a poco perdía su dominio en los demás poderes públicos. Así, una eventual inexequibilidad bien podría haber significado una especie de "juicio político" a la represión del Gobierno Abadía y a los conservadores derrotados, con lo que se favorecería a los liberales que habían insistido en la inconstitucionalidad e ilegalidad de la política conservadora contra la protesta social, y lo peor, habría conducido a que se decretara la libertad o la exoneración de quienes habían sido juzgados bajo las reglas del Decreto 02 de 1928.

En suma, la estrategia de la Corte para respaldar las medidas represivas del Gobierno conservador y evitar enfrentamientos con el Gobierno liberal combinó

72 *Ibídem.*

dos herramientas. La primera, meter en el congelador la demanda de Julio Navarro en contra del Decreto de Estado de Sitio dictado en 1928 con motivo de la huelga en las bananeras. Y, la segunda, declararse inhibida para decidir sobre la misma demanda, pero en 1931.

Alfonso López Pumarejo enfrenta la última Corte Suprema de Justicia de la hegemonía conservadora: juicio a la "reforma tributaria" de 1934

Alfonso López Pumarejo se posesionó como presidente de la República el 7 de agosto de 1934. En su período constitucional (1934-1938) se consolidaría la llamada Segunda República Liberal, pues si bien su antecesor Enrique Olaya Herrera (1930-1934) había socavado la hegemonía conservadora, su Gobierno había sido de transición. El presidente Olaya logró que el liberalismo recuperara, en parte, la burocracia estatal, pero el partido conservador, que había predominado por varias décadas, logró mantener su poder en varias instituciones del Estado, como en la rama judicial y en particular la Corte Suprema de Justicia.[73]

López Pumarejo inició su Gobierno cuando la Corte Suprema de Justicia, al igual que la rama judicial a lo largo y ancho del país, estaba integrada por jueces de origen conservador. La Corte era una viva muestra de cómo el partido conservador se había apoderado de las tres ramas del poder público desde 1914.[74] El tribunal estaba compuesto por siete magistrados conservadores y cinco liberales, su período legal había iniciado el 1 de mayo de 1930 y terminaba el 30 de abril de 1935.[75] Eran

73 "Al tomar posesión el doctor Olaya en la Presidencia, la situación era: Congreso: dos terceras partes conservadoras y una de liberales; Corte Suprema: ocho conservadores, cuatro liberales; Consejo de Estado: cinco conservadores, dos liberales [...] Al terminar la administración Olaya [...] En el Senado: una combinación liberal-conservadora en mayoría. En la Cámara fuerte mayoría liberal. Corte Suprema: por el triunfo liberal, el presidente López pudo enviar ternas con mayoría de nuestro partido y la Corte quedó compuesta por siete liberales y cinco conservadores [...] en el Consejo de Estado hay cuatro liberales y tres conservadores". Pedro Juan Navarro, "La administración Olaya Herrera", en *El Tiempo,* Bogotá, 15 de junio de 1936, pp. 4 y 5.

74 "Los conservadores estaban convencidos de que en 1934 volverían a la Presidencia. Controlaban el 80% de los concejos municipales, todas las asambleas departamentales y el Congreso. En el poder judicial dominaban en una proporción de dos a uno, y en algunos distritos, monopolizaban las posiciones [...]". Marco Palacios, *Entre la legitimidad y la violencia, Colombia: 1875-1994,* Norma, Bogotá, 2004, p. 145.

75 Por ejemplo, al momento de la elección de seis de aquellos magistrados por la Cámara de Representantes, el partido conservador contaba con 75 representantes mientras que el liberalismo tenía 35 miembros en minoría, es decir, que el conservatismo prácticamente doblaba a este último en curules. De las seis ternas para magistrados de la Corte postulados por el Gobierno de Abadía Méndez ante la Cámara, cuatro eran conservadoras y dos liberales. Sentencia del Consejo de Estado del 1 de abril de 1930, M.P. Pedro Alejo Rodríguez.

magistrados elegidos o reelegidos por un Congreso de la República mayoritariamente conservador, provenientes de ternas propuestas por presidentes del mismo partido, todo lo cual había garantizado el predominio conservador en la Corte.[76] Por ejemplo, la última elección de magistrados la hizo el Congreso conservador de ternas conformadas por el presidente Miguel Abadía Méndez, a mediados de 1929, en el ocaso de la hegemonía conservadora.

Empero, menos de un año después del inicio de su mandato, el presidente López logró dar un giro a la composición de la Corte. Como el partido liberal logró hacerse a las mayorías en el Congreso, el Ejecutivo liberal postuló un mayor número de ternas para magistrados de origen liberal, avanzando así hacia la renovación total de la Corte Suprema de Justicia para el período quinquenal de la corporación, que iniciaba el 1 de mayo de 1935.[77] Pero, como veremos enseguida, mientras llegaba esa nueva Corte, López tendría que lidiar con un tribunal que era abiertamente percibido como el último bastión de la hegemonía conservadora.

La Corte Suprema conservadora recibe cálidamente al Gobierno liberal

Tan solo habían pasado diez días de la posesión del presidente Alfonso López Pumarejo y la Corte Suprema de Justicia en pleno decidió visitarlo en la sede presidencial. El 17 de agosto de 1934, concurrieron en visita oficial al Palacio de San Carlos los magistrados de origen liberal: José Miguel Arango,[78] Remigio González Gooding,[79] José Joaquín Hernández[80] y Tancredo Nannetti.[81] Por su parte, los magis-

76 Según datos de Marco Palacios, la composición política del Congreso era: en 1927, Senado: 15 liberales, 33 conservadores; en 1929, Cámara: 42 liberales y 71 conservadores; en 1931, Senado: 25 liberales y 31 conservadores; en 1935, Senado: 56 liberales y ningún conservador, Cámara: 118 liberales y ningún conservador. Marco Palacios, *Entre la legitimidad..., op. cit.*, p. 146, cuadro 3.

77 El Congreso homogéneamente liberal de 1935 fue el mismo que aprobó la reforma constitucional de 1936 y algunas de las leyes que la desarrollarían, como la Ley 200 de 1936 sobre función social de la propiedad agraria, que pretendía democratizar la tenencia de la tierra. Sobre la reforma de 1936 véase: Álvaro Tirado Mejía y Magdala Velásquez, *La reforma Constitucional de 1936*, Editorial Oveja Negra y Fundación Friedrich Naumann, Bogotá, 1982.

78 Destacado miembro del partido liberal, hizo parte del Directorio Nacional durante varias décadas. Fue representante a la Cámara en 1935 y 1937. Desde el Congreso apoyó la Ley 62 de 1935, que concedía personería jurídica a las sociedades masónicas.

79 Suplente del magistrado y dirigente liberal Parmenio Cárdenas. Fue conjuez de la Corte Suprema hacia 1957.

80 Llegó a la Corte a finales de 1931 en reemplazo del conservador Juan N. Méndez, quien falleció siendo presidente de la corporación. Junto con Ricardo Hinestrosa y Eduardo Rueda Rueda, integró la terna que presentó el presidente Olaya Herrera al Senado para reemplazar a Méndez.

81 Estaba en la Corte desde 1910.

trados de origen conservador eran: Francisco Tafur, Julio Luzardo Fortoul,[82] Ignacio González Torres, Juan C. Trujillo Arroyo,[83] Juan Evangelista Martínez,[84] Germán B. Jiménez,[85] Jenaro Cruz Victoria[86] y el presidente de la Corte, Enrique Becerra.[87] Es posible que quienes visitaron al presidente aspiraran a ser reelegidos en sus cargos para el período 1935-1940, pues recordemos que López tenía la iniciativa para postularle al Congreso candidatos a magistrados de la Corte en el proceso que debía surtirse entre agosto de 1934 y abril de 1935.

Si bien parecía una visita más de las que solía hacer la Corte a quienes llegaban a la Presidencia de la República, en el encuentro, que duró cerca de una hora y media, el presidente López aprovechó para dejar en claro su postura política sobre el papel de los jueces y de la Corte en el marco de su Revolución en Marcha.[88] Así, el presidente insistió en la necesidad de devolverle la independencia al poder judicial y "rescatarla" de los dominios de la hegemonía judicial del conservatismo.[89] El discurso que pronunció ante el pleno de la Corte es un valioso testimonio de la política pública de la República Liberal en torno a la rama judicial y ofrece pistas sobre las ideas de López con respecto al papel de los jueces y del derecho en el cambio social y político. Estas son algunas de sus palabras en el encuentro memorable con la Corte en 1934:

82 Había sido juez del circuito hacia 1907. Fue magistrado del Tribunal Superior de Cundinamarca. En 1919 llegó a la Cámara de Representantes. Hizo parte de la Comisión que investigó las acusaciones contra el presidente Marco Fidel Suárez y en la cual él presentó el informe en minoría que recomendaba a la Cámara abstenerse de acusar al presidente ante el Senado.

83 Antes de llegar a la Corte fue magistrado del Tribunal de Cundinamarca, fiscal superior del Ministerio Público en Medellín, concejal por Bogotá y uno de los primeros magistrados del Tribunal Supremo de lo Contencioso Administrativo.

84 Había sido magistrado del Tribunal Superior de Medellín antes de llegar a la Corte.

85 Entró a la Corte Suprema en 1926 como magistrado principal, por elección del Senado. Reemplazó al magistrado Ramón Rodríguez Diago, quien estaba en la Corte desde 1920 y fue nombrado ministro de Gobierno por el presidente Pedro Nel Ospina. El magistrado Jiménez fue reelegido en la Corte hasta 1935.

86 Vallecaucano, abogado de la Universidad Libre de Bogotá. Fue magistrado del Tribunal Superior de Buga, concejal en Tuluá y diputado en el Valle.

87 Estuvo en la Corte desde 1924 hasta abril de 1935. Era oriundo de Riosucio, Caldas, en donde fue diputado. Fue magistrado del Tribunal Superior de Manizales y procurador general de la Nación. Enseñó derecho constitucional en la Universidad del Rosario. Fue miembro de la Sala de Casación Penal y de la Sala de Negocios Generales de la Corte.

88 "El señor presidente, Alfonso López, atendió con gran gentileza a todos los magistrados, a quienes obsequió una copa de champaña [...] Se intercambiaron distintas ideas sobre la administración de justicia [...]". *El Tiempo,* 18 de agosto de 1934.

89 El discurso de López y la respuesta del presidente de la Corte aparecen en *El Tiempo,* 18 de agosto de 1934, pp. 1 y 2.

> Necesitamos el apoyo invaluable de los jueces, porque a ellos está confiado, quizás en un momento más definitivo que a los otros poderes, el sostenimiento de la democracia [...] El movimiento social que me ha llevado al poder procurará devolver al juez colombiano la integridad de su independencia, libertándolo hasta donde ello es posible, de la preocupación política, que forzosamente habrá de dominarlo mientras en su elección, su permanencia en la carrera, o su destitución, dependan principalmente del partido que ejerce el poder. El liberalismo no aspira a subsistir con su hegemonía judicial, la que existía antes de 1930. Quiere devolver al poder judicial, como devolvió ya y seguirá devolviendo a la nación, a la competencia técnica de la lucha civil respetable y pura de sufragio, las posiciones que encontró en manos del conservatismo. [...]

Enseguida, López demandó de la Corte su compromiso con las reformas liberales: "Espero de los señores magistrados una íntima colaboración con el Legislativo y el Ejecutivo para que las iniciativas y las reformas que hayan de presentar tengan el apoyo de vuestra sabiduría, de vuestra experiencia. La opinión pública está de acuerdo con casi todas ellas, y solo la pesada tradición que nos ata a viejas concepciones sin realidad, es lo que ha impedido que las aspiraciones populares encuentren expresión legal".

Luego pasó a referirse a los "graves defectos" en la interpretación de la realidad social por parte de los jueces:

> El vicio que encontráis, señor Presidente de la Corte Suprema, en los jueces que se apegan a una tradición jurídica sin elasticidad, nace, en mi concepto, de la causa que acabo de anotar. Nuestros jueces quisieron defenderse de la influencia política del Ejecutivo y buscaron asilo en una aplicación deshumanizada y fría de la ley. Las interpretaciones vivas, elásticas, comprensivas de los preceptos constitucionales y legales no pueden prosperar en un ambiente de presión ejecutiva, cuando los gobiernos pretenden encontrar apoyo legal de sus actos injustos en la conciencia de los magistrados".

Por oposición a estas concepciones, López expresó que la realidad social del momento exigía nuevos enfoques interpretativos por parte del Poder Judicial:

> Para que haya una justicia inteligente, que busque adaptarse a los nuevos hechos sociales, es necesaria una atmósfera de libertad judicial que no ha existido entre nosotros. [...] La adaptación de los preceptos que han perdido fuerza por su inactualidad a una vida mucho más compleja, donde no son ya idénticas las relaciones

individuales y sociales ante los mismos hechos, ni los hechos idénticos a aquellos para los que se legisló hace medio siglo, es una función de los jueces que requiere una mayor libertad. Comprendo, señores magistrados, que sería peligroso, mientras la democracia no sea una realidad nacional consolidada y los poderes públicos estén debilitados por su formación, que los jueces pudieran darle excesiva amplitud a la interpretación de los principios constitucionales [...] Vosotros, señores jueces, tenéis la manera de hacer confianza en el régimen nuevo, abandonando la tradición que os ha hecho refugiar tantas veces en una interpretación pálida y rígida de los preceptos legales, imponiéndole al país un tiránico concepto de la Constitución y la ley. Quiero invitaros a entrar en este movimiento nacional [...] para que se administre justicia con rapidez, con buena voluntad, con un criterio más contemporáneo, y para que nuestras normas arcaicas tengan en vosotros los vitalizadores entusiasmados que les permitan sobrevivir o ser sustituidas sin perjuicio de los intereses nacionales y de la misma ley, que cuando queda en contradicción con un nuevo espíritu nacional acaba por ser desobedecida o violada abiertamente.

El presidente cerró así su intervención: "He aquí señores miembros de la Corte Suprema, lo que desea ofrecer el régimen liberal que presido: independencia para el poder judicial, independencia económica, independencia intelectual, independencia moral. Y lo que solicita de los jueces: justicia democrática y colaboración para que con su concurso y su apoyo la ley sea más fácil de cumplir, y se cumpla [...][90]

Enrique Becerra F., quien presidía la Corte Suprema, no se quedó atrás a la hora de fijar los puntos de vista doctrinales que la corporación decía defender. Para empezar, se refirió a su postura interpretativa acerca de la Constitución y dijo:

Mi norma acerca de la interpretación constitucional puede sintetizarse en estos claros y escuetos principios: "La Constitución no es un conjunto de cánones rígidos y paralizados que solo pueden articular la acepción estrecha del texto; ella es el instrumento que regula hoy y mañana el organismo político [...] El estatuto fundamental no es en sí mismo un fin, sino un medio para asegurar el bienestar común, no puede interpretarse en forma que sacrifique ese bienestar y coloque al legislador en la imposibilidad de adoptar las medidas a que en su prudente arbitrio considere necesario recurrir, en momentos de alarma o inquietud generales, para conjurar los peligros que amenacen a la colectividad.

90 *El Tiempo, ibídem*, p. 2.

El magistrado pasó a referirse a la interpretación legal y expresó:

> ¿Y qué diremos de la interpretación legal? El juez, dice Portalis, asocia su espíritu al de la legislación [...] La ley por su naturaleza es necesariamente incompleta; las reformas legislativas son aisladas y poco frecuentes y mientras llegan, la jurisprudencia llena los vacíos, extiende la aplicación de las leyes existentes, las precisa y adapta para darles prácticas consecuencias; sin que esto quiera decir que la jurisprudencia tenga por norma contradecir al legislador, ni mucho menos oponerse a su obra; sino que su objetivo, en todo caso es el de ponerla en situación actual con lo que la ley no ha podido prever y que las costumbres muestren con claridad meridiana. Este lento trabajo de acomodación prepara, en realidad, las reformas legales, ayuda a precisar su verdadero sentido y les suministra eficacia práctica.

Becerra, en parte, insinuó que la Corte y el Poder Judicial representaban una visión contemporánea del derecho, de modo que coincidían con ciertas exigencias transformadoras del Gobierno de López Pumarejo. Esto dijo:

> Nuestra generación judicial gusta del esfuerzo y ama la acción, porque está convencida que quienes ejercen la judicatura no tienen por fin oculto ignorar la ley, ni abatirla ni sustituirla con su libre arbitrio: los más progresistas de entre ellos, aunque otra cosa se piense, son los que más la respetan; y este respeto estriba en el carácter de realidad que la informe, porque ellos saben que la ley no es sino la voz de la justicia y que al lado de ellas hay otras fuentes de derechos fundamentalmente imperativas, y por más que se les pida, en nombre de una lógica seductora, de una pseudociencia, una decisión que consagre una inequidad o contrario al buen sentido, ellos habrán de contestar siempre, NO.

Como ejemplo de ese enfoque "novedoso", expresó Becerra:

> Por fortuna para el progreso de la humanidad la equidad aún no ha muerto, y ella sirve de guía al juzgador para extraer de los textos rígidos de la ley, por obra de una interpretación inteligente, el objeto de su excelsa misión, que no es otro que el de dar a cada uno lo que es suyo. [...] Y es natural que hoy así se piense, porque de lo contrario sería preciso admitir, como en el siglo XVIII "que la ley debe ser tan sencilla y tan clara que los tribunales pudiesen ser suprimidos"; porque para que este sistema prosperara sería preciso que las leyes fuesen perfectas, concebidas por super-hombres: pero esta es ilusión, porque pasaron ya los tiempos en que "se razonaba como si los legisladores fuesen dioses y como si los jueces no fueran hombres".

Así pasó a mostrar los modos como el Poder Judicial interpretaba la ley:

> Nuestros jueces [...] examinan el valor intrínseco de la ley e investigan su conformidad con la realidad ambiente, manifestando de esta manera su tendencia a que la legislación sea espejo fiel de las costumbres. Y ante la vetustez de algunas de nuestras instituciones jurídicas, ante la dificultad de reformarlas a conciencia y cabalidad, teniendo presentes en su adaptación las formidables transformaciones económicas y sociales de la moderna época, se llega a la convicción de reconocer que las fuentes reales del derecho hoy no se encuentran todas en la ley escrita, sino en los usos, en la costumbre, en la equidad, en las construcciones doctrinales y jurisprudenciales que llenas de savia y de vida surgen, por obra de la hermenéutica, de los textos mudos y de los antiguos principios [...] Así pues, en los casos en que la ley calla, la labor del juez por fuerza se intensifica. La evolución de los hechos como fuentes de verdad social, nos saca de la quimera política para colocarnos en la realidad popular. Así la tradición histórica se restablece y los jueces, participando más activamente en el reconocimiento y efectividad del derecho, se asocian al espíritu de la legislación; si su voz es atendida y respetada, es natural reconocer que intervienen en la realización del orden jurídico que nuestra sociedad se ha dado; y, siguiendo este orden de ideas, es justo apreciar también que participan en la dirección del Estado, pudiendo hablarse entonces y con toda propiedad del gobierno de los jueces.

En el discurso del presidente de la Corte Suprema, el turno correspondió a su visión sobre el rol político del Poder Judicial, que en buena medida reaccionaba ante la llegada de un Gobierno que, como el de López, era genuinamente liberal y estaba dispuesto a romper con los últimos vestigios de la hegemonía conservadora. El mensaje de Becerra era de franca disposición a colaborar con el nuevo Gobierno:

> En un sistema genuinamente democrático como el nuestro, donde la libertad individual ejercida mediante el sufragio como función constitucional, es la norma de todas las instituciones, la colaboración de los poderes públicos —aunque diferenciados en sus atribuciones— establece la verdadera fórmula del equilibrio político, porque ellos entre sí y en todo tiempo se controlan, se limitan y se complementan. Y así, como aparece demostrado, cuando la ley es insuficiente por sí misma para regir la complejidad de las relaciones sociales, la labor normal que al Poder Judicial corresponde, dentro de la esfera de sus atribuciones, es la de adecuar la ley al momento histórico que se viva, para hacerla eficaz de acuerdo con las costumbres, precisándola dentro de la equidad. Esta misión, en el sentido estricto de la palabra, es gobernar; es ejercer grande influencia sobre los principios de orden, de justicia y de libertad

que son la base de nuestras concepciones humanas y de nuestra civilización; misión que es de orden superior porque es de ideas, de moral pura, de equilibrio social; y así, interviniendo los jueces en el sostenimiento de estos principios fundamentales, consolidan y defienden la civilización. [...] Poner al juez bajo el imperio de los principios, en los casos de insuficiencia u oscuridad de la ley, tal como esta lo prevé, nada tiene de arbitrario ni nada que contradiga su carácter de rector de la jurisprudencia; es hacer que prevalezca el espíritu sobre la letra; resultado con el cual no sería lógico protestar, porque esto no es abandonar al juez ni a una libre interpretación científica sin garantía, ni a impulsos inquietantes para la equidad. La orientación del juez hacia principios determinados significa que el orden social, como la justicia y el bien, están polarizados en una dirección ordenada y consciente; así se admite que por encima de la ley existe la legitimidad jurídica constitucional a la cual están sometidos tanto los legisladores como los jueces y los justiciables; legitimidad que, como ordenamiento racional domina desde lo alto todas las realizaciones jurídicas positivas.

El magistrado Becerra concluyó su discurso ante el presidente López con estas palabras que combinaban afirmaciones y solicitudes al Ejecutivo:

Señor Presidente de la República: Para que nuestros jueces en sus actividades llenen estos anhelos es necesario gocen de independencia política, social y económica que los eleve sobre el nivel común; de forma que consagrados exclusivamente a la investigación de las necesidades sociales en relación con nuestras aspiraciones jurídicas, sin parpadear siquiera, sin las distracciones que el vivir la vida proporciona, puesta la mirada en el más allá de este pueblo, asienten las bases de su grandeza, por la armonía que desarrollen sus decisiones, las libertades humanas que consagren y la paz que fecunden con sus declaraciones, colmadas de equidad y de sabiduría. [...] Como jueces colombianos estamos vinculados a vuestra labor de gobierno: un mismo ideal nos inspira, un solo sentimiento mueve nuestras actividades y una misma responsabilidad nos obliga: ese ideal de nuestra patria, ese sentimiento es el deber y esa responsabilidad procede del mandato que aceptado mediante el juramento, hace garante de nuestro obrar al Todopoderoso, en Quien, ante la flaqueza de nuestro entendimiento y la debilidad de nuestro brazo, para asegurar el éxito debemos poner nuestra confianza a fin de que nos ilumine y fortalezca. Con su asistencia, la historia, a quien habéis entregado vuestro nombre, os hará justicia y habrá de calificaros al menos entre los hombres buenos, porque tuvisteis en vuestra gestión voluntad perpetua y constante de realizar el bien.[91]

91 *Ibídem*, p. 2.

En suma, este primer encuentro del Ejecutivo liberal con la Corte conservadora dejaba ver a un López dispuesto a realizar varias transformaciones institucionales que exigían compromiso de la rama judicial. El presidente se esforzó en hacerle notar al pleno de la Corte que esas iniciativas de cambio gozaban de amplio apoyo popular y que este era la principal fuente de legitimidad de su Gobierno: su mandato era la transformación y a ella debía contribuir la rama judicial, con la Corte Suprema a la cabeza. El Poder Judicial, por tanto, debía alinearse con la "nueva realidad" que quería imponer el liberalismo triunfante. López esperaba, pues, una Corte Suprema colaborativa pero al mismo tiempo una corporación que se desalineara de la hegemonía conservadora. Para el presidente, la Corte Suprema y la rama judicial eran órganos del Estado que debían sacudirse de la égida conservadora y correr con el cambio liberal.

Note el lector el modo como López se refirió a la interpretación jurídica: la suya era aquella que abandonaba el formalismo de los textos y clamaba por una nueva interpretación, acorde a la realidad social. Por su parte, el presidente de la Corte Suprema insistía ante el Ejecutivo en la necesidad de que el Estado, en su conjunto, apoyara al Poder Judicial, al tiempo que le hacían ver al Gobierno liberal que el tribunal estaba alineado con un derecho contemporáneo, acorde con los vientos de cambio que soplaban en las ciencias jurídicas, y, por supuesto, dispuesto a acompañar al Gobierno, pero desde la neutralidad de su rol como juez.[92]

Sin embargo, como veremos enseguida, la luna de miel terminaría pronto cuando el partido conservador se convertía en protagonista de primer nivel desde el Congreso y la Corte tendría que arbitrar entre este y el Gobierno liberal, justo cuando parecían darse los primeros pasos del feroz enfrentamiento bipartidista que produjo el Gobierno liberal de la Revolución en Marcha.

Las tensiones bipartidistas conducen a una reforma tributaria por decreto de estado de sitio: la Corte conservadora golpea a López

Del ambiente de concordia y colaboración entre la Corte y la administración López, que parecía reinar en agosto de 1934, muy pronto se pasaría a la confrontación institucional, cuando el Ejecutivo intentó liberarse del bloqueo político del Congreso, en particular del Senado, y la Corte Suprema entró en el arbitraje constitucional. Veamos.

92 Un interesante estudio sobre el pensamiento jurídico local desde la perspectiva de la jurisprudencia de la Corte Suprema de Justicia en: *Los debates del pensamiento jurídico colombiano, 1886-1920,* Jorge González Jácome, Universidad Javeriana, Depalma, Bogotá, 2011.

Al iniciar su mandato, López contaba con mayorías en la Cámara de Representantes pero no ocurría lo mismo en el Senado, que era elegido de manera indirecta, y en donde el partido conservador mantenía un importante poder,[93] ahora liderado por el agudo y aguerrido senador Laureano Gómez. Así, durante el primer año de gobierno (1934-1935), el Gobierno liberal enfrentó la fuerte oposición del Senado conservador, que bloqueó varios proyectos de ley, al punto que a escasos tres días de terminar el año 1934 y de vencerse el período de sesiones del Congreso aún no se había aprobado el presupuesto que requería la administración López para el año fiscal 1935. El Gobierno supo comunicar bien a la opinión pública lo que significaba no contar con un presupuesto de rentas y gastos para el período siguiente. Debe tenerse en cuenta que para 1934 la percepción de que la economía nacional atravesaba serias dificultades era generalizada: la tasa de inflación había sido del 39%, una de las más altas registradas en el país, y López había prometido contrarrestar esta situación apartándose de la política económica de su antecesor Olaya Herrera.[94]

El presidente López sabía muy bien que podía recurrir al poder del estado de sitio para evadir el bloqueo conservador del Senado, sin embargo, trató de evitar al máximo su uso. Finalmente acudió a esas medidas excepcionales con el fin de evitar los problemas fiscales que se veían venir para 1935. Dictó varios decretos legislativos al amparo del Decreto de Estado de Sitio No. 1435 del 11 de septiembre de 1932, por el cual el Gobierno del presidente Olaya Herrera había declarado turbado el orden público en Amazonas, Caquetá y Putumayo con motivo de la Guerra con el Perú, y bajo el cual aquel Gobierno había dictado diversas medidas argumentando la necesidad de repeler la ocupación peruana del trapecio amazónico.

Los decretos de López eran el 2429 del 28 de diciembre y 2432 del 29 de diciembre de 1934, que modificaban el impuesto sobre la renta, incluyendo el aumento de la tarifa, y establecían la contribución de "cuota militar".[95] Las medidas busca-

93 López, además, enfrentó la oposición de la Iglesia Católica, que había sido uno de los grandes apoyos de la hegemonía conservadora, y que ahora rechazaba la postura política del liberalismo con respecto a aspectos tan sensibles como la educación, el matrimonio, el divorcio, la reforma constitucional y el proyecto de modificación del Concordato suscrito con la Santa Sede en 1887. Como la rebelión de Franco contra las autoridades de la República Española fue aprovechada por la derecha colombiana para tratar de hacer un paralelo de lo que estaba sucediendo en el país, varios prelados hacían uso de sus pastorales para atacar al Gobierno de López por sus supuestos vínculos con la masonería. Miguel Malagón Pinzón y Julio Gaitán Bohórquez, "Fascismo y autoritarismo en Colombia", en *Revista Universitas,* No. 118, pp. 293-316, enero-junio del 2009, Bogotá, p. 300.

94 Marco Palacios, *Entre la legitimidad..., op. cit.*

95 "Los decretos legislativos ponen en vigencia una parte de los proyectos del Gobierno que fueron llevados a la más amplia discusión del Congreso y consultados a la opinión pública hace tiempo. Uno

ban afrontar el déficit fiscal para el año 1935. En un claro esfuerzo por justificar la conexidad entre la turbación del orden público ocasionada por el conflicto con el Perú y la necesidad de tomar medidas excepcionales de carácter fiscal, el Gobierno expresaba en sus decretos: "Por razones claras de defensa nacional ha sido preciso aumentar en forma muy considerable el presupuesto del Ministerio de Guerra para atender la defensa del territorio patrio como a la conservación y mantenimiento de los nuevos elementos adquiridos [...]".[96]

Fueron realmente pocos los días de calma que hubo luego de que López dictara sus decretos. Las medidas eran percibidas como una sutil reforma tributaria y la reacción política —y jurídica— llegó con el Año Nuevo. El 1 de enero de 1935, varios ciudadanos decidieron demandar los decretos ante la Corte Suprema de Justicia.[97] Los demandantes plantearon dos tipos de cargos de inconstitucionalidad en contra de las medidas de López. En primer lugar, argumentaron que los decretos no guardaban relación alguna con el Decreto de Estado de Sitio que había declarado la turbación del orden público con motivo de la Guerra con el Perú de 1932, pues ya para 1934 tal conflicto se había superado, entonces el estado de sitio habría dejado de existir porque la calma y la paz habían regresado a la región fronteriza en donde se declaró la mencionada turbación del orden público. De igual modo, plantearon a la Corte que el estado de sitio declarado por Olaya Herrera en 1932 se circunscribía a una zona del país, mientras que los decretos de López tenían vigencia en todo el territorio nacional, de modo que el Gobierno había excedido el uso de sus facultades constitucionales. Por esto, argumentaron ante el tribunal que los decretos demandados se habían dictado "en tiempo de paz" y que, por lo tanto, de acuerdo con la Constitución, el Congreso era el único competente para tomar medidas de alcance tributario y presupuestal, de modo que el Ejecutivo no tenía autorización constitucional para dictar tales decretos.

---

es el crédito adicional para gastos del Ministerio de Guerra, ya realizados, ya ejecutados, ya cumplidos, o demorados hasta ahora por la falta de aprobación del Senado [...], que no han sido considerados en primer debate después de haber llegado de la Cámara de Representantes. El otro es el denominado [...] cuota militar [...] como lo ha explicado el Gobierno y el propio presidente de la República al país por radio, los cuantiosos gastos ocasionados por el conflicto con el Perú están sin pagar en parte y han creado nuevas necesidades que es preciso atender [...] Al quedar el Gobierno Nacional sin presupuesto y sin recursos para cubrir el déficit fiscal que mostró al Congreso en el presupuesto para 1935, al quedar sin autorización extraordinaria alguna para solucionar esta situación administrativa gravísima, debe someterse al presupuesto de 1934 [...] [que] suma alrededor de 44 millones de pesos, y los gastos calculados para 1935 son de 61 millones". *El Tiempo*, página editorial, "Decretos Extraordinarios para salvar la administración pública", Bogotá, 29 de diciembre de 1934.

96 *El Tiempo*, 29 de diciembre de 1934, primera página.

97 La demanda fue presentada por Enrique Soto, Gabriel Ortiz, Alberto J. Williamson, José Luis Trujillo Gómez, Enrique Casas, Daniel Sáenz, Juan de Vengoechea y José Camacho Carreño.

La demanda de inconstitucionalidad en contra de los dos decretos legislativos de López mantuvo la atención de la opinión.[98] Aparte de la aguda mirada de la opinión pública, los partidos políticos permanecieron expectantes ante el fallo que podría dictar la Corte, dada la trascendencia política del proceso en el cual la corporación tendría que arbitrar entre el Gobierno liberal y la oposición conservadora liderada por Laureano Gómez. El juicio de constitucionalidad también estuvo salpicado por acusaciones del procurador general de la Nación, a las que se dio gran publicidad, y que tenían que ver con una presunta nulidad del proceso y el inadecuado manejo que la Secretaría de la Corte le habría dado al mismo.

La Corte, con ponencia del magistrado Enrique Becerra, dictó sentencia el 2 de abril de 1935. El fallo se producía faltando menos de un mes para que terminara el período de los magistrados y tres meses después de que las medidas dictadas por López hubieran entrado en vigencia. Para el momento de la decisión de la Corte era claro que los magistrados que la suscribían no serían reelegidos para el período 1935-1940, pues, entre agosto de 1934 y abril de 1935, el presidente López había presentado las ternas para que el Congreso eligiera a los magistrados que harían parte de la Corte y en ellas solo había incluido el nombre de Juan Francisco Mujica, suplente del liberal José Miguel Arango.[99] Así, para abril de 1935, el Congreso dominado por los liberales había elegido a una nueva Corte Suprema de Justicia, en donde la minoría liberal había pasado a ser mayoría y los conservadores ahora serían la minoría.[100]

En su sentencia, en primer lugar la Corte se declaró competente para decidir sobre la demanda presentada en contra de los mencionados decretos, porque a su juicio la Constitución le atribuía una "competencia genérica" de juzgar los actos que fuesen demandados por inconstitucionalidad, sin distinguir las razones o motivos de la acusación.[101] Enseguida determinó que la acusación según la cual los decretos violaban la Constitución, porque estos se habían dictado cuando en el

98 *El Tiempo* siguió con detalle el proceso, la sentencia y las reacciones posteriores al fallo. Véanse los ejemplares de abril de 1935.

99 *El Tiempo* en ediciones de agosto de 1934 mencionaba que el presidente López venía preparando las doce ternas para magistrados de la Corte. Para el Gobierno, decía el periódico, era claro que jugaría un papel importante la política parlamentaria.

100 Para el momento del fallo, la Corte estaba integrada por Ignacio González Torres, Enrique Becerra, Jenaro Cruz, Carlos Bravo (conjuez por el impedimento del magistrado Trujillo Arroyo, debido a que un familiar suyo era demandante), Remigio González Gooding, José Joaquín Hernández, Manuel Vicente Jiménez, Germán B. Jiménez, Julio Luzardo Fortoul, Juan E. Martínez, Tancredo Nannetti y Juan Francisco Mujica. Salvaron su voto los magistrados Nannetti, Mujica, Cruz, González Gooding y Hernández, todos ellos de origen liberal.

101 Corte Suprema de Justicia, sentencia del 2 de abril de 1935, M.P. Enrique A. Becerra, *G.J.*, No. 62, p. 111.

país había cesado la turbación del orden público que dio origen a la declaratoria del estado de sitio de 1932 (Guerra con el Perú), ameritaba un análisis de tipo fáctico. Entonces evaluó si aún persistía la turbación del orden público en la región fronteriza con el Perú, en donde el Gobierno de Olaya Herrera había declarado el estado de sitio tres años atrás, y encontró que el presidente López, en su mensaje al Congreso del 10 de julio de 1934, había declarado que se había normalizado la situación de orden público en la frontera y cesado toda hostilidad con el Perú; así mismo, que se había zanjado la disputa fronteriza en el "Pacto de Río de Janeiro" de 1934, que se elevaría a un tratado público binacional. Por último, la Corte encontró que el "Boletín del Ministerio de Relaciones Exteriores" de julio y agosto de 1934 informaba sobre el restablecimiento total de las relaciones diplomáticas entre Perú y Colombia. Por todas estas razones, para la corporación era claro que se debía "convenir con los demandantes que la situación de hecho que contempló el decreto sobre turbación del orden público no persistía cuando se dictaron los decretos acusados".[102] Debe tenerse en cuenta que, para el año 1934, el Ejecutivo no había dictado ningún decreto declarando restablecido el orden público y levantando el estado de sitio de 1932.[103]

Si bien la Corte respaldó el argumento de los demandantes, finalmente optó por concentrarse en otro de los cargos de inconstitucionalidad formulados en contra de los decretos: que las medidas vulneraban la Constitución porque su ámbito de validez era nacional, mientras que la declaratoria de estado de sitio de 1932 únicamente se aplicaba a la región fronteriza con el Perú. Es decir, que el Gobierno había excedido sus facultades constitucionales al dictar un decreto que no estaba amparado en una declaratoria de estado de sitio de alcance nacional. Así, la corporación estimó que los decretos habían sido dictados cuando ya el país se encontraba bajo normalidad jurídica —salvo en la zona fronteriza mencionada, porque sobre ella regía el estado de sitio de 1932—, de modo que el Gobierno no podía suspender leyes vigentes en materia tributaria, que eran de aplicación en todo el país, ni mucho menos decretar una "cuota militar". Por tanto, consideró inaceptable el argumento de que los dos decretos demandados regirían en todo el territorio nacional al amparo del estado de sitio decretado en 1932, cuando aquel estado de sitio solo regía para la específica zona fronteriza ya mencionada.[104]

102 Corte Suprema de Justicia, sentencia del 2 de abril de 1935, *op. cit.*, p. 115.

103 La Corte se refiere al artículo 33 del Acto Legislativo 03 de 1910, que reformó la Constitución Nacional de 1886, en lo pertinente: "[...] El Gobierno declarará restablecido el orden público tan pronto como haya cesado la guerra exterior o se haya reprimido el alzamiento; y dejarán de regir los decretos extraordinarios que haya dictado [...]".

104 Aquí la Corte interpretó que cuando el artículo 121 de la Constitución expresaba: "[...] En los

Por último, la Corte sostuvo que aunque el Gobierno de López había justificado los decretos legislativos de 1934 en la urgencia y la necesidad, tanto de los recursos para atender la defensa nacional, como de las partidas presupuestales para el año 1935, la Constitución era clara al asignarle al Congreso la competencia para fijar impuestos y aprobar el presupuesto nacional y, por tanto, los decretos legislativos acusados eran inexequibles porque vulneraban el precepto constitucional según el cual "En tiempos de paz solamente el Congreso, las Asambleas y los Concejos podrán imponer contribuciones".[105] Dijo la Corte:[106]

> Y aunque se insista en que para atender a la defensa de las fronteras de la República es preciso llevar adelante la construcción de varias obras públicas, para las cuales no hay en el Presupuesto de mil novecientos treinta y cinco partidas apropiadas; y que en consecuencia el Gobierno está en la obligación de arbitrar los recursos necesarios para atender la construcción de esas obras, por medio de la creación de nuevos tributos [...], y en que por razones claras de defensa nacional, ha sido preciso aumentar en forma muy considerable el presupuesto del Ministerio de Guerra [...] y aunque con todo esto se insista, es imprescindible reconocer que estando atribuida al Congreso, en tiempos de paz, la facultad de establecer las rentas nacionales y de fijar los gastos de la Administración, lo mismo que la votación del Presupuesto [...] así como también la de decretar impuestos extraordinarios [...] hallándose el Congreso investido de estas facultades constitucionales y encontrándose reunido en la fecha en que se expidieron los memorados decretos, era a él a quien correspondía cumplirlas mediante la apreciación de las circunstancias tanto fiscales como económicas de la República, el querer de los ciudadanos por él representados y las condiciones de seguridad e integridad del territorio patrio.

El fallo produjo una profunda división entre los doce magistrados que integraban la Corte. El bloque conservador seguía imponiéndose ante los magistrados de origen liberal. La minoría fue la que salvó su voto a la sentencia. Así opinaron los cinco magistrados liberales disidentes. En primer lugar, Jenaro Cruz dijo que

casos de guerra exterior o de conmoción interior, podrá el presidente declarar el orden público y en estado de sitio toda la República o parte de ella", significaba que la Carta distinguía entre dos regímenes distintos para la validez de las medidas de excepción, de modo que si el Gobierno solo había declarado el estado de sitio en una parte del país, los decretos legislativos dictados al amparo de aquel debían tener el mismo ámbito de validez territorial. La alusión de la Corte es al artículo 33 del Acto Legislativo 03 de 1910.

105 La Corte se refería al artículo 6º del Acto Legislativo 03 de 1910.

106 Corte Suprema de Justicia, sentencia del 2 de abril de 1935, *op. cit.*, p. 116.

implícitamente la Corte juzgó los hechos de orden público y su relación con el estado de sitio, de modo que se convirtió en un "Tribunal de Hecho" sobre el conflicto con el Perú y se involucró en terrenos políticos que solo eran de competencia del Ejecutivo. Le pareció inaceptable que el fallo sugiriera que ya no estaba turbado el orden público como en 1932, pues "la normalidad legal no se entiende restablecida sino por un acto jurídico, que es privativo del Gobierno, y es entonces cuando caducan los decretos que haya dictado".[107] A su juicio, el constituyente había querido confiarle amplias facultades al Gobierno Nacional para que este pudiera restablecer el orden público en uso del estado de sitio, mientras que la doctrina de la Corte impedía al gobernante "actuar como estadista". En suma, estimó que no había razones jurídicas para que la Corte declarara la inconstitucionalidad de los decretos, pues el Gobierno había obrado dentro del marco constitucional.

Por su parte, Remigio González Gooding agregó que la sentencia se basaba en una interpretación "errónea, ilegal e injustificada" de la Constitución pues la Carta establecía que el Gobierno "podrá declarar turbado el orden público y en estado de sitio toda la República o parte de ella" sin distinguir sobre las medidas que podrían aplicarse en una parte o en todo el territorio nacional. En su opinión, el argumento de la corporación "es contrario a las reglas sobre interpretación, especialmente a aquella que dice que cuando el sentido de la ley sea claro, no se desatenderá su tenor literal so pretexto de consultar su espíritu". Por último, dijo que era necesario que la Corte entendiera la diferencia entre la "declaratoria" del estado de sitio y los "resultados" de ese régimen de excepción, pues una cosa era el origen de la turbación del orden público en una región del país que obligaba a declarar el estado de sitio en esa zona y otra muy distinta eran los resultados de tal turbación, de modo que para contrarrestar la crisis se hiciera necesario extender las medidas excepcionales a todo el país.

El magistrado José Joaquín Hernández expresó que la corporación se había equivocado al evaluar las razones por las que consideró que habían cesado todos los factores que condujeron a declarar el estado de sitio en la frontera con Perú, en 1932. Para esto se apoyó en el campo internacional y analizó con detalle el proceso posterior al conflicto binacional, y concluyó que hasta que no se ratificara el Protocolo de Río Janeiro no se podía hablar de paz y que tal instrumento internacional apenas cursaba su trámite por el Congreso, entonces,[108] para él, en 1934

107 Salvamento del magistrado Jenaro Cruz a la sentencia del 2 de abril de 1935, *op. cit.*, p. 121.

108 En este mismo momento, sectores liberales y el conservatismo liderado por Laureano Gómez habían manifestado su desacuerdo y oposición al Protocolo negociado bajo el Gobierno de Olaya, que López apoyaba.

seguían plenamente vigentes las razones para mantener el estado de sitio declarado por el Gobierno en 1932. Esto dijo:[109]

> El eminente estadista que gobierna la República, en armonía con principios de derecho público y con las normas internacionales, no puede restablecer el orden público [...] sino después de aprobado el Protocolo de Río de Janeiro. Ningún mandatario liberal o conservador se atrevería a restablecer el orden en las condiciones actuales, lo cual equivaldría a abandonar la defensa de la soberanía nacional. Si el Congreso hubiese aprobado el Protocolo [...] el Presidente hubiese levantado el estado de sitio, pero como no fue ratificado, viose en la imperiosa necesidad de establecer los nuevos impuestos como medida necesaria para la defensa nacional.

Hernández también expresó que dado que las medidas requeridas por el Gobierno exigían una vigencia inmediata, este no podía esperar a que el Congreso dictara una ley que tan solo permitiría el cobro de impuestos seis meses después de que fuera sancionada. Por último, aunque estimó que las facultades presidenciales dentro del estado de sitio debían interpretarse en su sentido literal, afirmó que si lo que pretendía la Corte era "consultar el espíritu de esas facultades", de todos modos eso conduciría a entender que el propio constituyente de 1886 y la reforma de 1910 fueron quienes "confirieron sabiamente poderes omnímodos al Gobierno para mantener el orden público y para defender la soberanía nacional".

Juan Francisco Mujica adhirió al concepto jurídico de sus compañeros disidentes pero además cuestionó el papel que cumplía la Corte, que calificó de conservadora.[110] Acusó a la corporación que culminaba su período de haber interpretado la Constitución guiada por criterios teleológicos. A su juicio, la corporación había declarado la inconstitucionalidad de los decretos porque estos estaban relacionados con intereses de "individuos que constituyen la clase social afectada con los impuestos", lo cual era propio de una Corte que tendía a conservar "el dato histórico, al mantenimiento de la tradición, y a que el orden legal no sea transformado por las fuerzas sociales que actúan de modo lento y secreto".[111]

109 Corte Suprema de Justicia, salvamento de voto del magistrado José Joaquín Hernández a la sentencia del 2 de abril de 1935.

110 Corte Suprema de Justicia, salvamento de voto del magistrado Juan Francisco Mujica a la sentencia del 2 de abril de 1935, p. 129.

111 Dijo Mujica que la Corte tácitamente deriva la existencia del Estado de la voluntad de sometimiento de todos los miembros: "El Estado, por ella, está consagrado por la religión, y por la historia, merced a la gracia de Dios". Por último, el magistrado de ideología comunista, dejó ver su postura sobre los fines del derecho: "Como he hablado del fin del Derecho, creo un deber advertir que para mí

Tancredo Nannetti denunció que la Corte implícitamente se había inmiscuido en los terrenos propios del poder presidencial bajo el estado de sitio. Estimó que la doctrina de la Corte conduciría a que el Gobierno extendiera el estado de sitio declarado en una región del país a todo el territorio nacional, cuando "el constituyente lo que ha querido es restringir los desastrosos efectos de una declaración de estado de sitio, que suspende todas las garantías, trastorna la economía nacional, y difunde la inseguridad en todas partes, a los casos de excepcional gravedad para la vida del Estado, de manera que pudiera resultar el remedio mucho más pernicioso que el mal, circunscrito a una pequeña porción del territorio nacional".[112] Dijo que parecía "tan ajustada al derecho y a la hermenéutica esta solución" que varios gobernantes la habían usado en el pasado: José Vicente Concha, en 1917, cuando declaró el estado de sitio en Arauca y Casanare, "a causa de haber sido asaltada la ciudad de Arauca por una cuadrilla de malhechores que privó de la vida al Comisario Jefe de la Guarnición y a gran parte de los individuos que la componían", y que como fue necesario enviar tropas a esa región, el Gobierno estableció una jefatura civil y militar y autorizó al Ministerio de Guerra para gastar el material necesario sin cumplir las formalidades del Código Fiscal. Agregó que, en 1918, el Gobierno de Concha también declaró turbado el orden público en algunos departamentos de la costa atlántica, ante los "motines y tumultos" ocasionados por varias huelgas de obreros, y que aunque esta situación no se prolongó por largo tiempo, se expidió un decreto que era "una verdadera ley de carácter general, sobre huelgas, precursora de la Ley 78 de 1919", así como también otro decreto que dispuso que los fondos sobrantes de la canalización del Río Magdalena se destinasen a la fuerza pública. Además, presentó como ejemplos algunas medidas del Gobierno de Olaya Herrera, que dictó diversos decretos encaminados a mantener la seguridad nacional, precisamente dentro del estado de sitio decretado en 1932, como aquel que prohibió la publicación de informaciones de prensa contrarias a la seguridad nacional, o del que estableció el impuesto de "cuota militar". Por todo esto, consideró que había una tradición y un uso acertado de las medidas de estado de sitio que solo perseguían como fin el restablecimiento del orden público, de modo que mal hacía la

---

éste no constituye una fuerza determinante, y es solo la expresión de las correspondientes relaciones sociales en las luchas de clases, y, por tanto, un efecto involuntario de las mutaciones de la economía. Pero así como la voluntad en la doctrina determinista —que también confieso— corresponde a un determinado radio de acción relativamente libre, considero que el Derecho puede revestir cierta forma que modifique en algo la materia de las relaciones sociales, modelada ésta por la manera de producir, distribuir y consumir la riqueza en un lugar y momento determinados". *Ibídem,* p. 129.

112 Corte Suprema de Justicia, salvamento de voto de Tancredo Nannetti a la sentencia del 2 de abril de 1935, *op. cit.,* p. 130.

Corte en imponerle al Gobierno un "desastroso" límite territorial de la validez de los decretos que este dictaba dentro de sus facultades de estado de sitio.

Como podemos apreciar, la Corte dirigió sus argumentos hacia la justificación de unos límites que la Constitución le imponía al Ejecutivo dentro del régimen del estado de sitio. Y eso era algo inédito en la doctrina de la corporación, pues esta se había caracterizado por la evasión del control de los decretos de estado de sitio o por un ejercicio laxo del mismo, entre 1910 y 1935. Su jurisprudencia no había limitado el poder presidencial dentro del régimen de excepción y mucho menos lo había hecho con decisiones que enfrentaban el poder de un presidente en pleno ejercicio.[113] Tal vez todo esto encendió las alarmas de los críticos de este fallo, que acusaron a la Corte de actuar movida por intereses políticos y para propinarle un duro golpe político al Ejecutivo liberal, secundando así a la oposición conservadora en el Senado que había bloqueado a un Gobierno que intentaba evitar la crisis fiscal.

El intento de establecer límites al poder del Ejecutivo dentro del régimen de excepción condujo al tribunal por los terrenos movedizos de confrontar la realidad de la situación del orden público del país en 1934, para concluir, junto con los demandantes, que cuando el Gobierno de López Pumarejo había dictado los decretos demandados ya habían desaparecido las causas que motivaron el estado de sitio declarado con motivo del conflicto con el Perú, en septiembre de 1932. Pero si en un comienzo la Corte parecía dispuesta a limitar esos excesos presidenciales, luego prefirió moverse a otro cargo de inconstitucionalidad y era el que acusaba que los decretos de López tenían validez en todo el territorio nacional, mientras que la declaratoria del estado de sitio únicamente regía para la porción fronteriza con el Perú. Esta segunda línea argumentativa permitió a la Corte centrarse en la cuestión de la validez territorial de los decretos, con base en un anclaje normativo mucho más fuerte que aquel que le ofrecía el cargo de que el orden público ya no estaba turbado para el momento en que López había dictado sus decretos. Con este giro, la Corte creía evitar una ruptura en su tendencia doctrinal, que por décadas se había caracterizado por la laxitud a la hora de limitar el poder presidencial bajo el estado de sitio.

Este aparte de la sentencia da luces sobre el modo como la Corte entró a cuestionar que la vigencia de la turbación del orden público, declarada en 1932, cobijara los decretos de López sobre impuestos de 1934, pero que luego el tribunal optara por discutir el asunto del ámbito de validez territorial de los mismos, para evitar un fallo que apareciera como una "intromisión" de la Corte en ese fuero discrecional

113 La trayectoria del débil control constitucional de la Corte sobre el estado de sitio en ese período aparece rastreada más adelante en este libro.

del Ejecutivo, que lo facultaba para evaluar el estado del orden público y tomar medidas excepcionales.[114]

> Desde el punto de vista jurídico, ocurre que el inciso 4, del citado artículo 33 [del Acto Legislativo 03 de 1910], al decir que "dejarán de regir los Decretos de carácter extraordinario que haya dictado el Gobierno", ofrece la duda de que ese fenómeno y el consiguiente de no poder ya dictar otros nuevos, sea consecuencia de la cesación de la guerra exterior o de la reducción del alzamiento, o lo sean de la declaración oficial sobre restablecimiento del orden público, hecha por el Presidente. Empero, la Corte no considera elucidar este problema, por cuanto los actores han presentado otro fundamento a su demanda que es de suyo suficiente para fallar con certera certidumbre.

En cuanto a los salvamentos de voto, si se analizan en su conjunto las razones de los cinco disensos liberales, es evidente que todos ellos defendieron el poder presidencial y se apartaron de los criterios de la Corte que limitaban las facultades del Ejecutivo dentro del estado de sitio. Así, mientras vemos a una Corte que después de interpretar textualmente el precepto constitucional que establecía que el presidente podrá decretar turbado el orden público y el estado de sitio en todo el territorio nacional o en parte de él y que concluye que la Constitución distingue dos ámbitos de validez territorial de los decretos de estado de sitio, que son excluyentes y no complementarios, muy por el contrario los salvamentos expresan que, precisamente, si se interpreta "literalmente" esa facultad presidencial no cabe la distinción que hizo la Corte pues "en donde la ley no distingue, no le es dable al intérprete consultar el espíritu de la ley".

De igual modo, mientras la corporación apoyó su decisión en argumentos de tipo histórico sobre "el espíritu" de los constituyentes de 1886 y 1910 con respecto a las limitadas facultades presidenciales dentro del estado de sitio, los magistrados disidentes consideran que esa interpretación no se ajusta a los contenidos constitucionales que establecieron un amplísimo régimen para las facultades de estado de sitio en cabeza del presidente, y que se justifican políticamente por la necesidad de garantizar el orden público y el interés general.

Por último, los salvamentos de voto criticaron fuertemente que la Corte, implícitamente, se haya inmiscuido en juicios de tipo político sobre el orden público y estiman artificiosa la argumentación que construyó la corporación para justificar

114 Corte Suprema de Justicia, sentencia del 2 de abril de 1935, *op. cit.*, pp. 115-116.

la inexequibilidad de los decretos. Una traza más de que el debate partidista pudo filtrarse en el juicio de constitucionalidad en la corporación.

Así las cosas, la Corte en donde predominaban magistrados de origen conservador por momentos se mostraba más decidida a defender los derechos y libertades y a garantizar la separación de poderes que la minoría liberal, pues esta última exigía menos control al poder presidencial. Es decir, que esa Corte parecía girar hacia una defensa del control de la Constitución, una limitación del poder presidencial y el uso de métodos de interpretación de diversos orígenes y tendencias doctrinales, pero justo cuando enfrentaba un asunto de claro interés para el Gobierno liberal.

El timonazo doctrinal de la Corte, como vimos, no fue bien recibido por la minoría liberal de la corporación. Ese súbito cambio, con pocos anclajes jurisprudenciales, potenció el disenso de los cinco magistrados liberales y atizó las interpretaciones según las cuales el tribunal había dictado su sentencia movida por puras razones políticas. Además, es interesante poner de presente que la doctrina sentada en este fallo no volvería a hacer presencia en la Corte. En efecto, se convierte en una doctrina olvidada que nunca se posicionó en la jurisprudencia constitucional del tribunal, ni en la producida por la Corte Liberal o Corte de Oro, que la sucedió en mayo de 1935, ni mucho menos en décadas posteriores.[115]

Como dijimos atrás, la sentencia se inscribía en un ambiente político de alta tensión por el enfrentamiento entre un Gobierno liberal y un Congreso dividido entre una Cámara de Representantes dominada por el liberalismo, y una feroz oposición conservadora que ocupaba el Senado.[116] Las reacciones al fallo fueron de crítica a la Corte Suprema y de respaldo a López, en parte porque los liberales y un importante sector del empresariado habían justificado que el Gobierno dictara los decretos legislativos que apuntaban a prevenir una crisis fiscal mayor y a superar la intransigencia conservadora en el Congreso. Pero, además, porque el proceso ante la Corte se vio salpicado por acusaciones públicas de ilegalidades cometidas

115 Desde luego, la afirmación debemos matizarla. Con algunos destellos en la década de los sesenta, la Corte solo caminó con firmeza hacia un mayor control constitucional de los estados de excepción a finales de la década de los ochenta.

116 Antes de que el fallo fuera notificado oficialmente al Gobierno, *El Tiempo* del 3 de abril de 1935 registró la noticia en primera plana y dijo que la sentencia habría sido aprobada por siete magistrados contra cinco, con una mayoría conservadora. Así mismo, puso de presente el "nerviosismo" de los círculos bursátiles en la tarde en que se filtró la noticia del fallo, y dijo que hubo una clara tendencia a la baja en los "bonos y papeles oficiales, así como en muchas acciones particulares, que, por su esencia, sufrirán graves perjuicios con la derogatoria de los decretos". También comentó el periódico que se esperaban grandes recortes presupuestarios en las finanzas estatales y la paralización de obras públicas: "[...] puede asegurarse que la sola enunciación de la sentencia de la Corte ha causado un completo trastorno en las actividades comerciales, bancarias y bursátiles, y una alarma verdadera en los círculos burocráticos".

dentro del trámite que siguió el tribunal, que incluso movieron al procurador general de la Nación a solicitarle a la Corte la nulidad del proceso antes —y con motivo— del fallo. Y para completar, porque los cinco salvamentos de voto fueron suscritos por la minoría liberal en contra de la mayoría conservadora que había impuesto la decisión, lo cual fue inmediatamente leído como un fallo partidista en contra del Gobierno. Por todo esto, para sectores de opinión, y por supuesto del liberalismo, no cabía duda que el fallo solo buscaba un revés jurídico y político del Ejecutivo liberal, justo cuando los magistrados de la Corte estaban por dejar su cargo y ya era por todos conocido que la Corte Suprema, mayoritariamente de origen conservador, ahora daría paso a la mayoría liberal que iniciaría funciones el 1 de mayo de 1935.[117]

El Gobierno de López guardó estricta prudencia frente a las informaciones extraoficiales que ya desde el propio 2 de abril, fecha de la sentencia, daban cuenta del fallo adverso a sus intereses. La primera reacción del Gobierno ocurrió el 12 de abril de 1935, cuando por conducto de Jorge Soto del Corral, ministro de Hacienda y Crédito Público, declaró oficialmente: "El Gobierno, respetuoso de la Constitución de la República, y especialmente del artículo 41 del Acto Legislativo No. 3 de 1910, [...] acata la sentencia de la Corte Suprema de Justicia [...] No comparte las razones de la parte motiva del fallo y deja a salvo las irregularidades procedimentales que precedieron a la expedición de la sentencia", y también anunció que el 20 de julio próximo le presentaría al Congreso un proyecto de ley que sustituiría los impuestos declarados inexequibles, eso sí, subrayando que su destinación era cubrir "los gastos de defensa nacional y las obras públicas".

López también se refirió al fallo, pero lo hizo indirectamente en una carta de respuesta a un grupo de empresarios y abogados santandereanos que expresaron respaldo al Gobierno y rechazaron el bloqueo conservador a las medidas económicas del Ejecutivo.[118] En su nota del 13 de abril de 1935, López expresó que su deber era respetar a la Corte, pero que eso no le impedía opinar sobre las tesis que defendía esa corporación, con mayor razón si sus opiniones estaban respaldadas en unas importantes tesis que algunos magistrados habían tratado de plantearle al pleno del tribunal, pero que luego habían sido derrotadas por los votos mayoritarios:[119]

117 "En la tarde de ayer se reunieron por separado las mayorías liberales y la minoría conservadora [...] Se acordó que el doctor Ricardo Hinestrosa Daza sea el Presidente de la Corte por la mayoría liberal y el doctor Miguel Moreno Jaramillo por la minoría conservadora [...]". "La posesión de los magistrados: La nueva Corte Suprema inaugurará sus labores mañana a las diez de la mañana 1 de mayo de 1935", *El Tiempo,* 30 de abril de 1935, pp. 1 y 15.

118 Publicada en *El Tiempo* del 13 de abril de 1935.

119 Hubo más reacciones políticas y económicas al fallo. Por ejemplo, *El Tiempo* del 15 de abril

> Tengo que lamentar, y lo lamento, que el curso normal de los juicios ante la Corte Suprema hubiera adolecido de irregularidades y precipitaciones denunciadas públicamente por el señor Procurador General de la Nación, y que dieron lugar a que muchos ciudadanos, como lo hacen ustedes, aceptaran la apariencia de un fallo político, dictado por una mayoría conservadora en el momento en que era la Corte Suprema de Justicia la única entidad en que había mayoría del partido que ha decretado la obstrucción y la oposición sistemática al Gobierno. [...] Yo prefiero suponer que un equivocado criterio jurídico ha conducido a esta sentencia. Estamos dispuestos a afrontar con tranquila energía, mucho más que cuanto la decisión de la Corte Suprema de Justicia ha servido para que la opinión reaccione en favor de esas contribuciones, que fueron tan mal comprendidas o tan deslealmente explotadas como arma política en contra del régimen liberal.

Después de unas pocas semanas de haberse dictado la sentencia, bajo una tensión política e institucional latente, se despedía la Corte dominada por los conservadores. El 1 de mayo de 1935 se inauguraba una Corte Suprema de Justicia[120] en donde los liberales contarían con siete magistrados y los conservadores pasaban a tener cinco.[121] Precisamente, el día que terminaban sus funciones en la Corte, algunos magistrados se refirieron públicamente a las acusaciones según las cuales los criterios partidistas habían dominado la sentencia sobre los decretos dictados por López. Esto dijo Ignacio González Torres, magistrado de origen conservador:[122]

> Todos los magistrados de la Corte estamos listos a entregar hoy nuestros despachos a los nuevos magistrados [...] puedo decirle que hemos trabajado con tal constan-

---

de 1935 indagó sobre el costo fiscal de la declaratoria de inconstitucionalidad de los dos decretos por parte de la Corte Suprema y mencionó que la rebaja en el presupuesto de rentas para el año 1935 sería de $7.851.000, de modo que los ministerios más afectados serían el de Justicia y el de Guerra, y que, además, había una "incertidumbre en la situación de los negocios", en parte por la proximidad de las elecciones, pero también como resultado de la sentencia de la Corte que puso en aprietos fiscales al Gobierno Nacional. También comentó que altos oficiales del Ejército habían manifestado su intención de seguir pagando la "cuota militar" no obstante el fallo de la Corte. *El Tiempo,* 13 de abril de 1935.

120 El 30 de abril dejaron sus cargos los magistrados conservadores: Enrique Becerra, Ignacio González Torres, Germán B. Jiménez, Manuel Vicente Jiménez, Juan E. Martínez, Julio Luzardo Fortoul y Juan C. Trujillo Arroyo; y los liberales: Tancredo Nannetti, José Joaquín Hernández, Jenaro Cruz y Remigio González Gooding.

121 De la Corte que juzgó la constitucionalidad de los decretos de estado de sitio de López en 1934, tan solo había sido reelegido el magistrado Juan Francisco Mujica, quien se había declarado comunista, pero que respaldado por el partido liberal había llegado a la corporación como suplente del magistrado José Miguel Arango.

122 *El Tiempo,* 1 de mayo de 1935, pp.1 y 15.

cia que hoy queda la oficina al orden del día, y que en nuestras actuaciones [...] no hubo ni la más insignificante manifestación partidista. Prueba de ello son los fallos expedidos contra ciudadanos conservadores [...] Con la misma imparcialidad sancionamos a conservadores y a liberales [...] la Corte ha desempeñado un papel importante en la vida de la nación. En la Sala en que yo actúo se expidieron fallos de gran trascendencia, entre ellos el que declaró la inexequibilidad del decreto sobre los billetes ingleses que expidió el señor Suárez, y cuya vigencia hubiera costado al país no menos de treinta millones de pesos. Se declararon también igualmente inexequibles algunos decretos expedidos por el doctor Miguel Abadía Méndez, entonces Presidente de la República, decretos sobre reorganización de la Policía Nacional y que invadían los fueros del Poder Judicial. En ninguno de nuestros actos estuvo el criterio partidista, y trabajamos dentro de la mayor armonía, presentándose solo discrepancias en asuntos de derecho, y si la mayoría decretó la nulidad de los decretos sobre impuestos expuestos por el Presidente López, lo hizo con criterio jurídico, porque consideramos de muy buena fe que esos decretos eran violatorios de la Constitución Nacional.

El magistrado liberal José Joaquín Hernández, quien salvó el voto en el fallo, también coincidió en que la Corte solo atendía a factores jurídicos y no a cuestiones partidistas cuando dictaba sus fallos, aunque sí reconoció que los magistrados de cada partido habían tenido distintos criterios doctrinales para decidir sobre los decretos de López:

Me retiro a la vida privada, satisfecho del cumplimiento de mi deber. Entre los muchos negocios que me tocó ventilar está el relativo al voto de las Fuerzas Armadas de la República, fallo que redacté y que la Corte aprobó por unanimidad, sentando una doctrina de singular provecho para la vida democrática de la nación. En los cinco años de ejercicio de la magistratura, las sesiones de la Corte plena estuvieron presididas por un amplio espíritu de cordialidad [...] y no se presentó un caso en que hubiera disparidad de criterios por razones de partido. Sólo a última hora, en la discusión del proyecto de sentencia sobre los impuestos, hubimos de diferir los liberales de los conservadores en la manera de apreciar los hechos jurídicos que se discutieron con motivo del fallo sobre los impuestos decretados por el señor Presidente de la República.

El magistrado conservador Juan E. Martínez hizo referencia a su trayectoria como juez y magistrado en el área civil y a la tarea sacrificada que realizaban los funcionarios judiciales, sin importar su nivel, aunque muchas veces solo recibieran críticas de la ciudadanía. Esto dijo:

> [...] en mis compañeros [de la Corte] he encontrado consagración, luces e insospechable probidad [...] No todo el público se da cuenta de lo que son las labores silenciosas y pesadas que requiere la administración de justicia, y algunas veces, por desgracia, la obra del juzgador es mirada con injusticia o al menos con indiferencia [...] Quisiera yo [...] que los servidores de la administración de justicia recibieran del público toda la estimación que merecen y que nunca los colombianos lleguen a dudar de sus jueces.[123]

El también conservador Julio Luzardo Fortoul, quien votó con la mayoría el fallo de abril de 1935, hizo un extenso comentario sobre los cargos que había ocupado antes de llegar a la Corte, resaltando que había "hecho la carrera judicial por rigurosa escala". Luego insistió en que el tribunal nunca había actuado animado por un espíritu sectario a la hora de fallar. Así puso el ejemplo de aquella sentencia que decidió la constitucionalidad de las leyes que le confirieron facultades extraordinarias al presidente Olaya Herrera para solucionar la crisis fiscal y económica, y cuya ponencia fue acogida por la Corte, mientras que magistrados liberales, como José Miguel Arango, habían salvado su voto. Dijo Luzardo: "Este detalle dará usted idea del espíritu que animó las actuaciones de la Corte".[124]

Sin duda estos testimonios de los magistrados que dejaban la Corte Suprema de Justicia nos ponen de presente cómo los miembros de la corporación intentaban a toda costa poner a salvo el nombre de la corporación, por encima de cualquier color partidario. Quizá porque sabían que en la "neutralidad" política de las decisiones de la Corte radicaba el peso de su legitimidad, o porque eran conscientes de que en su comunidad interpretativa, la de los juristas, las disputas siempre tienen que parecer alejadas de todo viso partidista.

123 Y continuó: "Al dejar el Poder Judicial, en el que he trabajado por largo número de años, regreso a la vida privada con la conciencia tranquila, como que he procurado servir con todas mis fuerzas a mi patria". *El Tiempo,* 1 de mayo de 1935, p. 15.

124 Enrique Becerra, magistrado conservador y ponente del fallo del 2 de abril de 1935, dijo que "por ahora no tenía nada que decir, y que esperaba entregar sus negocios para dedicarse a su vida privada, ofreciendo una amplia entrevista sobre los principales incidentes en sus diez años de magistratura". *El Tiempo,* 1 de mayo de 1935.

El control de las leyes aprobatorias de tratados internacionales

Los límites con el Perú: 1930

Desde mediados del siglo XIX, la frontera amazónica de Colombia con Perú y Brasil fue escenario de colonización de los países vecinos y se caracterizó por la falta de delimitación fronteriza y la carencia de presencia del Estado colombiano en la región. En esa zona, la explotación de caucho se producía en medio de difíciles condiciones de trabajo, que llegaban a la esclavitud de los nativos, y de denuncias sobre atrocidades cometidas por las casas explotadoras del caucho.

En las primeras décadas del siglo XX hubo conversaciones entre Perú y Colombia para dar solución al problema limítrofe, que culminaron en un acuerdo binacional firmado en 1922, el cual permaneció en secreto por algún tiempo y luego se convertiría en el Tratado Lozano-Salomón, en el que el Perú reconocía la soberanía colombiana sobre el Trapecio Amazónico. Esos acuerdos limítrofes no fueron bien recibidos por la élite peruana que tenía intereses económicos en la región. Para muchos, la delimitación fronteriza solo era de papel pues la región carecía de presencia estatal colombiana; la población peruana y brasilera superaba a la colombiana, y apenas se daría un paso institucional para el dominio colombiano en la región con la creación de la intendencia del Putumayo y la comisaría del Amazonas.[125] El tratado fue aprobado rápidamente por el Congreso colombiano, en 1925, mientras que el Congreso del Perú tardó hasta 1928 para decidir su aprobación.

Como dijimos, el 7 de agosto de 1930 asumió el poder el presidente liberal Enrique Olaya Herrera, quien rompía con varias décadas de hegemonía conservadora. A los pocos meses, el 6 de diciembre de 1930, con la ponencia del magistrado Enrique Becerra, la Corte Suprema de Justicia[126] se pronunció sobre la demanda presentada por Miguel Rubiano en contra de la Ley 55 de 1925, aprobatoria del Tratado Lozano-Salomón del 24 de marzo de 1922 entre Colombia y Perú, que para la fecha de la sentencia ya había sido perfeccionado por el canje de ratificaciones, en Bogotá, el 19 de marzo de 1928.[127]

125 Carlos G. Zárate, *Silvícolas, siringueros y agentes estatales: el surgimiento de una sociedad transfronteriza en la Amazonía de Brasil, Perú y Colombia, 1880-1932,* Universidad Nacional de Colombia, Instituto Amazónico de Investigaciones-Imani, 2008.

126 La Corte la integraban Juan N. Méndez, Juan E. Martínez, José Miguel Arango, Enrique A. Becerra, Parmenio Cárdenas, Ignacio González Torres, Germán B. Jiménez, Julio Luzardo Fortoul, Tancredo Nannetti, Francisco Tafur y Juan C. Trujillo Arroyo.

127 Marco Gerardo Monroy Cabra, *Derecho de los Tratados,* Editorial Leyer, 2ª edición, Bogotá, 1995, p. 231.

Según Rubiano, la Ley 55 debía ser declarada inconstitucional porque vulneraba el Acto Legislativo 03 de 1910, que establecía los límites del país, ya que en virtud de tal ley se le entregaban miles de kilómetros del territorio nacional a otro Estado. La Corte decidió que no le correspondía "revisar la ley que aprueba un Tratado público celebrado por el agente diplomático que ha designado el Presidente de la República en otra nación y que apruebe el Congreso Nacional, pues de lo contrario iría contra el precepto establecido en el artículo 57 de la misma Carta Fundamental sobre separación y limitación de los poderes públicos".[128] Para la Corte, las acusaciones de inconstitucionalidad dirigidas en contra de la Ley 55 de 1925 eran similares a aquellas del caso fallado en 1914 (Tratado Urrutia-Thompson), de modo que lo único que le tocaba hacer era reiterar su doctrina de la incompetencia para juzgar ese tipo de leyes, tal como lo había hecho en 1914: "La Corte insiste en la doctrina establecida en el fallo transcrito, de no ser competente para decidir sobre la inexequibilidad o exequibilidad de la Ley 55 de 1925".[129]

Así, la doctrina fijada en un ambiente político de alta tensión, como fue el de 1914, ahora le permitía a la Corte de 1930 evadir la confrontación institucional con los otros poderes y dejar a un lado el espinoso asunto de tratados internacionales, que, como el caso del Lozano-Salomón, era fruto de arduas y difíciles negociaciones políticas entre dos Estados, y parecía poner fin a la disputa por los límites fronterizos de la Amazonía colombiana y peruana. El tratado, aunque había sido ratificado, como dijimos, produjo reacciones negativas en sectores peruanos. Y, precisamente, en el mismo año en que se produjo el fallo, 1930, unos colonos peruanos iniciaron hostigamientos en la frontera con Colombia, apoyados por miembros del Ejército peruano, que daría lugar a la llamada "Guerra con el Perú".

El Concordato a juicio de la Corte Suprema: 1930 y 1941

Con base en el Concordato de 1887, celebrado entre la Santa Sede y Colombia, y luego con el Convenio adicional de 1892, la Iglesia Católica había tomado el control del registro civil y el manejo de los cementerios. Con este arreglo entre el Vaticano y el régimen de la Regeneración, el Estado colombiano había dado un giro hacia el confesionalismo.[130] El Concordato reconocía que la religión católica era la de Colombia, de donde se deducían las obligaciones de los poderes públicos a reconocerla como elemento esencial del orden social, y a protegerla y hacerla

128 Corte Suprema de Justicia, *G.J.*, Tomo XXXVI, No. 1833, Bogotá, 6 de diciembre de 1930, p. 248.

129 *Ibídem.*

130 Marco Palacios, *Entre la legitimidad…, op. cit.*, p. 58.

respetar. Se proclamaba que la legislación canónica era independiente de la civil, pero debería ser respetada por las autoridades; se reconocía también la personería jurídica de la Iglesia y su libertad para poseer libremente bienes muebles e inmuebles; en lo tributario, se eximía de impuestos a los templos, seminarios y casas tanto curales como episcopales; se establecía que la educación e instrucción pública en universidades, colegios y escuelas debería organizarse y dirigirse en conformidad con los dogmas y la moral católica.[131]

La influencia del Concordato en la vida política y social del país fue amplia, tanto como lo fueron los debates ideológicos, políticos y jurídicos que acompañaron su vigencia. En especial, fue tremendamente disputado por el liberalismo, que intentó reformarlo en varias oportunidades, como durante la República Liberal, dando lugar a los más enconados debates con los partidos conservadores. Las posturas antagónicas sobre el Concordato hicieron parte de la plataforma ideológica partidista de liberales y conservadores durante una buena parte del siglo XX.

El Concordato y la Convención adicional de 1892 eran tratados públicos que habían sido aprobados por leyes de la República, tal como lo mandaba la Constitución de 1886. Durante este período encontramos dos sentencias de la Corte, que en dos momentos distintos, uno cuando la corporación estaba bajo dominio conservador, y otro bajo dominio liberal, muestran a un tribunal que prefirió mantener su doctrina de la incompetencia para controlar la constitucionalidad de las leyes aprobatorias de tratados internacionales. Al mismo tiempo, en los dos fallos, la Corte reconoció la jerarquía de esas leyes para el caso del Concordato, de modo que se atrevió a declarar la inconstitucionalidad de otras leyes cuyos textos eran acusados de contravenir el Concordato, en una especie de control de legalidad en favor de ese tratado, al amparo del juicio de constitucionalidad de las leyes: es decir, que la postura de la Corte dotó de intangibilidad el texto de un tratado que, en el orden doméstico, quedó por fuera del alcance tanto del legislador como del Ejecutivo.

El Concordato como parámetro para juzgar la constitucionalidad de las leyes

El 18 de noviembre de 1930,[132] con la ponencia del magistrado Enrique Becerra, la Corte decidió la demanda de inexequibilidad dirigida por el ciudadano Luis

131 Fernán Sánchez, "El Concordato de 1887: los antecedentes, las negociaciones y el contenido del Tratado con la Santa Sede", en *Revista Credencial Historia*, edición 41, Bogotá, mayo de 1993.

132 La Corte estaba integrada por los magistrados Juan N. Méndez, Juan E. Martínez, José Miguel Arango, Enrique A. Becerra, Parmenio Cárdenas, Ignacio González Torres, Germán B. Jiménez, Julio Luzardo Fortoul, Tancredo Nannetti, Carlos Arturo Díaz, Francisco Tafur y Juan C. Trujillo Arroyo.

María Holguín en contra de los numerales 2 y 4 del artículo 18 de la Ley 23 de 1918, Ley Orgánica del Crédito Público Interno. Según Holguín, las normas acusadas vulneraban el Concordato porque desconocían varios derechos de carácter económico que el Estado colombiano le había reconocido a la Iglesia Católica. La corporación declaró que, efectivamente, la Ley 23 de 1918 desconocía derechos adquiridos de la Iglesia Católica. Dijo la Corte:

> Un tratado público es un pacto que da nacimiento a derechos y obligaciones entre las partes que lo celebran y que se aprueba por medio de una ley [...] Si esos derechos son de carácter civil, están amparados por el artículo 31 de la Constitución, y por consiguiente, cuando una ley viene a vulnerarlos, cualquier ciudadano puede, en ejercicio de la facultad de que reconoce el artículo 41 del Acto Legislativo número 3 de 1910, quejarse de esa violación. Otra cosa ocurre cuando lo que se acusa es la misma ley que aprueba un pacto de esa clase, porque entonces siendo dicha ley el medio inconstitucional de que se sirve el Estado para aprobar el pacto, aquella forma parte en realidad de uno de los elementos esenciales del mismo pacto, y, por consiguiente, el estudio sobre la validez o nulidad de esa ley no es de competencia de la Corte.[133]

Así, como podemos ver, aunque la sentencia reiteró la doctrina de la incompetencia para juzgar tratados o leyes aprobatorias de tratados internacionales, también reconoció una jerarquía normativa al Concordato, en su calidad de tratado de derecho público, que estaba por encima de las leyes, hasta el punto de declarar la inconstitucionalidad del artículo 4º de la Ley 23 de 1918. Es decir, que la corporación ejerció una férrea defensa de la constitucionalidad del Concordato al juzgar una norma del ordenamiento jurídico interno que consideró violatoria de ese tratado. Era, pues, ni más ni menos que una declaratoria de inconstitucionalidad de una ley porque violaba otra ley, solo que una de esas dos leyes tenía mayor jerarquía porque era el Concordato.

Salvaron su voto los cuatro magistrados que integraban la Corte en minoría, Arango, Cárdenas, Nannetti y Díaz,[134] principalmente por dos razones materiales: 1. A la Corte Suprema de Justicia no le correspondía juzgar si la Ley 23 de 1918 pugnaba con la Ley 35 de 1888 sino con la Constitución, pues la Corte carecía de

---

Corte Suprema de Justicia, sentencia del 18 de noviembre de 1930, *G.J.*, No. 1833, Tomo XXXVI, Bogotá, marzo 10 de 1931.

133 Corte Suprema de Justicia, sentencia del 18 de noviembre de 1930, *op. cit.*

134 Arango, Cárdenas, Nannetti y Díaz eran liberales.

facultades para juzgar leyes que vulneraban otras leyes. 2. Porque no obstante que la Constitución protegía derechos adquiridos y permitía que por motivos de utilidad pública los intereses privados cedieran ante los particulares por mandato de la ley, en este caso la disputa económica sobre los derechos en favor de la Iglesia Católica tenían origen en la ley civil, pues fue en la estipulación contractual del Convenio del 31 de diciembre de 1887 cuando el Estado colombiano se comprometió a pagar determinadas sumas a título de renta, como arreglo al que llegó con la Santa Sede con motivo de la cuestión de la desamortización de los bienes de manos muertas.

La Corte mantiene su doctrina —y su postura— sobre el Concordato en la República Liberal

La otra sentencia de la Corte se dictó una década después, cuando ya habían ocurrido varios hechos políticos relacionados con el Concordato, consecuencia de la Segunda República Liberal.[135] En 1930, los liberales habían llegado al poder, por primera vez en cinco décadas, y los militantes anticlericales insistían por distintos medios en la necesidad de poner fin a la influencia de la Iglesia Católica en la educación pública, pues estos pensaban que la Iglesia era intelectualmente atrasada y era un factor determinante en la falta de progreso espiritual y material del pueblo colombiano.[136]

Esa consigna anticlerical de un importante sector liberal empezó a materializarse con la elección del presidente López Pumarejo en 1934, cuando el partido conservador declaró su abstención electoral, bajo la dirección de Laureano Gómez, lo cual dio como resultado que el Congreso, las asambleas departamentales y los concejos municipales fueran homogéneamente liberales en las elecciones de 1935. En ese ambiente, algunas administraciones municipales y departamentales comenzaron a aplicar la política de no renovar contratos con las comunidades religiosas que educaban en los edificios oficiales y de crear, en su lugar, colegios seculares del Estado, lo cual dio pie para que los conservadores reconfirmaran su discurso de que el Partido Liberal era ateo y estaba decidido a destruir la civilización cristiana por

135 Según Jorge Ortega Torres, en sentencia del 25 de septiembre de 1946 la Corte rechazó una demanda en contra de la Ley 50 de 1942 —Concordato—, por ser tratado público, pero el fallo no fue publicado. Hasta hoy, la sentencia permanece inédita. Jorge Ortega Torres, *Normas legales acusadas ante la Corte Suprema de Justicia desde 1886,* Temis, Bogotá, 1982, p. 29.

136 Thomas J. Williford, "Las 'tomas' de colegios durante la República Liberal, 1936-1942: parte de la estructura discursiva de La Violencia", en *Historia Crítica,* No. 39, septiembre-diciembre 2009, pp. 130-152.

medio de la educación secular, pública y obligatoria.[137] Además, López se había propuesto una ambiciosa negociación con la Santa Sede para modificar el Concordato, y con la aprobación de la reforma constitucional de 1936, que impulsó su Gobierno, vinieron las fuertes protestas del Vaticano, que consideraba que la enmienda abrogaba disposiciones en favor de la Iglesia Católica y violaba el Concordato.

Darío Echandía, en representación de Colombia, encabezó las negociaciones de reforma del Concordato ante la Santa Sede, que concluyeron con la celebración de un nuevo Convenio el 22 de abril de 1942, que modificó cuatro aspectos principales: el procedimiento de consulta para la elección de arzobispos y obispos, los efectos civiles del matrimonio católico, la competencia de los jueces del Estado para las causas de separación de cuerpos de los matrimonios católicos, y el traspaso a las autoridades civiles de los cementerios que estaban a cargo de las autoridades eclesiásticas.[138] La Convención fue aprobada por la Ley 50 de 1942, pero, debido a la oposición conservadora, el Gobierno liberal decidió no ratificarla.[139]

Así, en el transcurso de esa negociación concordataria en que se habían empeñado las administraciones liberales tuvo lugar la sentencia del 18 de marzo de 1941, con ponencia del magistrado Aníbal Cardoso Gaitán, en donde la Corte Suprema de Justicia[140] decidió la demanda de inconstitucionalidad formulada por el abogado Luis Carlos Corral[141] en contra de los artículos 7, 21, 22 y 23 de la Ley 92 de 1938, que contenían disposiciones sobre el registro civil y los cementerios. Esa ley

137 Thomas, J. Wiliford, "Las 'tomas' de colegios...", *op. cit.*

138 José Joaquín Caicedo Perdomo, "La reforma concordataria de 1942 y sus proyecciones en el Concordato de 1973", en *Revista Credencial Historia,* edición No. 41, Bogotá, mayo de 1993. Disponible en: http://www.banrepcultural.org/blaavirtual/revistas/credencial/mayo1993/mayo2.htm

139 Las discusiones sobre el Concordato se reabrirían en la década de los setenta. El Concordato de 1973 fue aprobado por la Ley 20 de 1974 y entró en vigor el 1 de julio de 1975. En la Sentencia C-027 del 5 de febrero de 1993, la Corte Constitucional declaró la inconstitucionalidad parcial del Concordato con la Santa Sede de 1973.

140 La Corte estaba integrada por Hernán Salamanca, Campo Elías Aguirre, Aníbal Cardozo Gaitán, Isaías Cepeda, Juan A. Donado V., Liborio Escallón, Absalón Fernández de Soto, Ricardo Hinestrosa Daza, Fulgencio Lequerica Vélez, José Antonio Montalvo y Arturo Tapias Pilonietta. Participó como conjuez Eduardo Rodríguez Piñeres. Corte Suprema de Justicia, sentencia del 18 de marzo de 1941, M.P. Aníbal Cardozo Gaitán. *G.J.,* No. L, p. 704.

141 Corral ya era experto en llevar casos como apoderado de la Iglesia, relacionados con la aplicación del Concordato. Así, por ejemplo, fue el célebre apoderado de conflicto originado en la toma del edificio del Colegio de los Dominicos en Chiquinquirá, que la Corte Suprema conoció en 1938 y resolvió en 1943, confirmando la propiedad de esa comunidad religiosa (Cf. Thomas Williford, *op. cit.*). También fue el apoderado del Seminario Conciliar de San José, en Bogotá, en una demanda de nulidad promovida contra resoluciones de la Sindicatura del Impuesto de Sucesiones y Donaciones, y el Ministerio de Hacienda, que gravaban con impuestos una sucesión de la cual le correspondía una asignación a ese seminario. Véase: Consejo de Estado, sentencia del 28 de marzo de 1941, consejero ponente Gonzalo Gaitán.

había sido aprobada por un Congreso homogéneamente liberal, el 26 de mayo de 1938, y sancionada en junio del mismo año, siendo una de las últimas ejecutorias del Gobierno de López Pumarejo y de su Revolución en Marcha. Entre otros, la Ley 92 buscaba devolver a los municipios la administración de los cementerios, con lo cual la Iglesia Católica perdía el monopolio sobre estos, que había logrado con el Concordato.

En la sentencia, la corporación recordó que el Concordato entre el Estado colombiano y la Santa Sede establecía que los cementerios cuyos propietarios fuesen particulares se entregarían a la autoridad eclesiástica para su administración y reglamentación independiente de la autoridad civil, aunque dejando al Estado el derecho de intervenir en ellos, por motivos de higiene o de policía. Entonces, por unanimidad, la Corte le dio la razón al abogado Corral al considerar que la Ley 92 quebrantaba el Concordato en su calidad de tratado público entre dos Estados. Para la corporación, el Congreso se había inmiscuido en asuntos propios del Ejecutivo, lo cual le estaba vedado por la Constitución, pues era al jefe de Estado a quien le correspondía dirigir las relaciones internacionales y celebrar tratados públicos, de modo que este era el único que podía comprometer al Estado colombiano. En palabras de la Corte:

> Teniendo la Iglesia Católica, por virtud del Concordato, la administración de los cementerios, y siendo constitucionalmente los asuntos tocantes con las relaciones entre el Estado y la Iglesia propios de pactos internacionales, es contrario a la norma ya comentada del Estatuto, artículo 50, el que se expidan leyes como la acusada, sin origen en un acuerdo previo de las partes. Atribuida *(sic)* constitucionalmente al Órgano *(sic)* Ejecutivo la celebración de convenios con la Santa Sede, la Ley 92 de 1938, en sus disposiciones acusadas, quebranta así mismo el precepto del artículo 71, numeral 2 de la Carta, que prohíbe al Congreso inmiscuirse por medio de resoluciones o de leyes en asuntos que son de la privativa competencia de otros órganos del poder.

La Corte aprovechó para reiterar la doctrina de la incompetencia para decidir sobre la constitucionalidad de leyes aprobatorias de tratados públicos, y distinguió entre las demandas en contra de un tratado —o de una ley aprobatoria del mismo— de aquellas que formulan cargos de inconstitucionalidad en contra de leyes que vulneran tratados. Es decir, que la corporación reforzó la postura expuesta en su sentencia de 1930 y argumentó que en este caso hubo una violación de competencias del Ejecutivo, por parte del Congreso, de nuevo insistiendo en una especie de supralegalidad del Concordato, que podía ser defendido judicialmente por la vía de la acción pública de inconstitucionalidad, cuando otra ley —ordinaria— contravenía el texto del Concordato.

Como podemos apreciar, la Corte compuesta por mayorías liberales asumió la defensa de la legalidad del Concordato, aun cuando la Ley 92 de 1938 era una preciada obra del Ejecutivo y del Congreso liberal, que en tiempos de López Pumarejo había puesto límites al poder eclesiástico y había recuperado la administración civil de los cementerios. Con el fallo, la Corte parecía darle la razón a la oposición conservadora liderada por el senador Laureano Gómez, que acusaba a las reformas impuestas por el liberalismo de ser inconstitucionales e ilegales y que solo buscaban golpear a la Iglesia Católica menoscabando sus derechos adquiridos en virtud del Concordato.

Sin embargo, debemos considerar que la sentencia se producía en 1941, bajo el Gobierno de la "gran pausa liberal" del presidente Eduardo Santos, cuando ya López Pumarejo había dejado el poder y un año después de que se instalara una Corte que variaba un poco de aquella corporación establecida por el Gobierno de la Revolución en Marcha en 1934; esta nueva Corte, la de Santos, aunque era liberal, tal vez no actuaba bajo lealtades a la obra de López y esto, quizás, posibilitó una decisión más libre.

Por último, el control constitucional de los tratados internacionales por la Corte Suprema en este período muestra los distintos usos de su doctrina de la abstención para juzgar leyes que aprobaban tratados públicos, pero al mismo tiempo a un tribunal que protegió la intangibilidad del Concordato, que fue centro de gran disputa política y social durante las hegemonías liberal y conservadora.[142]

El control constitucional de las leyes por vicios de trámite

Durante este período, la Corte fue vacilante al ejercer el control de constitucionalidad de las leyes por vicios en su trámite: en algunos casos se declaró incom-

142 Copete Lizarralde salió en defensa de la decisión de la Corte: "Sea este el momento de rectificar una aseveración corriente en relación con la jurisprudencia de la Corte frente a los tratados públicos y a la acción de inconstitucionalidad. Se dice que la Corte declara la inexequibilidad de las leyes, no solo por quebrantar las normas de la Constitución, sino también porque viola los tratados públicos. La doctrina expuesta de esta forma no es exacta. Es verdad que cuando una ley quebranta un tratado público, la Corte declara su inexequibilidad, pero la razón para hacerlo, no está en la misma violación del tratado, sino en la contravención al artículo 28 de la Carta, que prohíbe al Congreso inmiscuirse en asuntos de competencia privativa de otras ramas [...] resulta evidente que cuando el Congreso dicta una ley que modifica un tratado público, invade una órbita que no le corresponde, por cuyo motivo las normas en ella contenidas son inexequibles". Álvaro Copete Lizarralde, *Lecciones de Derecho Constitucional, op. cit.*, pp. 230 y 231.

petente para adelantar juicios bajo tales cargos pero en otros evadió la misma doctrina y entró a juzgar leyes sin aceptar que estaba separándose de su postura restrictiva. Así, la corporación parecía permanecer ajena a los enfrentamientos entre el Legislativo y el Ejecutivo, lejos de la arena política.

Las reiteraciones doctrinales de la incompetencia

La Corte mantuvo su doctrina de la incompetencia para juzgar la constitucionalidad de las leyes por vicios de trámite en decisiones como las del 15 de febrero de 1915, 7 de marzo de 1918, 7 de diciembre de 1925, 18 de marzo, 9 de abril y 15 de septiembre de 1927.

El caso de los "vales de tesorería" de 1918

Así, en el Acuerdo del 7 de marzo de 1918, con ponencia del magistrado José Gnecco Laborde, la corporación se abstuvo de fallar sobre una demanda de inconstitucionalidad de la Ley 69 de 1917, que establecía una contribución fiscal.[143] La ley se refería a los "vales de tesorería" que revestía al presidente Concha con facultades extraordinarias hasta el 18 de julio de 1918, bajo las cuales el Gobierno podía "gravar con un centavo cada litro de cerveza, cola ginger-ale y cualquier otra bebida gaseosa fermentada, cuyo precio al detal no exceda de siete centavos por litro, [mientras que] si tal precio excediere de siete centavos, el impuesto será proporcional al precio".[144]

Dos de los cargos del demandante, Simón Vergara,[145] consistían en que la ley era inconstitucional porque el proyecto se originó en el Senado y no en la Cámara de Representantes, cuando esta última era la competente para dar inicio al trámite del proyecto, por disposición constitucional, y, además, porque no se habían cumplido todos los debates que ordenaba la Carta.[146] La corporación, de nuevo citando sus fallos anteriores, argumentó que no podía pronunciarse sobre la demanda pues

143 La Corte estaba compuesta por José Gnecco Laborde, Tancredo Nannetti, José Miguel Arango, Francisco E. Diago, Juan N. Méndez, Germán Pardo, Marceliano Pulido, Bartolomé Rodríguez y Augusto Samper. Acuerdo No. 33 del 7 de marzo de 1918, M.P. José Gnecco Laborde.

144 Corte Suprema de Justicia, Acuerdo del 7 de marzo de 1918.

145 Vergara tenía vínculos con la Cervecería Germania, de Bogotá.

146 La demanda fue coadyuvada cuando el proceso se hallaba en curso. Actuaron personalidades de la vida económica y abogados como Jenaro Payán, Ramón Serrano, Víctor Peñuela Rodríguez y Fabio Hernández, así como ciudadanos de Barranquilla y Cartagena.

eso significaría abordar el juicio del trámite de las leyes, para lo cual carecía de competencia constitucional, y en consecuencia se declaró inhibida.

El magistrado liberal José Miguel Arango salvó su voto porque consideró que la Corte sí era competente para juzgar el procedimiento de creación de las leyes, en virtud de que la función de controlar la integridad de la Constitución no distinguía el carácter material o formal de las leyes. A su juicio, juzgar el trámite de las leyes no era más que verificar si en aquel se habían cumplido los requisitos previstos expresamente por la Constitución. Contrario a la doctrina de la Corte, dijo que de ninguna manera se amenazaría la estabilidad de las leyes si el tribunal entraba a evaluar el trámite de las leyes: "Lo que a mí entender sería peligroso, es consagrar la doctrina de que el Congreso puede violar la Constitución al expedir las leyes, y que estas no pueden ser declaradas inexequibles".[147]

Como podemos ver, este fallo de 1918 permitió a la Corte dejar en pie la ley aprobada por la mayoría conservadora del Congreso, que le había dado carta abierta al presidente Concha para que se incrementaran los tributos por la vía de unas reglas sobre contribuciones fiscales. Así, era evidente que evadía la función de juzgar una ley que le otorgaba un amplio poder a Concha. La Corte fue tan colaborativa con el Ejecutivo que la decisión fue tomada rápidamente, pues esta se produjo antes de que se venciera el término dentro del cual el Gobierno podía dictar los decretos correspondientes, es decir, que en la práctica le permitían poner en marcha una pequeña reforma tributaria, de amplia sensibilidad económica para algunos sectores como el de la producción de cerveza y de gaseosas.

La destitución de los magistrados de los tribunales de lo contencioso administrativo

Un poco más tarde, el 12 de marzo de 1925, Pablo Emilio Castro demandó la inconstitucionalidad del artículo 11 de la Ley 30 de 1925, que establecía: "El período de los Magistrados de los Tribunales de lo Contencioso Administrativo será de dos años, a contar desde el primero de marzo de mil novecientos veinticinco". Según el demandante, el Congreso había vulnerado la Constitución porque el proyecto de ley correspondiente no tuvo origen en alguna de las comisiones especiales de las dos cámaras que componían el Congreso, ni en alguno de los ministerios del Gobierno Nacional. Además, consideraba que la ley era inconstitucional porque violaba el artículo 160 de la Constitución, que señalaba: "Los Magistrados y los Jueces no podrán ser suspendidos en el ejercicio de sus destinos sino en los casos y con

147 Corte Suprema de Justicia, Acuerdo del 7 de marzo de 1918, *op. cit.*, p. 220.

las formalidades que determinen las leyes, ni depuestos sino a virtud de sentencia judicial [...]", pues al entrar en vigencia la nueva ley se acortaban en un año los períodos de los magistrados, que debían finalizar el 28 febrero de 1926.

El 7 de diciembre de 1925, con la ponencia del magistrado Luis Felipe Rosales,[148] la Corte[149] se abstuvo de pronunciarse sobre la demanda de Solano en contra de la Ley 30, argumentando que carecía de competencia para juzgar la constitucionalidad de las leyes por defectos en su trámite ante el Congreso, pues la Constitución solo facultaba al tribunal para juzgar leyes y no proyectos de ley. Para esto, recordó su fallo de abril de 1912, que recordemos fue pionero en fijar esa doctrina de la incompetencia. En cuanto al cargo de que la ley significaba una destitución de los magistrados, la corporación recordó su jurisprudencia sentada en fallo del 15 de julio de 1915, cuando interpretó que, según la Constitución, los magistrados y jueces de la jurisdicción contencioso administrativa no hacían parte de la rama judicial, de modo que el legislador gozaba de amplia discrecionalidad para fijarles períodos a sus cargos.[150]

El magistrado José Miguel Arango expresó de nuevo su voz disidente frente a la doctrina de la incompetencia para juzgar leyes por vicios de trámite, esta vez con la adhesión del magistrado Parmenio Cárdenas,[151] entonces dijo: "Parece llegado el momento que la Corte vuelva sobre sus pasos y reconsidere su doctrina, porque la experiencia diaria ha enseñado que desgraciadamente son varios los casos en que manos extrañas a las del legislador, introducen artículos nuevos a las leyes o modi-

148 Liberal vallecaucano. Doctor en Derecho y Ciencias Penales de la Universidad Republicana. Magistrado del Tribunal Superior de Cali y de la Sala de Negocios Generales de la Corte Suprema de Justicia. Fue gobernador del departamento del Valle, entre 1933 y 1934, y congresista.

149 La Corte estaba integrada por Enrique Becerra, Juan N. Méndez, Tancredo Nannetti, José Miguel Arango, Dionisio Arango, Parmenio Cárdenas, Manuel José Barón, Julio Luzardo Fortoul, Jesús Perilla, Luis Felipe Rosales, Francisco Tafur y Juan C. Trujillo Arroyo. Corte Suprema de Justicia, sentencia del 7 de diciembre de 1925.

150 La Corte cita la sentencia incorporada en la *G.J.*, No. XXIII, Tomo 431, p. 243.

151 En su salvamento, el magistrado Cárdenas pidió a la Corte refinar su doctrina de la incompetencia para juzgar leyes por vicios en su trámite. Dijo: "Hay actos preparatorios de las leyes que no son meramente procedimentales, sino que constituyen el ejercicio de un derecho reconocido por el constituyente a entidades especiales dentro del Congreso, o a una de las Cámaras con exclusión de la otra [...] Estimo que cuando en la formación de las leyes a que estas disposiciones constitucionales se refieren, se arrebata el derecho que a las entidades dichas corresponde; no tratándose como en efecto no se trata de procedimiento en su expedición, debe la Corte entrar a decidir sobre la constitucionalidad del origen de esas leyes, a fin de que ese derecho exclusivo no se vulnere, ya que él dice relación al carácter republicano de nuestras instituciones que piden, ora la sabiduría de las Comisiones especiales permanentes de las Cámaras". Corte Suprema de Justicia, sentencia del 7 de diciembre de 1925.

fiquen los aprobados, de manera subrepticia, sin que haya contra esas incursiones remedio legal de declararlas inconstitucionales".[152]

Este salvamento de voto era una clara advertencia al Congreso sobre su deber de corrección en el trámite de las leyes y una denuncia pública y al más alto nivel de lo que parecía ser una práctica común en ese órgano.

Con la evasión del juicio de constitucionalidad a la Ley 30 de 1925, la Corte parecía quedar a salvo de las disputas políticas y jurídicas que ocasionaba la remoción anticipada de los magistrados de los tribunales contencioso administrativos. Es decir, que la corporación prefirió no intervenir en la decisión del legislador, con mayor razón cuando se encontraba frente a un hecho cumplido: la sentencia se dictó el 7 de diciembre de 1925 y la ley había entrado en vigencia el 1 de marzo del mismo año.[153]

¿Juzgando o evadiendo "el problema" de los vicios de trámite?

La Corte también intentó mantener la doctrina de la incompetencia para controlar la constitucionalidad de las leyes por vicios de trámite, pero haciendo aplicaciones selectivas y parciales. Con movidas argumentativas, el tribunal pretendía dejar muy en claro que seguía atado a esa doctrina pese a que entraba a valorar aspectos relacionados con errores de procedimiento en la formación de las normas sometidas a su jurisdicción constitucional.

El problema de la división territorial judicial en 1927

En la sentencia del 18 de marzo de 1927, con la ponencia de Jesús Perilla,[154] la Corte decidió sobre la demanda de inconstitucionalidad presentada por

152 Los magistrados Nannetti y Trujillo Arroyo salvaron su voto pero porque consideraban que la ley sí violaba la Constitución, pues los magistrados de los tribunales contenciosos sí hacían parte de la rama judicial y, por tanto, la terminación anticipada de sus períodos sí afectaba la garantía de estabilidad contenida en la Carta Política.

153 Hubo confirmaciones de nombramientos de magistrados de tribunales contencioso administrativos por parte del Consejo de Estado en el año 1925. Por ejemplo, el de Rodrigo Becerra F. para magistrado de lo contencioso de Manizales, del 8 de mayo de 1925, Sala Plena conformada por los magistrados: José Joaquín Casas, Sixto A. Zerda, Ramón Correa, José A. Valverde, Sergio A. Burbano, Manuel Jiménez López y Fernando Restrepo Briceño, en donde este último actúa como ponente. Así mismo, el de José Vicente Parra para magistrado principal del Tribunal Seccional de lo Contencioso Administrativo de Bucaramanga, del 3 de mayo de 1925, con ponencia del magistrado del Consejo de Estado Sergio A. Burbano. En ambos casos se ordena comunicarles a los gobernadores de los departamentos respectivos para que procedieran a su posesión.

154 La Corte estaba integrada por Luis F. Rosales, José Miguel Arango, Manuel José Barón, Enrique

Nepomuseno Carreño en contra de la Ley 77 de 1926, que se refiere a la división territorial judicial y crea unos distritos judiciales, tribunales y juzgados.[155] El proyecto de ley había tenido origen en la Cámara de Representantes y una vez aprobado por el Congreso pasó a la sanción del presidente conservador Miguel Abadía Méndez (1926-1930), quien a su vez lo objetó por considerar que el proyecto carecía de estudios y de la planeación necesaria que ordenaba la Ley 73 de 1917, referida al Poder Judicial. Abadía también adujo que su Gobierno ya había presentado al Senado un proyecto de ley reorganizando de manera integral el mapa judicial. Así mismo, el presidente objetó otras normas de carácter tributario contenidas en el mismo proyecto, tanto por inconveniencia como por inconstitucionalidad. El Congreso rechazó las objeciones de Abadía y le devolvió el proyecto para que este le impartiera la respectiva sanción, pero el presidente consideró que el trámite de las objeciones estaba viciado de inconstitucionalidad así que se abstuvo de sancionarlo. Ante la actuación de Abadía, el senador Marcelino Uribe Arango, presidente del Congreso, decidió sancionar la ley.[156]

Así las cosas, era evidente la tensión institucional trabada entre el Legislativo liderado por el senador conservador Uribe Arango y el Ejecutivo, también conservador, presidido por Abadía Méndez. El Congreso parecía marchar por rumbos diferentes y fijar una política distinta a la del Gobierno en materia de organización de la rama judicial. El conflicto, entonces, ahora pasaba al terreno de la Corte Suprema de Justicia, que para entonces también estaba dominada por el partido conservador. El tribunal consideró que el presidente del Congreso no estaba facultado para sancionar el proyecto de ley sino que debió habérselo remitido a la Corte para que fuera esta quien decidiera sobre las objeciones del presidente de la República, pero, como tal trámite no se había agotado, la Corte determinó que el proyecto jamás se había convertido en ley, aun cuando hubiese sido sancionado por el presidente del Congreso. En otras palabras, para la Corte, la Ley 73 de 1917 no había nacido a la vida jurídica. El resultado de tal juicio era la improcedencia de que un ciudadano demandara la inconstitucionalidad de un proyecto de ley cuando la Constitución mandaba a la Corte juzgar la constitucionalidad de las leyes.

Becerra, Parmenio Cárdenas, Germán B. Jiménez, Luis Luzardo Fortoul, Juan N. Méndez, Tancredo Nannetti, Francisco Tafur y Juan C. Trujillo Arroyo. Corte Suprema de Justicia, sentencia del 18 de marzo de 1927, *G.J.*, No. 33, p. 196.

155 Ananías Medrano, *Algunas observaciones sobre la Ley 77 de 1926, sancionada por el señor Presidente del Congreso,* tesis de grado, Universidad Nacional de Colombia, Casa Editorial Santafé, Bogotá, 1927.

156 El presidente del Congreso también sancionó otras leyes en lugar del presidente Abadía. Por ejemplo, la Ley 79 del 6 de diciembre de 1926, sobre "asistencia de menores y escuelas al trabajo".

Así, con una audaz movida argumentativa terminó favoreciendo al Ejecutivo presidido por Abadía y a su vez ganó réditos con el Congreso. En efecto, al no decidir la demanda bajo el argumento de que la Ley 77 de 1926 "no era una ley sino un proyecto", logró mantener su tesis de la incompetencia para juzgar leyes por vicios de trámite, pero, al mismo tiempo, dejó a salvo la soberanía legislativa y también evitó enfrentarse con el Ejecutivo presidido por Abadía, pues en últimas la Corte no determinó si se había vulnerado la Constitución en el trámite de la aprobación de la ley.

Los magistrados liberales, en minoría, Nannetti, Rosales, Arango y Cárdenas, consideraron que se trataba de una ley aprobada de manera inconstitucional y no de un proyecto de ley que requería el pronunciamiento de la Corte frente a las objeciones presidenciales; a su juicio, la Ley 77 era perfectamente demandable por inconstitucionalidad. Como se aprecia, el salvamento expresaba la competencia de la Corte para juzgar leyes por vicios de trámite. Es importante que recordemos que los magistrados Arango y Cárdenas de tiempo atrás venían salvando su voto oponiéndose a la doctrina de la incompetencia para conocer de vicios de trámite en las leyes; por su parte, Nannetti, desde 1912, había votado con la mayoría respaldando la postura de la Corte, y Rosales había apoyado la tesis de la incompetencia en la sentencia de 1925.

Alfredo Araujo Grau, uno de los constitucionalistas de la época, nos ofrece un interesante análisis de la sentencia del 18 de marzo de 1927:

> Este caso fue como la piedra de toque para la doctrina de la Corte. Se trataba de una violación demasiado flagrante del estatuto, que si hubiera resuelto de forma tradicional, habría provocado un verdadero desequilibrio en la vida jurídica del país. Además, la Corte tenía que medir mucho sus pasos, porque el actor principal del drama era nada menos que un profesor de Derecho Constitucional, quien a la sazón ocupaba la Presidencia de la República. ¿Qué hizo la Corte en esas circunstancias? Sencillamente, optó por una solución colateral, esquivando con habilidad el fondo del problema [...] Como se ve, la Corte se dedicó a hacer verdaderos malabarismos jurídicos con este caso.[157]

Pero el litigio constitucional sobre la Ley 77 de 1926 no paró con la sentencia del 18 de marzo de 1927. En efecto, a los pocos días, el 9 de abril de 1927, la Corte pronunció otra sentencia —M.P. Francisco Tafur A.— originada en la solicitud de varios tribunales superiores del país que pedían aclaración sobre la "vigencia y efi-

157 Araujo Grau Alfredo, *op. cit.*, pp. 122 y 123.

cacia" de la Ley 77, pues recordemos que la Corte, aunque no la declaró inconstitucional, expresó que no se trataba de una ley sino de un "proyecto de ley". En este segundo fallo, la Corte decidió "de oficio" las objeciones presidenciales y declaró la inconstitucionalidad de la reorganización judicial que estableció la Ley 77.

Cinco magistrados salvaron su voto.[158] Unos consideraron que la Corte no había decidido sobre unas objeciones presidenciales por inconstitucionalidad, sino que había excedido su competencia al considerar la "inconveniencia" de la ley. Para otros, el tribunal había asumido el conocimiento de unas objeciones "de oficio" y sin estar facultada para ello. Finalmente, quienes habían salvado voto en la primera sentencia que acabamos de analizar, insistieron en que la Corte estaba frente a una ley cuyo trámite fue inconstitucional y no frente a un proyecto de ley.[159]

Los impuestos a las cédulas hipotecarias

Casi una década más tarde, en la sentencia del 25 de febrero de 1937, con la ponencia del magistrado Juan Francisco Mujica,[160] y con la participación de cinco conjueces, la Corte decidió sobre la demanda de inconstitucionalidad presentada por un grupo de influyentes abogados[161] en contra de las leyes 37 de 1932, 11 de 1933 y los decretos 280 y 420 de 1932, por medio de los cuales se gravaron con un impuesto los intereses de las cédulas hipotecarias y los provenientes de contratos particulares.[162] Esta demanda tuvo varias vicisitudes procesales y fue considerada

158 Salvaron el voto: Cárdenas, Arango, Fortoul, Nannetti y Rosales.

159 Pero aún en 1928, esta vez a través de su Sala de Casación en lo Criminal, la Corte tendría que seguir aclarando los alcances de su fallo de 1927 con motivo de los numerosos y diversos conflictos de competencia que se registraron entre juzgados y tribunales de distritos judiciales por la interpretación de la Ley 77 de 1926 y los fallos de la corporación. Véanse los acuerdos No. 11, 12 y 13, Sala de Casación en lo Criminal de la Corte Suprema de Justicia, febrero 28 de 1928.

160 Hicieron parte de la Corte: Pedro Alejo Rodríguez, Liborio Escallón, Pedro A. Gómez Naranjo, Ricardo Hinestrosa Daza, Salvador Iglesias, Miguel Moreno J., Juan F. Mujica y Eduardo Zuleta Ángel. Actuaron como conjueces: Ernesto Valderrama, Antonio José Montoya, Alberto Suárez Murillo, Pedro M. Carreño y Pedro León Rincón. Corte Suprema de Justicia, sentencia del 25 de febrero de 1937, M.P. Juan Francisco Mujica, *G.J.*, Tomo, XLIV, p. 623.

161 José Arturo Andrade, Rafael Díaz Vargas, Mauricio MacKenzie, José Bartolomé Daza, Luis Francisco Gómez y Abel Lozada. Corte Suprema de Justicia, sentencia del 25 de febrero de 1937, *ibídem*.

162 En la sentencia hay un interesante debate sobre las tensiones entre la libertad y la democracia en el Estado de Derecho, así como del papel de los derechos en la Constitución. También el salvamento de voto de los magistrados Escallón y Moreno y los conjueces Suárez, Carreño y Valderrama se refiere a su inconformidad con apartes de la "parte motiva de la sentencia", pues a su juicio se debió aclarar que las leyes tienen origen en una suprema autoridad, que se rigen por los "designios de la Providencia, que todo lo dirige a un fin preconcebido [...] Antes que las leyes positivas, y por encima de estas, existen las eternas, las divinas y las naturales". Corte Suprema de Justicia, *ibídem*.

de gran importancia para la vida económica del país, como la propia sentencia lo confirma:

> Contra el propósito de esta Corporación y de sus magistrados se ha dilatado el curso de estas actuaciones y demorándose el fallo de puntos cuyo grande interés nacional y cuya trascendencia bien han comprendido desde luego que requerían, a la par de ellas concienzudo estudio, una solución rápida o siquiera no procastinada. Pero aconteció que a consecuencia de numerosos incidentes que sobrevinieron se entorpeció la decisión final [....] Así sucedió que varios Magistrados que formaban la Corte en el período anterior se manifestaron impedidos [...] Otro tanto ocurrió con varios de los Magistrados del personal actual de la Corte. Cuando ya parecía llegada la hora del proyecto de sentencia [...] la Ley 96 de 1936 obligó a un nuevo reparto y determinó otro incidente plural de impedimento.[163]

La mayoría de los cargos de inconstitucionalidad de las normas se referían a vulneraciones materiales de la Constitución. Sin embargo, uno de ellos estaba relacionado con un vicio de trámite, pues se acusaba al proyecto que dio origen a la Ley 37 de 1932 de no haber sido presentado por la respectiva comisión especial y permanente de la Cámara de Representantes. Frente a este último, la Corte estableció que, según lo confirmaba el expediente de la ley, el proyecto sí había sido presentado a esa comisión especial de la Cámara. No obstante, aseguró que tal hallazgo no modificaba su doctrina sobre la incompetencia para juzgar la constitucionalidad de las leyes por vicios de trámite:

> [La Corte] no se ve ante el problema de si su personal actual ha de mantener o reformar el concepto expresado y sostenido por esta Corporación en diversos fallos de esta clase, en el sentido de que las facultades que le confiere a ella el artículo 41 del Acto Legislativo 3 de 1910 no se extienden a decidir la inexequibilidad de una ley a causa de la pretermisión de las disposiciones que rigen el proceso de su formación. Si el hecho básico de su acusación brilla por su ausencia, la Corte no tiene para decidir en la presente actuación por qué avocar aquel problema, siendo así que ni aunque en tal evento llegara a la conclusión necesaria para dar cabida a la demanda, esta no prosperaría por la referida falta de aquel hecho.

163 Y continúa la Corte: "Se han expuesto brevemente estos detalles, porque la Corte se halla en el deber de hacer presente cómo, si han venido a mediar años entre el comienzo y el fin de este proceso, ello no se debe a falta de acucia de los Magistrados ni a demora alguna de ellos en actuar". Corte Suprema de Justicia, sentencia del 25 de febrero de 1937, *op. cit.*, p. 613.

Además, insistió en que toda ley por el solo hecho de haber sido aprobada por el Congreso y sancionada por el Ejecutivo se presumía que había sido tramitada siguiendo todas las formalidades que exigía la Constitución. No obstante, note el lector que la Corte se dio a la tarea de verificar si realmente podía haber ocurrido el vicio de trámite que argumentaba el demandante y así llegó a la conclusión de que tal defecto no había ocurrido, de modo que el demandante no había logrado desvirtuar la presunción mencionada.

Como vemos, en esta sentencia de 1937, la corporación fue ambivalente frente a su doctrina de la incompetencia para juzgar la constitucionalidad de las leyes por vicios de trámite. Por un lado sostuvo que no era del caso entrar a considerar la cuestión de su competencia para ejercer tal tipo de control, pero al mismo tiempo aceptó que el supuesto vicio de trámite no era cierto porque el tribunal había verificado que el requisito que el demandante echaba de menos se había cumplido a cabalidad.

El cargo de vicios de trámite es "infundado", pero sin pronunciarse sobre la competencia

Hubo demandas de inconstitucionalidad que acusaban vicios de trámite en la aprobación de leyes, frente a las que la Corte se pronunció declarando que tales cargos eran "infundados", pero luego de verificar que se habían cumplido los requisitos constitucionales para la respectiva aprobación de esas leyes. Aun así, la corporación sostuvo que tal verificación del trámite para nada alteraba su doctrina de la incompetencia para juzgar la constitucionalidad de las leyes por vicios de procedimiento en su aprobación. En esos casos, la Corte dirigió sus esfuerzos argumentativos a analizar otro cargo de inconstitucionalidad, que consideró "sustancial" y que le sirvió como fundamento para tomar una decisión.

Un ejemplo de esta práctica la encontramos en la sentencia del 16 de septiembre de 1932, M.P. José Joaquín Hernández, que resolvió sobre la demanda de varios abogados, como Miguel Moreno Jaramillo, quien luego sería magistrado de la Corte, en contra de la Ley 72 de 1930, que regulaba un asunto de gran trascendencia política para la coyuntura de esta época en que terminaba la hegemonía conservadora y se daba paso al Gobierno liberal. En efecto, la Ley 72 había sido impulsada por el Gobierno del presidente liberal Enrique Olaya Herrera[164] y establecía que la fuerza armada no era deliberante y que por lo tanto los miembros del

164 Sesión del miércoles 3 de agosto de 1910, *Anales de la Asamblea Constitucional*, serie única, No. 40, Bogotá, agosto 22 de 1910, p. 318.

Ejército, la Policía y los "cuerpos armados de carácter permanente, departamentales o municipales, no podrán ejercer la función del sufragio mientras permanezcan en servicio activo".

La cuestión de excluir a las Fuerzas Armadas y a la Policía de la arena política era crucial no solo para avanzar hacia la "purificación" del sistema electoral, pues se consideraba que esos organismos, al depender del Gobierno Nacional y de las respectivas autoridades locales, eran fácilmente manipulables por los partidos en el poder que buscaban que el voto militar se inclinara hacia los intereses partidistas de quienes dominaban el respectivo nivel territorial; también porque el ejercicio del sufragio era tan solo uno de los aspectos que conducía a una amplia y perversa participación política de los cuerpos armados al servicio del Estado.

Estos fueron los cargos dirigidos en contra de la Ley 72 de 1930: primero, que se limitaba la ciudadanía más allá de lo establecido "taxativamente" por la Constitución Nacional. Segundo, que la ley pugnaba con la "letra y el espíritu" de la Constitución, pues la Carta se refería a que "la fuerza armada no es deliberante", de modo que tal regla solo debía aplicarse al Ejército y no a la Policía o a los demás cuerpos armados, pues decía el demandante que estos "no pueden confundirse ni equipararse, ya científica, ya constitucionalmente al Ejército". Tercero, que la ley, al establecer una restricción al sufragio, quebrantaba la Constitución, pues esta consagraba el ejercicio del derecho al sufragio para todos los ciudadanos, sin más restricciones que la de "saber leer y escribir", que tuvieran "renta o finca raíz" según la cuantía requerida, pero que de ningún modo se disponía una restricción del sufragio a los militares. Por último, la norma, al establecer que "esta ley regirá desde su sanción", quebrantaba la Constitución pues el Art. 85 de la Carta Política señalaba que "Aprobado un proyecto de ley por ambas Cámaras, pasará al Gobierno, y si este lo aprobare también, dispondrá que se promulgue como ley".[165]

La Corte estimó que los demandantes confundían las limitaciones a la ciudadanía con las limitaciones al sufragio. En efecto, según lo entendía la corporación: "El derecho a elegir es apenas un atributo de la ciudadanía, pero no es la ciudadanía misma. Para elegir o ser elegido se requiere ser ciudadano; [...] pero para ser ciudadano no se necesita el ejercicio de la facultad constitucional del sufragio". Así, señaló que era muy distinto ser ciudadano a ser elector y elegible. Ciudadano era aquel varón mayor de veintiún años, que ejerza profesión, arte u oficio o tenga ocupación lícita u otro medio legítimo y conocido de subsistencia, de modo que quien cumpliera tales condiciones era ciudadano, pero no por eso podía elegir al presidente de la República o a los representantes a la Cámara, pues eso solamente

165 Corte Suprema de Justicia, sentencia del 16 de septiembre de 1932.

podían hacerlo quienes, además de los requisitos mencionados, también supieran leer y escribir, tuvieran una renta anual de trescientos pesos o una propiedad equivalente a mil pesos. La corporación ilustró la diferencia con otro ejemplo: se podía ser ciudadano y elegir a los representantes a la Cámara y al presidente de Colombia, pero no por eso se podía ser un ciudadano calificado para ser elegido como senador, pues para eso también se requería ser colombiano de nacimiento y mayor de treinta años.

Así las cosas, para el tribunal los preceptos legales demandados "cristalizan un principio esencialmente democrático y se amoldan a la Constitución", porque con las restricciones al sufragio el legislador no limitó la ciudadanía, pues este asunto solo le compete al constituyente, mientras que las limitaciones al sufragio sí hacían parte de las facultades que se atribuían al legislador. Y esto era posible gracias a la distinción según la cual el sufragio era más un "deber" que "derecho". Es decir, que la Corte acuñaba la noción de que la democracia estaba restringida a unos pocos: los capaces. Para esto, la corporación dijo apoyarse en los comentarios de José María Samper a la Constitución de 1886 en su texto *Derecho Público,* cuando este opinaba que el sufragio en la Carta Política era una "función constitucional porque el legislador constituyente ha creído que el sufragio no es un derecho natural o individual sino una función pública, que solo puede y debe ser encomendada a quienes ofrecen motivo para presumir que ejercerán con dignidad, independencia y acierto".[166]

Además, para la Corte, la prohibición de ejercer el sufragio abarcaba a todos los cuerpos armados al servicio del Estado y no solo al Ejército, de modo que desestimó la interpretación de los demandantes según la cual los demás órganos armados, como la Policía, no eran "Fuerzas Armadas" y que por lo tanto no estaban comprendidas dentro de la cláusula constitucional según la cual "la fuerza armada no es deliberante". De nuevo, la corporación recurrió a otra distinción e invocó a Samper, cuya doctrina afirmaba que los organismos armados, sin importar su denominación, eran una "fuerza pública organizada" que se requería para garantizar la obediencia a la ley y a las autoridades. Dijo la Corte: "Es regla legal de la hermenéutica que las palabras de la ley se deben entender en su sentido natural y obvio, según el uso general de las mismas palabras, a no ser que el legislador las haya definido expresamente (artículo 29 del Código Civil). El legislador no ha definido Fuerza Armada por lo cual es preciso tomar esa expresión en su significado común [...]". Así, la corporación acogió la definición del *Diccionario de Legislación y Jurisprudencia*

166 *Ibídem,* p. 164.

de Escriche, según la cual fuerza armada es "la reunión de individuos armados para asegurar la tranquilidad exterior e interior del Estado".[167]

En cuanto a que la fuerza armada no era "deliberante", la Corte recurrió al *Diccionario de la Real Academia Española,* que definía "elegir" como "considerar atenta y detenidamente el pro y el contra de nuestras decisiones, antes de cumplirlas o realizarlas". Así, para el tribunal, "elegir, sufragar, dar voto no es el acto material de depositar una papeleta en la urna", sino "comparar entre dos o más cosas o personas y optar por una de ellas". Entonces, consideró que toda elección implicaba una "deliberación previa, es decir, un raciocinio que arrastra a la voluntad a obrar en un determinado sentido [...] Esto es así porque el sufragio debe ser puro y libre, y no hay pureza y libertad en el voto del sufragante que por disposición constitucional no puede deliberar". En su exposición al Consejo de Delegatarios, recomendaba el presidente Núñez que "en lugar del sufragio vertiginoso y fraudulento deberá establecerse la elección reflexiva y auténtica". Por todo esto, dijo la corporación, de una "recta interpretación del principio 'la fuerza armada no es deliberante' se deduce que en él está comprendido el acto de sufragar o votar", pues, de lo contrario, "La interpretación del artículo de la manera restringida que se pretende, sería una violación en su letra y en su espíritu".

Pero la Corte fue más allá y expresó su decidido respaldo a una nueva tendencia para interpretar la Constitución, que ella entendía como una mucho más amplia que la simple interpretación legal:[168]

> Es conforme con el principio de Derecho Público según el cual en materia de interpretación de la Constitución rigen criterios más amplios que los aplicables a la interpretación de las leyes. Entre los primeros predomina el canon de que las disposiciones constitucionales dictadas en salvaguardia de un principio fundamental de derecho político, o para la protección de la libertad de los ciudadanos, no deben interpretarse literalmente sino que deben entenderse al objeto primordial con que fueron dictadas y al principio que les sirvió de fundamento. El objeto primordial y el motivo con que fue dictado el principio que se estudia y la disposición de la ley acusada, "son de alta convivencia pública". Sustraer a los miembros de la institución armada de la lucha política para colocarlos en el puesto que hoy ocupan de defensores de las libertades públicas de todos los colombianos, quitarles el estigma de guardias de pretorio con que los tiznaron las pasiones de bandería, devolverles una dignidad que se les quitó [...] mantener en toda pureza la disciplina militar [...] y mantener a Colombia la fisonomía augusta de una democracia eminentemente civil.

167 *Ibídem,* p. 165.

168 *Ibídem,* p. 166.

La acusación según la cual se había producido un vicio en el trámite de la Ley 72 de 1930 fue resuelta con gran facilidad por la Corte. Argumentó que el artículo 85 de la Constitución Nacional, que según el demandante había sido vulnerado, realmente no se refería a la vigencia de las leyes sino a la "obligación que impone al Gobierno de sancionarlas y disponer que se promulguen"; un deber que, a su juicio, fue cumplido por el Ejecutivo, pues aparecía plenamente probado que el presidente Olaya Herrera y su ministro de Guerra le habían impuesto la respectiva sanción el día 13 de diciembre de 1930.[169]

Como se puede observar, en esta ocasión la Corte dedicó su argumentación a fundamentar la decisión que respaldaba la constitucionalidad de una importante legislación cuyos propósitos eran políticamente respaldados por la corporación y que tenían que ver con sustraer a la fuerza pública del debate electoral y de la participación partidista. Con su fallo, la Corte respaldó la política del Gobierno Olaya Herrera, quien, desde sus tiempos de diputado a la Asamblea Nacional Constituyente de 1910, había propuesto sin éxito una reforma constitucional para que "los individuos de tropa del Ejército y los agentes o gendarmes de Policía no podrán ser electores en ninguna votación popular".[170] Ahora, Olaya había logrado que el Congreso aprobara la Ley 72 de 1930. Así, en 1932, la Corte, aunque estaba dominada por una mayoría de magistrados de origen conservador, garantizaba la vigencia de una reforma legal considerada clave en el desmonte de la hegemonía conservadora, que pretendía garantizar el libre juego electoral, lejos de la politización de las tropas que solían inclinar la balanza a favor de algún candidato o facción política.

En cuanto al cargo sobre vicios de trámite de la ley, nótese que la Corte lo resolvió simplemente con la verificación de un requisito "formal" como era la sanción presidencial. Esto lo logró gracias a la distinción doctrinal que formuló entre la

169 El conservador Juan Evangelista Martínez salvó su voto porque consideró que el *acto de deliberar* no estaba relacionado con el voto o ejercicio del sufragio, ya que el primero era un ejercicio colectivo, mientras que el segundo era un acto de cada individuo, de modo que la prohibición constitucional a la Fuerza Armada de "deliberar" no podía ser un fundamento constitucional para prohibir el voto de los militares. Agregó que la Constitución de 1886 había callado al respecto, y además recordó que el Consejo Nacional de Delegatarios dictó la Ley 7ª de 1888, sobre elecciones populares, y allí les reconoció el ejercicio del sufragio a los militares en servicio activo, y que luego esa restricción al sufragio también se planteó en la Asamblea Constitucional de 1910, pero finalmente no se aprobó. Así, aunque reconoció las bondades de la prohibición legal, no consideró que la restricción al voto tuviese el fundamento constitucional invocado por la Corte. Y, finalmente, sobre el "cargo de vicio de trámite", dijo Martínez: "[...] Comedidamente observo que la respuesta de la sentencia a esta objeción deja en pie el problema constitucional planteado en la demanda".

170 Asamblea Constitucional, sesión del miércoles 3 de agosto de 1910, *Anales de la Asamblea Constitucional*, serie única, No. 40, Bogotá, agosto 22 de 1910, p. 318.

"vigencia de una ley a partir de su sanción" y la "obligación de sancionar" esas leyes. Así, para la Corte, la Constitución no se ocupa de regular la vigencia de las leyes que sanciona el presidente, sino que únicamente establece que a aquel le corresponde sancionar y promulgar las leyes. La corporación, pues, no se pronunció sobre la competencia para juzgar la constitucionalidad de los vicios de trámite de una ley, pero sí resolvió la acusación por ese cargo de tipo "procesal", con lo cual insistía en que mantenía su doctrina de la incompetencia para controlar la constitucionalidad de las leyes por vicios de procedimiento.

Debemos tener en cuenta que el fallo se produjo en pleno fragor de la llamada "Guerra con el Perú", en momentos en que había un apoyo unánime de los partidos y de amplios sectores de la opinión pública en favor de las políticas del presidente Olaya en defensa de la soberanía nacional. En esa coyuntura, con gran rapidez, se aprobaron leyes sobre defensa nacional, hubo grandes manifestaciones públicas en todo el país e incluso el respaldo al Gobierno por parte de encumbrados dirigentes conservadores, como el expresidente Abadía y Guillermo Valencia. Esto, por ejemplo, también permitió a Olaya dictar varios decretos de estado de sitio para repeler la agresión peruana, gozando también del apoyo de las ramas del poder público y de las fuerzas políticas. Ese ambiente de unión y respaldo al Gobierno en aras de la defensa patriótica del país parecía también contagiar a la Corte Suprema, aunque estaba conformada mayoritariamente por magistrados que eran los últimos bastiones de la hegemonía conservadora.[171]

Como vemos, en el transcurso de esta trayectoria del control constitucional de las leyes por vicios de trámite, la Corte no estuvo dispuesta a asumir un control sobre el trabajo del Congreso. El rol político del tribunal consistió en no intervenir en las controversias trabadas entre los poderes Legislativo y Ejecutivo, aunque al mismo tiempo con sus inhibiciones favorecía a uno o a otro poder, dependiendo del asunto o de la coyuntura en que se presentaban aquellos casos. Así, como lo pudimos notar, hubo cuestiones en donde la Corte intervino en favor del Legislativo o del Ejecutivo en asuntos de trascendencia política que la obligaron a adoptar estrategias argumentativas para liberarse de la autolimitación de su doctrina de la incompetencia para juzgar leyes por vicios de trámite, y al mismo tiempo afirmar que su doctrina permanecía intocada.

De este modo, la doctrina de la incompetencia para juzgar las leyes por vicios en su trámite, que surgió en una coyuntura de grave tensión política entre el Legislativo y el Ejecutivo, luego se convirtió en una herramienta que sirvió tanto para resolver cuestiones rutinarias como para enfrentar casos en donde la Corte estaba some-

171 *El Tiempo,* ejemplares publicados entre el 14 y el 20 de septiembre de 1932.

tida a fuertes tensiones políticas, o sobre asuntos que eran de gran interés para el Legislativo o para el Ejecutivo.

La postura de la incompetencia hacía parecer que la corporación permanecía neutral ante las tensiones entre los otros dos poderes, de modo que le evitaba entrar en la arena política y partidista, no obstante que en muchas ocasiones sus inhibiciones terminaron por inclinar la balanza en favor del Ejecutivo, y en menor medida, del Legislativo. La Corte, pues, en últimas, supo administrar el rol político de su control constitucional.

Entre la Corte Liberal y la Corte de Oro

En este punto de nuestra narrativa es necesario referirnos a un lugar común entre los juristas cuando se refieren a momentos o a etapas de la historia de la Corte Suprema de Justicia durante el siglo XX. Se trata de la Corte de Oro o Corte Admirable, que parece solaparse con la Corte Liberal de 1935. La centralidad de esta mítica etapa de la corporación aconseja que hagamos algunas consideraciones sobre este fragmento de la historia de la Corte Suprema de la hegemonía liberal.

En primer lugar haremos referencia a la falta de conocimiento e información que existe sobre la Corte de Oro, luego narraremos la renovación de la Corte Suprema de Justicia de 1935, que, en parte, parece coincidir con aquel encumbrado tribunal; luego analizaremos brevemente algunos aspectos que explicarían o justificarían tal renovación dentro del programa político liberal de la administración del presidente Alfonso López Pumarejo, después nos referiremos a los cambios producidos en la Corte con la llegada del presidente Eduardo Santos, en 1940, y su posible influencia en el declive de la Corte Admirable, y, por último, estudiaremos el papel de esa Corte de Oro desde la perspectiva de los ejes del control constitucional que propone este libro.

La Corte de Oro como un tribunal inexplorado

Lo primero que debemos tener en consideración es que la historia de la Corte de Oro aún no ha sido narrada.[172] En efecto, no obstante las continuas referencias a ese "momento revolucionario" de la jurisprudencia y al mítico período doctrinal

172 Quien expresamente nos habla de esta Corte como un mito es Diego Eduardo López Medina: "La naturaleza mítica de este período puede ser probado por el hecho, muy diciente, de que todas las corrientes teóricas e ideológicas de la comunidad jurídica (incluso la de hoy) reconocen la fuerza simbólica de la 'Corte de Oro'". Diego Eduardo López Medina, *Teoría Impura del Derecho: la transformación de la cultura jurídica latinoamericana,* Legis, Bogotá, 2004.

de la corporación, no se registran obras que hayan investigado con profundidad la jurisprudencia de la Corte de Oro, ni el tribunal que produjo tales doctrinas: sus magistrados, sus orígenes, sus perfiles.[173] Aunque este período del tribunal sigue tan inexplorado,[174] ello no ha impedido el consenso sobre la renovación doctrinal que impulsó la Corte Admirable;[175] incluso sectores de la opinión pública en años recientes han mantenido vivo el espíritu revolucionario de esa Corte.[176]

173 Sobre los magistrados, o sobre la Corte como institución, la información es dispersa y solo de manera muy indirecta permite una aproximación a ese momento de la corporación judicial.

174 El trabajo más profundo sobre las doctrinas de la Corte de Oro es el de Diego López Medina, *Teoría Impura del Derecho,* Capítulo IV, Legis, Bogotá, 2004. También hay análisis y alguna información en Álvaro Mendoza Ramírez, "La contribución jurisprudencial de la Corte Admirable", en *Memoria del Encuentro Camilo Torres Tenorio,* Colegio de Abogados Rosaristas, Universidad del Rosario, 2004; y en el trabajo de William Jiménez Gil, *Sobre principios y reglas: los problemas del razonamiento jurídico frente al Nuevo Derecho en el sistema jurídico colombiano,* tesis de Maestría en Derecho en la Universidad Nacional de Colombia, octubre del 2004. Sobre los magistrados o sobre la Corte como institución la información es dispersa y solo de manera muy indirecta permite una aproximación a ese momento de la corporación judicial.

175 Incluso se llega a considerar a la Corte Admirable como un hito en la "obligatoriedad del precedente" en Colombia. En ese sentido, Carlos Bernal Pulido afirma: "[...] en los años treinta del siglo XX tuvo lugar un fenómeno particular: la Corte Suprema de Justicia, conformada en aquel entonces por un grupo de egregios juristas, y conocida para la posteridad como la "Corte de Oro", profirió varias sentencias que introdujeron al sistema jurídico nuevos elementos que no aparecían en las leyes y que provenían sobre todo de la jurisprudencia francesa. Aun cuando estos conceptos no adquirieron un reconocimiento legal, fueron aplicados por los jueces civiles para resolver casos futuros. Mediante sus sentencias de casación, la Corte Suprema de Justicia controló el respeto de esta jurisprudencia por parte de los jueces ordinarios. De este modo, tales sentencias de la Corte de Oro se convirtieron en los primeros precedentes del derecho colombiano. Aún hoy se considera que si un juez no los aplica, falla por fuera del derecho [...]". Carlos Bernal Pulido, "El precedente en Colombia", en *Revista de Derecho del Estado,* No. 21, diciembre del 2008, Bogotá, p. 84.

176 Por ejemplo, a propósito de un debate entre Germán Arciniegas y el expresidente López Michelsen, este último le responde a Arciniegas: "[...] No se puede, a la ligera, y en obsequio a su admiración por Lleras, como lo hace Arciniegas, pasar por alto a valores como Gabriel Turbay, Darío Echandía, Jorge Soto del Corral, Antonio Rocha, Jorge Zalamea, Pedro Castro Monsalve o Adán Arriaga Andrade, para atribuirle todas las ejecutorias políticas y administrativas de 1934 a 1938 al presidente Lleras Camargo. Considérese, nada más, lo que significó la llamada Corte Admirable de aquella época, integrada por magistrados de la talla de Ricardo Hinestrosa Daza, Eduardo Zuleta Ángel, Liborio Escallón, José Antonio Montalvo, Juan Francisco Mujica, Óscar Alzate Noreña, Aníbal Cardozo Gaitán, y otros que se me escapan, para pasar por alto la revolución jurídica de entonces con el tránsito de la escuela de interpretación exegética a la interpretación sociológica [...]". *El Tiempo,* 28 de febrero de 1999. También periodistas como D'Artagnan en una columna de los años noventa, a propósito de críticas a las altas cortes, hace remembranzas. En sus palabras: "[...] Le dieron majestad a la Justicia los pronunciamientos históricos que crearon derecho de Rocha, Liborio Escallón, Hinestrosa Daza, Francisco Mujica y Zuleta Ángel, en aquella memorable Corte de jóvenes notables del año 36. La respetabilidad de sus decisiones y la majestad que inspiraron se basaba en su origen, claro está o sea la Corte Suprema, y, en el fondo, en el análisis, la fuerza jurídica y la transparencia conceptual de las mismas.

Así, pues, conocemos muy poco sobre esta Corte Admirable. Para empezar, no hay precisión sobre el momento en que aquella habría surgido. Por lo general, ese inicio se fija en la Corte que entró en funciones en 1935, es decir, la que López Pumarejo logró hacer elegir por el Congreso entre 1934 y 1935, y en cuyo período se aprobó la célebre reforma constitucional de la Revolución en Marcha (1936). Para otros la señal del inicio de la Corte de Oro estaría dada por la primera sentencia de la Sala de Casación Civil, en la que se habría puesto en evidencia el espíritu renovador de la corporación. Por ejemplo, Diego Eduardo López Medina encuentra una evidencia explícita de la "recepción judicial del antiformalismo" en la *Gaceta Judicial* que anuncia la llegada de una "nueva época" en la Corte, en julio 15 de 1936.[177]

La Corte Liberal se abre paso en 1935

Sin duda la administración de justicia, los jueces y la Corte Suprema empezaron a captar la atención de los liberales, al menos a partir del primer Gobierno del presidente Alfonso López Pumarejo (1934-1938). Tal como lo pudimos apreciar en el discurso de López ante el pleno de la Corte en 1934, el partido liberal consideraba que el Poder Judicial era una institución más de la hegemonía conservadora que necesitaba urgente renovación. La politización de la justicia y la falta de formación de los funcionarios judiciales eran algunos de los defectos que la República Liberal quería corregir.[178]

Pero así como la respetabilidad de la Justicia alcanzó sus más altos niveles en 1936, se ha bajado a niveles nunca sospechados [...]". *El Tiempo,* 20 de junio de 1993.

177 Diego Eduardo López Medina, *Teoría Impura del Derecho, op. cit.,* p. 311.

178 Por ejemplo, López propuso una reforma constitucional relacionada con la Corte que nunca se logró aprobar y de esto hay rastros en debates en el Congreso: como el del 21 de febrero de 1936, en donde se discutió la integración de la Corte, los períodos, las edades de sus magistrados, etc. López había propuesto que los magistrados estuviesen en su cargo por un período de ocho años (coincidiendo con la recomendación de Tulio E. Tascón), pero con una renovación de la mitad de los magistrados cada cuatro años. En el Senado se propuso que a los magistrados los nombrara el presidente de la República con base en una lista que le pasaría la propia Corte, que no tendría a los magistrados activos, aunque el Gobierno podría incluirlos. Los magistrados serían elegidos por el presidente de esa lista de aspirantes, en la que deberían estar representados tres grupos: el de los magistrados principales de la Corte, los consejeros de Estado, los abogados que gestionan ante las altas cortes y los profesores universitarios. El otro eran los exdesignados, ministros, congresistas o gobernadores. El tercero lo componían exmagistrados o magistrados de los tribunales superiores. El senador Gabriel Venegas propuso que la Corte debería integrarse mediante un concurso público. *El Tiempo,* debate en el Senado del 21 de febrero de 1936.

Como dijimos antes, el 30 de abril de 1935 vencía el período de los magistrados de una Corte dominada por el partido conservador y para esa fecha el presidente López, gracias al respaldo de las huestes liberales en el Congreso, en especial en la Cámara de Representantes, había logrado cambiar la composición partidaria del tribunal. Así, entre la segunda mitad de 1934 y los primeros meses de 1935, López logró que se eligieran siete magistrados liberales y que el conservatismo fuese relegado a cinco magistraturas en la Corte Suprema de Justicia.[179]

Aunque en un comienzo las relaciones del Gobierno de López con la minoría conservadora en el Congreso, liderada por el senador Laureano Gómez, habían sido cordiales e incluso de colaboración, tal como lo vimos en el anterior apartado, el conservatismo pronto entró en franca oposición a un Gobierno que veía muy dispuesto a obrar una transformación política y social que, según su propia percepción, pretendía socavar los cimientos morales de la sociedad colombiana.

Así, el enfrentamiento bipartidista entre liberales y conservadores no solo tocó la cuestión de la elección de los magistrados de la Corte en el Congreso, sino que le agregó tensión a la posesión de los magistrados, que, como tarde, debía cumplirse el 1 de mayo de 1935, pues para esa época Laureano Gómez ya había dado la orden de "no colaboración" con el Gobierno de López, de modo que se rumoraba que los magistrados conservadores electos no tomarían posesión de sus cargos. En medio de las tensiones, uno de quienes debía posesionarse, Liborio Escallón, salió a desmentir los rumores ante la prensa. Finalmente, los magistrados conservadores se posesionaron, junto con la mayoría liberal, el 1 de mayo de 1935.[180]

La nueva Corte no solo estuvo rodeada de gran expectativa política y de la atención de la opinión pública, sino que fue un hecho noticioso que provocó importante cobertura en la prensa. Y no era para menos: el presidente Alfonso López Pumarejo había propuesto ternas de candidatos que nunca antes habían estado en el tribunal, la renovación de la Corte era total y el nuevo predominio de magistrados liberales era más que evidente.[181] Entre quienes llegaban a la corporación había

179 *El Tiempo* del 10 de octubre de 1934 registra la noticia de la elección para el Senado de José Antonio Montalvo y Ricardo Hinestrosa, quienes reemplazaron a los candidatos Arango Vélez y Casablanca, que se excusaron de su designación. El periódico exalta la elección de Hinestrosa como magistrado: "Muchas veces nos preguntamos por qué Ricardo Hinestrosa Daza no llevaba esa toga desde hacía mucho tiempo: [...] sus condiciones excelentísimas de miembro de familia, de amigo, de liberal, y ciudadano se juntan [...] llega a la serena cumbre de la Corte Suprema".

180 *El Tiempo* del 24 de abril de 1935 tituló: "El doctor Liborio Escallón aclara que la noticia sobre abstención carece de fundamento" e informó que este había dicho que era un rumor infundado eso de que "como el conservatismo no participa en el Gobierno, así ocurrirá con la Corte y toda la rama judicial".

181 *El Tiempo,* en agosto de 1934 ya mencionaba que el presidente López venía preparando las

nombres absolutamente nuevos para el Poder Judicial, o ajenos a las élites judiciales e incluso figuras prácticamente desconocidas en el foro nacional. El magistrado Juan Francisco Mujica, comunista, muy cercano al liberalismo de López, y quien se había posesionado a comienzos de 1935 en reemplazo de un magistrado fallecido, era el único magistrado que recibía a la nueva Corte.

Sobre la posesión de la "nueva Corte", dijo *El Tiempo*:[182]

> En la tarde de ayer se reunieron por separado las mayorías liberales y la minoría conservadora [...] Se acordó que el doctor Ricardo Hinestrosa Daza sea el Presidente de la Corte por la mayoría liberal y el doctor Miguel Moreno Jaramillo por la minoría conservadora [...] A la sesión inaugural concurrieron diez magistrados principales y dos suplentes. Por la mayoría liberal los magistrados: Ricardo Hinestrosa Daza, Aníbal Cardozo Gaitán,[183] Antonio Rocha,[184] Pedro A. Gómez Naranjo,[185] Pedro Alejo Rodríguez,[186] Juan F. Mujica,[187] Salvador Iglesias[188] que reemplaza a Francisco de Paula Santander y fue elegido suplente. Por la minoría conservadora concurren los

---

doce ternas para magistrados de la Corte Suprema para el período legal que empezaba el 1 de mayo entrante. Para el Gobierno, decía el periódico, era claro que jugaría un papel importante la política parlamentaria.

182 "La posesión de los magistrados: La nueva Corte Suprema inaugurará sus labores mañana a las diez de la mañana", *El Tiempo*, 1 de mayo de 1935, primera página.

183 Antes de llegar a la Corte había sido gobernador del departamento del Huila, diputado y senador. Hizo parte del Comité Nacional de Cafeteros entre 1935 y 1937. Fue el primer registrador nacional del Estado Civil, nombrado en 1949. Su carrera política la combinó con la magistratura. Estuvo en la Corte entre 1935 y 1949.

184 Después de dejar la Corte fue ministro de Industria y Comercio, de Gobierno, de Relaciones Exteriores y de Educación en los dos gobiernos de López Pumarejo. Fue un destacado decano de la Facultad de Derecho de la Universidad Nacional. Fue uno de los notables ministros de Educación de la República Liberal; a ese ministerio le correspondió gran parte de la "revolución cultural" que buscaba el proyecto liberal.

185 Gobernador del departamento de Santander en la primera administración de López Pumarejo, renunció para ocupar la magistratura en la Corte. Luego fue elegido representante a la Cámara y participó activamente en las discusiones de la reforma constitucional de 1945.

186 Venía de ocupar el cargo de consejero de Estado entre 1929 y 1935. Renunció al Consejo para ingresar a la Corte. Fue juez de circuito, fiscal de tribunal superior, senador, representante a la Cámara, profesor y diplomático.

187 Estaba desde el final del período de la Corte anterior y fue reelegido para el período 1935-1940. Luego de dejar la Corte, en 1942, junto a Gerardo Molina y otros socialistas, fundó la Liga de Acción Política, luego se separó de ella y se afilió al comunismo. En 1970 hizo parte de la Comisión Redactora del Código de Procedimiento Civil.

188 Caleño, concejal, diputado, representante a la Camára y senador antes de llegar a la Sala Penal de la Corte. Miembro de Número de la Academia Colombiana de Jurisprudencia.

doctores: Miguel Moreno Jaramillo,[189] Eleuterio Serna,[190] Eduardo Zuleta Ángel[191] y Liborio Escallón[192] [...] El doctor José Antonio Montalvo[193] se excusó por sesenta días ante el Ministerio de Gobierno para ocupar ese cargo. Como el suplente doctor José M. Flores Ferreira se ha excusado también, seguramente el Poder Ejecutivo hará hoy el nombramiento de un magistrado interino que actúe en la Sala de Casación Penal a que pertenece el doctor Montalvo. [...]

Eduardo Zuleta Ángel, quien llegó a la Corte en representación del partido conservador, es tal vez quien ha dejado un mejor registro del momento de la corporación que se inició en 1935:[194]

[El presidente López], aunque no era abogado, comprendió que antes que leyes y decretos era menester, para transformar la administración de justicia, un cambio de hombres. Los respetables juristas que habían venido ocupando por largos años los cargos de Magistrados de la Corte y de Profesores de la Facultad de Derecho, estaban anquilosados [...] Poco después de asumir el mando [...] resolvió, con desconcertante audacia y con la asesoría de Darío Echandía, llevar un personal completamente nuevo al más alto tribunal de la República. De esa manera fue conformada la Corte que se llamó del 35 y que ha sido famosa en los anales jurídicos del país. [...] Jóvenes en su casi totalidad, llegaron los nuevos magistrados [...] llenos [...] de propósitos de superación y de una firme voluntad de transformar la jurisprudencia colombiana de acuerdo con las nuevas realidades nacionales y bajo la inspiración de los modernos e ilustres tratadistas franceses, italianos y alemanes.

189 Destacado jurista antioqueño. Antes de llegar a la Corte había sido diputado a la Asamblea Departamental de Antioquia y representante a la Cámara en 1933.

190 Luego de pasar por la Corte fue ministro de Educación Nacional en el Gobierno de Ospina Pérez (1949), y ministro de Minas y Petróleos de Laureano Gómez, en 1952, cuando asumió el designado Roberto Urdaneta. Fue miembro de la Comisión de Estudios Constitucionales en el Gobierno de Laureano Gómez y delegado en la ANAC de Rojas Pinilla.

191 Luego de pasar por la Corte fue ministro de Gobierno, de Justicia, de Educación Nacional y de Relaciones Exteriores del presidente Mariano Ospina Pérez, entre 1946 y 1948. Fue un destacado jurista, internacionalista y diplomático.

192 Antes de llegar a la Corte había sido presidente del Concejo de Bogotá.

193 Destacado abogado penalista. Antes de llegar a la Corte fue ministro de Industrias de Pedro Nel Ospina, en 1927. Luego fue ministro de Justicia y ministro de Gobierno (encargado), en 1947 y 1948, en el Gobierno de Ospina Pérez, y de Relaciones Exteriores del presidente Guillermo León Valencia, en 1962, y como designado a la Presidencia de la República lo reemplazó por unos días.

194 Eduardo Zuleta Ángel, *El presidente López*, Colección Hombres de América, Ediciones Albán, Medellín, 1966, pp. 127-129.

Zuleta también dejó un testimonio de su primer encuentro con el presidente López tras la inclusión en la terna para magistrado de la Corte de 1935:

> [Le presenté] mis agradecimientos por el alto honor que me había otorgado al hacer figurar mi nombre en el encabezamiento de las ternas y [le manifesté] que no dejaba de inquietarme el que se hubiera prescindido totalmente de todos los antiguos Magistrados para llevar a la alta entidad unos muchachos que en su mayoría no tenían carrera judicial [...] le anuncié que los meses que me quedaban para tomar posesión del cargo de Magistrado —que correspondían exactamente al año universitario de la Facultad de Derecho de París— los emplearía estudiando el Recurso de Casación y Derecho Civil profundizado, a fin de corresponder en esa forma a la altísima distinción que él me había hecho. [Él me contestó]: ¿Ah qué, usted cree que a Fulano, a Perano, y a Zutano se les habría ocurrido esa cosa?

Veamos esta semblanza de Zuleta sobre sus compañeros en la Corte de Oro:

> La Sala de Casación Civil, que es sin duda la que requiere más alta técnica jurídica, estaba integrada por Ricardo Hinestrosa, que nos aventajaba en años a todos, pero que como gran humanista que era no sólo se puso a tono con el empuje renovador sino que llegó a convertirse en líder de él; Miguel Moreno Jaramillo, que se había destacado ya como uno de los más grandes juristas del país, pero que nunca había estado en la Carrera Judicial; Antonio Rocha, que con extraordinario talento y su inagotable capacidad de estudio, le dio inusitado brillo a esa Sala; Juan Francisco Mujica, que presentaba unas ponencias sensacionales y originalísimas, fuertemente saturadas de ciencia jurídica alemana; Liborio Escallón, gran humanista también, que nunca se equivocaba en la parte resolutiva de los fallos, porque ese humanismo lo llevó a un extraordinario grado de comprensión humana, y el que esto escribe. La Sala de Negocios Generales estaba integrada por tres grandes juristas: Eleuterio Serna, Aníbal Cardozo Gaitán y Pedro Alejandro Gómez Naranjo. A la Sala Penal pertenecieron nadie menos que José Antonio Montalvo, Pedro Alejo Rodríguez y Salvador Iglesias.

López y la renovación de la Corte Suprema: ¿buscando una Corte de Oro?

Como vimos, la Corte de Oro o Corte Admirable tenía dominio liberal. Sin embargo, en ella ejercieron un gran liderazgo doctrinal varios magistrados elegidos en representación del partido conservador, como Eduardo Zuleta Ángel y José Antonio Montalvo.

No cabe duda que, para el nuevo régimen liberal, la neutralidad del derecho y una rama judicial integrada por jueces y magistrados que no actuaran con criterios partidistas sino guiados por los vientos de cambio de la ciencia jurídica, no solo eran garantía para la paz política sino el motor de la transformación social que el liberalismo se proponía llevar a cabo. Ese discurso, en parte, se materializó en la integración de una Corte compuesta por miembros de ambos partidos, que no obstante tener una mayoría de magistrados liberales, contaba con nombres como el de Ricardo Hinestrosa o José Antonio Montalvo, pero también con jóvenes juristas formados bajo las nuevas corrientes del derecho. De este modo, inconsciente o conscientemente, López había conseguido cambiar a la Corte de la hegemonía conservadora por un nuevo tribunal, que pese a estar integrado por magistrados que en su mayoría pertenecían al partido liberal, se podía mostrar ante el partido conservador y ante la opinión pública no como un agente del partido liberal sino como el tribunal que impulsaría el progreso del país con el uso de herramientas jurídicas novedosas, pero, sobre todo, sin color político.

Precisamente, sobre la llegada de la nueva Corte y la necesidad de una rama judicial independiente y técnica como la que proponía López, esto dijo un columnista que representaba las más genuinas ideas del partido liberal:

> De la serie de batallas [...] que han ido despojando al conservatismo y sus ideas, sus sistemas y sus hombres, de los viejos atrincheramientos, erizados de vicios, de privilegios y de corruptelas, quizá ninguna tenga mayor importancia que esta que vemos culminar con la inauguración de la Corte Suprema de Justicia, cuya mayoría está de acuerdo con la mayoría política de la nación [...] la instalación de la nueva Corte es paso decisivo en la independencia y el saneamiento de la justicia. No habrá de ahora en adelante una justicia liberal, ciertamente, por oposición a la justicia, o para escribir con propiedad, a la injusticia conservadora. Lo natural es que la nueva Corte, como emanada del espíritu nuevo que está vivificando y transformando la República, no tenga en su seno ni mayoría ni minoría. Pero si por desgracia, cosa que sinceramente no tememos porque conocemos a los magistrados conservadores, estos no tuvieren el valor de romper radicalmente con las antiguas costumbres, sus colegas poseen todas las condiciones para imponer en corto tiempo un criterio exclusivamente jurídico en las deliberaciones; en la conducta, y en el porte del augusto tribunal. El liberalismo está decididamente dispuesto a darles representación a los conservadores, a los conservadores doctrinarios y genuinos, fieles a las directivas o a las doctrinas de su partido, en tribunales, y juzgados. Me parece que es un anhelo liberal muy generalizado, sacar de las asambleas la formación de ternas para magistrados, privilegio inconveniente, que ha venido dándoles a los tribunales fisonomía

> política, con perjuicio de las competencias y merma de la imparcialidad. Entretanto, las diputaciones liberales, probablemente privadas del concurso conservador, asegurarán la presencia de jueces de tal partido en todas las jerarquías judiciales. Lo harán convencidas de que van a fundar la justicia en Colombia, porque el juez sectario es una paradoja criminal, y porque no es posible que el jurista conservador que reciba la investidura, se sustraiga al ambiente de amplitud decorosa que convenza su predominio. Con ese poder judicial nuestro, esencialmente nacional, y esencialmente técnico, desaparecerán especialmente en materia penal, los fallos escandalosos, las denegaciones de justicia, las absoluciones de veteranos del delito para que vayan a engrosar las cuadrillas de bandoleros, y la condenación de inocentes que sean un peligro político, todos aquellos fraudes irritantes, en fin, de que ha venido quejándose con impotente cólera y con desesperada amargura, la prensa y los dirigentes del liberalismo.[195]

Pero con la nueva Corte también se vencían los períodos de magistrados de tribunales y de jueces en todas las regiones del país. En tal coyuntura, el liberalismo se esforzó en hacer notar que su política no sería la del partidismo en la rama judicial, sino la del fortalecimiento de la independencia judicial y el mejoramiento de las calidades éticas y jurídicas de esos funcionarios. La prensa liberal fue uno de los sectores que apoyó con más entusiasmo ese propósito renovador de la rama judicial para que el país contara con un aparato tecnificado y confiable. Por ejemplo, esto expresó el editorial publicado por *El Tiempo* el mismo día en que se instalaba la nueva Corte Suprema:

> La tesis que ha sostenido este periódico de que al hacer ahora elección de jueces deben las asambleas darles representación a las derechas, obedece a la creencia profundamente arraigada en nosotros, de que no puede haber ni justicia liberal, ni justicia conservadora, sino justicia lisa, llana, a secas, que por hallarse colocada fuera de las zonas que afectan las pasiones partidistas, le deje al pueblo una impresión de seguridad y de confianza en el imperio del derecho [...] Entre las rectificaciones fundamentales que la República liberal debe hacer en las costumbres, en las leyes y en la Constitución misma, se encuentra la de afirmar la autonomía de los órganos

195 Y siguió diciendo el columnista: "No es posible la democracia, no es posible la República, ni la vida misma es posible, sin una recta e incorruptible administración de justicia [...] poco hubieran valido y servido las conquistas en el campo legislativo y en otros, si la sombría fortaleza judicial no hubiera sido tomada para arrasarla hasta sus cimientos. Sobre sus ruinas [...] se alzará claro y airoso, esbelto y limpio, el edificio de la justicia democrática, austera y sencilla [...]". Cf. Armando Solano, en su sección "Glosario Sencillo", escribió la columna "La nueva Corte", *El Tiempo,* 30 de abril de 1935, p. 4.

de la justicia, poniéndolas a cubierto de toda influencia extraña [...] Sería poco menos que servirles un plato exquisito a quienes se encuentran empeñados en desacreditar al liberalismo, dejar que este partido no solo cayera en los vicios del que le antecedió en el manejo de la República, sino que agravara la situación cerrando más estrechamente los círculos de la política contra el poder judicial. Si en algún capítulo puede afirmar inteligentemente el liberalismo una política de radical transformación, es con este de la justicia. Ni seguir con la costumbre, ni con la ley, que dio nacimiento a las combinaciones entre los jueces y caciques [...] Colombia, que finca su personalidad dentro del concierto americano, en el exquisito cuidado con que ha hecho respetar las leyes [...] está moralmente obligada a perfeccionar sus sistemas constitucionales para afirmar cada vez más el imperio del derecho [...][196]

Sin duda, pues, el Gobierno de López Pumarejo le apuntaba a constituir una rama judicial independiente y uno de los primeros pasos en ese sentido fue conformar la Corte de Oro, con un selecto equipo de juristas liberales y conservadores que relegitimaban al tribunal, de modo que esta "nueva cabeza" de la rama judicial podría contribuir a las transformaciones sociales e institucionales que se proponía el régimen liberal. Parecía que el viejo anhelo de López, que proclamó en su discurso de agosto de 1934 ante la Corte Suprema de Justicia compuesta por una abrumadora mayoría conservadora, finalmente se cristalizaba.

La movida de López fue muy audaz: renovó la Corte y promovió cambios en toda la rama judicial con el discurso de que la neutralidad del derecho y la necesidad de tecnificar el trabajo de los jueces eran necesarias para garantizar la justicia, la democracia y el desarrollo social. Y todo esto, aun cuando bajo tal política las mayorías liberales se habían tomado la administración de justicia ante la mirada impotente de la derrotada dirigencia conservadora.

El debate entre el Gobierno y la oposición por la integración de la Corte Suprema en 1940: ¿hacia el fin de la Corte de Oro?

Como dijimos, no hay claridad sobre el inicio de la Corte de Oro pero tampoco hay precisión sobre cuándo esta habría llegado a su fin. Una de las hipótesis sobre el final de ese período del tribunal apunta a la renovación de los magistrados que

196 El editorial llegó a proponer que apoyaría "una reforma que sustrajera la elección de los jueces al juego meramente político de las asambleas, y llevando este criterio a las esferas más altas, que fuera perfeccionando las defensas de los tribunales y de la Corte contra las influencias de todo género, que cada día, con mayor audacia, con elementos más activos de ataque, tratan de presionar los órganos de la justicia". Cf. "Queremos justicia a secas", *El Tiempo*, 1 de mayo de 1935, p. 2.

obró bajo el Gobierno del liberal Eduardo Santos, quien llegó a la Presidencia de la República el 7 de agosto de 1938 y ejerció su cargo hasta el año 1942.

En buena parte, la idea de que Santos llegó dispuesto a erosionar la obra de López, dada la pugnacidad entre ambos, en donde el primero representaba la "derecha" liberal y López la "izquierda" del partido, sin duda ha influido en la apreciación de que Santos también quiso "desmontar" la Corte Admirable, aprovechando que en 1940 se les vencía el período a los magistrados postulados y elegidos gracias a López Pumarejo, en 1935.

Al mandato de Santos (1938-1942) se le ha llamado el de la "Gran Pausa Liberal", por el nuevo ritmo que le dio al intenso reformismo que caracterizó al primer gobierno de López Pumarejo (Revolución en Marcha), aunque son varios quienes opinan que no se puede entender ese período presidencial en un sentido tan categórico, pues son varias las evidencias de que muchas e importantes reformas se habrían materializado bajo su Gobierno. A su administración le correspondió enfrentar una fortalecida oposición conservadora liderada por Laureano Gómez, quien ostentaba una privilegiada posición de conductor de las huestes del partido conservador en el Senado. Sin embargo, no fueron pocas las ocasiones en que el presidente liberal sacó a relucir sus dotes de hábil negociador, e intentó mantener un espíritu conciliador con los conservadores, por oposición a su antecesor. Pese a su postura, no logró evitar que la recalcitrante minoría conservadora se opusiera con vehemencia a las iniciativas liberales y que creciera el sectarismo en los debates de la prensa, así como las expresiones de violencia partidista en algunas regiones del país.

Esa oposición sectaria del conservatismo conducido por Laureano Gómez también se expresó en el debate por la conformación de la Corte Suprema, entre 1939 y 1940, cuando recordemos que debían elegirse los magistrados que ejercerían sus cargos entre 1940 y 1945, ante el vencimiento de los períodos de los magistrados de la Corte de Oro. Así, en varios debates en el Congreso relacionados con la postulación de las ternas de los magistrados podemos apreciar una faceta de la confrontación política entre Santos y Gómez. Por ejemplo, el Gobierno había propuesto al Senado dos ternas conservadoras y una liberal y en ellas se incluía a varios senadores liberales, como Guillermo Salamanca, Miguel Ángel Álvarez y Arturo Andrade, lo cual produjo la enérgica reacción de Gómez y los conservadores en el Senado, quienes cuestionaron que el Ejecutivo estuviese llevando congresistas a la Corte, porque no solo lo consideraban violatorio de la Constitución sino también éticamente cuestionable.

Una de las postulaciones cuestionadas por los conservadores que más produjo reacciones del liberalismo fue la de Guillermo Salamanca, de quien se decía que toda su vida la había dedicado al derecho y que tan solo había sido congresista por cuarenta días, como para que los conservadores lo calificaran como un "simple político" que quiere llegar a la Corte. En ese episodio, la prensa liberal les recordó a los conservadores que entre 1886 y 1936 más de veinte parlamentarios habían sido elegidos como miembros de la Corte, en un período de claro dominio conservador en el Ejecutivo y el Congreso, y "jamás se formó un escándalo de la naturaleza del que en esta ocasión ha surgido", de modo que interpretaban todo como una maniobra conservadora para desprestigiar al Gobierno y frenar la acción del Ejecutivo liberal.[197]

En medio de la controversia, los abogados ternados por el presidente Santos se excusaron de continuar en el proceso. Entonces, el conservatismo aprovechó para proponer que el Gobierno reintegrara las tres ternas. Los conservadores plantearon la disputa como un asunto jurídico que trataba sobre la interpretación del artículo 104 de la Constitución, que facultaba al presidente a conformar las ternas de los candidatos a magistrados de la Corte, de las que el Congreso debía finalmente elegirlos. Así, en uno de los debates, el senador conservador Aníbal Badel intervino afirmando que la "exégesis" del artículo 104 de la Carta quería decir que el presidente no podía integrar las ternas con candidatos que fueran congresistas, pues estos no podían pasar del Parlamento a la Corte. Otros senadores conservadores, como Uribe Cualla, expresaron que si otros congresistas ya se habían excusado de hacer parte de la terna postulada por el Gobierno, el Senado bien podía pedirle al presidente que reintegrara las ternas. El senador liberal Parmenio Cárdenas, quien recordemos fue magistrado de la Corte hasta 1935, dijo que el debate no era político sino sobre la "hermenéutica jurídica", y que en este caso se debía considerar que la cuestión era de "interpretación de los principios constitucionales". En respaldo de la postura conservadora, Juan E. Martínez, senador de esa bancada y quien también había sido magistrado de la Corte hasta 1935, clamó por la "exacta interpretación" de las leyes, sobre las cuales él consideraba que tenía un "sentido crítico y de hermenéutica" que había adquirido en una "alta posición judicial".[198]

En medio de la controversia política bipartidista, el 7 de septiembre de 1939, Carlos Lozano y Lozano, ministro de Gobierno de Santos, sostuvo un fuerte debate con Laureano Gómez en la plenaria del Senado.[199] Lozano explicó las razones jurídicas por las que el Gobierno consideraba que la Constitución no autorizaba

197 "Danza de las Horas", columna de "Calibán", *El Tiempo,* 8 de septiembre de 1939, p. 4.

198 *El Tiempo,* 11 de septiembre de 1939.

199 *El Tiempo* del 11 de septiembre de 1939 tituló: "Las razones que tuvo el Ejecutivo para constituir las ternas en la forma como lo hizo. Una brillante exposición jurídica del Ministro Lozano y Lozano".

al Congreso para que discutiera sobre la integración de las ternas de candidatos a magistrados de la Corte Suprema de Justicia, pues la Carta confería al presidente de la República la facultad exclusiva de elaborar esas ternas. El ministro también defendió la práctica de postular congresistas para que ocuparan magistraturas en la Corte, pues en su criterio los parlamentarios estaban cerca de la realidad, no como los magistrados de carrera "que solo han dedicado su vida a redactar sentencias" y que "tienden a convertir la interpretación de las leyes en su rutina, de modo que la "rutina del oficio deforma los planos de la mente". De igual modo señaló que había sido una costumbre que las ternas fueran aprobadas por el Congreso tan pronto como el Gobierno las presentaba. A juicio del Ejecutivo, dijo, no había impedimento para integrar las ternas con congresistas: "En la corte actual hay cuatro magistrados que fueron sacados de los bancos del Parlamento, como fue sacado el doctor Parmenio Cárdenas, el doctor Bartolomé Rodríguez, como fue sacado el doctor Jesús Perilla, en fin, todos los altos valores del país han pasado [...] por los bancos parlamentarios y por las altas sillas de la Corte Suprema de Justicia" [...].[200]

Lozano también respondió la acusación del senador Laureano Gómez sobre la corruptela que había en ese modo de elegir magistrados. Le aclaró a Gómez que realmente ocurría todo lo contrario, pues la Corte Suprema de Justicia estaba muy lejos de seducir a quienes tenían intereses personales ya que en el país todo abogado sabía lo que significaba "el sacrificio pecuniario de servir en la Corte", porque los magistrados eran abogados que renunciaban a su clientela a cambio de servir en el tribunal por salarios que eran "extremadamente modestos, y está bien que lo sean [...]".

En cuanto al asunto de la interpretación de la Constitución sobre la integración de las ternas, Lozano expuso que había dos grandes escuelas jurídicas de interpretación de la ley: la de la exégesis y la de la "libre investigación científica". Así, explicó el método científico citando a Geny y lanzó sus críticas contra la exégesis. Luego afirmó que los senadores Gómez o Baudel ni siquiera asumían posturas jurídicas desde alguna de esas dos escuelas cuando criticaban la integración de las ternas para la Corte. Cuando Lozano estaba en uso de la palabra, Laureano Gómez le interrumpió y exclamó: "¡estoy asombrado! "y luego se echó a reír. El ministro le contestó diciéndole que se estaba riendo, ni más ni menos, que de Francois Geny. Gómez siguió exclamando: "¡qué horror!". Lozano le replicó diciendo que solo hablaba de aquello que le habían enseñado sus maestros mientras que Gómez no conocía nada pues él no era un experto en el derecho. Como Laureano siguió riéndose, el ministro intervino de manera enérgica: "Ríase, senador Gómez, que

200 *El Tiempo*, 11 de septiembre de 1939, p. 7.

don Caro y demás no se reían [...] Y tengo derecho a exigirle respeto porque soy el primer designado a la Presidencia y el Ministro de Gobierno y le exijo que no se ría [...]", y en actitud vehemente dio una palmoteada contra el escritorio. La respuesta de Gómez fue: "Entonces voy a tener que venir aquí con una máscara". Lozano regresó a su punto y aclaró la "exégesis" del artículo 104 de la Constitución, diciendo de este que la separación de poderes no significaba una prohibición al Gobierno de Santos para integrar las ternas con congresistas, y que incluso una exégesis del artículo no significaba literalidad sino el uso de un método de interpretación mucho más complejo.

Es probable que la reacción del senador Laureano Gómez ante el debate jurídico que planteaba el ministro Lozano en buena medida se haya debido a que el primero no contaba con una formación jurídica como la del segundo. En efecto, Gómez era ingeniero civil, y si bien es cierto que estaba familiarizado con algunas ciencias sociales, no había profundizado en el derecho, tal como en parte él mismo lo reconocería varias décadas después cuando ocupó la Presidencia de la República. Su contradictor, Carlos Lozano y Lozano, era un notable jurista liberal egresado de la Universidad del Rosario que completó su formación en universidades europeas.[201]

Volvamos al debate propuesto por el ministro Lozano, quien también defendió la idea de que en Colombia no existía un alto grado de especialización profesional como para pretender encontrar alguien que solo fuera un abogado o un político destacado, que más bien lo común era que esas actividades se combinaran, en especial porque nadie era exclusivamente político: había ingenieros-congresistas, como Laureano Gómez, o médicos-congresistas, entre otros. Por eso opinaba Lozano que lo importante era que la Corte Suprema se integrara por personas probas y con reconocidas competencias jurídicas y sin que para esto tuviera que objetársele a un magistrado el llegar al tribunal directamente de una curul del Congreso. En palabras del ministro liberal, lo importante y lo conveniente era que para llegar a la Corte se buscaran "técnicos en la ciencia jurídica del derecho público para la Sala de Negocios Generales, en la ciencia del derecho penal para la Sala Penal, en la ciencia del derecho civil para la Sala Civil; y por consiguiente cuando hay un senador o representante que se ha destacado doctrinariamente en una de esas ramas jurídicas, es conforme a los intereses públicos y a la moral y a la ley llamarlo a la Corte". Por último, el ministro dijo que otro de los criterios del Gobierno para conformar la Corte era que en ella hubiera representación equitativa de las regio-

201 Lozano fue uno de los políticos y juristas liberales más notables de la época. Fue uno de los ministros clave del Gobierno de la Revolución en Marcha. Fue senador y representante y ocupó varios ministerios y embajadas en gobiernos liberales entre 1930 y 1945.

nes, pues era preciso "tratar de que la Corte refleje la opinión y el prestigio de todos los departamentos del país".

Después de la intervención de Lozano, la bancada conservadora propuso a la plenaria del Senado aprobar una moción en la cual se aplazaba la elección de los magistrados y se le pedía al presidente Santos reintegrar las ternas. La propuesta fue rechazada. Con esto, el gobierno de Santos lograba otra victoria política gracias a la aplastante mayoría que el liberalismo mantenía en el Senado.

La Corte Suprema de 1940: ¿desaparicición de la Corte Admirable?

Luego de la victoria del Gobierno Santos en el debate sobre las ternas para magistrados al que acabamos de referirnos, el Senado eligió a magistrados para la Corte Suprema de Justicia que ejercería entre 1940 y 1945.

Por el liberalismo resultaron electos como magistrados principales: José Miguel Arango, Absalón Fernández de Soto, Isaías Cepeda y Aníbal Cardozo Gaitán, y como suplentes: Enrique Millán, Germán Fernández, Daniel Anzola y Pedro León Rincón. Por el conservatismo fueron elegidos: Liborio Escallón y Fulgencio Lequerica Vélez, y como suplentes: Julio Gómez Estrada y Leopoldo López Álvarez. La plancha liberal obtuvo 32 votos, la conservadora logró doce votos y hubo tres votos en blanco.[202]

Entre tanto, en la Cámara de Representantes la discusión sobre las ternas fue pacífica, salvo por los pedidos de representantes de varios departamentos del país que exigían contar con magistrados oriundos de sus regiones, como fue el caso del departamento de Antioquia. El 14 de septiembre de 1939 fueron elegidos por la Cámara de Representantes los magistrados liberales: Ricardo Hinestrosa (reelegido), Hernán Salamanca, Jorge Eliécer Gaitán y Juan A. Donado. Como suplentes: Héctor Silva Herrera, Manuel Caicedo Arroyo, Alberto Zorrilla e Isaías Chávez, y los conservadores: José Antonio Montalvo y Arturo Tapias. Como suplentes: J. M. Mora Vásquez y Leandro Molina.[203]

Los enfrentamientos bipartidistas no cesaban y el país se hallaba en la antesala de "La Violencia" cuando el 1 de mayo de 1940 se instaló la Corte Suprema para su período constitucional, que se extendería hasta el 30 de abril de 1945. En el Palacio de la Carrera, sede del Gobierno, tomaron posesión de su cargo ante el presidente Santos los magistrados: Hernán Salamanca (presidente de la

202 Los senadores antioqueños se retiraron del recinto y no participaron en la elección en rechazo a que al departamento de Antioquia no se le hubiere dado "participación en la nómina de magistrado de la Corte". El *Tiempo,* 9 de septiembre de 1939, p. 7, transcripción del debate en el Senado del 8 de septiembre.

203 *El Tiempo,* 15 de septiembre de 1939.

Corte), Fulgencio Lequerica Vélez, (vicepresidente),[204] Campo Elías Aguirre, José Miguel Arango, Ricardo Hinestrosa, Isaías Cepeda, Juan A. Donado, José Antonio Montalvo, Liborio Escallón, Antonio Tapia Pilonietta, Aníbal Cardozo Gaitán y Absalón Fernández de Soto.

Cinco de los magistrados que habían inaugurado la Corte Admirable en 1935, tres conservadores y dos liberales, aún continuaban en la corporación para el período siguiente: Lequerica, Escallón, Montalvo, Hinestrosa y Cardozo Gaitán. Llegaban al tribunal siete nuevos magistrados: cinco liberales y dos conservadores. Con Santos y un Congreso dominado por los liberales, el partido liberal mantenía su mayoría con siete magistrados, mientras que los conservadores seguían representados por el mismo número que habían obtenido en 1935: cinco magistrados. Como se puede ver, la Corte Suprema de Justicia, de la llamada Corte de Oro, se había renovado en dos terceras partes.[205]

Páginas atrás dijimos que no era claro el momento en que habría emergido la Corte de Oro, y lo mismo podemos predicar del decaimiento y punto final de esa era del tribunal: no sabemos bien si el punto de quiebre fue la salida de la Corte del insigne magistrado Eduardo Zuleta Ángel o si esto se evidenció con algún cambio jurisprudencial específico. De nuevo López Medina nos dice que el marchitamiento de la Corte de Oro, como receptora del "antiformalismo", habría ocurrido con la llegada del Gobierno de Santos y los intentos de reforma del Código Civil que fracasaron en 1940.[206]

Así, pues, consideramos que hay factores que oscurecen el punto de declive de la Corte de Oro. Por ejemplo, una mirada a la integración de la corporación nos muestra que, si bien es cierto que para 1940 la corporación había sido renovada en dos terceras partes de sus miembros, incluso hasta 1944 permanecieron varios de aquellos magistrados que habían llegado a la Corte en 1935. Por todo esto, es

204 *El Tiempo*, 3 de mayo de 1940.

205 En los archivos que pertenecieron al presidente Eduardo Santos aparecen varios folios con listados elaborados aparentemente por él, en donde se ponen en evidencia los perfiles de los candidatos a ocupar una plaza en la Corte, organizados según los departamentos a que estos pertenecían. En uno de los folios al parecer se registran proyecciones sobre los votos de los congresistas con que contaría cada candidato a la Corte. Por último, hay varias cartas de recomendación de dirigentes políticos regionales y de presuntos amigos del presidente que sugieren nombres para que él integre las ternas. En los documentos aparece un marcado criterio regional en la integración de la Corte, tal como también se evidencia en los debates en el Congreso, cuando varios parlamentarios se refieren a los magistrados como representantes de determinados departamentos. La documentación corresponde al período comprendido entre julio y agosto de 1939 y está disponible en: *Archivo Eduardo Santos,* Fondo No. 10, Miscelánea, Sección Libros Raros y Manuscritos, Biblioteca Luis Ángel Arango, Bogotá.

206 Diego Eduardo López Medina, *Teoría Impura del Derecho, op. cit.*

necesario continuar las indagaciones sobre las razones políticas u otras causas que pudieron haber influido en la pérdida de fuerza renovadora de las doctrinas de la Corte de Oro.

A manera de hipótesis y para exploraciones futuras habría que preguntarse si el declive de la Corte de Oro tuvo que ver con la "gran pausa liberal" del presidente Santos, quien, como dijimos, integró las ternas de los magistrados que eligió el Congreso en 1940 y en cuyo proceso llegaron siete nuevos magistrados a la Corte, quedando cinco de los magistrados que habían llegado al tribunal por el presidente López, en 1935. En lo que tiene que ver con los ejes jurisprudenciales que hemos fijado como marco para rastrear la historia de la Corte Suprema, ni el primer Gobierno de López ni el Gobierno de Santos permiten situar con claridad ni el punto de inicio ni el punto final de la Corte de Oro desde la mirada de su rol como juez constitucional.[207]

El control constitucional de la Corte de Oro

Continuando con los cuatro ejes jurisprudenciales que nos sirven para narrar la historia de la corporación en una perspectiva política, es importante señalar que no se evidencian trazas que demuestren una transformación doctrinal o la existencia de decisiones que hayan marcado un cambio importante en la trayectoria del control constitucional de la Corte Suprema de Justicia, más allá de las doctrinas que impulsaron la aprobación de la Ley 96 de 1936. Es decir, de la reforma legal que reguló los juicios de constitucionalidad ante el tribunal, sentando una radical diferencia entre el proceso de una acción pública de inconstitucionalidad y otros que se seguían ante la Corte. La ley fue una respuesta que acogió la doctrina del tribunal según la cual las acciones ciudadanas de inconstitucionalidad debían interpretarse privilegiando la guarda de la Constitución sobre los requisitos formales de esas demandas.

En este punto también es necesario reconocer el consenso sobre la idea de que la Corte Suprema acompañó con su jurisprudencia la Revolución en Marcha de

207 En el caso del período de la llamada "Corte Warren", algunos sitúan ese momento de la Corte Suprema de los Estados Unidos como el comprendido entre 1953 y 1969, iniciando con la llegada de Earl Warren como *Chief Justice* y terminando con su retiro de la corporación, mientras que otros optan por extender el período un poco más, tomando como base el influjo de la Corte Warren hasta 1973. Al respecto, Morton Horwitz nos pone de presente los riesgos de una delimitación de un período que puede ocultar "lo que hubo antes y lo que vino después", pero que a veces es necesario asumirlos si se quieren lograr los beneficios de un enfoque histórico profundo sobre un período determinado. Morton J. Horwitz, *The Warren Court and the Pursuit of Justice, op. cit.*, p. 4.

López Pumarejo. Consideramos que para emitir un juicio de tal magnitud no solo tendrían que explorarse las demandas contra las leyes y los decretos expedidos bajo el Gobierno de López, sino también las dirigidas en contra de aquellas leyes del antiguo régimen conservador que hubiesen tenido el potencial político y jurídico de impedir los cambios que buscaba dicha Revolución. De ese modo, creemos, se podría tener un mapa más aproximado de la relación de la Corte con el cambio emprendido por la administración López.

En segundo lugar, si bien la coyuntura de la Corte de Oro se caracteriza por un cambio notable en el rumbo de la jurisprudencia, que pasó de una doctrina clásica y formalista hacia una progresista y "antiformalista",[208] tal renovación parece haber ocurrido específicamente en la jurisprudencia de la Sala de Casación Civil. En efecto, de manera principal hubo aportes doctrinales en el ámbito del derecho privado y a través de reinterpretaciones del Código Civil vigente en la época. Así, aunque sus sentencias son denominadas como "progresistas",[209] no existen evidencias de que aquel cambio se haya extendido con el mismo entusiasmo y energía al terreno del control constitucional, al menos en los ejes jurisprudenciales que nuestro trabajo ha delimitado, claro está, salvo por la interpretación amplia de los juicios de constitucionalidad que hemos mencionado en páginas previas.

Por último, el análisis de algunas sentencias de este período, complementado con otras trazas que aquí hemos rastreado, ponen de presente varias de las disputas ideológicas y doctrinales en el seno de la corporación, que están lejos de la imagen unitaria de una Corte que acompañó íntegramente las reformas lopistas.[210]

208 Véanse: Diego Eduardo López Medina, *Teoría Impura del Derecho, op. cit.,* Capítulo IV, y Álvaro Mendoza Ramírez, "La contribución jurisprudencial de la Corte Admirable", en *Memoria del Encuentro Camilo Torres Tenorio,* Colegio de Abogados Rosaristas, Universidad del Rosario, 2004.

209 Las relaciones de López con esta Corte eran estrechas. Un ejemplo de ello es que Alfonso López Michelsen, hijo del presidente López, fue secretario del despacho del magistrado Eduardo Zuleta Ángel, en 1936. Fernando Mayorga, *Alfonso López Michelsen: el retrato de un intelectual,* Editorial Universidad del Rosario, Bogotá, 2008, p. 18.

210 Como es el caso de la sentencia de la "industria bananera" del 4 de septiembre de 1939, dirigida en contra de la Ley 125 de 1936, expedida después de la reforma constitucional de 1936. La Corte declaró inconstitucionales varias medidas sobre intervención del Estado en la actividad de explotación del banano, para entonces uno de los sectores más fuertes de la economía nacional, dominada por empresas extranjeras, como la United Fruit Company, muy ligada a la confrontación social y política en la primera mitad del siglo XX, tal como lo vimos páginas atrás. Una Corte dividida por siete votos a favor y cinco en contra, consideró que la ley era inconstitucional en cuanto otorgaba al Gobierno una amplia facultad de intervención económica por vía reglamentaria, que la mayoría de la corporación consideró que violaba la Carta Política, pues esta autorizaba que esas medidas se tomaran solo "por medio de leyes", de modo que solo el Congreso tenía tal facultad constitucional. Los magistrados disidentes, todos liberales, criticaron las hipotéticas "consecuencias" de la intervención del Gobierno en la economía, que la mayoría de la Corte veía como un posible atentado a la propiedad y a la libertad de

El incremento del control constitucional: un cambio legal producto de la jurisprudencia progresista de la Corte de Oro

Como dijimos, la Corte de Oro —o al menos algunos de sus magistrados— tuvo un papel determinante en la ampliación del poder interpretativo de la corporación frente a las demandas de inconstitucionalidad presentadas por los ciudadanos. La nueva postura interpretativa intentaba romper con la tendencia doctrinal de la Corte de seguir los juicios de constitucionalidad bajo reglas de otros procesos, por ejemplo, asemejándolos a algunas reglas del trámite del recurso de casación.

La tendencia doctrinal de la Corte asumía que las reformas procesales no habían tocado a los juicios de constitucionalidad, de modo que no existían reglas autónomas para estos procesos ni en la Constitución ni en la ley. En efecto, la reforma constitucional de 1910 había creado una acción pública de inconstitucionalidad y había facultado a la Corte Suprema para decidir sobre esas demandas que presentaran los ciudadanos, pero sin establecer con detalle las condiciones bajo las cuales se adelantaría ese proceso. Ante el vacío legal, la corporación había adoptado interpretaciones sobre reglas procesales que conducían a estrechar el ámbito de su control constitucional. Es decir, que cuando la Corte de Oro entró en funciones, aunque habían pasado más de tres décadas desde la reforma constitucional republicana, el vacío constitucional y legal había sido colmado por una Corte Suprema que interpretaba las reglas existentes en el sentido que menos se potenciaba su labor de juez constitucional.

Entonces, en la Corte de 1935, magistrados como Miguel Moreno Jaramillo, Eduardo Zuleta Ángel o José Antonio Montalvo formularon varios salvamentos de voto a las sentencias en donde la corporación interpretaba casi que de manera

---

empresa. De este modo, la corporación, aunque argumentaba la posible extralimitación del Gobierno en virtud de la ley de intervención, exponía su posición política sobre lo que debía considerarse como "propiedad con función social". La misma Corte declaró que sí era constitucional el artículo 2º de la misma ley, que le permitía al Gobierno intervenir para fomentar la producción bananera, es decir, favoreciendo una intervención a favor del capital y de la propiedad, porque esto implicaba intervenir para "racionalizar" la economía. Cinco de los magistrados que hicieron parte de la mayoría de la Corte en este fallo eran la minoría conservadora en la corporación: Fulgencio Lequerica, Liborio Escallón, José Antonio Montalvo, Eleuterio Serna y Arturo Tapias Pilonietta. Lograron su sexto voto con el conjuez Enrique Becerra, quien había sido magistrado de la "Corte conservadora", entre 1925 y 1935. El séptimo voto fue el del liberal Pedro A. Gómez Naranjo. Es decir, que la mayoría liberal de la Corte de Oro se convirtió en minoría a causa de la pérdida de un voto por el magistrado que no pudo votar para dar paso al conjuez. Para un análisis detallado de la sentencia véase el trabajo de Manuel José Cepeda Espinosa, "La reforma de 1936 y las libertades públicas: ¿qué ha hecho la Corte Suprema?, en *Estado y Economía: 50 años de la reforma de 1936,* compilada por Álvaro Tirado Mejía, publicada por la Contraloría General de la República, Bogotá, 1986.

textual las demandas de inconstitucionalidad que presentaban los ciudadanos, de modo que la Corte no se pronunciaba sobre la demanda si el demandante no había señalado con absoluta claridad los textos constitucionales que estimaba infringidos por la ley o por los decretos respectivos. La postura dominante en la Corte era aquella que seguía la tradición de la jurisprudencia de la corporación, que, como dijimos, en parte asimilaba el proceso de constitucionalidad con las exigencias de las demandas de Casación Civil.

Zuleta Ángel y Montalvo también pedían el cambio de la doctrina de la Corte hacia una interpretación más amplia en donde el tribunal ejerciera mayores funciones como juez constitucional, por ejemplo, cuestionando las nociones de "exequibilidad e inexequibilidad" que habían conducido a que la Corte no se pronunciara sobre normas demandadas que habían perdido vigencia, bien por derogación o abrogación.

Miguel Moreno Jaramillo, quien, recordemos, era un prestigioso procesalista antioqueño inclinado a una concepción "iuspublicista" de la acción de inconstitucionalidad, fue quien más influyó para que la Corte adoptara su tesis según la cual se debían confrontar las demandas ciudadanas con la integridad de la Constitución y no solo contra los precisos artículos constitucionales que el demandante citaba como infringidos. Al respecto, dijo:[211]

> Cuando la Corte ejerce su función de decidir sobre la exequibilidad de las leyes o decretos acusados ante ella por cualquier ciudadano, ¿debe ceñirse a estudiar esos actos únicamente a la luz de los textos aludidos en la demanda, o, al contrario, debe analizarlos por sus diferentes visos y aspectos, comparándolos con todos los preceptos de la Carta que estime pertinentes al caso y con el espíritu que informa esta Carta? En este país se han dado sobre la materia los más encontrados pareceres: desde el que equipara la demanda ciudadana al recurso de casación civil, hasta mi modesta opinión de que la Corte debe considerar los actos frente a la Constitución Nacional, vista en su sentido y en su texto como un todo indivisible, cítense o no se citen algunas normas constitucionales. Entre las dos teorías [...] sostienen algunos juristas una teoría intermedia, que percibe cierta diferencia entre la casación civil y la casación constitucional.

La influencia de Moreno Jaramillo llegó al punto que fue él quien instó a la Corte para que preparara la reforma que se concretó en la Ley 96 del 24 de abril de

211 Miguel Moreno Jaramillo, *Estudios Jurídicos, op. cit.*, p. 111.

1936,[212] que, como se ha dicho antes, terminó incrementando el poder del control constitucional de la corporación. En efecto, esa ley no solo estableció que la Corte podía confrontar los cargos de inconstitucionalidad que presentaran los demandantes en contra de una ley o un decreto, con todo el texto de la Constitución, sino que también fijó unos requisitos mínimos para la presentación de esas demandas. Además, estableció unas reglas muy claras sobre los impedimentos de los magistrados, que buscaban acabar con la prolongación de los juicios de constitucionalidad cuando se debatía sobre ese aspecto, que hasta entonces se tramitaban según el Código Judicial, que se aplicaba a todo proceso. Por último, dispuso que los procesos de constitucionalidad serían de conocimiento de todos los magistrados de la Corte y no solamente de la Sala de Negocios Generales.[213]

La Ley 96 de 1936 fue aprobada por un Congreso mayoritariamente liberal que acompañaba al Gobierno del presidente López Pumarejo. En la época, el magistrado liberal Pedro A. Gómez Naranjo destacó las bondades de este cambio legal que había sido inspirado en la jurisprudencia de la Corte. Según el magistrado, la ley colmaba el vacío de la reforma constitucional de 1910, pues esta había guardado silencio sobre los requisitos de la demanda de acción pública de inconstitucionalidad y, además, porque varias normas del Código Judicial no distinguían los juicios de constitucionalidad de otras funciones de la Corte, como era el caso del recurso de casación. En palabras de Gómez:[214]

> La Corte actual ha interpretado con amplitud esta disposición para no hacer nugatorio con un rigorismo procedimental el derecho de los ciudadanos. En auto de 5 de agosto de 1936 dijo lo siguiente: "Basta que se determinen con claridad la disposición o disposiciones que se acusan y los preceptos constitucionales que se consideren infringidos, y que se expongan además los motivos fundamentales de la acción, para que se deba admitir la demanda, sin que sea necesario sujetar esta a las ritualidades procesales exigidas para las demandas civiles en general". La Ley 96 de 1936 señaló el procedimiento para los juicios de inexequibilidad y se inspiró en los propósitos de la Corte para hacer eficaz y sencillo el ejercicio del derecho de defensa de la Constitución otorgado a los ciudadanos. El artículo 1º establece que la sustanciación y preparación de los proyectos en los negocios de inexequibilidad

212 Alfredo Araujo Grau, *Jurisdicción constitucional: tesis de grado en la Universidad Nacional de Colombia*, Talleres Gráficos Mundo al Día, Bogotá, 1936, pp. 94-97.

213 Ley 96 del 24 de abril de 1936, *Diario Oficial*, No. 23216, 25 de junio de 1936.

214 Pedro Alejandro Gómez Naranjo, "La guarda de la Constitución", discurso de posesión ante la Academia Colombiana de Jurisprudencia, Bogotá, 1939. Disponible en: http://www.acj.org.co/o/activ_acad.php?mod=clasicos pedro gomez.

> corresponderá por turno a todos los Magistrados y no solamente a los de la Sala de Negocios Generales como lo establecía el artículo 49 del Código Judicial, que quedó derogado. Esta medida era necesaria, para distribuir en forma más equitativa el trabajo de la Corte y también por la importancia que tiene para el cumplimiento de la labor de la Corte como guardián de la Constitución la intervención de todos los Magistrados en la elaboración de los proyectos de inexequibilidad, que son sin duda los más trascendentales [...] [Y quedó] definida en forma precisa la manera como debe hacerse la petición de inexequibilidad, para evitar interpretaciones que pudieran perjudicar la acción [...] La demanda, como lo había interpretado ya la nueva Corte, no tiene por qué sujetarse a los requisitos de la demanda ordinaria. El parágrafo del artículo 2º contiene una disposición [que le da] más amplitud a la misión augusta de la Corte, porque le permite estudiar la constitucionalidad de la disposición acusada por todos los aspectos, sin sujetarse a los términos de la demanda. Esta reforma está de acuerdo con la importancia de la facultad otorgada a la Corte y consulta más la grave responsabilidad que esta tiene en los fallos de inexequibilidad, porque obligada a ceñirse a los términos del libelo, ocurriría el caso de tener que abstenerse de declarar una inconstitucionalidad notoria sólo porque los motivos alegados eran distintos o las disposiciones infringidas no eran las mencionadas por el actor.

Así las cosas, bien podríamos establecer alguna relación entre el progresismo (o tal vez el "antiformalismo") de la Corte de Oro en su jurisprudencia en materia de derecho privado y el cambio doctrinal de la corporación para interpretar su rol como juez constitucional, de modo que las demandas de inconstitucionalidad que presentaban los ciudadanos no podían leerse del mismo como se hacía en otros procesos, como, por ejemplo, en el marco del recurso de casación, sino bajo la óptica de una noción "pública" del derecho procesal, que conducía a la Corte a conceder un mayor valor a la defensa de la Constitución que a las formalidades de las demandas ciudadanas de inconstitucionalidad. Y esa nueva doctrina fue la que impregnó la Ley 96 de 1936, que prácticamente se convirtió en el primer estatuto de los juicios de constitucionalidad que se seguían ante la Corte Suprema.

En suma, si debemos considerar a la Corte de Oro como un hito en la historia de la Corte Suprema de Justicia desde la perspectiva de su papel como juez constitucional, tendríamos que destacar su reinterpretación de las reglas procesales en favor de una visión iuspublicista de los juicios de constitucionalidad que se seguían ante la corporación y que presionaron el cambio legal de 1936, potenciando de paso un mayor ejercicio del control constitucional por parte de la Corte.

Reflexiones finales sobre el capítulo

Este capítulo de "la Corte entre las hegemonías conservadora y liberal" nos ha permitido poner en evidencia las poderosas connotaciones políticas que tuvieron varias decisiones de la Corte Suprema de Justicia en distintos ambientes políticos, así como también los intensos debates partidistas que rodearon la composición de la corporación en distintos momentos, primero de la hegemonía conservadora y luego de la hegemonía liberal. La lucha por el dominio de la Corte Suprema fue constante en este período. Conservadores y liberales quisieron hacerse al control de la corporación.

El diseño institucional de la reforma constitucional de 1910 estableció que los períodos de cinco años de los magistrados de la Corte Suprema de Justicia, que eran elegidos por el Congreso de la República de ternas presentadas por el presidente de la República, no coincidieran con los períodos de estos dos órganos. Esto producía tensiones políticas cuando llegaba al poder un presidente de la República contrario a la mayoría que dominaba el Congreso y a la Corte, que había sido elegida antes de que el nuevo Gobierno iniciara su mandato. En la transición de un Poder Ejecutivo dominado por un partido al de uno opuesto, la Corte Suprema en varias ocasiones mostró su afinidad por el partido político mayoritario que había definido la conformación del tribunal, y que aún dominaba en el Legislativo.

Como lo hemos puesto de presente, la Corte usó estratégicamente la doctrina de la abstención para juzgar leyes por vicios de trámite, para evitar tomar partido sobre asuntos que enfrentaban al Poder Legislativo con el Poder Ejecutivo, y en algunos casos ese comportamiento terminó por inclinar la balanza en favor de alguno de ellos, particularmente del Poder Ejecutivo.

El control de las medidas represivas del Gobierno fue resuelto por la Corte en favor de este, confiriéndole amplios poderes para garantizar la seguridad y el orden público, aun cuando estas no se dictaran a través de decretos de estado de sitio. En el control constitucional del régimen de estado de sitio la Corte prefirió la abstención. Para eso hizo un uso estratégico del tiempo entre la admisión y la decisión de las demandas de inconstitucionalidad, y aplicó su doctrina de la incompetencia para juzgar la constitucionalidad de medidas dictadas al amparo del estado de sitio que ya habían perdido su vigencia.

En estas páginas hemos visto las estrechas e interdependientes relaciones entre el derecho y la política, o entre el control constitucional y el sectarismo político, sin que esa interdependencia signifique una total dependencia del derecho a la política, como cada momento bien nos lo pone de presente.

La Corte, sin duda, fue un lugar de disputa partidista durante el enfrentamiento de las poderosas colectividades liberal y conservadora. Así, la historia de las hegemonías de estos dos partidos, aunque se ha contado, nunca ha tomado en consideración a la Corte Suprema de Justicia como un actor relevante del régimen político. Este período de la historia de la corporación sugiere importantes cuestiones que aún necesitan ser exploradas y que los períodos siguientes que se narran en este libro ayudan a poner en su mejor luz.

En el capítulo siguiente se pondrán en evidencia las tensiones entre una Corte Suprema de Justicia integrada con criterios partidistas —en medio del derrumbe de una hegemonía— y la llegada de un Gobierno opuesto a las mayorías legislativas y a las mayorías del tribunal. Es decir, el rol de la Corte Suprema de Justicia en la crisis del régimen liberal.

Capítulo quinto

LA CORTE SUPREMA DE JUSTICIA, 1945-1952: HACIA LA CRISIS DEL RÉGIMEN POLÍTICO

Introducción

Este capítulo captura la historia de la Corte bajo tres distintos gobiernos: el final del segundo mandato del liberal Alfonso López Pumarejo (1942-1946), el Gobierno del presidente conservador Mariano Ospina Pérez (1946-1950) y una parte del Gobierno del también conservador Laureano Gómez (1950-1954), que no terminó su período constitucional debido al golpe de Estado del general Gustavo Rojas Pinilla, en junio de 1953.

Creemos que este modo de narrar esta etapa de la historia del tribunal permite captar mejor los distintos modos de la confrontación sectaria entre las élites de los partidos políticos y la violencia bipartidista, que poco a poco condujo hacia el colapso del régimen político, y pone en evidencia los roles que jugó el tribunal en este período.

Veremos, entonces, cómo actuó la Corte durante la caída de la hegemonía liberal y en la compleja situación política que significó la llegada del Gobierno conservador de Mariano Ospina Pérez, cuando en el Congreso y en la rama judicial el partido liberal era mayoritario (1946). Luego situaremos al tribunal en la escalada de la violencia bipartidista después del asesinato del caudillo liberal Jorge Eliécer Gaitán (1948) y posteriormente en medio de las fuertes tensiones entre el Gobierno conservador y el Congreso liberal, que condujeron a que el presidente Ospina cerrara el Parlamento (1949). Después veremos cómo la Corte enfrentó la continuidad del conservatismo en el poder con el Gobierno de Laureano Gómez, en uno de los momentos más críticos de "La Violencia". El capítulo termina con el golpe de Estado del general Rojas que depuso al presidente Gómez, en 1953.

Este capítulo permite apreciar a una Corte colaborativa con el segundo Gobierno del liberal Alfonso López Pumarejo, en 1945, cuando declaró exequibles las medidas con las que el Ejecutivo intentaba superar una aguda crisis política luego de un intento de golpe de Estado. Luego pondrá en evidencia cómo la corporación ejerció con cautela el control constitucional de las medidas de estado de sitio dictadas por el Gobierno conservador de Ospina Pérez, después del asesinato del caudillo liberal Jorge Eliécer Gaitán y de "El Bogotazo" del 9 de abril 1948, cuando el Ejecutivo logró un pacto con las élites liberales para garantizar la gobernabilidad, en momentos en que ese partido exigía una mayor acción del Gobierno contra quienes ejercían la violencia en contra de los miembros de la colectividad, y cuando parecía haber un consenso respecto a que el Ejecutivo debía tomar medidas de excepción para restablecer el orden público que se deterioraba a pasos agigantados.

Después podremos apreciar cómo con la ruptura de ese acuerdo interpartidista, en 1949, una Corte Suprema, que aún sigue compuesta por una mayoría de magistrados de origen liberal, respalda con una sentencia una ley aprobada por el Congreso dominado por el liberalismo, que busca que en las elecciones presidenciales ese partido recupere el Poder Ejecutivo. Esa actuación de la Corte produce la reacción reformista del presidente Ospina, quien, luego de cerrar el Congreso por medio de un decreto de estado de sitio, aprovecha el régimen de excepción para fijar nuevas reglas para las decisiones de la Sala Plena de la Corte, intentando así neutralizar a una corporación que él considera fiel al partido liberal.

Posteriormente, en el fallido Gobierno de Laureano Gómez encontraremos a una Corte conformada paritariamente por magistrados liberales y conservadores, que también parece mostrarse deferente con la continuación del régimen conservador. De igual modo, daremos cuenta de la inconformidad de Gómez con la rama judicial, a la que acusa de estar politizada y de contribuir a la impunidad, y de cómo se debate una reforma judicial con activa participación de la Corte Suprema.

No obstante el complejo ambiente político que hemos mencionado, evidenciaremos un importante giro doctrinal en uno de los ejes jurisprudenciales que nos sirven para narrar esta historia de la Corte Suprema. Se trata de una sentencia de 1952 que pone fin a cuatro décadas de incompetencia de la Corte para juzgar la constitucionalidad de las leyes por vicios de trámite. Este timonazo de la corporación nos permitirá poner en evidencia las complejas interdependencias entre derecho y política en las decisiones de la Corte Suprema y la autonomía relativa que cobra la doctrina en determinados ambientes políticos.

La Corte Suprema en el ocaso liberal: los difíciles años del segundo Gobierno de López Pumarejo

La oposición a López y el "Cuartelazo de Pasto" de 1944

El partido liberal había gobernado con los presidentes Enrique Olaya Herrera (1930-1934), Alfonso López Pumarejo (1934-1938) y Eduardo Santos (1938-1942). Durante esos doce años, el partido conservador se había convertido en una minoría política, aunque, cada vez más, incrementaba su oposición al liberalismo y el enfrentamiento entre los dos partidos se volvía más sectario.

Como lo dijimos páginas atrás, el primer Gobierno de López Pumarejo había propuesto una transformación social y económica conocida como la Revolución en Marcha, cuya mayor expresión jurídica fue la reforma constitucional de 1936 que introdujo el constitucionalismo social en Colombia. Esa reforma fue de partido pues el conservatismo se abstuvo de votarla y bajo el liderazgo del senador Laureano Gómez libró una batalla sin cuartel en su contra.

Pero si bien la reforma de 1936 había escalado la confrontación bipartidista, el Gobierno de la "gran pausa liberal" de Eduardo Santos parecía haber moderado las tensiones entre liberales y conservadores, al punto que el conservatismo había decidido volver a participar en elecciones y regresar al Congreso. Sin embargo, el retorno al poder de Alfonso López Pumarejo, en 1942, era más que una razón para que Gómez y el conservatismo volvieran a enfilar sus baterías en la mayor ofensiva en contra de la Constitución de 1936 y se pusiera fin a la relativa paz constitucional iniciada en 1910: una paz lograda aun cuando habían gobernado de manera continua cuatro presidentes conservadores y el liberalismo se aprestaba a iniciar un cuarto período sucesivo en el poder.

Aunque antes del regreso de López al poder hubo brotes de violencia sectaria en algunas regiones del país, la época más bien se caracterizó por la confrontación entre sectores liberales contra los conservadores que buscaban la contrarreforma de las realizaciones liberales, pero que se libraba en el discurso político y en el terreno electoral.[1] Pero con López de vuelta a la contienda política, el sectarismo partidista se incrementó. El partido conservador no solo se abstuvo de participar en las elecciones presidenciales que dieron el triunfo a López, sino que bajo el

1 Si bien es cierto que no hubo una confrontación armada generalizada, al menos en sentido estricto, de ningún modo pueden ocultarse otras formas de violencia, que fue localizada geográficamente y estaba ligada al conflicto por la tierra, a la persecución partidista y a la lucha electoral.

liderazgo de Laureano Gómez[2] amenazó con desconocer los resultados electorales y elevó la confrontación con el liberalismo a niveles tan altos, que incluso facciones conservadoras se lo reprocharon.[3]

Como dice Marco Palacios, la segunda administración de López fue una de las más traumáticas del siglo XX y tuvo dos etapas: una antes y otra después de la intentona golpista de Pasto, en julio de 1944. Así, desde el inicio de su Gobierno, en 1942, los hacendados y empresarios temían por su seguridad, había conflictos por la tierra debido a que los campesinos exigían el otorgamiento de títulos de propiedad; y los sindicatos, presionados por la inflación, exigían justicia social.[4] Por su parte, la Iglesia, los sectores conservadores y la extrema derecha liberal, estaban dispuestos a bloquear cualquier intento reformista de López que pretendiera seguir la ruta de su primer Gobierno. Además, debió enfrentar los estragos económicos de la Segunda Guerra Mundial, y la nueva situación del reducido apoyo de las fuerzas sociales y de la izquierda liberal que lo habían respaldado en la Revolución en Marcha.[5]

Sin duda la inconformidad generalizada, las altas expectativas populares y los peligros que imaginaban las élites sociales, facilitaron la fuerte oposición de Laureano Gómez al segundo Gobierno de López Pumarejo. El dirigente conservador, como dice Palacios, tuvo dos buenos pretextos para "reconstruir la imagen de un López borrascoso". El primero fue el Concordato negociado por la administración de Santos, que restringía el poder eclesiástico, sometido a la ratificación del Congreso bajo el Gobierno de López y del cual Gómez aseguraba que era un instrumento de la masonería. Con esto Gómez buscaba réditos en los sectores afines a la Iglesia Católica y de la feligresía rural. El segundo aspecto fue el arresto y la destitución del secretario del Ministerio de Guerra, que fue acusado de organizar una conspiración en contra del Gobierno, lo cual causó malestar entre el estamento

2 "[...] Gómez, quien había visto debilitar su jefatura durante el Gobierno conciliador de Santos, recibió a López como maná celestial. Este Gobierno 'masón, comunista y ateo', ofrecía el blanco ideal a su verbo sobresaltado y a sus bien probadas tácticas de confrontación [...]". Marco Palacios, *Entre la legitimidad y la violencia..., op. cit.*, p. 168.

3 Por ejemplo, la Convención del Directorio Nacional Conservador de 1940, encabezada por Mariano Ospina Pérez, se manifestó contraria a Gómez.

4 Tan pronto empezó su mandato, López enfrentó dos huelgas en las que en lugar de apoyar a los sindicatos, como ellos lo esperaban, no solo no los respaldó sino que amenazó con recurrir a la fuerza pública para neutralizarlos.

5 Dice Palacios que López, "el reconstructor de la mística liberal, y el campeón de la reforma social, deshizo su imagen y defraudó al pueblo sin conquistar la confianza de la derecha". Marco Palacios, *Entre la legitimidad y la violencia..., op. cit.*, p. 168.

militar.[6] Y a todo lo anterior, Gómez paulatinamente le fue sumando una cadena de denuncias de supuesta corrupción de la familia presidencial, que, según él, se caracterizaba por el tráfico de influencias y el beneficio personal.

Del malestar militar y la oposición conservadora a la conspiración

Desde su primer mandato, López había tenido pésimas relaciones con el estamento militar por el manejo que él le dio al Ministerio de Guerra, lo que hizo que la oficialidad conservadora percibiera un trato hostil por parte del Gobierno. Ahora, en el segundo mandato de López, se sumaban factores tales como sus planes de reorganizar al Ejército y su propósito de disminuir el pie de fuerza para financiar el crecimiento de la Policía nacionalizada —y liberal—.[7] El descontento militar fue capitalizado por Laureano Gómez,[8] quien intentó poner a los militares en contra del Gobierno. Las propuestas del Ejecutivo de transformar a las Fuerzas Armadas en un aparato más técnico y despolitizado fueron interpretadas como una estrategia deliberada del liberalismo por transformar a las Fuerzas Militares en un órgano de carácter "liberal". Así, poco a poco se fue alimentando el sentimiento castrense de que el Gobierno prefería a la Policía de estirpe liberal en detrimento de las Fuerzas Militares.

Para 1943, los rumores golpistas iban en ascenso.[9] El Gobierno logró develar un plan para dar un golpe de Estado, varios altos oficiales fueron puestos bajo arresto, a otros se les decretó la baja, y otros más fueron trasladados hacia distintas guarniciones militares. Por su parte, López se esforzaba en convencer a los militares de que su Gobierno los respaldaba ampliamente e intentaba contrarrestar la percepción y el ambiente de pugna que se había creado entre la Policía y el Ejército por la supuesta preferencia del Gobierno por la primera. Ese mismo año, tanto la declaratoria del

6 *Ibídem*, p. 169.

7 Adolfo León Atehortúa Cruz, "El Cuartelazo de Pasto", en *Historia Crítica No. 37,* Bogotá, enero-abril del 2009, pp. 148-169.

8 Gómez habría dicho a Spruille Braden, embajador estadounidense en Bogotá, que con la elección de López estaría dispuesto a la oposición y a llegar hasta la guerra civil. En reuniones privadas habría sostenido que si los Estados Unidos no apoyaba la guerra, este contaría con la ayuda de la España de Franco. "Braden a la Secretaría de Estado", Archivo Nacional de Estados Unidos (NA), Washington/ Maryland, Estados Unidos, diciembre 9 de 1940, 821.00/1304, RG 59. Citado por Adolfo León Atehortúa, "El Cuartelazo de Pasto", *op. cit.,* p. 149.

9 El FBI consideró que la posibilidad de derrocar al presidente era "inminente". Los informes referían la preparación de un golpe de Estado bajo la organización del Partido Conservador con apoyo de la Alemania nazi. Hoover al Departamento de Estado, julio 22 y agosto 19 de 1943, na. 821.00/1510/1520, RG 59. Citado por Adoldo León Atehortúa, *ibídem,* p. 154.

estado de guerra con Alemania, como el restablecimiento de las relaciones con la Unión Soviética, causaron la furia de Laureano Gómez, mientras que el presidente se ausentaba del país por licencia y asumía el cargo el designado Darío Echandía.

En 1944 hubo otro intento de golpe militar que se desató porque Laureano Gómez fue apresado y sindicado por calumnia, pero se frustró por la rápida acción de la Policía. Poco después, López ofreció su renuncia pero el Senado se la rechazó. Los brotes de insubordinación militar y los rumores golpistas siguieron, así que López decidió designar al general Domingo Espinel como nuevo ministro de Guerra, modificando así la tradición gubernamental de nombrar civiles al frente de esa cartera: el nombramiento logró devolver la tranquilidad a las tropas.

El "Cuartelazo de Pasto" de 1944

En la mañana del 9 de julio de 1944, el presidente López se encontraba en la ciudad de Pasto con el fin de pasar revista a unas maniobras militares. El teniente coronel Luis Agudelo, quien había sido trasladado al sur del país luego de haber estado implicado en las conspiraciones militares de 1943, apresó al presidente López y le exigió que firmara su renuncia y le cediera el mando al coronel Diógenes Gil. López se negó y fue llevado a una hacienda cercana a Pasto en donde se le mantuvo incomunicado. Otras guarniciones militares, como las de Ibagué y Bucaramanga, se sumaron a la sublevación.

Gracias al pronto aviso que sectores leales a López dieron al Alto Gobierno en Bogotá, el designado a la presidencia, Darío Echandía, asumió rápidamente el mando, declaró el estado de sitio mediante el Decreto 1642, y nombró como ministro de Guerra a Alberto Lleras Camargo, quien de inmediato fue reconocido por el alto mando militar. La mayoría de los miembros de las Fuerzas Militares se mantuvieron leales al Gobierno. En Pasto, el coronel Navas Pardo rescató a López de su cautiverio.[10] Superada la intentona golpista, el presidente regresó a Bogotá y se puso al frente del Gobierno.[11]

10 El coronel Gil, consciente de su derrota, interceptó la caravana militar de López y Pardo, y le ofreció al presidente solucionar toda la situación si este absolvía a los militares involucrados y lo nombraba a él ministro de Guerra por un mes. López no dudó en rechazar tajantemente la oferta. José A. Galvis Serrano, "El Cuartelazo de Pasto", en *Revista Credencial Historia,* edición 193, enero del 2006.

11 Son diversas las interpretaciones sobre los posibles actores y las causas que condujeron a este episodio. Adolfo León Atehortúa realiza un reciente y consistente balance de esta coyuntura, del cual tomamos algunos elementos. Para Atehortúa, la participación fundamental, la responsabilidad, dirección y acción del hecho involucran al "radicalismo subversivo de una fracción conservadora que supo utilizar para sus intereses el descontento y resentimiento de algunos militares, sin olvidar, de otro lado

Tan pronto como el Gobierno supo sobre la intentona golpista, el senador Laureano Gómez fue acusado de estar detrás de la conspiración, pero el dirigente conservador negó rotundamente cualquier vínculo con ella. Al amparo del estado de sitio, el Ejecutivo tomó varias medidas. Como resultado de eso, el 13 de julio de 1944 se ordenó la captura de Gómez y fue cerrado el periódico *El Siglo,* que era de su propiedad, y era el principal medio de comunicación opositor al Gobierno. Tanto las oficinas del diario como la residencia privada de Gómez fueron puestas bajo custodia policial. Él y otros dirigentes de su partido pidieron asilo en la Embajada de Brasil y luego salieron al exilio.[12] A los pocos días, el Gobierno expulsó al senador Gómez de la Comisión Asesora de Relaciones Exteriores.

Así las cosas, la intentona golpista amenazó gravemente la estabilidad del régimen liberal y tuvo implicaciones políticas partidistas en un ambiente cargado de sectarismo y violencia. El contexto de esa coyuntura mostraba a los conservadores liderados por Laureano Gómez y opositores al Gobierno de López en alianza con los militares sublevados. El Gobierno reaccionó rápidamente no solo para neutralizar a los golpistas sino para desarticular a los presuntos conspiradores durante las semanas siguientes a los hechos de Pasto. Para el Ejecutivo, el Cuartelazo era otra de las maniobras de Gómez y su partido para sacar a los liberales del poder: una tarea que el Gobierno estaba seguro no cesaría. El sectarismo de la confrontación era muy claro: el Gobierno perseguía a sus detractores con el uso de medidas de excepción y evitando la caída del régimen liberal, y, por otro lado, la oposición conservadora prácticamente operaba en la clandestinidad.[13] La declaración del Directorio Nacional Conservador, del 18 de julio de 1944, nos ofrece una interesante percepción del clima político del momento:

> Con motivo del golpe netamente militar, que estalló en Pasto el 10 de julio, a que ha sido ajeno el Partido Conservador [...] el Gobierno declaró turbado el orden

---

y como causa probable, la despolitización del Ejército que López Pumarejo se proponía". Adolfo León Atehortúa Cruz, "El Cuartelazo de Pasto", *op. cit.,* p. 149.

12 Uno de los modos como Gómez intentó evitar cualquier acción gubernamental en su contra fue aducir que asistiría a la próxima sesión del Congreso en su calidad de senador por Antioquia, lo cual lo ponía "*ipso facto,* en el goce de la inmunidad parlamentaria garantizada por la Constitución". Así, en carta firmada el 13 de julio de 1944, le solicitó al ministro Lleras Camargo que le otorgase su "tarjeta de inmunidad". Cf. Nota de Laureano Gómez a Mingobierno, solicitándole tarjeta de inmunidad para concurrir al Congreso como senador, "Documentos sobre el Golpe de Pasto, julio 13 de 1944-julio 15 de 1944", Colección Alberto Lleras Camargo, Carpeta 9, Biblioteca Nacional Luis Ángel Arango.

13 Como consecuencia de la intentona golpista hubo 22 consejos verbales de guerra y fueron condenados 26 civiles y 65 militares. Eduardo Pizarro Leongómez, "La profesionalización militar en Colombia, 1907-1944, en *Análisis Político,* Universidad Nacional de Colombia, Iepri, Bogotá, mayo-agosto de 1987.

> público y en estado de sitio toda la nación [...] Este hecho se produjo desde el 13 de julio en que la sublevación militar fue develada y asumió nuevamente el mando el Presidente titular [...] Sin embargo, con el paso de los días se van extremando las medidas de orden público arrasando la tradición jurídica de Colombia [...] En síntesis, se ha desatado una tremenda retaliación política [...] el Poder Ejecutivo ha empezado a dictar una serie de providencias de carácter francamente totalitario [...] con servicio de espionaje y facultades para allanar hogares, y la creación de innumerables Consejos de Guerra Verbales, que hubiera vacilado en tomar un régimen crudamente militar [...] La mayoría liberal de las Cámaras ha comunicado al Gobierno una solicitud en el sentido de que no se reúna el Congreso el próximo 20 de julio y para que se mantenga el estado de sitio hasta la terminación de la Guerra Mundial, violando la Constitución de la República y dando un verdadero golpe de Estado contra el Poder Legislativo [...][14]

Por su parte, las mayorías liberales en el Congreso corrieron a respaldar al Gobierno e interpretaron que el artículo 117 de la Constitución, al señalar que las cámaras legislativas por derecho propio se reunirían el 20 de julio de cada año y que "si por cualquier causa no pudieran hacerlo en la fecha indicada, se reuniría tan pronto como fuere posible", significaba que cuando el orden público estaba alterado, el Congreso no concurriría el 20 de julio pues tal reunión era incompatible con el régimen de estado de sitio. Bajo ese argumento, el Congreso no se reunió el 20 de julio de 1944, como estaba previsto, es decir, a escasas dos semanas de ocurrir el "Cuartelazo de Pasto".[15] El Gobierno estuvo plenamente de acuerdo con

14 Y continúa la declaración del Directorio: "En el mes de febrero del año en curso, el Gobierno había resuelto no acceder a la petición del Juez que conocía del denuncio hecho por el Ministro de Gobierno doctor Lleras Camargo, contra el doctor Laureano Gómez, en el sentido de suspender a este en el cargo de Miembro de la Comisión Asesora de Relaciones Exteriores, por considerar que la suspensión era de la competencia exclusiva del Senado de la República, que había provisto aquel elevado cargo. Pero el mismo día en que llegó a Bogotá, el Presidente López determinó, por razones políticas, según lo ha confesado explícitamente, rectificar su conducta con el fin de que se realizara la prisión del esclarecido conductor y periodista, que no está autorizada por la ley de prensa, en proceso que tiene una jurisdicción especial y que no contempla el encarcelamiento preventivo [...] En aquella insólita providencia se pregona la necesidad de que el Jefe del Partido sea víctima de toda clase de denuncios por presuntos delitos en sus actividades de político y de escritor público. Transcribimos los términos pertinentes de la desatentada providencia persecutoria: 'Que mientras el Gobierno Nacional no suspenda al señor Laureano Gómez en su cargo de Miembro de la Comisión de Relaciones Exteriores, a petición del Juez competente, ningún otro funcionario del órgano jurisdiccional se sentirá con plena libertad para atender a las querellas que presenten los ciudadanos contra los jefes de los partidos o periodistas que resulten responsables de violaciones de la ley penal [...]'". *Revista Credencial Historia*, edición 193, Bogotá, enero del 2006.

15 Según Copete, esa interpretación también había sido la de Tulio Enrique Tascón en su libro

esa interpretación de los parlamentarios liberales, aunque la prensa conservadora la atacó con vehemencia.

Una vez el Congreso reanudó sus sesiones, continuó el trámite de la reforma constitucional de 1945, que era de exclusivo interés de las mayorías liberales y que finalmente fue aprobada sin el aval de las minorías conservadoras. Esto ocurría a la par de las fuertes críticas del conservatismo, liderado por el senador Laureano Gómez, al modo como el Gobierno liberal había enfrentado el "Cuartelazo de Pasto", especialmente por las reglas creadas por decretos de estado de sitio para aplicárselas retroactivamente a los responsables de la intentona golpista y por el modo como los consejos verbales de guerra habían condenado a decenas de los militares implicados. Además, le exigían al Gobierno explicaciones por la desproporcionada persecución emprendida en contra de civiles y militares, y por las reacciones en contra de la dirigencia conservadora tras el golpe de Pasto, y también le solicitaban al Ejecutivo que levantara el estado de sitio, a cambio de colaborar con él. El Gobierno contestó que el debate sobre el golpe no le convenía a la nación y sus voceros prefirieron guardar silencio en los numerosos debates que tuvieron lugar en el Congreso.[16] Para el Ejecutivo era claro que no estaban dadas las condiciones para restablecer la normalidad y levantar el estado de sitio, en un clima de creciente conspiración contra el régimen liberal.

El Siglo, que como dijimos era el periódico de propiedad de Laureano Gómez, llegó a titular uno de sus editoriales como "Iniquidad sin nombre", en referencia a las "arbitrariedades en los procesos verbales a los militares sublevados", manifestando que:

> La convocatoria de Consejos Verbales no pudo ser más ilegal, y si a ello se suman el cúmulo de detenciones arbitrarias y abusos de autoridad cometidos durante la celebración de ellos, el más rudimentario sentido de justicia se rebela contra quienes actuaron en tan inicuos procesos sentenciando a sus propios compañeros sin sujeción a las normas constitucionales establecidas para garantizar la administración de justicia y, de consiguiente, sin haber previamente destruido la presunción de inocencia que ampara a todo sindicado [...] juzgaron y condenaron a decenas de

---

Derecho Constitucional, en la edición de 1939, pero que luego corrigió en ediciones posteriores señalando que la Carta ordenaba que el Congreso "en toda ocasión puede reunirse por derecho propio". Álvaro Copete Lizarralde, *Lecciones de Derecho Constitucional, op. cit.*, p. 157.

16 Debate en la Cámara de Representantes con presencia del ministro de Gobierno, Alberto Lleras Restrepo, y del designado a la Presidencia, Darío Echandía, publicado por *El Siglo*, 2 de febrero de 1945.

miembros de las Fuerzas Armadas sin más fórmulas de juicio que el personal capricho, las bruscas alternativas de pánico oficial, al vaivén de complacencias cortesanas.[17]

La consolidación liberal en la Corte Suprema, en medio de la aguda confrontación bipartidista de 1945

Recordemos que la elección de los magistrados de la Corte Suprema se hacía según la fórmula del cuociente electoral: el número de magistrados que representaban a cada partido político dependía de la proporción que estos tuviesen en el Congreso de la República, es decir, de acuerdo con el número de curules que tenía cada partido en el Parlamento. Por esto el partido liberal, con un Ejecutivo liberal y con mayorías en el Congreso, había garantizado un predominio en el número de magistrados que integraban la Corte Suprema de Justicia desde el año 1935.

Bajo el segundo Gobierno de López Pumarejo, el Congreso, integrado por una mayoría liberal, aprobó la Ley 67 de 1943 aumentando de doce a dieciséis los magistrados de la Corte Suprema de Justicia. De este modo, para el período del tribunal que iba de 1945 a 1950 habría más plazas de magistrados por proveerse.[18] Esa Corte reemplazaba la que, recuerde el lector, fue elegida bajo el Gobierno del presidente Eduardo Santos en 1940. Dada la proporción de la representación de los partidos en el Congreso, era natural que los liberales mantuviesen sus mayorías en la Corte.

El proceso de elección de los magistrados para el período 1945-1950 transcurrió en el primer trimestre del año 1945. Tuvo lugar en plena confrontación bipartidista, en momentos en que el Gobierno del presidente Alfonso López Pumarejo se tambaleaba ante una férrea oposición conservadora comandada por Laureano Gómez, desde el Senado, cuando en el Congreso se debatían el golpe de Pasto y se lanzaban duras críticas en contra de los procesos que se seguían a los militares vinculados a la sublevación militar; cuando se discutía el proyecto de un nuevo Código Penal Militar y al mismo tiempo se tramitaba la reforma constitucional a la que nos hemos referido previamente.[19] Para completar, llovían las acusaciones

17 *El Siglo,* 1 de febrero de 1945.

18 Según la ley, la Sala de Casación Civil tendrían seis magistrados y las de Casación en lo Criminal y Negocios Generales, cinco cada una. Cf. *Diario Oficial,* No. 25431, del 28 de diciembre de 1943.

19 En la Cámara de Representantes, el conservatismo se opuso a que en la reforma constitucional que se tramitaba, el presidente de la República mantuviera la potestad de postular ternas al Congreso para elegir a los magistrados de la Corte Suprema de Justicia. Por ejemplo, los representantes conservadores Botero y Medina señalaron "el grave peligro que para la recta administración de justicia implicaba el hecho de que el Gobierno, por ternas enviadas a las cámaras, eligiera prácticamente los jueces [...] [Es un] sistema inmoral que viene a convertir el órgano judicial en un alcahuete de los desafueros ofi-

del senador Gómez en contra de la familia presidencial por presuntos actos de corrupción e incluso se intentaba vincular al Gobierno con actos criminales como la muerte de un boxeador llamado "Mamatoco".[20]

El ministro de Gobierno, Alberto Lleras Camargo, invitó al Directorio Conservador a proponer nombres para que el presidente López integrara las ternas que llevaría al Congreso para elegir a los magistrados que harían parte de la Corte en el período 1945-1950, pero los ánimos estaban demasiado caldeados como para que los conservadores accedieran a su solicitud: el 5 de febrero de 1945, el Directorio Conservador acusó el proceso de elección de los magistrados de estar viciado por la política partidista liberal. Esto expresó en un comunicado publicado en la prensa:[21]

> Meditando el asunto hemos decidido abstenernos de aceptar su invitación con el ánimo de contribuir al mejor éxito de la elección de la nueva Corte. Razones de importancia fundamentan esta determinación. Es evidente que la Nación aspira a desvincular por completo la política de la administración de justicia y en consecuencia no estaría bien que los Directorios de los partidos políticos robustecieran esa vinculación indicando candidatos y conviene recordar que este Directorio asumió acertada actitud en anteriores elecciones de jueces municipales de Bogotá, en 1941 y 1942, sustrayendo su elección a toda intervención política, por medio de los concursos verificados entonces.

Los conservadores denunciaban que los políticos liberales hacían campaña en el Congreso para que se eligiera a determinados candidatos a la Corte, a tal punto que el "manzanillismo" en la Cámara de Representantes hacía que "ya a nadie le interesaba nada", como, por ejemplo, había ocurrido en la sesión del 13 de febrero de 1945, que tan solo duró cinco minutos y se aprobaron dos proyectos y varias proposiciones "sin estudio ni discusión".[22]

Finalmente, el Senado y la Cámara eligieron a la Corte que iniciaría funciones el 1 de mayo de 1945, que quedó compuesta por una de las más amplias mayorías liberales en la corporación de que se tenga noticia: diez magistrados liberales y seis con-

---

ciales, ya que al tener el Ejecutivo la facultad de elegir a los magistrados, por este solo hecho, quedarán indiscutiblemente bajo su dependencia. *El Siglo,* 1 de febrero de 1945, p. 7.

20 Véase *El Siglo,* especialmente entre el 1 y el 15 de febrero de 1945.

21 Comunicado del Directorio Nacional Conservador del 5 de febrero de 1945, firmado por Darío Botero Isaza (presidente), Guillermo León Valencia y Francisco José Ocampo, publicado en *El Siglo,* Bogotá, 6 de febrero de 1945.

22 *El Siglo,* 14 de febrero de 1945, p. 3.

servadores.[23] Así quedó compuesta:[24] en la Sala de Casación Civil, por los liberales Ricardo Hinestrosa Daza, Hernán Salamanca, Pedro Castillo Pineda y Manuel José Vargas, y por los conservadores Arturo Tapias Pilonietta y José Antonio Montalvo.[25] Sus suplentes eran Gustavo A. Valbuena, Samuel de Sola Roncallo, Carlos Medellín, Carlos A. Escobar Quintero, Álvaro Leal Morales y Roque Pupo Villa. En la Sala de Casación Penal, por los liberales Ricardo Jordán Jiménez,[26] Francisco Bruno y Jorge Restrepo Hoyos, y por los conservadores Domingo Sarasty y Jorge Gutiérrez Anzola. Los suplentes eran Agustín Gómez Prada, Francisco Carbonell, Alejandro Camacho Latorre y Guillermo Morales Peña. En la Sala de Negocios Generales, por los liberales Germán Alvarado, Aníbal Cardozo Gaitán y Ramón Miranda, y por los conservadores Víctor Cock y Eleuterio Serna. Sus suplentes eran Belisario Agudelo, Francisco de Paula Santander, Julio Gómez Estrada y Cristóbal García.

El Siglo no tardó en lanzar sus agudas acusaciones contra el modo como había sido elegida la nueva Corte. El editorial del 15 de febrero de 1945 se tituló "Una Corte de origen bastardo". Al referirse al proceso de elección por el Congreso, expresó que este producía "una invencible impresión de asco y repugnancia", por las intrigas que se habían evidenciado, junto al "canje de sufragios", "combinaciones para ajustar el número de votos indispensables a cambio de promesas y compensaciones". Según el editorial, los liberales habían impuesto su criterio de que la magistratura "es una canongía y nada más, y que "como el mamarracho de reforma constitucional entregó a cada magistrado la dieciseisava parte de la crecida burocracia judicial en todo el país, el bocado resultó excesivamente apetitoso y la lucha ha sido a mordiscos, como presa arrojada a una jauría". Por todo esto,

23 La elección de los magistrados Manuel José Vargas (liberal) y Domingo Sarasty (conservador) fue demandada ante el Consejo de Estado por los dirigentes liberales lopistas José Joaquín Castro Martínez y Diego Luis Córdoba, quienes señalaron que las ternas para conformar la Corte deberían integrarse según el sistema de cuociente, de modo que se debió haber favorecido a otros candidatos en las listas que fueron votadas por el Congreso. El Consejo, en sentencia del 15 de junio de 1945, no concedió los cargos y fijó la doctrina que en las elecciones de magistrados de la Corte Suprema se aplicaba el sistema mayoritario. También el exmagistrado Juan Francisco Mujica demandó ante el Consejo el acto administrativo de elección de los magistrados Jorge Restrepo Hoyos, Germán Alvarado y Domingo Sarasty, porque se había hecho sin los votos suficientes para establecer el cuociente legal. Su demanda tampoco tuvo éxito. *El Siglo,* 16 de febrero de 1945.

24 El listado, sin filiación política, en *El Tiempo,* 30 de abril de 1945.

25 Su elección significó una "derrota" para el también magistrado conservador Libardo Escallón, quien integraba la misma terna que Montalvo. Este último habló con gran tristeza por la salida de Escallón de la Corte, en donde ambos habían trabajado por varios años. Recuérdese que ambos hicieron parte de la Corte de Oro de López de 1935. Las declaraciones de Montalvo se encuentran en *El Siglo,* 15 de febrero de 1945.

26 Este nombre produjo división en las huestes liberales pues a él se enfrentaba Carlos Zambrano, hermano del gobernador del Cauca. *El Siglo,* 15 de febrero de 1945.

decía el periódico, no cabía ninguna duda de que se trataba de una Corte "con un origen bastardo".

Según el diario conservador, las equivocaciones de los liberales en la conformación de la nueva Corte habían empezado porque "no tenía la capacidad técnica jurídica para discernir cuáles eran entre los jurisconsultos del país los más dignos de la investidura", pues el solo hecho de haberle consultado nombres a los directorios políticos había abierto la puerta de entrada a las intrigas. Además, consideraba que el presidente López estaba impedido para intervenir en la elección de los magistrados de la Corte "por elementales consideraciones de delicadeza y por mandato expreso de la ley", porque esos tribunales decidirían sobre cuestiones que interesaban a López o a su familia, precisamente en tiempos en que les llovían acusaciones de corrupción.[27]

El golpe de Pasto a juicio de la Corte en 1945

El último recurso legal que parecía quedarles a los responsables de la intentona golpista de Pasto en contra del presidente López, era demandar ante la Corte Suprema de Justicia la inexequibilidad de los decretos de estado de sitio, que habían sido dictados por el Gobierno para aplicárselos exclusivamente a ellos de manera retroactiva. Por eso la acción pública de inconstitucionalidad dirigida en contra de los decretos 1640 y 1644 del 13 y 14 de julio de 1944, que contenían algunas de las medidas de estado de sitio dictadas al amparo del Decreto 1632 del 10 de julio de 1944,[28] que declaró turbado el orden público en todo el país a raíz del golpe de Pasto, fue presentada por Pedro Nel Rueda Uribe,[29] quien no solo era

27 Agregó Gómez: "[...] esos tribunales deben fallar sobre un pleito cuantiosísimo que sus parientes inmediatos [...] adelantan para adueñarse de rica porción del patrimonio del Estado. El huevo fatídico del tribunal que ha de decidir el pleito del Carare [...] quedó puesto en la maraña de listas y la escogencia parlamentaria. Ya no se trata sino de su incubación apropiada". *El Siglo,* 15 de febrero de 1945.

28 Según el Gobierno, los decretos se dictaban cuando el país "se halla en estado de beligerancia, que jurídicamente es el estado de guerra internacional y que se verificaban unas maniobras militares, se cometieron delitos contra la seguridad interior del Estado, la tranquilidad y el orden público, con la detención del Presidente de la República". Decreto 1640 del 13 de julio de 1944, publicado en el *Diario Oficial,* No. 25594, transcrito en la página 26 de la sentencia del 12 de junio de 1945, M.P. Aníbal Cardozo Gaitán.

29 En el Gobierno de Laureano Gómez, entre 1951 y 1953, mientras Roberto Urdaneta ejerció la Presidencia como designado, Rueda fue gobernador del departamento de Santander. Luego fue ministro de Trabajo y de Minas y Petróleos y se mantuvo en el cargo incluso en los comienzos de la dictadura del general Rojas Pinilla, en 1953. Aunque para la década de los cuarenta era cercano a la facción conservadora de Gómez, luego fue considerado como un "incondicional" de Mariano Ospina

un destacado dirigente conservador sino también el abogado de los militares cuyos procesos habían provocado las más duras críticas del conservatismo al Gobierno de López, por las presuntas violaciones a las garantías procesales de los inculpados.[30] Entonces, si la estrategia jurídica seguida ante los consejos verbales de guerra no había funcionado y si la presión política del conservatismo —y de algunos sectores militares— no había rendido sus frutos, ahora se buscaba a la Corte Suprema para que dijera la última palabra sobre una cuestión tan compleja que, como hemos visto, parecía ser al mismo tiempo la consecuencia, causa y razón del feroz enfrentamiento sectario entre el liberalismo y el conservatismo.

Rueda Uribe presentó la demanda de inconstitucionalidad en contra de los mencionados decretos tan pronto fueron tomadas las medidas de excepción con motivo del golpe de Pasto de julio de 1944. Pero pasaban los meses y la Corte no se pronunciaba. Tan solo se decidió a romper su silencio a comienzos del año 1945, cuando a través de su presidente explicó que debido a la altísima congestión de sus despachos, a los magistrados no les había sido posible tomar una decisión sobre la demanda, a pesar de que se venían reuniendo semanalmente para analizar el caso.[31] Esa Corte Suprema prefirió dilatar el juicio a los decretos, tal vez a la espera del resultado de las elecciones de los magistrados que asumirían sus funciones el 1 de mayo de 1945.[32]

Pérez. Años después fue uno de quienes se opuso a la fórmula de la alternancia bipartidista del Frente Nacional y por esa razón demandó ante la Corte Suprema la inconstitucionalidad de los decretos de la Junta Militar de Gobierno que convocaban al Plebiscito de 1957.

30 *El Siglo* dijo que la demanda ante la Corte era el "último recurso" de los militares inculpados en el golpe, pues el Gobierno no había querido oír las voces conservadoras que habían denunciado el "cúmulo de arbitrariedades" por parte de los jueces militares, y que, además, las mayorías liberales en el Congreso habían derrotado a "pupitrazo limpio" la propuesta conservadora de que la Corte Suprema de Justicia revisara los juicios militares que se habían seguido, lo que se consideraba "un acto de equidad". El diario también advertía que ahora todo quedaba en manos de una "Corte elegida por López". *El Siglo,* 23 de febrero de 1945.

31 Así lo aseguró el presidente de la Corte, el liberal Ricardo Hinestrosa, en declaraciones a *El Siglo*. Sobre la eventual decisión de la Corte, decía el mismo periódico que no sobraba preguntarse si la Corte pensaba que "el país no se encontraba todavía en estado de perfecta tranquilidad? o si ¿estimaría que no había razones jurídicas suficientes para entrar a definir la situación jurídica? o ¿si se halla en incapacidad de impartir justicia por razones morlaes, o por razones desconocidas? o ¿si se espera la colaboración de los nuevos magistrados que solo en mayo iniciarán sus funciones para definir entonces esta situación?". *El Siglo,* 23 de febrero de 1945.

32 Grupos de abogados conservadores instaron a la Corte a tomar una decisión sobre la demanda de Rueda Uribe. Así lo hicieron abogados bogotanos encabezados por Pedro María Carreño, así como un grupo de juristas tolimenses comandados por Nicolás González, que apoyaron el memorial de los primeros, el 12 de marzo de 1945. *El Siglo,* 15 de marzo de 1945.

Así las cosas, a los magistrados elegidos por el Congreso en el primer semestre de 1945 les correspondió juzgar la constitucionalidad de las controvertidas medidas tomadas por López, que no solo reprimían a los responsables de la intentona golpista de 1944, sino que también intentaban garantizar la estabilidad de un Gobierno tambaleante, arrinconado por la oposición conservadora que mostraba poderosas y peligrosas alianzas con sectores del estamento militar, y en un clima de continua conspiración.[33]

El periódico *El Siglo* fue el principal medio de opinión conservador que ejerció presión sobre el Gobierno de López y sobre la Corte Suprema para lograr una decisión favorable a los militares inculpados en el golpe de Pasto. A las numerosas ediciones dedicadas a criticar los juicios contra aquellos militares, a destacar los debates parlamentarios de las minorías conservadoras que exigían la revisión de los procesos penales militares por la Corte, ahora, en los días previos al fallo de la corporación, se sumaba la amplia difusión de la solicitud del senador Laureano Gómez de "hacer justicia". Por ejemplo, el periódico destacó la reunión que este sostuvo con el presidente López en la que Gómez le solicitó al presidente que expidiera un acto administrativo que reconozca "como una violación de la Constitución el haber ordenado por decreto posterior al 10 de julio de 1944 que Tribunales de Guerra juzgaran por el proceso llamado verbal a los responsables del golpe militar ocurrido en Pasto", pues en concepto del dirigente conservador "ese proceder inconstitucional del Gobierno era la principal causa del malestar social y político existente y de los sucesivos intentos de subversión del orden público y de conspiración contra las autoridades legítimas".[34]

Según *El Siglo*, Gómez había declarado: "Yo suplico al Presidente restaure por el bien de la patria el imperio de la justicia. Acudo ante quien puede, si quisiera, restablecer la tranquilidad pública: los militares hacen un reclamo justísimo en defensa de un patrimonio de la sociedad".[35] El periódico dijo que la respuesta del presidente López a la solicitud de Gómez había consistido en insistir en la constitucionalidad de las medidas tomadas por el Gobierno, que "hallándose el decreto a estudio de la Corte era mejor esperar la sentencia", y que cualquier modificación de los tribunales militares había que llevarla al Congreso, pero en medio de un ambiente de sosiego político.

33 Según informes de prensa de *El Tiempo* y *El Siglo*, entre la intentona golpista de Pasto y mediados del año 1945, al menos habrían sido seis las conspiraciones para tumbar a López, aunque no todas se atribuían a los militares, pero sí al conservatismo liderado por Laureano Gómez.

34 *El Siglo*, 6 de junio de 1945.

35 *El Siglo*, 7 de junio de 1945, que dedica gran parte de su edición a los detalles de la reunión sostenida por Gómez con el presidente López.

Entonces, como lo podemos apreciar, durante el trámite de la demanda de inconstitucionalidad de los decretos de estado de sitio dictados por el Gobierno como reacción al golpe de Pasto, la violencia política y la confrontación sectaria entre conservadores y liberales, y las amenazas contra la estabilidad del Gobierno de López se habían endurecido de manera dramática, hasta el punto que la intentona golpista de 1944 solo parecía haber sido el comienzo de la crisis del Ejecutivo —y de la hegemonía liberal—. Pero aún hay más, el 12 de junio de 1945, cuando la Corte Suprema se disponía a decidir sobre la demanda de Rueda Uribe, hubo graves hechos de orden público, en momentos en que el Gobierno liberal se tambaleaba en medio de la violencia política generalizada y ante la oposición de los conservadores. La prensa conservadora fue acusada de difamar el Gobierno, de incitar a la violencia política y de provocar la sublevación en contra del régimen liberal.[36] El Gobierno reaccionó declarando turbado el orden público y decretando el estado de sitio en la capital de la República, mediante el Decreto 1409 del 12 de junio de 1945.

En medio del ambiente político descrito, la Corte debía tomar una decisión sobre la constitucionalidad de las medidas que el Gobierno liberal había tomado para neutralizar la conspiración de Pasto.[37] Se trataba de un fallo que enfrentaba a la Corte a un desafío político de grandes proporciones. En efecto, de ella dependía dejar sin piso constitucional las medidas que intentaban restablecer el orden público y la normalidad en las Fuerzas Militares, después de que el presidente López había sido víctima de un intento de golpe de Estado, pero, además, la decisión tenía que ver con juicios penales militares que se les seguía a un grupo de militares y de civiles acusados en relación con la intentona golpista. Y, por último, la Corte actuaba en medio de la aguda crisis que hacía tambalear a un Gobierno liberal que estaba enfrentando la tenaz oposición conservadora y las continuas amenazas de conspiraciones militares. Así, una eventual inexequibilidad de los decretos habría debilitado los instrumentos jurídicos que el Ejecutivo había dispuesto para perseguir, juzgar y condenar a los responsables del golpe —y de paso reprimir a la oposición conservadora "golpista"—, mientras que una decisión sobre la exequibilidad de

36 Ya desde el 1 de junio de 1945 se habían presentado disturbios en manifestaciones estudiantiles apoyadas por "elementos extraños", y hubo un levantamiento de los reclusos del pabellón de "delincuentes políticos" de la Penitenciaría Central, que según el Gobierno estaban en total conexión con un intento de dar un golpe terrorista en Bogotá y que fue frustrado por las autoridades. Los detenidos en ese pabellón eran los militares y políticos que estaban siendo juzgados por su participación en la intentona golpista de Pasto. Véanse: *El Siglo* y *El Tiempo*, del 1 y el 2 de junio de 1945.

37 De hecho, *El Siglo* publicó amplia información criticando la sentencia de la Corte en sus ediciones del 12 y 13 de junio de 1945, pero bajo estricta censura del Gobierno, tal como consta expresamente en las páginas del periódico.

las medidas significaba avalar las violaciones al debido proceso que denunciaba la oposición conservadora y no pocos abogados penalistas.

El 12 de junio de 1945, con la ponencia del magistrado de origen liberal Aníbal Cardozo Gaitán, la Corte decidió sobre la demanda de inconstitucionalidad presentada por Pedro Nel Rueda Uribe en contra de los decretos 1640 y 1644 de julio de 1944. Los decretos disponían que la Brigada de Institutos Militares asumiría la competencia para conocer de los delitos "contra el régimen constitucional y la seguridad interior del Estado" cometidos el 9 de julio de 1944, así como de los "hechos conexos, previos o posteriores" a dicha fecha. También ordenaba que esa Brigada convocaría los consejos verbales de guerra que fueran necesarios, y que estos tendrían la potestad de juzgar y castigar a "las personas no militares que hubieren seducido o intentado seducir a las Fuerzas Militares para que desertaran, conspiraran o se insubordinaran y demás hechos previstos en el referido artículo [...]" (se refiere al Art. 17 de la Ley 84 de 1931, "de justicia militar").[38] Es decir, que la investigación y juzgamiento, tanto de civiles como de militares relacionados con la conspiración de Pasto, quedaba en manos de la Justicia Penal Militar, y sin importar si los delitos que a aquellos se les imputaran hubieran sido cometidos antes o después de la fecha del golpe.

Según Rueda Uribe, los decretos eran inconstitucionales porque disponían que los oficiales al servicio del Ejército que tuviesen relación con la intentona golpista de Pasto quedaban a órdenes de los consejos verbales de guerra y no de los consejos de guerra superiores, como lo ordenaba la Ley 84 de 1931, que tan solo permitía una excepción en esa competencia y era cuando el Ejército se encontrara "en campaña". Así, para el demandante, el estado de "beligerancia" en que se encontraba el país con motivo de la Segunda Guerra Mundial no equivalía a que el Ejército se encontrara "en campaña". Además, dijo que en el caso de los hechos de Pasto no se podía predicar tal situación, pues el 12 de julio de 1944 el propio presidente López había expresado públicamente que el Ejército había recuperado la normalidad en el orden público. Por último, afirmó que los decretos vulneraban la Constitución porque las medidas permanecían vigentes a pesar de que el orden público ya había sido restablecido.

La Corte, integrada por una mayoría de magistrados de origen liberal y esta vez con el apoyo de dos de los seis magistrados de origen conservador, tomó el camino de la colaboración con el Ejecutivo y declaró la constitucionalidad de los decretos demandados. Para eso, primero abordó la cuestión de la competencia para pronunciarse sobre demandas de inconstitucionalidad contra decretos de estado

38 Decretos 1640 y 1644 de julio 13 y 14 de 1944.

de sitio. Así, recordó su tradicional doctrina de la incompetencia para juzgar esos decretos cuando estos habían dejado de regir porque se había levantado el estado de sitio. Luego puso de presente que, con la reforma constitucional de 1945, el control constitucional se había fortalecido hasta el punto que la corporación había quedado plenamente facultada para juzgar esos decretos pues, "[...] en el espíritu de la Constitución está el que pueda la Corte pronunciarse aun después de que se ha declarado restablecido el orden público, para que se pueda cumplir el propósito de tutela constitucional que consagra el precepto".[39] De este modo, rectificó su doctrina pero fijó la condición de que para ejercer el control de constitucionalidad sobre los decretos de estado de sitio, estos debían demandarse cuando aún estaban vigentes, sin importar que el fallo se produjera cuando la vigencia de tales decretos hubiera expirado.[40]

La Corte pasó a analizar la cuestión de los límites constitucionales del Ejecutivo bajo el régimen del estado de sitio y dio ejemplos de los distintos ámbitos en donde aquel podía dictar medidas bajo amplias facultades. Así, consideró que podían suspenderse todos aquellos derechos y garantías que el texto de la Constitución expresamente permitía.[41] Además, abrió un amplio abanico de limitaciones de derechos y garantías que podría imponer el Gobierno bajo el estado de sitio. En efecto, para la Corte la expresión "en tiempos de paz no podrá suspenderse", que aparecía en varios artículos de la Carta, debía entenderse como una habilitación al Ejecutivo para que en "tiempos de turbación del orden público", es decir, bajo el estado de sitio, el Gobierno sí pudiera suspender esos derechos y garantías. Esto dijo la corporación:

> Así, por ejemplo, el artículo 23 de la Constitución de 1886 —hoy el 19— establece que nadie podrá ser molestado en su persona o familia, ni reducido a prisión o arresto, ni detenido, ni su domicilio registrado sino a virtud de mandamiento escrito de autoridad competente, con las formalidades legales y por motivo previamente definido en las leyes; y aunque la disposición no expresa que ella rige en tiempo

39 Corte Suprema de Justicia, sentencia del 12 de junio de 1945, M.P. Aníbal Cardozo Gaitán.

40 Copete Lizarralde consideró que el fallo de la Corte era equivocado pues la Corte carecía de competencia para juzgar los decretos de estado de sitio. En palabras del constitucionalista, tales decretos "[...] no son de carácter legislativo, puesto que ninguno de ellos crea, modifica, ni extingue una situación jurídica de carácter general [...] El decreto que levanta el estado de sitio tampoco es de carácter legislativo, puesto que se limita a declarar el regreso a la normalidad, asunto que es eminentemente de orden administrativo y no legislativo". Álvaro Copete Lizarralde, *Lecciones de Derecho Constitucional Colombiano: apuntes de clases*, *op. cit.*, p. 204.

41 Corte Suprema de Justicia, sentencia del 12 de junio de 1945, *op. cit.*, p. 34.

> de paz, de donde podría deducirse que rige en todo tiempo, aun en el de guerra o de turbación del orden público, sin embargo el propio Estatuto en su artículo 28 —hoy 24— dispone que habiendo graves motivos para temer perturbación del orden público, pueden ser aprehendidas y retenidas por el Gobierno.[42]

Entonces, para la Corte, la competencia del Ejecutivo para limitar derechos y garantías bajo el régimen del estado de sitio no solo era taxativa, "sino consignada en norma concreta respecto de ciertos derechos y garantías, pero dejando siempre como fuente de limitación la que emana naturalmente de los deberes del Presidente de la República en casos de alteración del orden público, ya causada o previsible por motivos graves". Y agregó: "Importa no perder de vista, que el Constituyente de 1886 conservó para el Presidente de la República, en defecto de las facultades legales, 'las que le da el Derecho de Gentes, para defender los derechos de la Nación o reprimir el alzamiento', y que venían desde la Carta de 1863".[43]

Esa interpretación de la amplitud de facultades del Ejecutivo bajo el régimen de excepción necesariamente conducía a que la Corte limitara su control constitucional sobre los decretos de estado de sitio y por eso razonó que el presidente de la República, además de que podía hacer todo aquello para lo cual estaba facultado el Congreso en tiempos de paz, también podía suspender derechos y garantías, aunque sin llegar hasta la aplicación de la pena de muerte. Pero tal vez advirtiendo que el limitado control de la Corte sobre los decretos de estado de sitio daba lugar a un enorme poder presidencial, el tribunal supo descargar en el Congreso la responsabilidad de ejercer límites a ese poder y afirmó que, por disposición de la Constitución, el Parlamento, a través de las leyes, tenía la facultad constitucional de regular el régimen del estado de sitio.

Sobre la acusación de que el Gobierno había dictado unos decretos de estado de sitio sin que previamente hubiese declarado el orden público turbado y decretado el estado de sitio sino fundado en un "estado actual de beligerancia", la Corte consideró que la simple manifestación del jefe de Estado de declarar la guerra a Alemania, tal como había sido comunicada al Senado en noviembre de 1943, era suficiente para justificar la expedición de los decretos de estado de sitio del año 1944, sin necesidad de tener que recurrir a la declaratoria de un estado de sitio, es

42 La huelga fue otro de los ejemplos que la Corte citó como prueba de las amplias facultades que la Constitución le confería al Gobierno dentro del régimen del estado de sitio. Dijo al respecto: "Un legítimo instrumento de justicia en tiempos de normalidad se transforma o puede convertirse en un arma de inequívoco significado o de clara subversión, como medio eficaz para producir el desorden". Corte Suprema de Justicia, sentencia del 12 de junio de 1945, *op. cit.*

43 Corte Suprema de Justicia, *ibídem,* pp. 24 y 25.

decir, que el "estado de beligerancia" amparaba al Gobierno para dictar los mencionados decretos que reaccionaban a la intentona golpista de Pasto.

En cuanto al juzgamiento de los militares por consejos de guerra verbales, la Corte encontró que la medida se encontraba plenamente justificada porque en los hechos de Pasto estaba involucrado el Ejército, cuya relación y estructura de cuerpo hacía que la dimensión de la sublevación pudiera poner en peligro la estabilidad nacional, tal como se había materializado con el apresamiento del presidente López. Para la corporación, la expresión "en campaña", que fijaba el Código Penal Militar como condición para autorizar excepcionalmente esos consejos de guerra verbales, no se debía entender únicamente como "operaciones de guerra" sino como acciones:

> [...] ocasionadas por conspiradores militares en servicio activo, comprometidos en un golpe de fuerza para derrocar el Gobierno legítimo y reemplazarlo por otro constituido con bases de violencia, afianzado en las armas, un foco rebelde, de esta clase, por sus vinculaciones reales o posibles con otro u otros en el Ejército, significa un serio peligro de alteración de la paz, y no puede ni debe razonablemente mirarse constreñido o limitado tan sólo a un acto de los rebeldes, en un sitio dado, ya que este puede ser apenas una manifestación [...] entre muchas, de los varios episodios de una rebelión en que participan todas las fuerzas armadas de la Nación.

De este modo, la Corte afirmaba que los hechos de Pasto se asimilaban a que el Ejército estaba en "campaña" con motivo de la conducta de unos militares sediciosos, pues lo contrario "sería apartarse de la realidad de los hechos y darle a aquella expresión un significado ceñido enteramente a la literalidad, lo que no se compadece con la función que le corresponde al intérprete de la ley, ya que este debe atender ante todo a la finalidad social de la norma [...]".[44]

Por último, después de presentar los argumentos que sustentaban su decisión en favor de la exequibilidad de las normas demandadas, la Corte transcribió los decretos que en el año 1928 dictó el presidente Miguel Abadía Méndez con motivo de la huelga de las bananeras, a los que nos referimos en un capítulo anterior y en donde la corporación se declaró inhibida para juzgar esas normas argumentando que al momento del fallo estos ya habían perdido su vigencia.[45] La inclusión de esos decretos en la sentencia de 1945 sin duda era una estrategia política de una Corte que buscaba fuentes para legitimar su fallo: así, acudía a la analogía entre las

44 *Ibídem.*

45 *Ibídem.*

medidas tomadas por gobiernos conservadores que permitieron el juzgamiento de civiles por la justicia militar en momentos de inestabilidad y de grave turbación del orden público, tal como ahora lo hacía el Gobierno liberal. La Corte volvía sobre uno de los episodios que mayor costo político le representó al partido conservador y, además, se refería a unas medidas tomadas por el gabinete ministerial al que, por entonces, había pertenecido el ahora influyente magistrado conservador José Antonio Montalvo, quien para 1928 era ministro de Industrias de Abadía.

La sentencia fue apoyada unánimemente por los diez magistrados de origen liberal más dos conservadores.[46] Cuatro magistrados de origen conservador salvaron su voto. Tanto la mayoría como la minoría se abstuvieron de hacer alusiones partidistas para respaldar o criticar la decisión y más bien prefirieron mantener un tono neutral sobre las doctrinas que estaban en juego. Los salvamentos cuestionaron que la Corte hubiera desconocido su precedente al asumir la competencia para juzgar decretos de estado de sitio cuya vigencia había expirado.[47] También mostraron su desacuerdo con que la corporación declarara exequibles normas que permitían juzgar delitos ocurridos antes de expedirse los decretos de estado de sitio, violando así la garantía constitucional de ser juzgado de acuerdo con leyes preexistentes.[48] Así mismo, expresaron su inconformidad con que la Corte hubiera avalado que los consejos de guerra verbales podían juzgar a los presuntos responsables de los hechos de Pasto —y conexos—, pues, con eso, el Ejecutivo había modificado la ley que asignaba tal función a los Consejos Superiores de Guerra, lo cual no era una mera formalidad pues estos últimos posibilitaban la doble instancia y ofrecían mayores garantías a los procesados.

46 Votaron en mayoría: Hernán Salamanca, Germán Alvarado, Francisco Bruno, Aníbal Cardoso Gaitán, Pedro Castillo Pineda, Agustín Gómez Prada, Jorge E. Gutiérrez Anzola, Ricardo Hinestrosa, Ricardo Jordán Jiménez, Ramón Miranda, Manuel José Vargas y Eleuterio Serna.

47 Los salvamentos fueron de: 1. Víctor Cock Arango, quien en el Gobierno de Pedro Nel Ospina (1922-1926) fue secretario del Ministerio de Obras Públicas y encargado del ministerio en varias ocasiones. 2. José Antonio Montalvo, como se recordará, fue un influyente político conservador del siglo XX, ministro de Industrias de Pedro Nel Ospina en 1927, ministro de Justicia y encargado del Ministerio de Gobierno (1947-1948) en la Presidencia de Mariano Ospina Pérez, y de Relaciones Exteriores del presidente Guillermo León Valencia, en 1962. De este último, fue designado a la Presidencia y ejerció el cargo por unos días. Había llegado a la Corte en 1935. En 1948 se hizo famoso por su frase de que el conservatismo ganaría las elecciones de 1950 así fuera a "sangre y fuego". 3. Domingo Sarasty, de origen nariñense. 4. Arturo Tapias Pilonetta, quien luego sería ministro de Justicia del presidente Mariano Ospina Pérez, en 1946.

48 Montalvo fue uno de los más fuertes críticos de la sentencia, en especial por violar derechos y garantías de los procesados. Por su parte, Sarasty, también de origen conservador, compartió el criterio de que los decretos violaban derechos y garantías de los procesados, y además se opuso a que se declarara la exequibilidad cuando estas normas no suspendieron leyes sino que realmente las derogaron.

Los cuatro magistrados conservadores se expresaron en contra de que la corporación hubiese preferido declarar los decretos como exequibles, cuando tenía elementos para declararlos inexequibles.[49] A su juicio, la Corte se había dejado llevar por el falso temor de que un fallo de inconstitucionalidad habría dejado sin piso legal los procesos contra los responsables del "Cuartelazo de Pasto", cuando en realidad la única consecuencia de un fallo de inexequibilidad era la nulidad de los procesos penales y que estos se reiniciaran con apego a la legalidad, lo cual de ningún modo significaba la impunidad.[50] Según su opinión, con este fallo la Corte traería como consecuencia algo peor y era que los inculpados podrían afirmar con razón que en sus juicios, de manera ilegítima, se les habían conculcado sus derechos y garantías.[51]

El salvamento del magistrado conservador José Antonio Montalvo captura el ambiente político del fallo. En primer lugar, criticó que la Corte hubiese incorporado los decretos de la Masacre de las Bananeras al final de la sentencia y se preguntó si eso se habría hecho para fortalecer la que él creía era una muy débil

49 *El Siglo* dedicó las primeras páginas de su "edición censurada" a la sentencia de la Corte. Aunque no cuestionó abiertamente que los magistrados conservadores Serna y Gutiérrez Anzola hubiesen votado con la mayoría de origen liberal, sí mencionó que el último no se había declarado impedido como lo pedía el demandante, pues el magistrado había sido abogado de uno de los militares juzgados por los hechos de Pasto y que, por lo tanto, al admitir ser el apoderado de esa causa había aceptado la constitucionalidad de los decretos sobre los que ahora él mismo había tenido que fallar desde la Corte Suprema. Así mismo, lanzó todo tipo de calificativos exaltando las altísimas calidades morales y jurídicas, y la "valentía a que nos tienen acostumbrados" los magistrados Sarasty, Cock Montalvo y Tapias Pilonietta, que habían salvado su voto, oponiendo esas condiciones a las de los dos magistrados conservadores que votaron la sentencia.

50 Víctor Cock Arango comentó que en 1944, cuando él integraba la Corte que terminó su período en 1945, sobre este mismo asunto él había expresado su voto porque la Corte se inhibiera para decidir, pues en ese entonces no era clara la competencia de la corporación para decidir sobre los decretos de estado de sitio, pero que luego, cuando se encontraban debatiendo sobre este caso con la nueva Corte que se instaló en mayo de 1945, quedó aprobada una reforma constitucional que definió la competencia. Sin embargo, sostuvo que luego de la reforma apareció otra cuestión que suscitó gran debate y fue la temporalidad de la acción, es decir, si se podía pronunciar la Corte sobre decretos que ya habían perdido su vigencia, frente a lo cual él manifiesta que por carencia de objeto jurídico la Corte debió haberse declarado inhibida. Y por último, frente a las "justas solicitudes" de quienes podrían verse afectados por las normas que ordenaban el proceso en manos del consejo verbal de guerra, dijo que ellos debían buscar cauces institucionales diferentes a las demandas de inconstitucionalidad para que se tramitasen sus inconformidades con las leyes.

51 Dijo Tapias Piloneta: "[...] Para terminar, no está de más advertir que la inexequibilidad de los decretos acusados nunca habría llevado a la práctica impunidad de los autores y responsables del movimiento subversivo del 10 de julio. Absolutamente, por consecuencia de su declaración simplemente habrían desaparecido los juzgamientos llevados a cabo por los Consejos Verbales de Guerra; y en cambio, regularizado el procedimiento por las vías adecuadas, ningún responsable hubiera tenido motivo para proclamar que se le había condenado sin haberlo oído y vencido en ejercicio verdadero [...]".

argumentación del fallo. Así mismo, cuestionó que el magistrado liberal Aníbal Cardozo Gaitán le hubiese adicionado su opinión a la sentencia después que esta se había debatido y decidido en la plenaria, con lo cual él consideraba que también se había tratado de fortalecer la frágil sustentación del fallo.[52] Dijo Montalvo:

> Me lisonjea este cambio de rumbo de la Corte, porque hace diez años he venido sosteniendo, en solitarios y porfiados salvamentos de voto, la tesis que hoy adopta la Corte. En el primero de ellos [...] dije que la Corte no puede inhibirse de fallar sobre la inexequibilidad de una disposición acusada como inconstitucional so pretexto de que ya no rige, pues aun insubsistente una ley puede seguir produciendo efectos o rigiendo hechos jurídicos que sean efectos de otros, causados o cumplidos durante la vigencia de la ley [...] La corte no aduce hoy esta razón para abandonar su constante jurisprudencia o práctica inhibitoria, pero es la razón fundamental, única y suficiente de la nueva tesis. Entonces la Corte reconoce que no ha cesado la ejecución de medidas dictadas durante el estado de sitio, contra terminante disposición contenida en el inciso cuarto del artículo 111 de la Constitución (codificada en 1936) y el Decreto sería inexequible por este aspecto. Por eso entre las medidas de orden público para el estado de sitio no deben figurar actos judiciales (o jurisdiccionales) que de suyo son permanentes y llamados a producir efecto mucho más prolongado que el estado de sitio.

Como podemos ver, la Corte se vio inmersa en un ambiente político de alta tensión. Los hechos de Pasto agudizaron el enfrentamiento bipartidista. El Gobierno reaccionó durante los meses que siguieron a la intentona golpista, a través de la persecución del conservatismo y la censura de la prensa de ese partido; se gobernó mediante decretos de estado de sitio entre julio y noviembre de 1944. Para completar, se había acabado de tramitar en su última vuelta la reforma constitucional de 1945,

52 *El Tiempo* del 13 de junio de 1945 publicó apartes del fallo. También señaló que los magistrados Tapias Pilonietta y Montalvo, quienes salvaron su voto, pensaban de modo diferente en 1941, pues en aquel entonces, con motivo de la exequibilidad del Código de Procedimiento Penal, ellos apoyaron la doctrina mayoritaria de la Corte según la cual por necesidades de orden público se podía recurrir a los Consejos de Guerra, de modo distinto a como ocurre en tiempos de normalidad. Concluyó el diario: "Los hombres dados a las disciplinas jurídicas podrán encontrar, comparando el fallo de 1941, y el de ahora, la diferencia de criterio de los magistrados Montalvo y Tapias Pilonietta, sobre el mismo problema de derecho". La sentencia de 1941 fue publicada por ellos dos junto al exmagistrado Absalón Fernández de Soto, quien en la actualidad era ministro de Gobierno, como: *Las garantías constitucionales en el Proceso Penal: sentencia del 13 de mayo de 1941, inexequibilidad parcial del Art. 122 de la Ley 94 de 1938*, Corte Suprema de Justicia, Imprenta Nacional, 1941.

que el conservatismo consideraba una "genuina imposición" de las mayorías liberales en el Congreso, porque según ellos había sido "aprobada a pupitrazo limpio".

El fallo de la Corte significaba un respaldo constitucional a los decretos del Gobierno liberal que permitía castigar a los responsables de la detención del presidente López en Pasto, en 1944,[53] o al menos así lo percibió con rapidez la feroz oposición conservadora liderada por Laureano Gómez. En un ambiente de pugnacidad partidista entre el Gobierno liberal y la oposición conservadora en el Congreso, la Corte Suprema, integrada por una mayoría de magistrados de origen liberal, había cambiado su doctrina de la incompetencia a la incompetencia para juzgar los decretos de estado de sitio que ya habían perdido su vigencia. Pero tal modificación se surtía en 1945, es decir, rompiendo con un precedente de cerca de tres décadas, y justo cuando el Gobierno de López estaba en aprietos políticos.

Note el lector que la postura de la minoría que salvó su voto sobre las reglas de los decretos demandados que se acusaban de menoscabar las garantías del debido proceso coinciden en buena parte con los reclamos del líder socialista Julio Navarro, cuando este demandó el decreto de las bananeras en 1929, así como con los de Pedro Nel Uribe, el dirigente conservador que ahora había acusado los decretos del Cuartelazo de Pasto. En cambio, la mayoría liberal en la Corte, apoyada por dos magistrados conservadores, parecía empeñada en dar rienda suelta al poder presidencial bajo el régimen del estado de sitio: por ejemplo, ocultando las implicaciones de las medidas del Gobierno con respecto al debido proceso y bajo el manto de la gravedad de los hechos de Pasto. La corporación, entonces, logró respaldar la constitucionalidad de un cambio en el régimen penal y procesal penal para quienes habían estado involucrados en la sublevación militar y en tiempos en que la conspiración antiliberal seguía vigente.

Una vez se conoció la sentencia, el presidente López se pronunció sobre el interés que había expresado de manera insistente Laureano Gómez para que el Gobierno dejara sin efecto los procesos que se seguían en contra de los militares involucrados en la intentona golpista. Según López, el dirigente conservador:

> [...] con la vehemencia que él suele emplear en la defensa de sus puntos de vista, nos hizo una apasionada argumentación contra la constitucionalidad de los decretos

53 Es muy diciente el editorial de *El Tiempo* del 13 de junio de 1945, que respalda las medidas excepcionales que ha venido tomando el Gobierno liberal para restablecer el orden público, y se refiere a la decisión de la Corte Suprema así: "Esa sentencia, fundada en irrebatibles argumentos jurídicos, es también una expresión de confianza del más alto tribunal de la República hacia el Gobierno, que al volver por sus fueros contra los sediciosos de Pasto, no abandonó las normas de la ley y a ellas se ajustó con austeridad republicana".

1640 y 1644 de 1944, dirigida a pedirme que por medio de un acto administrativo, y si se quiere, enteramente personal, anulara la actuación de los consejos de guerra que juzgaron a los responsables del golpe militar de Pasto, y restablecer así la tranquilidad social, gravemente quebrantada, según el concepto del doctor Gómez, a causa de las sentencias contra los jefes y oficiales del Ejército comprometidos en este atentado contra nuestras instituciones.[54]

Al día siguiente de conocido el fallo, *El Siglo* dedicó gran parte de su edición a difundir los salvamentos de voto de los cuatro magistrados conservadores, pero los publicó como sus "declaraciones" sobre la decisión que había tomado la corporación. El titular del periódico no podía ser más diciente sobre lo absurdo que el conservatismo consideraba el fallo: "En sentencia de ayer de la Corte Suprema de Justicia se declara que el 13 de julio es anterior al 10",[55] en clara alusión a la aplicación retroactiva de los decretos de julio de 1944 a los responsables por el golpe de Pasto, que la Corte había encontrado ajustados a la Constitución.

Así las cosas, para la oposición conservadora no cabía duda de que el fallo había sido dictado para favorecer al Gobierno liberal, como era de esperarse de un tribunal "de origen bastardo", tal como sectores conservadores habían denunciado unos meses atrás cuando el Gobierno y el Congreso de las mayorías liberales impusieron una mayoría de magistrados liberales en la Corte, sin que el Directorio Conservador hubiese querido participar en la conformación de las ternas correspondientes. Para el conservatismo, la morosidad de un tribunal integrado por mayorías liberales que tardó un año en resolver la demanda era otra señal del partidismo que arrastraba a la Corte Suprema.

La Corte Suprema bajo el Gobierno de Mariano Ospina Pérez: el Ejecutivo conservador en pugna con las mayorías liberales

En medio de los escándalos atribuidos a supuestos actos de corrupción y de tráfico de influencias que enlodaban a la familia presidencial y de un clima enrarecido por la continua conspiración en contra de su Gobierno, Alfonso López renunció irrevocablemente a la Presidencia en julio de 1945,[56] es decir, un año

54 López afirmó que Darío Echandía y Rafael Escallón habían participado en la elaboración de los decretos sobre los Consejos de Guerra. Carta del presidente Alfonso López Pumarejo dirigida al procurador general de la Nación del 13 de junio de 1944, publicada en *El Tiempo,* 14 de junio de 1945.

55 Los demás titulares del periódico se dedicaban a destacar frases incluidas en los salvamentos de voto de los cuatro magistrados conservadores que salvaron su voto. *El Siglo,* 13 de junio de 1945.

56 Ya antes había presentado su renuncia al Congreso pero este se había negado a aceptársela en dos ocasiones. Esta vez renunciaron López y los dos designados y el Congreso aceptó las renuncias. En

antes de culminar su período constitucional. Con la salida de López del Gobierno, la facción conservadora liderada por Laureano Gómez había logrado uno de sus mayores triunfos.[57]

Pero con la renuncia de López y su reemplazo por Alberto Lleras Camargo para terminar su mandato (1945-1946) no terminaba la empresa política de Gómez en contra del partido liberal, ni mucho menos se puso fin a la violencia política. Por el contrario, la violencia sectaria y la difícil situación de orden público, en especial en las zonas rurales, arreciaban. La llamada "Violencia" empezaba a escalar.[58]

El presidente Lleras se declaró neutral frente a las elecciones presidenciales que se llevarían a cabo durante el primer semestre de 1946. La división liberal entre el candidato oficialista, Gabriel Turbay, y la disidencia del caudillo popular Jorge Eliécer Gaitán facilitaron la victoria del conservador Mariano Ospina Pérez, quien, a su vez, había logrado hacerse a la candidatura presidencial imponiéndose a la facción comandada por Laureano Gómez. De ese modo, Ospina alcanzaba la Presidencia para el conservatismo y rompía la hegemonía de cuatro sucesivos gobiernos liberales.

Para mediados de 1946, el partido liberal mantenía intacta su abrumadora mayoría en el Congreso, en las asambleas departamentales y los concejos municipales. En la Corte, los magistrados de origen liberal también eran la mayoría. Así, el panorama institucional que recibía el presidente Ospina Pérez no parecía muy claro. En un comienzo, Ospina logró concertar un acuerdo con los liberales, que le permitieron mantener una relativa gobernabilidad. Y aunque el liberalismo contaba con representación en el gabinete ministerial, la confrontación con Laureano Gómez y su facción conservadora ocasionaba continuas tensiones y enfrentamientos entre el Ejecutivo y el Congreso, así como en los demás organismos de elección popular que dominaba el liberalismo.

---

reemplazo del presidente fue elegido el designado Alberto Lleras Camargo, quien asumió la Presidencia el 7 de agosto de 1945.

57 López dijo que ofrecía su renuncia "como una contribución para provocar el acuerdo político que ha buscado inútilmente mi Gobierno". [...] "Sin bases políticas claras, asfixiado por los continuos escándalos y denuncias de corrupción en que se involucraba a su familia, con el redoblado encono conservador y con un Ejército en trance de repolitización, López llegó a la conclusión de que su presencia en el poder era el principal obstáculo para la reconciliación de los partidos. Laureano había triunfado [...]". Adolfo León Atehortúa Cruz, "El Cuartelazo de Pasto", *op. cit.*, p. 167.

58 Dice Oquist: "A finales de 1945 y comienzos de 1946, se acentuaron los conflictos entre las diferentes clases, como resultado de un abrupto cambio en la política oficial hacia los trabajadores asalariados, y los conflictos partidistas se reanudaron como resultado de la inminencia de las elecciones presidenciales. Durante el curso de 1946, empezaron a ocurrir incidentes violentos. Este proceso se aceleró en 1947 y alcanzó proporciones alarmantes en 1948". Paul Oquist, *Violencia, conflicto y política en Colombia*, Instituto de Estudios Colombianos, Biblioteca del Banco Popular, 1978.

La Corte no estuvo ajena a esas tensiones bipartidistas. Veamos con detalle cómo vivió ese tribunal integrado por una mayoría de magistrados de origen liberal, con un Congreso liberal, en tiempos en que el conservatismo había logrado recuperar el poder Ejecutivo.

La censura de prensa por el golpe de Pasto en la Corte de 1946

Como acabamos de ver, para mediados de 1945, la confrontación sectaria entre el Gobierno y la oposición había llegado a niveles alarmantes. La crisis del régimen liberal parecía estar en su momento más agudo y el "Cuartelazo de Pasto" había sido la piedra de toque de la crisis. De otro lado, la Corte Suprema, luego del fallo del 12 de junio de 1945, había quedado ante los ojos de la oposición conservadora como una fiel defensora del Gobierno liberal.

Como mencionamos atrás, la prensa conservadora fue acusada de difamar el Gobierno, de incitar a la violencia política y de provocar la sublevación en su contra. Ante las manifestaciones y los disturbios en las cárceles bogotanas, López reaccionó declarando turbado el orden público y decretando el estado de sitio en la capital, mediante el Decreto 1409 del 12 de junio de 1945. Dentro de ese régimen de excepción se dictó el Decreto 1411 del 12 de junio de 1945, que estableció la censura de la prensa, las telecomunicaciones y la correspondencia en Bogotá.

El 21 de junio de 1945, es decir, aún bajo la vigencia de la censura sobre la prensa, Hernando Uribe Cualla,[59] abogado, dirigente conservador y directivo del periódico *El Siglo,* demandó ante la Corte la inconstitucionalidad del Decreto 1411 de 1945. Según Uribe, el Gobierno había establecido la censura sin haber suspendido la Ley 29 de 1944, que regulaba la materia, de modo que había dictado normas que "desconocían la esencia del texto legal" y así había vulnerado la Constitución, que claramente establecía que el Ejecutivo tenía la obligación de obedecer las leyes. Cuando la Corte avanzaba en el juicio de constitucionalidad contra el Decreto 1411, el Gobierno dictó el Decreto 1923 del 17 de julio de 1945, que restableció el orden público y levantó el estado de sitio, de modo que perdió vigencia el decreto demandado por Uribe Cualla.

Más de un año después de haberse dictado el decreto demandado, el 15 de noviembre de 1946, con la ponencia del magistrado de origen liberal, Manuel José Vargas,[60] la Corte se pronunció sobre la demanda de Uribe Cualla. Para ese enton-

59 Uribe Cualla era cercano a Laureano Gómez, por entonces director del periódico *El Siglo.*

60 La Corte estaba integrada por los magistrados de origen liberal: Manuel José Vargas, Aníbal Cardoso Gaitán, Germán Alvarado, Francisco Bruno, Pedro Castillo Pineda, Agustín Gómez Prada,

ces, el liberalismo había perdido las elecciones presidenciales y el conservatismo ejercía el Poder Ejecutivo bajo el Gobierno de Mariano Ospina Pérez. La Corte, en primer lugar, abordó el asunto de su competencia para decidir sobre decretos de estado de sitio que han perdido vigencia y recordó la doctrina fijada en la sentencia del 12 de junio de 1945. Así, consideró que en este caso, así los decretos hubiesen dejado de regir, la demanda de inconstitucionalidad fue presentada ante la Corte cuando aún el decreto estaba vigente y el orden público se mantenía turbado, de modo que el tribunal bien podía entrar a juzgar la constitucionalidad del decreto.

Luego, la corporación recordó que una cosa era hablar de derechos y las garantías en "tiempos de paz" y otra muy diferente cuando el orden público interno o externo estaba alterado. Así, interpretó que si la Constitución establecía que la prensa era libre en tiempos de paz, "implícitamente acepta que deja de serlo durante la perturbación del orden público, lo que justifica por sí solas las medidas impuestas por el Poder Ejecutivo con ocasión del estado de emergencia".[61] En consecuencia, dijo que en este caso el Ejecutivo sí podía suspender tácitamente la Ley 29 de 1944 por medio de un decreto de estado de sitio. Así mismo, estableció que la restricción a la prensa era de carácter temporal, de modo que se ajustaba al marco constitucional.

Por último, determinó que, aunque el decreto no violaba la Carta, por tratarse de mandatos del constituyente al jefe del Ejecutivo podría plantearse una eventual responsabilidad directa del funcionario pero no una inexequibilidad. Con la unanimidad de los votos de los magistrados, la Corte declaró exequible el decreto.

Como se puede apreciar, el tribunal decidió de fondo sobre la constitucionalidad de un decreto dictado varios meses atrás, en otro contexto, en pleno enfrentamiento del Gobierno liberal con la oposición conservadora. Para el momento en que la Corte tomaba su decisión, ya había expirado el régimen de estado de sitio que amparaba el decreto demandando y el presidente Ospina Pérez había asumido el Poder Ejecutivo. La Corte, que seguía integrada por una mayoría de diez magistrados de origen liberal, no se declaró inhibida para juzgar un decreto que ya no estaba vigente, sino que decidió ejercer plenamente su control constitucional, tal como lo había hecho un año atrás en la sentencia de los decretos del "Cuartelazo de Pasto".

Ricardo Hinestrosa Daza, Ricardo Jordán Jiménez, Ramón Miranda y Hernán Salamanca, y por los conservadores: José Antonio Montalvo, Eleuterio Serna, Arturo Tapias Pilonietta, Domingo Sarasty, Tulio Gómez Estrada y Jorge Enrique Gutiérrez Anzola.

61 Corte Suprema de Justicia, sentencia del 15 de noviembre de 1946, M.P. Manuel José Vargas, *G.J.*, Tomo LXI, p. 324.

Este fallo parecía enviarle un mensaje de respaldo al saliente Gobierno liberal, poniendo de presente que aquel había actuado dentro del cauce constitucional, incluso cuando había recurrido a la mordaza contra la prensa opositora. Pero, realmente, ¿cuáles podrían ser los efectos jurídicos de un fallo que recaía sobre un decreto que había establecido la censura pero que ya había dejado de regir varios meses atrás? Como salta a la vista, los efectos jurídicos eran mínimos pues para la fecha del fallo las restricciones a la prensa eran un hecho consumado.[62] Tal vez por eso la decisión de la Corte fue unánime, es decir, que aunque había magistrados conservadores, los mismos que se habían opuesto a la sentencia del 12 de junio de 1945, en esta ocasión acompañaron la sentencia que declaró la exequibilidad del decreto.

La sentencia hasta cierto punto podría leerse como un respaldo al saliente Gobierno liberal, aunque claro está que en un asunto que no generaba incomodidad alguna al Ejecutivo presidido por Ospina Pérez, pues al fin y al cabo la censura de prensa de 1945 había afectado a la facción conservadora de su poco apreciado copartidario, Laureano Gómez, pero, además, porque de la postura doctrinal de la Corte, el Gobierno conservador también podía sacar buenos réditos. En efecto, la doctrina de la corporación expresaba un criterio muy limitado del control de los decretos de estado de sitio, en una actitud que podría favorecer a Ospina, pues este eventualmente podría recurrir al régimen del estado de sitio ante un Congreso dominado por liberales que amenazaba con bloquearlo.

"El Bogotazo" del 9 de abril de 1948 ante los ojos de la Corte

Entre la Unión Nacional y el enfrentamiento sectario

Ospina Pérez intentaba mantener la gobernabilidad en un clima político de crecientes tensiones con el partido liberal mayoritario en las instituciones del Estado, que no cesaba en su empeño de limitar el poder presidencial y en cierta medida garantizar espacios para mantenerse políticamente activo y recuperar el Poder Ejecutivo. Desde luego, las propuestas del Congreso liberal incrementaban el enfrentamiento institucional con el Ejecutivo. Una muestra de ello fue la iniciativa parlamentaria de las mayorías liberales que, en 1947, intentaba reformar uno de los bienes más disputados por los dos partidos: la Policía Nacional. La propuesta

62 Como se verá más adelante, el magistrado Eleuterio Serna, como miembro de la Comisión de Estudios Constitucionales, comentará esta sentencia y otras más que muestran las connotaciones políticas que rodearon el fallo y los modos como los magistrados, dependiendo de cada partido, tomaron sus posiciones. La demora en decidir asuntos como este fue otra expresión del partidismo en la Corte.

modificaba el Código de la Policía Nacional y le quitaba al Gobierno el manejo de esa fuerza creando un "Consejo Técnico": gran parte del trámite de la ley transcurrió sin siquiera contar con la opinión del Gobierno. La iniciativa, desde luego, fue rechazada enérgicamente por el Ejecutivo, quien se pronunció ante el Congreso a través del ministro de Gobierno José Antonio Montalvo, contra quien, a su vez, el Parlamento adelantaba una moción de censura, entre otros como retaliación a sus severos cuestionamientos a ese proyecto de reforma y a sus amenazas en contra del Congreso si la iniciativa llegaba a aprobarse. Montalvo acusó a las mayorías liberales de pretender tomar el control sobre la Policía, bajo el pretexto de querer conformar un órgano "apolítico".

Para el Ejecutivo era inaceptable que la Policía quedara subordinada a un órgano ajeno al Gobierno que, a su juicio, iba a ser eminentemente político y de ningún modo de carácter técnico, pues tres de los cinco miembros de ese órgano colegiado serían elegidos respectivamente por la Corte, el Consejo de Estado y el procurador general de la Nación, y esos tres miembros serían quienes designarían a los dos restantes. Así, en clara alusión a que las mayorías liberales eran quienes realmente dominaban la Corte, el Consejo y la Procuraduría, y que por esto no eran una prenda de garantía de independencia o de "neutralidad política", dijo el ministro Montalvo:

> Es muy posible que la ingenuidad de los proponentes ignore la composición política de estas altas corporaciones como son la Corte Suprema de Justicia y el Consejo de Estado. No considero imposible que ignoren la filiación política del Procurador General de la Nación, pero me parece mucha coincidencia buscar a las tres entidades para que designen los miembros del "Consejo Técnico" [...] ¿Y por qué a la Corte Suprema de Justicia se le considera técnica en policía? ¿Y por qué al Consejo de Estado se le considera técnico en eso?[63]

"El Bogotazo" llega a la Corte

En 1948, con la muerte en Europa del excandidato presidencial Gabriel Turbay, y el triunfo de los sectores gaitanistas en las elecciones legislativas, Jorge Eliécer Gaitán se convirtió en el jefe único del liberalismo. Con sus giras por todo el país,

63 El proyecto también pretendía limitar el uso de las armas por parte de los agentes de policía, quienes solo tendrían autorización para emplearlas "de manera proporcionada". El Consejo Técnico determinaría, incluso, el pie de fuerza de la Policía. Se terminaba la Policía secreta y se permitía que la Policía fuera deliberante. *Exposición hecha ante el Honorable Senado de la República en la sesión del 6 de noviembre de 1947, por José Antonio Montalvo, Ministro de Justicia encargado*, Imprenta Nacional, Bogotá, 1947.

el caudillo movilizó grandes masas y encabezó marchas que rechazaban la violencia política. En medio de la violencia creciente, de la acusación contra el Gobierno conservador de cohonestarla y de la confrontación sectaria bipartidista, Gaitán y el liberalismo rompieron con la coalición de gobierno (Unión Nacional), en febrero de 1948.

Aunque ya los liberales no colaboraban con el Gobierno, el presidente Ospina intentaba mantener su tono conciliador con el liberalismo pero cada vez más recibía la fuerte presión del sector de su partido liderado por Laureano Gómez, así que decidió integrar un nuevo gabinete exclusivamente conservador y nombró a Gómez como su ministro de Relaciones Exteriores.[64] Para entonces, Gaitán ya lucía como un inatajable candidato a la Presidencia de la República para el período 1950-1954. Sin embargo, mientras se desarrollaba la IX Conferencia Panamericana, el 9 de abril de 1948, Gaitán fue asesinado al salir de su oficina de abogado en pleno centro de Bogotá.

La violenta reacción de las masas populares por la muerte de Gaitán se extendió por todo el país pero sin duda el epicentro de ella fue la capital del país, que soportó varios días de desórdenes, saqueos, incendios y vandalismo, con un saldo de numerosas víctimas y daños materiales.[65] Durante el denominado "El Bogotazo" del 9 de abril de 1948 y los días siguientes, un levantamiento popular tomó gran parte del mando de la ciudad y un gran sector de la Policía "liberal" entró en confrontación armada con el Ejército "conservador" —gobiernista—.[66] Gracias a un pacto con la dirigencia liberal, Ospina logró recuperar el control de la ciudad y neutralizar la violenta reacción popular. Como parte de la respuesta gubernamental a "El Bogotazo", se declaró el estado de sitio y se dictaron varios decretos tendientes a restablecer el orden público.[67] El 18 del mismo mes, las élites liberales y

64 Laureano Gómez, quien presidiría la IX Conferencia Panamericana a celebrarse en Bogotá en abril de 1948, se abstuvo de invitar a Gaitán a participar en el evento, cuando se daba por hecho que el caudillo liberal sería candidato presidencial y muy seguramente el próximo presidente de Colombia. Bushnell David, *The Making of Modern Colombia: a Nation in Spite of Itself*, *op. cit.*, pp. 202-204.

65 Según Oquist, al menos hubo 2585 muertos en Bogotá. Paul Oquist, *Violencia, conflicto y política en Colombia*, 1980, *op. cit.*, p. 234.

66 La revuelta se extendió por todo el país, incluso hubo varias regiones en donde la reacción popular estuvo mejor organizada que en Bogotá. Al respecto véase: Arturo Alape, *El Bogotazo: memorias del olvido*, Editorial Pluma, Bogotá, 1983.

67 La bibliografía sobre Gaitán y "El Bogotazo" es amplia. Entre otras, véanse: Arturo Alape, *El Bogotazo: memorias del olvido*, Editorial Pluma, Bogotá, 1983; Herbert Braun, *The Assassination of Gaitan: Pubic Life and Urban Violence in Colombia*, University of Wisconsin Press, 2003; Gonzalo Sánchez, *Los días de la revolución: gaitanismo y 9 de abril en provincia*, Centro Cultural Jorge Eliécer Gaitán, Bogotá, 1983; y Ricardo Arias, "Los sucesos del 9 de abril de 1948 como legitimadores de la violencia oficial, en *Revista Historia Crítica No. 17*, Universidad de los Andes, julio-diciembre de 1998. En la *Revista Credencial Historia*,

el Gobierno de Ospina firmaron una tregua y de nuevo intentaron componer un Gobierno de unidad. Esto, desde luego, no impidió que la violencia continuara e incluso se esparciera en otras zonas de la geografía nacional.[68]

Las medidas de estado de sitio tomadas con ocasión de "El Bogotazo" fueron demandadas por inconstitucionalidad en varias ocasiones. Así, en primer lugar, el abogado Carlos H. Pareja,[69] con un escrito presentado el 18 de mayo de 1948, demandó la inexequibilidad de los decretos de estado de sitio 1235 del 21 de abril y 1406 del 30 de abril de 1948.[70] El Decreto 1235 ordenaba al jefe del Estado Mayor Conjunto de las Fuerzas Militares a convocar los "Consejos Verbales de Guerra que estime necesarios para que [...] sean juzgadas todas las personas sindicadas de los delitos de fuga, de evasión de presos, devastación, saqueo, hurto, robo y demás delitos o infracciones a que se refiere el Código de Justicia Penal Militar, cometidos antes o después de la turbación del orden público [...]"; también establecía que los delitos de homicidio, lesiones personales y contra la libertad y el honor sexuales no serán de conocimiento de la justicia penal militar sino de jueces ordinarios que designaría el Ministerio de Justicia.[71] Por su parte, con el Decreto 1406, el Gobierno se percató de la "flexibilidad" del Decreto 1235 y lo aclaró en el sentido que aquellos "delitos complejos, es decir delitos contra el régimen constitucional, y la seguridad interior del Estado, cometidos en conexidad con delitos comunes [...]" también serían de conocimiento de la justicia penal militar.

Pareja argumentó ante la Corte que la Constitución no permitía que bajo el régimen de estado de sitio se suspendieran garantías constitucionales y que los decretos demandados contrariaban la Constitución porque fijaban reglas sobre el juzgamiento y castigo penal que quebrantaban el principio de la irretroactividad de

---

No. 96, de abril de 1998, Jorge Orlando Melo señala más textos relacionados: http://www.jorgeorlandomelo.com/gaitan.htm. Consultado el 2 de febrero del 2012.

68 Dice Oquist: "La guerra civil no declarada evolucionó en formas más organizadas en 1949 con la aparición de los 'comités de resistencia' y las fuerzas guerrilleras liberales". Paul Oquist, *Violencia, conflicto y política en Colombia*, 1980, *op. cit.*

69 Pareja fue uno de los primeros tratadistas en el derecho administrativo colombiano. De origen cartagenero, fue también un reputado literato, abogado de varios sindicatos y amplio conocedor de las regulaciones sobre hidrocarburos, que aprendió mientras estuvo en México. Como periodista incitó al pueblo a manifestarse el 9 de abril de 1948, a través de un programa radial. Fue profesor de derecho administrativo en la Universidad Nacional.

70 Los decretos se amparaban en el estado de sitio declarado en los decretos 1239 y 1259 del 10 y 16 de abril de 1948.

71 Por último, señalaba que del delito cometido en "la persona del doctor Jorge Eliécer Gaitán [...] conocerá la justicia ordinaria, y la instrucción del proceso estará a cargo del doctor Ricardo Jordán Jiménez, magistrado de la Corte Suprema de Justicia, de acuerdo con lo dispuesto en el Decreto número 1276 del 9 de abril".

la ley consagrado por la Carta Política. Además, el demandante, quien ya era una destacada figura del naciente derecho administrativo local, le recordó a la Corte que aunque en la sentencia del 12 de junio de 1945 la doctrina de la corporación había permitido la aplicación retroactiva de reglas sobre el procedimiento y los tribunales penales militares: "el punto [...] no fue unánimemente admitido: salvaron su voto los magistrados Cock, Montalvo, Sarasty y Tapias Pilonietta", de modo que en su concepto: "[...] la Corte en el punto específico que allí se debatía (los decretos sobre Consejo de Guerra Verbales por la conspiración del 10 de julio de 1944), tuvo razón al sostener que la excepción era procedente en ese caso, porque los acusados allí eran militares y su fuero no se violaba, los tribunales militares subsistían y subsistía el procedimiento militar sin salirse del fuero. Ese, sin embargo, no es el caso de los decretos que estoy acusando".

Entonces, a juicio de Pareja, a los decretos que él demandaba no se les podía aplicar la doctrina que la Corte había fijado en 1945, porque estos establecían que los civiles serían juzgados por militares, aun cuando solo fueren responsables de delitos contemplados en el Código Penal y la ley atribuyera esa competencia a la justicia ordinaria. Según su criterio, no era incompatible con la turbación del orden público mantener esos delitos en la justicia ordinaria y, además, los decretos significaban una modificación del Código Penal Militar, que solo consagraba delitos para personas con fuero militar. También estimaba que los decretos no creaban tribunales especiales o reglas sobre el procedimiento (como en el caso de la "Conspiración de 1944") para conocer de los delitos del 9 de abril de 1948, sino que despojaban a la jurisdicción ordinaria de su función constitucional y se la asignaba a los consejos verbales y tribunales superiores de guerra, de modo que se vulneraba la Constitución. Por último, acusó a los decretos de exponer a civiles a sufrir penas más altas de las contempladas en el "Código Penal ordinario".

La Corte resolvió la demanda de Pareja en la sentencia del 10 de agosto de 1948,[72] es decir, cuatro meses después de "El Bogotazo".[73] La corporación reiteró la doctrina fijada en la sentencia del 12 de junio de 1945 e incluso[74] transcribió apartes de la sentencia relacionados con las amplísimas facultades con que contaba

72 La Corte estaba integrada por los magistrados: Hernán Salamanca (salvó el voto), Germán Alvarado, Francisco Bruno, Aníbal Cardozo Gaitán, Pedro Castillo Pineda, Luis A. Flórez, Agustín Gómez Prada, Jorge E. Gutiérrez Anzola, Ricardo Hinestrosa Daza, Ricardo Jordán Jiménez, Álvaro Leal Morales, Ramón Miranda (salvó el voto), Gabriel Rodríguez Ramírez, Eleuterio Serna, Manuel José Vargas y Domingo Sarasty (hace "Observaciones" sobre por qué voto con la mayoría ahora y por qué salvo su voto en la sentencia del 12 de junio de 1945). Corte Suprema de Justicia, sentencia del 10 de agosto de 1948, M.P. Domingo Sarasty, *G.J.*, No. LXV, p. 27.

73 Corte Suprema de Justicia, sentencia del 10 de agosto de 1948, *ibídem*, p. 19.

74 Corte Suprema, sentencia del 10 de agosto de 1948, *ibídem*, pp. 21-22.

el presidente de la República para restablecer el orden público dentro del estado de sitio, y consideró que al aplicar su doctrina al presente caso se podía apreciar que la acusación del demandante era infundada, pues los decretos no establecían nuevos tribunales o nuevos procedimientos, sino que le asignaban a los consejos verbales de guerra el conocimiento y juzgamiento de unos delitos, pero según las reglas que ya existían en la justicia militar.

Además, recordó su doctrina reiterada con respecto a que la Constitución permitía que en caso de turbación del orden público, mediante decretos de estado de sitio, el Ejecutivo limitara la garantía de la irretroactividad penal en lo concerniente al procedimiento en los juicios y a la competencia de los tribunales. Esa postura doctrinal, dijo la corporación, era producto de la interpretación que diferenciaba las reglas de los artículos 26 y 28 de la Constitución. La distinción consistía en que el artículo 26 de la Carta señalaba: "*Nadie podrá ser juzgado* sino conforme a las leyes preexistentes al acto que se le impute, ante Tribunal competente, y observando la plenitud de las formas propias de cada juicio [...]". Mientras que el artículo 28 ordenaba: "Aun en tiempo de guerra, *nadie podrá ser penado ex post facto*, sino con arreglo a la ley, orden o decreto en que previamente se haya producido el hecho y determinándose en pena correspondiente".[75] Así, para la corporación, el artículo 26 sí daba lugar a que en tiempos de turbación del orden público se modificara la competencia de los tribunales y los procedimientos en los juicios, mientras que el 28 prohibía la retroactividad de la ley que imponía penas, aún en tiempo de guerra. En otros términos, que una cosa era la irretroactividad de los delitos y las penas, y otra muy distinta la irretroactividad de los procedimientos y la competencia del juzgador.

En cuanto a la acusación de que los decretos ordenaban el juzgamiento de civiles que incurrieran en delitos que eran de naturaleza militar, la Corte recordó que en sede de casación, en sentencia del 1 de septiembre de 1945, en el caso de un civil que no se encontraba al servicio del Ejército y que fue acusado de violar leyes militares, había establecido las características del "delito militar"[76] definiéndolo como "todo hecho que viola los principios normativos de la Justicia Penal Militar, cometido por militares en actividad o civiles al servicio de las Fuerzas Militares, con ocasión de tal servicio de las Fuerzas Militares, o por causas inherentes al mismo,

75 Cursivas por fuera del texto original.

76 Para que exista tal delito son indispensables estos elementos: "a) Precepto normativo: violación de la ley penal militar; b) Agente del delito: militares en actividad y civiles al servicio de las Fuerzas Militares; c) Actividad funcional: que el delito se cometa por causa o con ocasión del servicio militar o en ejercicio de funciones inherentes a él; y d) Lugar: que en el sitio donde se cometió la infracción se hallen establecidas o actúen Fuerzas Militares". Citada por la sentencia del 10 de agosto de 1948, *op. cit.*, p. 25.

en lugar en donde se hallen o actúen las Fuerzas Militares [...]".[77] Así, reiteró que si bien su criterio doctrinal prohibía que la justicia penal militar se ocupara del juzgamiento de delitos de civiles no relacionados con las Fuerzas Militares, esa restricción solo operaba en tiempos de paz, mientras que en tiempos de anormalidad o de turbación del orden público el Gobierno gozaba de libertad para ordenar el juzgamiento de los civiles por tribunales militares, sin que para nada eso quisiera decir que los civiles incurrían en "delitos militares".

Por todo esto, la Corte concluyó que los dos decretos acusados "no crean delitos, ni penas, ni jurisdicciones especiales: únicamente disponen el juzgamiento de las personas por delitos cometidos con ocasión de sucesos anormales ocurridos en el país"; que los delitos por los que se juzgaba a los particulares según la ley de justicia militar eran anteriores a los decretos demandados, y que esos delitos sí podían ser juzgados por cortes marciales. En consecuencia, declaró los decretos exequibles.

Los magistrados de origen liberal Hernán Salamanca y Ramón Miranda salvaron su voto. Dijeron que habían insistido ante la Sala Plena sobre la necesidad de declarar la exequibilidad de los decretos pero condicionándola a que los civiles que fueren juzgados por los consejos de guerra verbales no podrían ser castigados bajo las reglas del Código Penal Militar por hechos ocurridos antes de que los decretos de estado de sitio hubiesen entrado en vigencia. También llamaron la atención sobre la falta de claridad en la redacción de esos decretos, pues a su modo de ver ya habían provocado que a numerosos civiles se les hubiese aplicado la ley penal militar por hechos ocurridos antes de la expedición de tales decretos.[78] Por esto, consideraron que la Corte había dejado de cumplir su obligación de guardar la integridad de la Constitución:

> La Corte cumple cabalmente su función conservando el imperio de la disposición acusada pero purificándolo de la posibilidad de llegar a ser constitucional, por medio de una interpretación auténtica que determine su sentido y su alcance. Si una de las aplicaciones posibles de una norma tiene una falla visible de inconstitucionalidad por atentar contra un precepto que funciona con plena eficacia aún dentro

77 *Ibídem*, p. 25.

78 Narran que el procurador general de la Nación le solicitó al Ministerio de Justicia una claridad sobre las normas que los tribunales militares estaban aplicando a los civiles y que este le contestó que los decretos atribuyeron a los consejos de guerra verbales y a los tribunales militares el conocimiento y juzgamiento de los delitos cometidos con ocasión de los hechos del 9 de abril y siguientes, pero que ni el Gobierno Nacional, ni los decretos, han señalado que se deban aplicar las sanciones de los militares a los civiles. Según el procurador, la respuesta del Ministerio dice: "El Gobierno no tenía por qué decir en los decretos si las leyes aplicables son las del Código Penal ordinario o las del Código Penal Militar: esto le compete exclusivamente a los jueces".

del estado de legalidad marcial, como es el caso en referencia, no es aceptable en manera alguna que se deje el imperio de la garantía individual de la Carta al libre criterio y posible equivocación de los jueces en la aplicación de la ley.

Otro de los decretos de estado de sitio dictados con ocasión de "El Bogotazo" fue el 1239 de 1948, que fue firmado por el presidente y sus ministros, pero sin contar con el concepto previo del Consejo de Estado, que era un requisito exigido por la Constitución. El Gobierno rápidamente corrió a ratificar el decreto con el Decreto 1459 de 1948, que ya incluía el concepto del Consejo de Estado y que explicaba que en el primer decreto no se había podido contar con tal concepto por la "imposibilidad física" de que el Consejo se reuniera durante los momentos críticos de "El Bogotazo".

El ciudadano Carlos García Herreros le pidió a la Corte declarar la inconstitucionalidad del Decreto 1239, en su opinión violaba la Constitución un decreto de estado de sitio que seguía vigente cuando el orden público ya se había restablecido plenamente, pues esto permitía que el presidente de la República de manera ilimitada mantuviera unas medidas excepcionales que estaban amparadas en un estado de sitio que ya no existía. La Corte[79] decidió la demanda el 2 de diciembre de 1948,[80] con la ponencia del magistrado Aníbal Cardozo Gaitán. Para la corporación, la Constitución no establecía un límite de tiempo para prolongar el estado de sitio, pues esto quedaba a juicio del Ejecutivo y reiteró que su competencia se limitaba a evaluar los aspectos formales de los decretos, es decir, la firma de los ministros y el concepto —no vinculante— del Consejo de Estado. El fallo fue unánime y citó como precedente de su control "formal" la sentencia de junio de 1945, que, como puede advertir el lector, estaba bastante lejos de ser un "control formal" de los decretos de estado de sitio. En efecto, en ese entonces la Corte entró a evaluar los límites del Gobierno durante ese régimen de excepción, aunque interpretando de manera amplia las facultades presidenciales.

Con la referencia doctrinal a la sentencia de 1945, la Corte parecía mostrar que el asunto del control constitucional limitado sobre los decretos de estado de sitio era una cuestión consolidada en la doctrina de la corporación. La Corte, integrada por una mayoría de magistrados de origen liberal, se mostraba cautelosa con el Ejecutivo

79 La Corte la integraban: Hernán Salamanca, Germán Alvarado, Francisco Bruno, Aníbal Cardoso Gaitán, Pedro Castillo Pineda, Alejandro Camacho Latorre, Luis A. Flórez, Agustín Gómez Prada, Ricardo Hinestrosa Daza, Álvaro Morales, Ángel Martín Vásquez, Luis Rafael Robles, Gabriel Rodríguez Ramírez, Eleuterio Serna, Domingo Sarasty y Manuel José Vargas.

80 Corte Suprema de Justicia, sentencia del 2 de diciembre de 1948, M.P. Aníbal Cardozo Gaitán, *G.J.*, Tomo LXV, Nos. 2068-2069, p. 298.

conservador y prefería dejarle suficientes espacios para que este actuara, esta vez bajo los marcos del "control formal" de los estados de sitio que ella misma se fijaba.

El 3 de diciembre de 1948, con la ponencia del magistrado Ricardo Hinestrosa Daza, la Corte resolvió la demanda de inconstitucionalidad presentada por el abogado Pedro Yancés Giraldo en contra del ya mencionado Decreto 1239 y del 1259 del 16 de abril de 1948. Para Yancés, esos decretos quebrantaban la Constitución, entre otros, porque el primero de ellos se había expedido sin contar con el concepto del Consejo de Estado, mientras que el segundo era inconstitucional porque ya se había levantado el estado de sitio.

La Corte determinó que el Gobierno sí le había solicitado su concepto al Consejo de Estado pero que este no pudo rendirlo por las circunstancias de orden público del 9 de abril de 1948, pero que el mismo Consejo se reunió el 10 de abril, tan pronto como pudo hacerlo, y conceptuó favorablemente al respecto, lo que dio lugar al Decreto 1259. Sobre la falta de consulta al Consejo de Estado, en el caso del primer decreto, dijo la corporación:

> Dentro de lo previsible de ordinario, que es como racionalmente deben entenderse los preceptos constitucionales y legales y en lo civil las estipulaciones de los contratantes, por regla de hermenéutica, preciso es reconocer, que el constituyente da por sentado que el Consejo de Estado se halle en formal capacidad de dictaminar; de suerte que cuando contra esto se yergue una imposibilidad física, la fuerza mayor, hasta absurdo resulta que tal imposibilidad determine también la de amparar al país con la medida en referencia. Si así hubiera de conceptuarse, el orden público y las instituciones quedarían desamparados por obra de estas mismas, ya que, por ejemplo, en caso de conmoción interior, bastaría a sus promotores apresar o secuestrar a los consejeros de Estado, y en caso de guerra exterior, a elementos desleales a la patria apresurarse a hacerlo. La Constitución no puede entenderse como una negación de sí misma ni su interpretación literal extremarse hasta prescindir de los inallanables estorbos. *Ad impossibili a nemo tempetur.*

Sobre la acusación de que el Ejecutivo había prolongado el estado de sitio vulnerando la Constitución, la corporación estableció que la Carta solo ordenaba que el Gobierno debía levantar el estado de sitio "tan pronto como haya cesado la perturbación", pero de ninguna manera le imponía límites sobre la prolongación de ese régimen excepcional una vez este se hubiera declarado. Dijo la Corte:

> Su mantenimiento se halla, por tanto, subordinado al criterio del Ejecutivo respecto a la necesidad de conservarlo, basado en su juicio sobre el estado de perturbación.

> Por tanto el Gobierno tendrá posiblemente una responsabilidad política, deducible ante el Congreso, si lo extiende a más del tiempo indispensable. Pero como a la Corte no le corresponde sino pronunciarse sobre los actos del Ejecutivo expresados en la forma de Decretos, la alegada omisión del Gobierno no puede ser materia de una decisión de la Sala Plena.[81]

Entonces, la doctrina de la corporación desde la sentencia del 12 de junio de 1945 (golpe de Pasto) había insistido en que los únicos requisitos formales por los que se podría acusar la inconstitucionalidad de un decreto de estado de sitio eran la carencia de la firma del presidente y de sus ministros, o del concepto no obligatorio del Consejo de Estado. En este caso, la corporación argumentó que los dos decretos debían evaluarse en conjunto porque formaban un todo indisoluble: así, encontró que los requisitos mencionados se cumplían y que en particular el concepto del Consejo sí aparecía en el segundo decreto dictado por el Gobierno.

La censura de prensa ejercida desde antes del 9 de abril de 1948 ante la Corte

Por último, encontramos una sentencia que si bien no se origina en medidas dictadas con motivo de "El Bogotazo", lo que allí ocurrió sí tiene incidencia en el modo como la Corte adoptó su decisión. Se trata de la demanda de inconstitucionalidad que presentó el abogado Manuel Rodríguez Díaz en contra del Decreto 163 del 21 de enero de 1948, que impuso la censura sobre la "radiodifusión y el servicio de telecomunicaciones" en todo el país, que se dictó con fundamento en el estado de sitio que se había declarado en el departamento de Norte de Santander, en el Decreto 147 del 17 de enero del mismo año. El contenido del decreto demandado por Rodríguez iba dirigido a todo el país y la única relación que este guardaba con la declaración del estado de sitio en el Norte de Santander era el artículo 3º, que decía: "Quedan así mismo bajo censura las telecomunicaciones en el Departamento de Santander [...]".

El demandante argumentó ante la Corte que el Decreto 163 de 1948 vulneraba diecisiete artículos de la Constitución y las leyes 29 de 1944 y 198 de 1936. A su juicio, las medidas tomadas por el Gobierno de Ospina Pérez afectaban el derecho de las personas a expresarse con libertad; el derecho al trabajo de quienes dependían de las estaciones de radiodifusión; menoscababa el derecho de defensa porque establecía como presunción que toda transmisión radial podía afectar el orden público

81 Corte Suprema de Justicia, sentencia del 2 de diciembre de 1948, *op. cit.*

y por tanto debía ser vigilada por el Estado; establecía un "monopolio informativo" en cabeza del Estado, que se constituía gracias al poder que tenían los censores para difundir las noticias según "su capricho". Además, que con tales disposiciones, el Gobierno había derogado la legislación que amparaba la libertad de radiodifusión, vulnerando también la Carta pues esta establecía que dentro del régimen de estado de sitio el Ejecutivo podía suspender leyes pero no derogarlas. Y, por último, que el Gobierno no podía dictar un decreto de estado de sitio que regía en todo el territorio nacional, cuando el fundamento de esa norma era la declaratoria del estado de sitio en una región del país, como lo era Norte de Santander.

La Corte resolvió la demanda de Rodríguez en la sentencia del 9 de julio de 1948, con la ponencia del magistrado Ramón Miranda.[82] La corporación empezó por descartar los cargos del demandante relacionados con violación de normas de rango legal, señalando que estos no eran de la naturaleza del juicio de constitucionalidad que realizaba el tribunal. Luego hizo un recorrido por las legislaciones de otros países relacionadas con la "Ley Marcial", comentando las distintas modalidades de restricciones de las libertades que eran necesarias para restablecer el orden público frente a situaciones de emergencia, como era el caso de Inglaterra, Estados Unidos y Francia; y comparó a los países de América en donde el estado de sitio lo podía declarar el Parlamento y excepcionalmente el Ejecutivo (Argentina, Costa Rica, Cuba, Chile, Ecuador, México), y aquellos en donde solo el Ejecutivo tenía esta facultad como en Brasil, Perú, Uruguay y Bolivia. Después recordó la trayectoria del estado de sitio en la "historia constitucional de Colombia, desde la Constitución de 1821 hasta la de 1886".

Para la Corte, ante la "ausencia de un derecho legislado que determine y precise la esfera" de las facultades del Ejecutivo dentro del régimen del estado de sitio previsto por la Constitución, a su jurisprudencia le había correspondido reiterar, "de manera interrumpida", que durante el estado de sitio el presidente podía suspender la legislación vigente cuando esta resultare incompatible con el restablecimiento del orden público, y que, por otro lado, la Constitución permitía que en tiempo de guerra el Ejecutivo pudiera "imponer contribuciones, realizar expropiaciones, restringir la libertad de prensa, prohibir la circulación de impresos por los correos, autorizar el ejercicio simultáneo de la autoridad política y civil, la judicial o militar, establecer restricciones a la libertad de reunión y adoptar otras medidas de la misma índole, todo con la suprema finalidad de restablecer el orden público".

Pese a este amplio abanico de medidas restrictivas de la libertad que la Corte señalaba que podía imponer el Ejecutivo bajo el estado de sitio, la corporación

82 Corte Suprema de Justicia, sentencia del 9 de julio de 1948, *op. cit.*

aclaró que tales atribuciones asignadas por la Constitución al Gobierno no querían decir "discrecionalidad", pues la Carta establecía unas formalidades para que fueran dictados los respectivos decretos, y porque, en todo caso, el ejercicio del poder presidencial estaba regido por la legalidad marcial, lo que significaba el apego "a un orden jurídico preestablecido y conforme al derecho".[83]

En el caso concreto del Decreto 163, sobre censura de la radiodifusión y las telecomunicaciones, la Corte encontró que las medidas del Gobierno que ordenaban que toda emisión debía someterse a revisión previa de las autoridades tan solo significaba una restricción a la libertad de prensa que estaba autorizada por la Constitución. Así mismo, que la censura no significaba violación alguna de la reserva de correspondencia ni mucho menos de la propiedad privada o la "libertad industrial".

Para resolver el cargo del demandante según el cual el decreto era inconstitucional porque su alcance era nacional y se había fundado en la declaración del estado de sitio en una porción del país, la Corte recurrió a lo que denominó como una "tesis abundantemente compartida por los más ilustres doctrinantes del derecho público" y que fue expuesta por la Corte Suprema en fallo de abril 2 de 1935 (que recuerde el lector declaró inexequibles los decretos sobre reforma tributaria del presidente López, de 1934), y que consistía en que la Constitución distinguía la declaratoria del estado de sitio en todo el país de la declaratoria de ese régimen en una parte de él. Según ese criterio, el propósito del primero era "localizar y aislar el foco de la rebelión o de la amenaza exterior para dominarlo", sin que eso implicara extenderlo a todo el territorio nacional, pues tal ampliación significaba someter a los habitantes de zonas no afectadas "a la jurisdicción de las autoridades militares con merma de las libertades ciudadanas que el derecho común consagra y sanciona".[84] Dijo la corporación: "No vacila la actual Corte en prohijar como regla general la jurisprudencia adoptada por la entidad falladora en 1935, no obstante que sobre ella se produjeron salvamentos de votos [...] porque encuentra que además de los sólidos argumentos que sustentan aquella trascendental doctrina existen abundantes razones de principios y de derecho que se conjugan para dar a la norma la cabal interpretación en el sentido en que aquí se mantiene".[85]

Pero aparte del respaldo doctrinal y jurisprudencial a la mencionada tesis de que la Constitución establecía dos regímenes incompatibles de estado de sitio: el parcial en una zona del país y el total en el territorio nacional, la Corte trajo

83 Corte Suprema de Justicia, sentencia del 9 de julio de 1948, *op. cit.*, p. 12.

84 *Ibídem*, p. 14.

85 *Ibídem*, p. 15.

ejemplos de la legislación comparada en donde esa limitación al ejercicio de los poderes excepcionales dentro del estado de sitio también se mantenía, como era el caso de Brasil, Costa Rica, Cuba, México, Ecuador y Chile: "Robustece, pues, la tesis adoptada, no solo la opinión de los teóricos de la ciencia política sino la legislación positiva americana, que en esta materia tiene el mismo origen e igual tradición que la vigente en Colombia [...]".[86]

Con semejante despliegue doctrinal y la afirmación de una postura adoptada por la Corte en el célebre fallo de 1935, todo indicaría que el paso siguiente de la corporación sería declarar inexequible el Decreto 163 de 1948. Sin embargo, la Corte recurrió a su conocida doctrina de la "sustracción de materia" y resolvió que "no es del caso entrar a decidir sobre la inexequibilidad del Decreto materia de la decisión". Para esto encontró suficientes razones: en primer lugar que "con motivo de los graves sucesos ocurridos el 9 de abril del corriente año", el Gobierno había dictado los decretos 1239 y 1259 que declararon turbado el orden público en todo el territorio nacional (sobre los que ya hicimos referencia). Además, que luego el Ejecutivo había impuesto en todo el país la censura para la radiodifusión y la prensa por medio del Decreto 1271 del 18 de abril. Por todo esto, para el tribunal era indiscutible la "influencia de esas providencias en el contenido del acto en acusación", de modo que el único camino posible era una decisión "simplemente inhibitoria".

De este modo, aunque la Corte consideraba que la censura a la radiodifusión impuesta por Ospina Pérez, en febrero de 1948, había vulnerado la Constitución, esa calificación de la corporación llegaba seis meses después de que la censura se había aplicado, luego de "El Bogotazo" y de haber surgido nuevas medidas que parecían convalidar acciones gubernamentales como las establecidas por el Decreto 163. Así, con esta inhibición, la corporación le enviaba un mensaje al presidente Ospina de que, al menos doctrinalmente, consideraba que el ejercicio de las facultades del estado de sitio tenía límites, aunque, al mismo tiempo, le dejaba ver que en el control de constitucionalidad de los decretos dictados bajo ese régimen de excepción, la Corte obraba con la autorrestricción de doctrinas tales como la "sustracción de materia".

Así, la Corte integrada por mayorías liberales, de manera unánime argumentaba que el presidente Ospina había actuado en abierta violación de la Constitución al dictar el Decreto 163 de 1948, pero se abstenía de pronunciarse sobre su constitucionalidad en momentos en que existía un clima de entendimiento bipartidista entre el Congreso y el Ejecutivo, y cuando los temores por la grave alteración del

86 *Ibídem*, p. 16.

orden público de "El Bogotazo" hacía que los tres poderes públicos nacionales parecieran actuar al unísono para garantizar cierta estabilidad política.

Como lo hemos puesto de presente, las sentencias que hemos narrado se produjeron en medio de la creciente violencia bipartidista pero en un ambiente de relativo entendimiento entre las élites políticas, pues no olvide el lector que la dirigencia liberal y el Gobierno conservador habían pactado un régimen de colaboración con el fin de conjurar la crisis originada luego del asesinato de Jorge Eliécer Gaitán, el 9 de abril de 1948. Y, además, cuando las ramas del poder público, a pesar del grave enfrentamiento sectario que las dividía, parecían haber llegado a un consenso sobre la necesidad de reprimir a quienes habían protagonizado los desórdenes con motivo de "El Bogotazo", así como también sobre la urgencia de tomar medidas excepcionales para restablecer el orden público, que se hallaba gravemente alterado luego de los hechos del 9 de abril. Por supuesto, a esto también habría que sumarle una creciente presión de los propios partidos políticos y de sectores de la sociedad que insistían en la necesidad de aplicar mano dura a quienes protagonizaban la violencia política a lo largo y ancho del país, en momentos en que el liberalismo acusaba al Gobierno de no actuar con mayor firmeza para proteger a los ciudadanos que pertenecían a ese partido.

En suma, la Corte integrada por una mayoría de magistrados liberales parecía optar por colaborar con el Ejecutivo conservador pero en el contexto político mencionado, haciendo un uso selectivo de la doctrina de la sustracción de materia entremezclado con la adopción de un criterio amplio sobre las facultades presidenciales dentro del régimen de estado de sitio, que, desde luego, limitaban el control constitucional de la Corte sobre los decretos dictados por el presidente Ospina Pérez. Tal postura se adoptaba a pesar de que en los decretos se acusaba la violación de libertades y garantías ciudadanas: ni siquiera en el fallo inhibitorio sobre el Decreto 163 de 1948, cuando la Corte admitió que las medidas del Ejecutivo vulneraban la Constitución, la corporación acudió al argumento estricto de la defensa de esas libertades y garantías sino a que la Constitución consagraba dos regímenes de estado de sitio que eran incompatibles y, por tanto, el Ejecutivo no los podía aplicar simultáneamente.

Sin embargo, como lo veremos a continuación, ese espíritu de comprensión con el Ejecutivo y de cierta sintonía de la Corte con los acuerdos de la dirigencias partidistas, muy pronto se debilitaría y pasaría a la confrontación directa de la Corte con el Ejecutivo, precisamente en tiempos en que se había roto esa frágil armonía que Ospina había logrado con los liberales a mediados del año 1948.

La Corte frente a la Ley Electoral de 1949, en medio del enfrentamiento del Congreso liberal y el Ejecutivo conservador

Con "El Bogotazo", Ospina Pérez demostró sus dotes de conciliador y logró negociar con el liberalismo unos acuerdos políticos que le permitieron continuar en el poder y contar con el apoyo liberal por un poco más de un año. El arreglo de la "Unión Nacional" suponía mantener alejado del Gobierno —y en lo posible del país— al dirigente conservador Laureano Gómez. Otro de los compromisos era la aprobación de una reforma electoral que, apoyada por ambos partidos, garantizara el transparente y libre acceso al poder. La reforma electoral se materializó en la Ley 89, que fue sancionada en diciembre de 1948. Entre sus disposiciones, esa ley aplazaba las elecciones parlamentarias para junio de 1949, mientras que las presidenciales serían en junio de 1950.[87]

A medida que avanzaba el año 1949, el liberalismo denunciaba la creciente violencia en su contra y la falta de acción del Gobierno de Ospina Pérez para garantizar los derechos de las huestes liberales.[88] La tolerancia —y a veces complicidad— del Gobierno conservador con la violencia en contra de los miembros del partido fueron las razones que expusieron los liberales para romper, por tercera vez, con la Unión Nacional. La dirigencia del partido ordenó a todos los miembros de la colectividad retirarse del Gobierno.[89] Por su parte, Laureano Gómez había decidido regresar al país de manera intempestiva, luego de que en las elecciones del 6 de mayo el liberalismo resultara victorioso y lograra mantener sus mayorías en el Congreso, en las asambleas departamentales y en los concejos municipales. Gómez acusó a los liberales de incurrir en fraude con cédulas falsas y los liberales denunciaron la coacción oficial sobre los electores.[90]

87 La ley fue aprobada por un Congreso de mayoría liberal. Se consideraba el paso correcto para el entendimiento de los dos partidos, pues la reforma era reclamada tanto por los conservadores como por los liberales. Dentro de las medidas que se ordenaban, estaba la revisión de la cedulación del país por parte de una misión extranjera antes de las próximas elecciones presidenciales. Por último, la ley creó la Corte Suprema Electoral como máximo órgano electoral del país. Catalina Reyes Cárdenas, "El Gobierno de Mariano Ospina Pérez: 1946-1950", en *Nueva Historia de Colombia,* Tomo II, Historia Política 1946-1986, Planeta, Bogotá, 1989, p. 27.

88 "En 1949, a causa de la violencia política, el Estado perdió credibilidad y legitimidad en sectores amplios de la nación y en muchas zonas del país se palpó su ausencia [...] El sistema electoral no realizó sus funciones [...] el poder judicial actuó con claros fines partidistas en algunas regiones, en otras se vio coaccionado por grupos armados que reemplazaron las autoridades. En algunas zonas del país la justicia cayó en manos de bandas de pájaros, las guerrillas y la policía chulavita". Catalina Reyes Cárdenas, "El Gobierno de Mariano Ospina Pérez...", *op. cit.,* p. 27.

89 Ospina procedió a nombrar a conservadores en su gabinete ministerial y encargó a los militares de los ministerios relacionados con el orden público.

90 El liberalismo logró mantener una mayoría electoral de 130.000 votos. Paul Oquist, *op. cit.,* p. 237.

Contando con la mayoría en todos los órganos de elección popular, muy pronto los liberales hicieron valer esa condición, en especial en el Congreso, en donde el partido quiso ejercer casi que un poder paralelo al del Gobierno de Ospina. Cada día el Legislativo sorprendía al Ejecutivo con iniciativas que afectaban los intereses conservadores y que desafiaban la Constitución Nacional. Entre las propuestas de las mayorías liberales estaba la elección popular de alcaldes y gobernadores.[91] En esta coyuntura de agudo enfrentamiento institucional entre el Ejecutivo conservador y el Legislativo liberal, muy pronto la Corte Suprema sería la llamada a cumplir su papel de árbitro entre los poderes, pero, como veremos, los resultados de su actuación contribuirían a caminar con paso firme hacia el derrumbe parcial del Estado.

En efecto, Paul Oquist señala el año de 1949 como aquel que marca ese derrumbe y hay consenso entre los analistas políticos de la independencia judicial en torno a que en ese mismo año la Corte Suprema de Justicia habría empezado a perder su legitimidad e independencia,[92] y que ese proceso de declive continuaría hacia etapas aún más críticas, hasta 1957.[93]

91 César Augusto Ayala Diago, "El cierre del Congreso de 1949: un decreto de estado de sitio dejó a los congresistas en la calle", en *Credencial Historia*, edición No. 162, Bogotá, junio del 2003, pp. 8-12.

92 Joel G. Verner señala: "Antes de 1949, la Corte fue una importante institución del sistema colombiano; su facultad de control constitucional fue usada frecuentemente y sus decisiones fueron respetadas tanto por el Ejecutivo como por el Legislativo. La Corte había obtenido al menos un limitado grado de independencia frente a otras ramas del poder". Verner también comenta que uno de los principales "asaltos" al poder de la Corte ocurrió en noviembre de 1949, bajo el Gobierno de Ospina Pérez. Joel G. Verner, "The Independence of Supreme Courts in Latin America", en *Journal of Latin American Studies,* Cambridge University Press, Vol. 16, No. 2, noviembre 1984, pp. 463-506, pp. 487- 489. En igual sentido se pronuncia gran parte de los analistas de la administración de justicia en la época del Frente Nacional, quienes insisten en la necesidad de una profunda reforma que "despolitice" y tecnifique a la rama judicial: por ejemplo, Jorge Enrique Gutiérrez Anzola presenta una radiografía de cómo entre 1948 y 1957 se produjo una "decadencia e inadecuación de los sistemas", aunque enfocado en la legislación penal, y su incapacidad para evitar el incremento de los delitos y la impunidad creciente. Dice Gutiérrez: "Sin lugar a dudas el morbo político penetró en los estrados judiciales y así se vio cómo se aceleraban los procesos penales hasta bordes de verdadera persecución cuando se trataba de descubrir supuestas faltas en los adversarios del régimen y cómo, misteriosamente, sonados asuntos quedaban perdidos en los anaqueles porque los autores de ilícitos se habían transformado en prominentes figuras". Jorge Gutiérrez Anzola y Gabriel Gutiérrez Tovar, *La reforma judicial en Colombia: Historia, doctrina, textos legales y comentarios,* Lerner, Bogotá, 1965.

93 Verner, aunque no analiza las doctrinas de la Corte, sí se funda en varios y muy completos análisis políticos sobre la Colombia de la segunda mitad del siglo XX. Así, considera que el creciente declive de la Corte no solo se debió a las acciones arbitrarias del Ejecutivo, de un Gobierno militar, de la violencia extendida en el país o del quiebre del régimen civil, sino que, citando a Robert Dix, afirma que ese debilitamiento de la Corte se debió a varios factores como, por ejemplo, a la congestión de asuntos que la Corte debía resolver; a su activismo partidista y sectario; a su favoritismo y conexiones sociales con las élites; y a la desconfianza generalizada del público en el proceso judicial. Joel G. Verner, "The Independence of Supreme Courts...", *op. cit.,* pp. 487-489.

Hacia mediados de 1949 ocurrió uno de los episodios que logra capturar de mejor manera el agudo enfrentamiento partidista, que terminó por arrollar a la Corte Suprema, cuando el Congreso dominado por el liberalismo empezó a tramitar un proyecto de ley que pretendía reformar la mencionada Ley Electoral (Ley 89 de 1948). Pero la iniciativa ya no buscaba una legislación con reglas que contribuyera a la transparencia del proceso electoral, sino que pretendía adelantar las elecciones presidenciales para el 27 de noviembre de 1949, modificando así lo pactado en la Ley 89, cuando ambos partidos habían acordado el calendario electoral y habían fijado las elecciones presidenciales para el mes de junio de 1950.

La maniobra política de los liberales buscaba proteger al partido contra una eventual victoria presidencial de los conservadores que, se decía, iba a lograrse gracias a la violencia y al clima de fraude reinante. Con el adelantamiento de las elecciones, los liberales pretendían que la campaña por la Presidencia de la República se llevara a cabo mientras el Congreso sesionaba, de modo que desde allí ellos pudiesen garantizar que la fuerza electoral que los había llevado a vencer en las recientes elecciones parlamentarias, también los condujera a recuperar el Poder Ejecutivo para el período 1950-1954.[94]

La discusión del proyecto de reforma del calendario electoral produjo las más fuertes tensiones entre el Congreso y el Gobierno e incluso ocasionó acciones violentas en el propio recinto parlamentario. Los debates, principalmente en la Cámara de Representantes, avanzaron en medio de riñas y ultrajes mutuos entre congresistas liberales y conservadores. Incluso hubo un enfrentamiento entre dos congresistas, uno liberal y otro conservador, que devino en un abaleo en el que resultó muerto un parlamentario y salió gravemente herido el exministro liberal Jorge Soto del Corral, quien luego murió a causa del atentado. Ese mismo mes, mientras participaban en un desfile en el centro de Bogotá, fueron víctimas de los francotiradores el dirigente liberal Darío Echandía y un grupo que lo acompañaba; en los hechos resultó muerto un hermano de Echandía.

Al finalizar el mes de septiembre de 1949, el Congreso aprobó el proyecto de realización anticipada de las elecciones presidenciales. Una vez el proyectó llegó al Ejecutivo para la respectiva sanción presidencial, el presidente Ospina Pérez se abstuvo de sancionarlo y lo objetó por inconstitucional.[95] Siguiendo el trámite previsto en la Constitución, el presidente devolvió el proyecto al Congreso para que este lo reconsiderara, pero, tal como era de esperarse, el Congreso dominado por los liberales insistió en la constitucionalidad del proyecto de ley y rechazó el veto

94 Catalina Reyes, "El Gobierno de Mariano Ospina Pérez...", *op. cit.*, p. 25.

95 *Ibídem.*

presidencial. Al presidente Ospina no le quedó otro camino que seguir aplicando la Constitución y acudir a la Corte en un último intento por detener la iniciativa liberal.

La Corte Suprema de Justicia en su sentencia del 22 de septiembre de 1949,[96] con la ponencia del magistrado Belisario Agudelo, decidió que las objeciones presidenciales eran improcedentes y dio la razón al Congreso. La objeción que había planteado Ospina Pérez consistía en que el proyecto se había tramitado como si la reforma electoral fuese una materia propia de una ley ordinaria, cuando en realidad lo que hacía era modificar el Código Electoral vigente. Según Ospina, un código era una norma de superior jerarquía al proyecto de ley de reforma electoral que lo pretendía modificar al adelantar las elecciones presidenciales, cuando el Congreso debió tramitar la reforma como modificación del Código Electoral.

La corporación, al inicio del fallo, aclaró que el diferendo entre el Congreso y el Ejecutivo no correspondía al de dos posiciones antagónicas sobre un asunto de procedimiento "por pretermisión de una ritualidad en la tramitación parlamentaria de un proyecto de ley, sino más bien de una cuestión sustancial o de fondo [...]". Es decir, que para la Corte, no obstante que el presidente en sus objeciones al proyecto de ley estimara que los errores procedimentales se debieron a "olvidos" que no permitían que el acto jurídico adquiriera su "plena madurez", de lo que se trataba era de una clara escogencia del procedimiento por parte del Congreso, que se derivaba de una calificación sustancial sobre su función constitucional de hacer las leyes y de reformar las preexistentes y no simplemente de reformar "un Código Electoral que no existe en la legislación nacional". Así, la Corte desestimó el argumento de Ospina según el cual su "objeción de inconstitucionalidad versa sobre la tramitación" y, por el contrario, consideró que se trataba de un asunto de tipo sustancial, por lo que "este punto de estudio es de la exclusiva y libre competencia de la Corte en su función de guardar la Constitución Nacional".[97]

Luego el tribunal entró a analizar las implicaciones de la palabra "código". Primero recogió el estudio "histórico-jurídico" que elaboró el Senado para rechazar

96 El fallo se aprobó con seis salvamentos de voto. La Corte estaba integrada por Pedro Castillo, Belisario Agudelo, Germán Alvarado, Francisco Bruno, Alejandro Camacho, Luis A, Flórez, Agustín Gómez Prada, Ricardo Hinestrosa Daza, Álvaro Leal Morales, Luis Rafael Robles, Hernán Salamanca, Domingo Sarasty, Eleuterio Serna, Arturo Silva Rebolledo, Ángel Martín Vásquez y Manuel José Vargas. Votaron en contra los magistrados de origen conservador, Flórez, Leal Morales, Sarasty, Serna, Silva Rebolledo y Vásquez. Corte Suprema de Justicia, sentencia del 22 de septiembre de 1949, M.P. Belisario Agudelo, *G.J.*, Tomo 66. Nótese como, ya para la fecha, tan solo permanecen en la Corte tres de los magistrados de la Corte de Oro: Ricardo Hinestrosa (liberal), Eleuterio Serna (conservador) y Hernán Salamanca (liberal).

97 Corte Suprema de Justicia, sentencia del 22 de septiembre de 1949, *op. cit.*, p. 8.

las objeciones presidenciales, pues este ponía en evidencia la falta de criterio técnico con que se había empleado la palabra "código" en la legislación colombiana.[98] Así, ante la falta de definición legal y constitucional de la expresión "código", la Corte decidió buscar en "el único antecedente que da piso firme para moverse en el terreno de la técnica legislativa", es decir, en la Ley 4ª de 1923 (Ley del Régimen Político) y allí halló que la clasificación de las leyes según ramos o áreas no establecía jerarquía alguna entre un Código y la ley electoral. Entonces, para la Corte, un "código" no tenía jerarquía superior a una ley ordinaria y, por lo tanto, la ley que adelantaba unas elecciones podía derogar un "código" como el electoral, sin vulnerar la Carta Política. En consecuencia, declaró infundadas las objeciones de Ospina y le dio la razón al Congreso liberal.

Desde luego, la Corte de ninguna manera estaba ajena al ambiente político e institucional de alta tensión en que estaba inmersa:

> En esta situación de desacuerdo en que han proliferado las opiniones y conceptos más contradictorios y no exclusivamente jurídicos en que se ha desarrollado el conflicto de autoridad que hoy dirime la Corte, el juego normal y democrático de las instituciones nacionales aconseja dar la prevalencia al Congreso que tiene la atribución radical de hacer las leyes, que a todos nos obligan y que [...] tiene poder para decidir sobre la organización política del Estado y determinar la órbita funcional de los poderes públicos. Difícil sería no hallar en la solución contraria una interferencia arbitrariamente paralizante de la función legislativa.[99]

Como habrá notado el lector, aunque el presidente Ospina le había señalado a la Corte que objetaba el proyecto de ley por un asunto de trámite, la corporación supo reorientar la objeción presidencial y formularla en términos de una cuestión de tipo "sustancial" de la función legislativa, lo que le permitió conducir el juicio constitucional hacia la solución de la controversia sobre si una ley ordinaria en materia electoral podía derogar un código.

La corporación remató diciendo que la decisión dejaba intocada su doctrina según la cual no era competente para conocer de objeciones a proyectos de ley por defectos procedimentales, ni mucho menos de demandas en contra de leyes que se acusaran de haber sido aprobadas con vicios en su trámite. Es decir, que pretendía mantener su precedente sobre la incompetencia para juzgar cualquier

98 Dijo la Corte: "[...] No existe ninguna definición legal que sirva, por la mención de sus características y atributos esenciales, para diferenciarla específicamente dentro del género ley [...]". *Ibídem.*

99 *Ibídem.*

tipo de vicio de trámite en las leyes, gracias a que las objeciones de Ospina Pérez no las había juzgado como un vicio de trámite, sino como una cuestión "sustancial".

El fallo se aprobó con los diez votos de los magistrados liberales, mientras que los seis magistrados conservadores que componían la Corte salvaron su voto. Luis A. Flórez estimó que la Corte, de manera artificiosa, había determinado que la definición de la naturaleza legal de un código era una cuestión sustancial —material— y no de simple trámite, de modo que así pudo mantener el precedente de la incompetencia para conocer de vicios de trámite de las leyes, y al mismo tiempo juzgar las objeciones en contra del proyecto de ley. Álvaro Leal Morales señaló que la Corte había cambiado abruptamente su doctrina de la incompetencia para juzgar las leyes por vicios de trámite, fijada desde 1912, con el argumento de que en este caso el control constitucional de las objeciones era material, cuando a todas luces fue formal, puramente de trámite.[100]

Por último, Eleuterio Serna[101] consideró que la Corte tenía dos caminos: o declararse inhibida para fallar o rectificar la doctrina que había mantenido por más de tres décadas; estimó que la Corte, reiteradamente, incluso en una decisión reciente,[102] había afirmado su incompetencia para pronunciarse sobre los "vicios formales" en un proyecto ley cuando estos fueran invocados como objeción presidencial. A juicio de Serna, si la corporación tramitaba el cargo de vicios formales rompía sus "antecedentes jurisprudenciales", y en ese caso era evidente que la Corte no podía "mirar con indiferencia" un procedimiento inconstitucional de parte del Congreso. Pero si la Corte no consideraba ese cargo, entonces tendría que haberse declarado inhibida para fallar. Por eso estimaba Serna que la corporación había decidido tomar un "camino intermedio" y considerar que la objeción

100 Sarasty coincidió con los otros magistrados y sostuvo que la Corte excedió su competencia al fallar este caso. Silva Rebolledo también argumentó sobre la incompetencia de la Corte, y señaló: "[...] Dejo establecido que la Corte, según la tesis que en la propia sentencia se transcribe, es en absoluto incompetente para resolver, positiva o negativamente, la cuestión de inexequibilidad planteada, y no puedo concebir que sea indispensable un estudio a fondo del problema tendiente a esclarecer si se trata de la reforma a un código o a una ley común para determinar cuál sea el trámite constitucional correspondiente, puesto que, siendo jurisdiccionalmente imposible esta calificación para la Corte, no puede hacerla ni directa ni inmediatamente sin invadir franca o clandestinamente un campo que es ajeno y le está reconocidamente vedado [...]". Corte Suprema, sentencia del 22 de septiembre de 1949, salvamento de voto del magistrado Arturo Silva, *op. cit.*, p. 31.

101 Corte Suprema de Justicia, salvamento de voto del magistrado Eleuterio Serna a la sentencia del 22 de septiembre de 1949. *G.J.*, Tomo 66, p. 32. Serna era de origen conservador, integró la Comisión de Estudios Constitucionales que elaboró el proyecto de reforma constitucional de 1952, que proponía el presidente conservador Laureano Gómez. Eduardo Zuleta, en la "Comisión de Reajuste Institucional", señala que Serna, como jurista, expuso en la ANAC la necesidad de combatir el comunismo internacional.

102 Serna se refiere al "caso de un auxilio al aeródromo de Matecaña (Pereira)". *Ibídem*, p. 34.

presidencial referida a un vicio de trámite era un "asunto sustancial", para luego entrar a decidir que el Congreso había obrado con arreglo a la Constitución, pues no había tal distinción entre una ley electoral y un código electoral, y así declarar la constitucionalidad del trámite seguido por el Congreso. Dijo Serna:

> Los Magistrados disidentes invitamos a nuestros colegas de la mayoría para que [...] investigáramos ampliamente si dentro de este criterio eran procedimientos similares buscar la voluntad del legislador al respecto, ora en la historia fidedigna de la Ley 85 de 1816, ora en las leyes 31 de 1929 y 60 de 1930. Nada se discutió sobre esta faz del asunto, y el tema quedó circunscrito a las definiciones de Geny, Saleilles, Consentini, Carlos Lozano, etc., dentro de las cuales cabría la Ley 85 [...] y que no tienen tampoco una preponderancia sobre el concepto de Littre, Rodríguez Piñeres y Moreno Jaramillo.

Serna también acudió a un argumento de autoridad que combina la doctrina con el ambiente político del fallo. Menciona la carta que Darío Echandía, prestigioso jurista de la época y por entonces candidato liberal a la Presidencia, le había dirigido a un grupo de abogados en agosto de 1949, pocos días antes de que se profiriera la sentencia: "No puedo resistirme al deseo de citar los siguientes conceptos que son de actualidad muy trascendental [...]". Así, expresó que Echandía distinguía las normas procedimentales de las normas sustanciales de la Constitución, de modo que el trámite de las leyes era una cosa y que las discusiones materiales sobre la ley eran otro asunto; que, así mismo, la facultad de hacer las leyes no era ilimitada, de modo que el Congreso debía respetar tanto la materia de las leyes, como el procedimiento para su expedición, pues ambos estaban reglados por la Constitución. Entonces, para el magistrado, esto era contrario al criterio expresado por la mayoría de los magistrados que apoyó la sentencia, pues ellos adujeron que en este caso el "diálogo de las dos ramas del poder era una cuestión sustancial".

La intención de Serna parecía hacer contrastar el punto de vista del insigne abogado y dirigente liberal con el de los magistrados liberales que en mayoría votaron el fallo, pues Echandía tenía un potente ascendiente jurídico —y político— sobre ellos, así que para nada era gratuita la referencia que hacía el magistrado conservador a la "opinión autorizada" de Echandía. En otros apartes del documento de Echandía que cita Serna, se lee:

> Puede darse el caso de una discrepancia entre el Ejecutivo y el Legislativo acerca del uso o abuso que de sus facultades constitucionales haya hecho el Congreso al expedir la ley, cuando el Congreso cree que ha legislado sobre una materia que es

de su competencia y el Gobierno cree lo contrario, o puede referirse a la forma o manera como la ley ha sido expedida [...] Esta última divergencia puede ocurrir cuando el Congreso y el Gobierno no se ponen de acuerdo para apreciar la naturaleza de determinado proyecto de ley, cuando por ejemplo, el Gobierno piensa que se trata de un código, y el Congreso que se trata de una ley ordinaria [...] el Congreso puede considerar que [...] el proyecto quedó constitucionalmente aprobado por la mayoría [...] y las objeciones ejecutivas constitucionalmente rechazadas por esa misma mayoría absoluta [...] En este ejemplo habría una discrepancia, oposición o conflicto entre Órgano Legislativo y el Ejecutivo respecto del uso constitucional de las facultades, al expedir la ley.

El magistrado conservador, además, nos ofrece otras pistas del ambiente político del fallo:[103]

Tenía la ilusión de que la Corte Suprema, en virtud de antecedentes jurisprudenciales, se colocara al margen de una cuestión alrededor de la cual las pasiones políticas habían librado recias batallas. Sin embargo [...] no fue posible llegar a un plano de armonía como ha ocurrido en otras ocasiones en que esta corporación trató de enfilarse en dos bandos irreconciliables, porque entonces, sobre las circunstancias imperiosas de la hora, primaron altos ideales que serenando los espíritus, levantaron la justicia sobre un plinto [...] La Corte debió declararse incompetente o inhibida. Para tal proceder, fuera de la aplicación del *stare decisis* o sea los antecedentes de la jurisprudencia, hay otros argumentos [...] Una lógica severa hubiera colocado a la Corte Suprema de Justicia entre la tesis de la inhibición o la rectificación de la doctrina de treinta y siete años. Y una actitud prudente, elevada, digna de todo respeto y fácil de asumir por unanimidad, habría sido una sujeción al *stare decisis*, o sea el acatamiento de los antecedentes jurisprudenciales.

Como se puede apreciar, en esta ocasión la Corte prefirió ejercer su papel de juez constitucional, a pesar del enorme costo institucional que una decisión como esta le podía representar, en un ambiente de confrontación extrema entre dos partidos políticos y de la disputa por mantener el poder y garantizar la victoria partidaria en el período siguiente. La corporación optó por colaborar con las fuerzas liberales aun a costa de enfrentar la reacción del Ejecutivo conservador, aunque esta tardaría unos cuantos meses.

103 Corte Suprema de Justicia, salvamento de voto de Eleuterio Serna a la sentencia del 22 de septiembre de 1949.

Parecía haber un camino relativamente fácil para que la Corte prefiriera la muy cómoda opción de la inhibición para decidir este caso, como lo sugería el salvamento de voto del magistrado Serna. Esa salida, además, era coherente con su doctrina de la incompetencia para conocer de vicios de trámite de las leyes, tanto por demandas ciudadanas contra leyes como por objeciones presidenciales a los proyectos de ley. Pero la Corte tampoco optó por hacer un cambio doctrinal explícito sino que lo dejó semioculto gracias a su interpretación de las objeciones presidenciales propuestas por Ospina Pérez, que claramente se referían a un vicio de trámite en la ley, que recordemos, era un cargo que nunca había sido aceptado como válido por la doctrina de la Corte, que sostenía que su juicio a las objeciones presidenciales se limitaban a cargos sobre violaciones sustanciales de la Carta.

Entonces, la Corte optó por mantener el precedente de la incompetencia para juzgar vicios de trámite en la formación de las leyes, incluso cuando estos eran acusados en las objeciones presidenciales y decidió adecuar el cargo "formal" que formulaba Ospina Pérez contra el proyecto de ley al de un cargo "sustancial". Esto deja ver la inquebrantable voluntad de la mayoría liberal en la corporación de tomar cartas en el debate sobre el adelantamiento de las elecciones presidenciales. Con esto la Corte entraba en un terreno más dúctil pues el único argumento que parecía obrar en favor de la distinción entre código y ley era de origen histórico, o de tradición del trabajo legislativo, pero que en sentir de la Corte no encontraba una justificación ni en el texto de la Constitución ni en el de la ley. Así, la Corte allanó el camino para declarar infundada la objeción presidencial.

Sin duda el contexto de alta confrontación entre las fuerzas políticas representadas en el Ejecutivo y el Congreso, así como el ambiente institucional, nos ofrecen pistas sobre un fallo en el que la Corte se alineó con las mayorías liberales en el Congreso y prefirió enfrentar al Ejecutivo con un fallo que era adverso a sus intereses. Así, si bien es cierto que la inhibición era el camino menos costoso para la Corte, en términos políticos e institucionales, debe tenerse en cuenta que una sentencia favorable al Congreso, como en efecto lo fue, le podía agregar un alto grado de legitimidad a una ley que ni más ni menos le recortaba el período al presidente opositor al liberalismo. Y la luz verde de la Corte al Congreso también ayudaba al partido liberal a "ganar tiempo" en un ambiente de alta confrontación y de violencia política extrema, pues, recuérdese que, para la fecha en que la Corte conoció las objeciones presidenciales, el partido liberal se encontraba amenazado y perseguido.

Los salvamentos de voto de los seis magistrados disidentes, de origen conservador, también nos aportan elementos para captar el clima político que incidió en el sutil y estratégico cambio de una jurisprudencia que sumaba más tres décadas.

Es claro que en la votación de la Corte hubo un sentido partidista, pues los "magistrados liberales, que eran mayoría, votaron la exequibilidad y los conservadores, que formaban la minoría, votaron en contra".[104]

La prensa de la época capturó con amplitud el ambiente de la decisión de la Corte Suprema. Por ejemplo, *El Tiempo*[105] comentó que "enorme sensación" había causado la noticia del fallo de la Corte, pues "estaba siendo esperada con inmensa y justificable expectativa en todos los sectores de la nación", y el fallo "vino a descargar un tanto el ambiente político". Así mismo, mencionó que el Directorio Nacional Conservador aprobó una "violenta declaración que descalifica a la Corte Suprema de Justicia", con lo cual los dirigentes de ese partido "resolvieron descargar sobre este alto tribunal de justicia toda suerte de improperios, tratando de llevar a la opinión pública de las gentes la idea de que el fallo fue inspirado en motivos diferentes a la justicia".[106] En efecto, en el comunicado del conservatismo se puede apreciar cómo una buena parte de los argumentos jurídicos de la dirigencia conservadora corresponden a los mismos expresados por los salvamentos de voto de la minoría conservadora en la Corte:[107]

> Que la Corte [...] ha dictado por mayoría un fallo político, como estaba previsto por el liberalismo, dada la composición de esa entidad venida a menos [...] Que al proceder en esta forma, en servicio de un interés vitando de partido, la mayoría de la Corte Suprema ha cohonestado la flagrante violación de la Constitución en sus preceptos imperativos sobre formación de las leyes [...] la sentencia de la Corte se produce contra la evidencia jurídica, desestimando sensiblemente un cúmulo de antecedentes legales y la interpretación que en diversos estatutos hizo con anterioridad el propio Congreso sobre la existencia de un código electoral [...] Que para proferir ese fallo, la mayoría de la Corte, no tuvo ningún reato en quebrantar la propia doctrina consuetudinaria en el sentido en que ese tribunal estaba inhibido para conocer y resolver acerca de la constitucionalidad o inconstitucionalidad de las leyes cuando estas se encontraban afectadas por vicios de forma [...] Que la Corte, con mengua de la dignidad de su investidura, se sometió pasivamente a actuar bajo

104 Catalina Reyes, "El Gobierno de Mariano Ospina Pérez...", *op. cit.*, p. 30.

105 En su edición del sábado 24 de septiembre de 1949, *El Tiempo* tituló "Sensación por el fallo de la Corte: la ley será acatada por el Gobierno en todas sus partes. Júbilo en el liberalismo: los conservadores estudian la situación. Sanción presidencial".

106 *El Tiempo*, 24 de septiembre de 1949, pp. 1 y 15.

107 "El Directorio Nacional Conservador declara ante la nación", Comunicado del Directorio Nacional Conservador del 23 de septiembre de 1949, publicado en *El Tiempo*, 24 de septiembre de 1949, p. 19.

la dolosa coacción moral ejercida por las mayorías del Congreso, que se negaron a dejar elegir magistrados para el nuevo período antes que se conociera el fallo sobre el proyecto de contra-reforma electoral, no obstante que el presidente pasó oportunamente las ternas, que en ellas están incluidas todos los actuales magistrados, y que esa renuencia era una implícita amenaza condicional de tomar represalias contra quienes disintieran jurídicamente de las tesis sustentadas por el liberalismo en las cámaras o contrariaran su interés sectario. Que este último acto gravísimo corrobora y justifica la desconfianza pública sobre las actuaciones de los magistrados de la mayoría de la Corte en cuantos litigios tengan alcance o implicaciones políticas, que no suele fallar en estricto derecho, pues busca entonces argucias curiaiescas para amparar decisiones inspiradas por móviles de partido. Que con un fallo esencialmente político y contrario a nuestro derecho público interno, la mayoría de la Corte se ha descalificado a sí misma, ha conspirado contra la solidez de nuestras instituciones jurídicas y comparte la responsabilidad de los males que las mayorías del Congreso desataron contra la República.[108]

La prensa también registró que la Dirección Nacional Liberal estaba próxima a acordar el "programa inmediato del liberalismo frente a la providencia de ese alto tribunal" y que desde tempranas horas del día, tanto el Directorio como las presidencias del Senado y de la Cámara habían recibido "centenares de mensajes" de los liberales de todo el país, que "congratulan al Congreso y a las directivas del partido por el triunfo jurídico de su tesis y por lo que tal cosa implica para el partido, que en esta forma podrá adelantar ampliamente su campaña". Además, señaló que el liberalismo empezaría su campaña para recuperar la Presidencia, ahora que se aclaraba el panorama con la decisión de la Corte. En cuanto al Gobierno Nacional, dijo que el fallo había causado gran conmoción, pero que este había manifestado su intención de sancionar la ley una vez se produjera la comunicación oficial de la Corte Suprema.

Sin embargo, como lo vamos a apreciar en las siguientes páginas, con su decisión, la Corte no solo le daría el triunfo al Congreso dominado por los liberales y

108 Y continúa el comunicado: "Que el virus sectario inoculado en los últimos lustros a la rama jurisdiccional del poder [...] es la causa decisiva de la impunidad que ha venido imperando en el país, particularmente frente a delitos políticos [...], los cuales desde comienzos del pasado régimen no se sancionan, la acción penal prescribe y los expedientes se archivan. Esta no es la responsabilidad del Gobierno, que dentro del sistema de división de los poderes públicos, no ejerce el derecho social de castigar; ni dicta autos de proceder, ni profiere sentencias condenatorias, pues esas funciones competen privativamente a la justicia ordinaria [...] Que la crisis del país es más moral que política y que una labor de saneamiento en la vida nacional tiene que empezar por rescatar a la justicia de las corruptelas sectarias que la degradan". *Ibídem.*

la derrota al Gobierno conservador presidido por Ospina Pérez. El acatamiento gubernamental del fallo y la sanción de la ley electoral que adelantaba las elecciones presidenciales estaban lejos de asegurar un arreglo "civilizado" entre las fuerzas políticas, dentro de la institucionalidad, y más bien lo que significaba era que cada vez más se avanzaba hacia "el derrumbe parcial del Estado", que marcaba la violencia de mitad del siglo XX colombiano, que, por supuesto, también arrastraría a la Corte Suprema.

El presidente Ospina Pérez se toma la Corte

Para finales de 1949, el partido liberal responsabilizaba al Gobierno de Ospina y al partido conservador de la creciente violencia partidista que se vivía en el país, en especial en las zonas rurales, y que afectaba a las huestes liberales. Esto, junto a la denuncia de falta de garantías electorales, llevó a la dirigencia liberal a retirar a su candidato presidencial, Darío Echandía, de la contienda electoral de noviembre de 1949. Así, el liberalismo anunciaba su abstención en el proceso electoral que se había logrado adelantar, gracias a la ley aprobada por el Congreso y al fallo de la Corte, que había constituido una derrota para el Gobierno de Ospina Pérez. Los ataques mutuos entre los partidos, como el enfrentamiento institucional entre el Ejecutivo y el Legislativo, eran extremos. Muy pronto la Corte terminaría arrasada por esa confrontación sectaria.

En noviembre de 1949, la bancada liberal en el Congreso había preparado una acusación en contra del presidente Ospina Pérez, con el fin de seguirle un juicio político aduciendo que este, por omisión, cohonestaba la violencia sectaria en contra del liberalismo. En la mañana del 9 de noviembre, los presidentes liberales del Senado y de la Cámara le comunicaron al presidente Ospina que el Congreso seguiría un procedimiento en su contra. Ese mismo día, antes de que esa acusación tuviera lugar, el presidente Ospina se apresuró a declarar el estado de sitio, a ordenar el cierre del Congreso y el acordonamiento militar del Capitolio Nacional,[109] de modo que evitó cualquier intento del Congreso liberal por seguirle un juicio político. Así, pues, con el Decreto 3518 del 9 de noviembre de 1949, Ospina declaró turbado el orden público y en la misma fecha dictó el Decreto de Estado de Sitio 3520. Entre los apartes de este último, se lee:

109 Marco Palacios, *Entre la legitimidad y la violencia, op. cit.*, p. 203.

> EL PRESIDENTE DE LA REPÚBLICA DE COLOMBIA,
>
> CONSIDERANDO:
>
> Que en las presentes circunstancias el Gobierno considera incompatible con el estado de sitio la continuación de las actuales sesiones ordinarias del Congreso;
>
> Que tal suspensión es indispensable para lograr el pronto restablecimiento del orden público;
>
> Que igualmente no se compadece con el estado de sitio en las presentes circunstancias el funcionamiento de las Asambleas Departamentales actualmente reunidas;
>
> Que así mismo la reunión de los Concejos Municipales, constituye en la generalidad de los Municipios motivos de perturbación,
>
> DECRETA:
>
> ARTÍCULO 1. Suspéndense las sesiones ordinarias del Congreso Nacional *hasta la fecha que el Gobierno fijará cuando la situación del país lo permita.*
>
> ARTÍCULO 2. Igualmente suspéndense las sesiones de las Asambleas Departamentales y las de los Concejos Municipales, hasta la fecha que determine el Gobierno [...].

La misma noche en que Ospina declaró el estado de sitio y dictó sus medidas de excepción, se dirigió a los colombianos en una alocución radial que justificaba su decisión con base en la función primordial de proteger al Estado y de la obligación directa del Gobierno de mantener la "tranquilidad y la paz". Ospina afirmó que grandes grupos de ciudadanos habían quebrantado la ley y que "grandes manifestaciones de anarquía" amenazaban la "vida de la nación", de modo que el camino era recurrir a "los medios que la Constitución misma señala en su sabiduría para afrontar el peligro y restablecer el orden". Después de reconstruir los varios momentos de unidad nacional y los intentos de su administración por mantener la convivencia con el partido liberal, incluso sometiéndose a la crítica e incomprensión de miembros de su propio partido, argumentó que el cierre de las corporaciones públicas se justificaba porque: "No es compatible con esa tarea de pacificación que constituye la aspiración suprema de mi Gobierno, que sigan funcionando las entidades mismas que provocan en gran parte la intranquilidad y la lucha, al menos mientras que se restablece la normalidad [...]". Dijo que era necesario recuperar la normalidad y el concepto de autoridad, no como un fin en sí mismo, sino como "un medio indispensable para que el Estado pueda cumplir sus misiones trascendentales en pro de la prosperidad pública". Ospina recordó que el país conocía muy bien el modo como su Gobierno entendía el orden público, que según su criterio no estaba limitado a la función de policía o a la tutela de la tranquilidad, sino que esa noción comportaba "una serie de valores jurídicos, económicos y sociales, cuyo mantenimiento y servicios susciten un equilibrio orgánico en la vida de la Nación y en el interior del Estado".

Así las cosas, Ospina entendía que existía un "concepto de orden público integral", según el cual la justicia social era uno de los "elementos que lo integran en los tiempos actuales". Como ejemplos de cómo su Gobierno interpretaba ese concepto de orden público, recordó las normas que había dictado bajo estado de sitio en pro del bienestar común, en especial de las clases trabajadores, y las que había tomado luego de los hechos del 9 de abril de 1948.[110]

Ospina, como era de esperarse, no veía con buenos ojos a la Corte liberal. Su Gobierno ya había probado que el tribunal estaba dispuesto a ser deferente con el liberalismo y a golpear políticamente al Ejecutivo conservador. Y no pensaba seguir conviviendo con una Corte contraria a sus intereses, así que una vez cerró las corporaciones de elección popular en todo el país, empezando por el Congreso, ahora tomó cartas en el asunto de la Corte dominada por los liberales.

Este episodio hace inevitable la referencia al *"Court-Packing Plan"* que intentara el presidente Franklyn Delano Roosevelt en 1937, en el contexto de los Estados Unidos. En efecto, recuerde nuestro lector que en aquella época Roosevelt, ante una Corte Suprema hostil a sus políticas del New Deal, diseñó el *"Packing"* para la corporación, que consistía en agregar un magistrado por cada uno que tuviera una determinada edad, de modo que incrementando el número de los magistrados, que serían elegidos según las preferencias ideológicas del Gobierno, este podría garantizar que las decisiones de la Corte lo beneficiaran. Pero a diferencia del *Court-Packing Plan* americano, Ospina Pérez no buscó aumentar el tamaño de la Corte sino que optó por modificar las reglas del quórum decisorio de la Sala Plena cuando esta juzgaba la constitucionalidad de los estados de sitio, empezando por aquel con el cual había cerrado el Congreso el día anterior. Con esta medida, Ospina intentaba que en la Corte prevalecieran los votos de los magistrados conservadores, que eran la minoría, sobre las mayorías liberales en la corporación, garantizando así fallos que no se opusieran a sus medidas, empezando por el propio decreto de estado de sitio que estableció esta modalidad local de *Court-Packing.*[111] En la medida de Ospina para cooptar la Corte Suprema de Justicia sin duda pesaron los antecedentes de

110 "Alocución del señor Presidente de la República a los colombianos, leída por radio en la noche del 9 de noviembre de 1949", *Diario Oficial,* pp. 555-556.

111 La bibliografía sobre el *Court-Packing Plan* de Roosevelt es extensa. Entre muchas obras, véanse: Marian McKenna, *Franklyn Roosevelt and the Great Constitutional War: The Court-Packing Crisis of 1937,* Fordham University Press, Nueva York, 2002; y Barry Cushman, *Rethinking the New Deal Court: The Structure of a Constitutional Revolution,* Oxford University Press, 1998; y "The Court-Packing Plan as Symptom, Casualty, and Cause of Gridlock", en 88 *Notre Dame L. Rev.* 2089, 2013.

un tribunal que meses atrás había contribuido a la derrota política del Gobierno conservador ante el Congreso liberal, en el asunto de la reforma electoral.[112]

Así las cosas, el presidente Ospina, el 9 de noviembre de 1949, es decir, el mismo día que decretó la clausura del Congreso, dictó el Decreto de Estado de Sitio 3519 "por el cual se suspende un artículo del Código Judicial". El artículo era ni más ni menos que el número 50, que se refería al quórum en la Corte. Según el decreto, en adelante toda sentencia sobre la exequibilidad de los decretos de estado de sitio expedidos por el Ejecutivo tendría que votarse por las tres cuartas partes de los magistrados que integraban la Corte, en lugar de la mitad más uno que ordenaba el Código Judicial vigente.[113] En uno de los considerandos del decreto se puede leer:[114] "Que con el propósito de hallar un mayor acierto en la decisión de la Corte Suprema de Justicia, tratándose de materias tan directamente vinculadas a la conservación del orden jurídico del país y a la seguridad misma, es necesario establecer requisitos que aseguren el objeto que se busca".

Pero la mayoría liberal que integraba la Corte Suprema no permaneció pasiva ante la arremetida del Gobierno de Ospina y el 12 de noviembre de 1949 le envió una comunicación rechazando enérgicamente las medidas tomadas al amparo del estado de sitio y expresándole que el Decreto 3519, que modificaba el quórum decisorio de la corporación, era abiertamente inconstitucional. Esto dijo la Corte:[115]

> Hemos analizado muy cuidadosamente y con la mayor preocupación patriótica el significado y la trascendencia del citado acto del Gobierno de su excelencia sobre la manera de producirse las decisiones de la Sala Plena de la Corte Suprema de Justicia

112 Según Fluharty: "El peor daño infligido a la Corte Suprema fue la extraordinaria imposición que hacía posible que unos pocos magistrados conservadores pudieran derrotar a la mayoría liberal. Como es natural, los magistrados protestaron: en una carta, ellos previnieron al presidente sobre la inconstitucionalidad de la medida, pero las protestas de la Corte contra Ospina no tuvieron efecto". (*traducción del autor*) Vernon Lee Fluharty, *Dance of the Millions*, University of Pittsburgh Press, Pittsburgh, 1957, pp. 51-3, citado por Joel Verner, *op. cit.*, p. 491.

113 Este intento de *Court-Packing* al estilo del presidente Roosevelt con la Corte Suprema de los Estados Unidos opuesta a su New Deal, aunque parece tener tradición en Colombia, tal vez fue más sofisticado en tiempos de Núñez y de Reyes, como aquí se ha descrito. Esa "tradición" continuaría décadas después con el Gobierno del presidente Turbay, quien en 1980 dictó un decreto alterando las reglas del quórum de la Sala Plena de la Corte con el fin de exigir un mayor número de votos de los magistrados en la decisión sobre la constitucionalidad de la reforma constitucional impulsada por el Gobierno en 1979, y ante los crecientes rumores de que la Corte la declararía inconstitucional.

114 *Diario Oficial,* 9 de noviembre de 1949, p. 555.

115 Carta de los magistrados Pedro Castillo Pineda (presidente de la Corte), Hernán Salamanca, Francisco Bruno, Germán Alvarado, Agustín Gómez Prada, Manuel José Vargas, Luis Rafael Robles, Ricardo Hinestrosa Daza y Alfonso Camacho Latorre dirigida al presidente Mariano Ospina Pérez, con fecha 12 de noviembre de 1949, transcrita en *El Tiempo,* 18 de noviembre de 1949, p. 15.

> en los juicios sobre justificación de la constitucionalidad de los decretos extraordinarios de gobierno y hemos coincidido en [estas consideraciones] [...] el Gobierno no puede derogar las leyes por medio de los decretos que dentro de los límites constitucionales puede dictar en estado de emergencia, sus facultades se limitan a la suspensión de las que sean incompatibles con el estado de sitio. Estos elementales principios de nuestro derecho constitucional, escritos sin ninguna ambigüedad en la Carta Fundamental, los ha venido repitiendo en innumerables ocasiones la Corte Suprema en cumplimiento de su alta y respetable atribución de guardar la integridad de la Constitución Nacional al frente del Congreso y del Gobierno, y son los mismos que se pueden leer en todos los comentadores de nuestro régimen constitucional.[116]

Según la Corte, el decreto establecía dos regímenes para decidir sobre las demandas de inexequibilidad. Por un lado, el control constitucional de las leyes se regiría por el Código Judicial, y el otro, "excepcional, acomodaticio y de inspiración circunstancial, para los casos en que la función de guardar la Constitución de la República deba ejercerse respecto de los decretos extraordinarios que su excelencia tenga a bien dictar durante el estado de sitio en que se ha colocado al país". La consecuencia de tal medida, razonaba la Corte, era que se suplantaba y derogaba el Código Judicial, lo cual "lejos de ser incompatible con el estado de sitio, es cauce y garantía del orden jurídico sin el cual es absurdo concebir el orden público". Para la corporación no cabía duda de que el decreto se había producido por fuera de las competencias constitucionales atribuidas al Ejecutivo: "Quien al parecer así lo acepta al apresurarse a recortar arbitrariamente la legal capacidad de control constitucional de la Corte Suprema, preestableciendo y condicionando de manera inusitada y única en la historia de la República su funcionamiento contra lo que establece la ley [...]".

En su carta a Ospina, la Corte elevó el tono de su protesta y expresó: "Se ha rebajado a la Corte Suprema de Justicia a la vejatoria condición de un tribunal *ad hoc* por la voluntad de los actos que van a ser materia de su juzgamiento [...] actitud esta que estimamos incompatible con el decoro del más alto Tribunal de Justicia de Colombia y discordante con la orgullosa tradición democrática y civilista de la República". Por todo lo anterior, los magistrados de la mayoría liberal expresaron al Gobierno: "Con el apoyo de estas consideraciones que nos dicta nuestra conciencia angustiada de primeros jueces de Colombia [...] nos permitimos manifestar a su excelencia que estimamos completamente inaceptable e irregular el procedimiento

116 La Corte citó a Francisco de Paula Pérez y sus análisis sobre el origen y evolución constitucional del régimen de estado de sitio.

adoptado por el Gobierno de su excelencia con la Corte Suprema de Justicia, porque desquicia el orden jurídico institucional de la República".[117]

El 16 de noviembre de 1949, el presidente Ospina contestó indignado la carta de la Corte:[118]

> Sea lo primero expresar la sorpresa con que el Gobierno ha visto el hecho, insólito en la historia del país, que un grupo de magistrados de su más alto tribunal de justicia se apresure a emitir concepto sobre un acto jurídico que no ha sido sometido a la decisión de dicho Tribunal [...] No sé si ustedes se hayan dado cuenta de que al escribir la carta [...] establecieron por anticipado un impedimento que los exonerará más tarde de fallas sobre esta providencia, si ella fuere acusada.

Luego, el presidente insistió en la constitucionalidad del decreto destacando que este no derogaba el Código Judicial sino que lo suspendía de manera temporal, todo al amparo de la Carta. Además, se mostró impresionado por el modo como se planteaban "nuevas teorías sobre las atribuciones del presidente de la República durante el estado de sitio", sobre todo si se tenía en cuenta que "la mayoría de ustedes —los doctores Castillo Pineda, Salamanca, Hinestrosa Daza, Alvarado, Gómez Prada y Bruno—, suscribió la sentencia del 12 de junio de 1945, redactada por el Magistrado Aníbal Cardozo Gaitán", que respaldaba un amplio poder presidencial bajo el régimen excepcional, que le permitía suspender cualquier ley incompatible con el estado de sitio.

Ospina, además, hizo notar que la carta no representaba el sentir de toda la corporación sino que se trataba del mensaje de "un grupo de magistrados que coincidencialmente pertenece a un solo partido político, pero registro con inmensa inquietud patriótica esa intervención, ya que la mayor aspiración nacional es, y debe ser, mantener alejada a la administración de justicia de la política militante, como suprema garantía que es de los derechos individuales y colectivos". También señaló que la sociedad colombiana comprendía muy bien que las medidas del Gobierno solo buscaban mantener el orden público y restablecer la normalidad, "con miras

117 Carta de los magistrados Pedro Castillo Pineda (presidente de la Corte), Hernán Salamanca, Francisco Bruno, Germán Alvarado, Agustín Gómez Prada, Manuel José Vargas, Luis Rafael Robles, Ricardo Hinestrosa Daza y Alfonso Camacho Latorre dirigida al presidente Mariano Ospina Pérez, con fecha 12 de noviembre de 1949, transcrita en *El Tiempo,* 18 de noviembre de 1949. Como las ediciones de los periódicos estaban bajo censura gubernamental, el Gobierno Nacional tan solo permitió que la carta de la Corte fuera difundida varios días después.

118 Comunicación dirigida por el presidente Mariano Ospina Pérez, el 16 de noviembre de 1949, como respuesta a la carta de los magistrados de la Corte Suprema de Justicia, enviada a Ospina Pérez el 12 de noviembre del mismo año. Transcripción de *El Tiempo,* 18 de noviembre de 1949.

a asegurar los derechos de todos los ciudadanos", dentro del marco constitucional. Y, por último, insistió en que "frente a los hechos de violencia ocurridos en las últimas semanas [...]", el Gobierno tenía que emplear medios que no le ofrecía la legislación ordinaria, pues de otro modo "habría acarreado una tremenda responsabilidad por omisión que nadie podría justificar en modo alguno".

Pero el triunfo final de Ospina sobre la Corte vino cuando estaba a punto de expirar su mandato. A mediados del año 1949, su Gobierno le había presentado al Congreso de las mayorías liberales las ternas con los candidatos a integrar la Corte Suprema de Justicia para el período comprendido entre el 1 de mayo de 1950 y el 30 de abril de 1955, el Parlamento había dilatado la elección de los magistrados a la espera de la decisión del tribunal sobre la ley que adelantaba las elecciones presidenciales. Después la elección de la Corte se frustró por el cierre del Congreso ordenado por Ospina en noviembre de 1949. Como ya se acercaba el 1 de mayo de 1950 sin que fuera posible reemplazar por las "vías ordinarias" a los magistrados salientes, el Ejecutivo tuvo que pensar en otros mecanismos para conformar la Corte Suprema. Ospina y su ministro de Justicia estudiaron varias soluciones al "problema de la Corte" y varias veces cambiaron el texto del decreto de estado de sitio que podría resolver la cuestión.[119] Finalmente, el Gobierno decidió nombrar unos magistrados interinos que ejercerían funciones a partir del 1 de mayo de 1950, como si ese día empezara su período de cinco años. Pero la discusión central era la proporción en la que estarían representados en la Corte el partido liberal y el conservador. Fue la renuncia del magistrado liberal Germán Alvarado, quien dejó su cargo para disfrutar de su pensión de jubilación y manifestó que no tenía interés alguno en continuar en la Corte, la que le abrió al Gobierno el camino para nombrar en su reemplazo al conservador caldense Gerardo Arias Mejía, de modo que la Corte quedó integrada paritariamente por ocho magistrados conservadores y ocho liberales, "hasta que el Congreso se reuniera y eligiera a los magistrados de la Corte Suprema en propiedad".[120]

Así, la integración paritaria de la Corte que había logrado Ospina era un verdadero triunfo para el conservatismo, pues recordemos que la corporación llegó a estar integrada por diez magistrados liberales y seis conservadores para finales de 1949.[121] Con la medida de Ospina, su partido lograba el balance partidista en la Corte, y con los antecedentes de los enfrentamientos de su Gobierno con

119 *El Tiempo,* 29 de abril de 1950.

120 *El Tiempo,* 3 de mayo de 1950, pp. 1 y 11.

121 El 3 de mayo de 1950 fueron elegidos el conservador Domingo Sarasty, como presidente, y el liberal Francisco Bruno, como vicepresidente de la Corte. *El Tiempo,* 4 de mayo de 1950, página principal.

la corporación, podía decir que había conseguido una victoria nada despreciable sobre el tribunal.[122]

La Corte Suprema bajo el inconcluso Gobierno de Laureano Gómez

Una Corte dispuesta con el Ejecutivo

En medio de niveles dramáticos de violencia política, bajo el régimen de estado de sitio, y luego de que el liberalismo se abstuviera de participar en las elecciones presidenciales, Laureano Gómez fue elegido presidente de la República el 27 de noviembre de 1949, para el período comprendido entre 1950 y 1954. En los meses siguientes a su elección, la violencia siguió en ascenso y el Congreso se mantuvo cerrado. El 7 de agosto de 1950, Laureano Gómez debía tomar posesión de su cargo ante el Congreso de la República pero, como ese órgano seguía clausurado por orden del recordado decreto de estado de sitio de Ospina Pérez de noviembre de 1949, el acto de posesión tuvo que realizarse ante la Corte Suprema de Justicia reunida en pleno.[123]

En el acto de posesión, el flamante presidente aprovechó la ocasión para pronunciar un discurso en donde no solo se refirió a los aspectos generales de lo que sería su mandato sino que dedicó algunas palabras al derecho y a la administración de justicia:

> En Colombia y en todas partes en el mundo moderno, las leyes positivas son excesivamente numerosas. El temperamento casuístico sabe encontrar preceptos escondidos capaces de satisfacer todas las apetencias que han puesto en boga escuelas de interpretación jurídica en que los textos pueden no decir lo que en realidad contienen sino lo que una lucubración teórica determina. La confianza del pueblo ha de tener fundamentos sólidos y concretos no susceptibles de esfumarse entre la balumba de preceptos e interpretaciones.

122 Hernán Salamanca, quien antes de llegar a la Corte había sido un destacado político liberal, renunció a la corporación el 4 de mayo de 1945, después de haberle servido desde 1937. Expresidentes liberales, dirigentes de ese partido y destacados abogados le tributaron un homenaje el 18 de mayo, tal como se usaba en la época. Véase: *El Tiempo,* 5 y 18 de mayo de 1950.

123 Para un análisis sobre Laureano Gómez como dirigente conservador opositor y como gobernante véase el completo estudio de James D. Henderson, en *Modernization in Colombia: the Laureano Gómez Years, 1889-1965,* University Press of Florida, 2001, y *Las ideas de Laureano Gómez,* Tercer Mundo Editores, Bogotá, 1985.

Así, Laureano dejaba ver su recelo con las "libres interpretaciones", precisamente como aquellas que en buena medida enarboló la Corte de Oro. Prosiguió el presidente:

> Las anotaciones anteriores son oportunas para significar cómo estoy advertido de que la sola sujeción a las normas escritas, yertas y mudables, significa muy poca cosa ante la solemnidad augusta de prometer, como lo he hecho, el obedecimiento constante e irrestricto a las normas morales. Una meditación continuada de largos años me tiene convencido de que esa es la base imprescindible del buen gobierno, que no tolera excepción ni debilidad sin que al punto el edificio entero de los mejores propósitos se deshaga. En su aplicación antes procede inclinarse hacia lo estricto y exacto, que a la laxitud y el disimulo; mas actuaciones anteriores señalan esa tendencia. Quiero que el pueblo colombiano sepa que la promesa que he prestado me obliga por mandato inexorable de mi conciencia, a una acabada limpieza de pensamiento y una celosa pulcritud de conducta.

Es decir, que Gómez, aunque se mostraba en desacuerdo con las interpretaciones que no se ceñían a los textos legales, también confiaba en un cierto "derecho natural" que guiaba a todas las sociedades y a los gobiernos. Así continuó su discurso:

> El espectro de la violencia homicida ha aparecido en la historia colombiana siempre que se creyó que el hipócrita respeto de los formulismos podía sustituir la obediencia de las obligaciones morales y que pagando el diezmo del eneldo y de la yerbabuena y del comino, que acaso ordenan los códigos, podrían olvidarse de la justicia y la buena fe prescritos en las leyes eternas. El homicida es el primer enemigo de la sociedad. La lastimosa situación de nuestra República, desangrada por la violencia, requiere un restañamiento inmediato. [...] Aquí aparece como especial la colaboración de la magistratura, de quien me permito implorarla con vivas y rendidas instancias. Ciertas teorías de un sentimentalismo dañoso se han aguzado para conseguir la impunidad, olvidándose de que la benevolencia con el delincuente es impiedad atroz con la víctima y que la desproporción entre el atentado y la justa vindicta es nefasto abono del crimen.[124] En la revitalización de las instituciones compete inmensa parte a la

124 Sin duda se refiere a las fuertes críticas de sectores conservadores, y de algunos liberales, al proyecto político de derecho penal iniciado con la reforma al Código Penal de 1936, al que se acusó de su excesiva "flexibilidad" en el tratamiento del delito y del delincuente. Al respecto véase: Jorge Gutiérrez Anzola, *op. cit.*

> magistratura, porque es notorio que el vicio a que refiriéndome he venido no se detuvo en los umbrales de la Casa de la Justicia, sino penetró en ella con altanería y en el sagrado recinto de los estrados causó un perjuicio devastador. La toga de la justicia no puede deslustrarse sobreponiéndole esclavinas de insignias políticas, sin convertirse en tedioso disfraz que hace del magistrado un reo y un abusivo del servidor público. Cerrar el paso con rigor implacable a tamaña corruptela, de la que se han presentado esos infaustos, es la colaboración eminente que ahincadamente solicito del noble personal de los jueces colombianos para que la sociedad pueda reposar tranquila en la certeza de una recta administración de justicia.

Por último, como era de esperarse, Gómez no desaprovechó el momento para reiterar sus acusaciones en contra de la República Liberal:

> Por desgracia cuando individuos de esa generación tomaron las responsabilidades del mando, con apariencias de innovación, retrocedieron a esconder en simulaciones legalistas los principios de libertad y orden, básicos de nuestra cultura jurídica. Igual cosa había pasado en desastradas y turbulentas épocas anteriores. Utópicas ideologías desalojaron de la legislación y el gobierno las normas de equidad en que el bienestar común se cimenta y fueron origen de incontables guerras y desgracias mientras en el infausto ensayo nuevo desbarataban la armoniosa estructura constitucional de la República troquelada en las enseñanzas del Padre de la Patria, entregándola inerte a la devastación revolucionaria. A punto estuvimos de que se realizara la tétrica visión de Bolívar en la hora de sus desencantos: "Colombia convertida en un pueblo frenético, que por no entenderse inmoló su gloria, su libertad, su existencia". De regreso del despeñadero, acaso exenta ya mi generación del deshonor de haber realizado el lúgubre vaticinio es dable evocar los manes augustos del Libertador, tutela próvida en el empeño decidido de fundar la unión de todos los hijos de la patria como lo anhelaba su genial pensamiento sobre una serene justicia y un insomne afán de alcanzar la gloria de la República.[125]

La Corte respondió a las palabras de Gómez con un discurso que pronunció su presidente, el conservador de origen nariñense Domingo Sarasty. El magistrado se expresó con elocuencia y mostró la completa adhesión de la Corte al nuevo Gobierno. La animada reacción del presidente de la corporación en parte, tal vez,

125 "Discurso del Excelentísimo Señor Presidente Dr. Laureano Gómez Castro el día de su posesión ante la Honorable Corte Suprema de Justicia el 7 de agosto de 1950".

era explicable porque Gómez, tan pronto se posesionó, nombró a Sarasty como su ministro de Gobierno.[126]

El presidente de la Corte, luego de tomarle el juramento a Gómez, enfatizó en la legitimidad de la elección presidencial y en la necesidad de que todos respetaran la Constitución.[127] Después de invocar normas constitucionales que a su modo de ver respaldaban la llegada de Gómez al poder, hizo un recuento de los esfuerzos políticos y jurídicos que había hecho el Gobierno de Ospina Pérez para garantizar unas elecciones transparentes, después de ocurrido "El Bogotazo", lo cual dijo que se había expresado en la aprobación de la Ley 89 de 1948, e hizo memoria de la Ley de 1949 —que adelantó las elecciones presidenciales y que aquí narramos en páginas previas—. En sus palabras: "Nadie puede olvidar los debates de que fue objeto la mencionada ley. Los esfuerzos del Gobierno y de la ciudadanía en busca de un entendimiento para el aplazamiento fueron inútiles; la Ley se expidió, y la Corte Suprema de Justicia se pronunció sobre su exequibilidad".

A renglón seguido, aunque sin hacer referencia a los hechos políticos que siguieron a la aprobación de la llamada "contrarreforma electoral" impulsada por los liberales en 1949, insistió en que las elecciones que le habían dado el triunfo a Laureano Gómez habían ocurrido en el marco de la actuación legal de los organismos relacionados con las elecciones. Además, refutó el argumento de que la elección presidencial carecía de validez porque el partido liberal se había abstenido de participar en ella: recordó los casos de las elecciones de los presidentes Abadía Méndez y López Pumarejo, cuando solo hubo un candidato, o cuando en las elecciones parlamentarias de 1935 y 1937 el conservatismo se abstuvo de participar, o incluso cuando en las campañas presidenciales de Eduardo Santos y de Alfonso López Pumarejo la oposición no presentó un candidato propio que la representara. Para Sarasty, en el caso de la elección de Laureano, tal como en las elecciones mencionadas, era indiscutible la legitimidad de la "credencial" del gobernante. Estas afirmaciones, dijo el magistrado, también las hacía en su calidad de presidente de la Corte Electoral, porque "la elección de Laureano Gómez es constitucional y legal, y está en firme, porque no existe ningún recurso pendiente contra ella".

Sarasty también apoyó la tesis de Laureano según la cual la administración de justicia estaba en crisis, tanto por las instituciones como "por el carácter de sus hombres". Sin embargo, defendió la independencia de los jueces, porque a través de ella se podía "dar seguridad y protección efectiva a los derechos de los asociados".

126 Decreto 2683 del 7 de agosto de 1950.

127 Domingo Sarasty, discurso "La transmisión del mando", 7 de agosto de 1950, Imprenta Nacional, Bogotá, 1950.

Reconoció que la impunidad era creciente pero que eso se debía a la benevolencia de los funcionarios y a la debilidad de la ley en sancionar el delito.[128]

De igual modo, puso en evidencia su adscripción a las doctrinas que entendían la Constitución como un mandato en favor de la autoridad y del orden, por encima de los derechos y las libertades. Precisamente, en tiempos en que era común censurar a la prensa opositora al Gobierno, Sarasty expresó que la Carta permitía ejercer tales limitaciones pues cuando la prensa se convertía en "medio de agitación o de propaganda política" esta podía ser un "instrumento peligroso al servicios de fines antipatrióticos". Sobre la cultura y la educación dijo que la causa de la "perversión de las costumbres" se debía a una "creciente inmoralidad en el pueblo y el olvido de los principios éticos", de modo que era urgente regresar por los caminos de la moral cristiana propugnada por la religión, pues "la conquista de los espíritus conduce al desarme de las pasiones". Así mismo, expresó que la "cátedra libre" puesta al servicio de las doctrinas marxistas engendraba el espíritu revolucionario y ateo en nuestras juventudes. También se lamentó del dominio del "comunismo" en las universidades, como un mal que se extendía por todo el país: "La enseñanza de estas doctrinas crea el desdén por los principios de autoridad, transforma la índole del pueblo colombiano, fomenta la lucha de clases, engendra el resentimiento y el rencor y nos precipita a la anarquía [...]".[129]

Como podemos apreciar, en su discurso de respuesta a la posesión de Gómez, el presidente de la Corte sentó su doctrina de que los derechos y libertades constitucionales podían —y debían— restringirse en procura de garantizar el orden, la seguridad y la existencia del Estado, pues, a su juicio, todo esto solo se lograba con el uso de las "amplias facultades que la Constitución le confiere al Ejecutivo para restablecer la tranquilidad social, reconocidas por la "jurisprudencia de la Corte", y recordando además que sobre las Fuerzas Armadas descansaba la "tranquilidad del país".[130]

128 Por ejemplo, sobre la figura del jurado de conciencia dijo que, si bien esta era una institución democrática, su función se desvirtuaba por la ignorancia de un pueblo y por eso no dudaba en exigir una mayor educación para que así el jurado pudiera cumplir realmente sus fines.

129 Sarasty también hizo apología al Gobierno de Ospina Pérez: "Dentro de la Constitución y la ley salvó a Colombia; con ellas sus instituciones y la democracia". Según su criterio, ese Gobierno hizo una gestión "en pro de las clases trabajadoras", que propició la "paz social con la realización de la justicia". Además, que a través del impulso a la cultura y la educación logró que "la mentalidad de las nuevas generaciones correspondiese a la tradición colombiana y la escuela fuese la prolongación del hogar cristiano y honesto, dinámico y austero [...] y se ha buscado mejorar la universidad y salvarla de orientaciones peligrosas y contrarias al interés nacional". Domingo Sarasty, discurso "La transmisión del mando", 7 de agosto de 1950, *op. cit.*

130 Al expresar su completo respaldo —y el de la Corte— al Gobierno que iniciaba, Sarasty invocó

La posesión de Gómez produjo fuertes reacciones sectarias en un liberalismo que se encontraba resquebrajado y dividido entre gaitanistas, lopistas y santistas. Por ejemplo, en la Convención del Partido Liberal, reunida el 10 de agosto de 1950, se expulsó de las filas liberales por "colaboracionistas" a los magistrados de la Corte y del Consejo de Estado que asistieron al acto de posesión presidencial. Tal sanción no solo castigaba la "presencia" de los magistrados en el acto sino que censuraba su convalidación de la victoria conservadora, pues para los liberales la elección de Gómez no era legítima. Para la dirigencia liberal, la posesión efectuada ante el pleno de la Corte intentaba cobijar con un manto de legitimidad el fraude electoral. Los expulsados fueron: Pablo Emilio Manotas y José María Blanco Núñez, de la Corte Suprema, y Pedro Alejando Rodríguez, Álvaro Pineda de Castro y Antonio José Prieto, del Consejo de Estado.[131]

El Gobierno sigue preocupado por la justicia: la Corte le responde con prontitud

El presidente Laureano Gómez nombró como ministro de Justicia a Guillermo Amaya Ramírez, quien recién posesionado decidió visitar personalmente los despachos judiciales para "informarse ampliamente sobre los problemas esenciales de la justicia". Muy pronto circularon rumores de "cambios en el personal de colaboradores" en la rama judicial. Al ser entrevistado por *El Tiempo,* el 23 de agosto de 1950, el ministro desmintió esos rumores y aprovechó para poner de presente algunos de los problemas "pendientes" de la justicia que tendría que solucionar el Gobierno. Para Amaya, no solo habría grandes problemas como la división territorial del poder judicial sino otros menores y urgentes como la falta de presupuesto, de infraestructura y de equipos para el funcionamiento de los juzgados a lo largo y ancho del país.[132]

---

a Dios como protección para el presidente Laureano Gómez, para que así este lograra todo lo que se proponía en bien del país.

131 Álvaro Tirado Mejía, "El Gobierno de Laureano Gómez, de la dictadura civil a la dictadura militar", en *Nueva Historia de Colombia,* Tomo II, Editorial Planeta, Bogotá, 1989, p. 97.

132 Entre esos problemas, el ministro Amaya se refirió principalmente a los despachos encargados de lo penal. Sobre los juzgados superiores señaló que se le había informado que "carecen de suficientes salas de audiencia y que no pueden dar salida a los juicios como fuera su deber", que los juzgados de instrucción criminal dan cuenta de que les es imposible trabajar "sin que les sean dedicados detectives expertos, que estén bajo la responsabilidad del respectivo juez y que por este camino los visitadores seguirán comprobando que al año se quedan unas siete mil denuncias sin investigación de ninguna naturaleza [...] En el ramo de prisiones la cuestión es más compleja, pues los problemas en las cárceles abundan y los reclamos van desde cuestiones de alimentación hasta asuntos de régimen interno".

Sin duda el presidente Gómez tenía puestos los ojos sobre la administración de justicia y no solo a través del ministro Amaya. Por eso la posesión presidencial ante la Corte no sería la única ocasión en donde le recordaría a la cabeza del Poder Judicial sus más profundas convicciones sobre el derecho y la administración de justicia. Por ejemplo, el 13 de abril de 1951 citó a los magistrados a una reunión urgente en el Palacio Presidencial, que estaba motivada por recientes decisiones judiciales que, a su modo de ver, eran una prueba fehaciente de que la impunidad se había tomado al país.[133] El presidente pronunció un extenso discurso y afirmó que la justicia se encontraba en un "lamentable estado de postración", lo que en buena parte atribuía a leyes elaboradas para que "reos y abogados defensores ganen los pleitos". Para Gómez, la impunidad tenía que ver con la flexibilidad de la legislación, con la falta de una administración de justicia que cumpliera adecuadamente sus labores y la conducta de ciertos abogados que lograban éxitos en sus casos, sin importarles que con esos triunfos afectaban a la sociedad en general.

Empero, el presidente era consciente de que tal percepción sobre la justicia y sobre la legislación en materia criminal no era compartida por la comunidad jurídica: "Suelen levantarse en posición completamente contraria a la mía jurisconsultos eminentes, de conocimientos incomparablemente superiores a los míos y de prestigio reconocido, que sostienen los puntos contrarios a los por mí alegados y arguyen que esos procesos son lícitos y los honorarios [de los abogados] son lícitos y bien habidos". Y agregó: "Sé que los principios de la moral y del derecho establecen que ningún delincuente sea juzgado sin defensor y que este cargo es obligatorio, pero es claro que deben conciliarse con el concepto general de la justicia y que la impunidad del crimen no es justicia sino grande injusticia y los prestigiosos profesionales que la consiguen hacen mal al ayudarles".[134]

En cuanto a los juzgados permanentes, dijo que estos le habían manifestado que carecían de recursos suficientes, "que en muchas ocasiones han tenido que paralizar el trabajo por falta de máquinas de escribir", en cuanto a los juzgados de instrucción criminal afirmó que estos le habían hecho saber que "hay muchos despachos que carecen de empleados desde hace meses". *El Tiempo,* 23 de agosto de 1950, pp. 1 y 21.

133 Se refirió a casos aislados. Uno era el de un auditor de la Contraloría que había pedido dinero por visar un cheque correspondiente al pago de un contratista ("caso Panamericana"), y que después del respectivo juicio fue exonerado por un juez. El otro tenía que ver con varios funcionarios de la administración de Hacienda que se comprometieron a rebajar los montos del impuesto de renta que debían pagar unos contribuyentes, y que, pese a que tales hechos fueron probados, los jueces los dejaron en libertad. "La situación de la Administración de Justicia en Colombia: exposición hecha por el Excmo. Sr. Presidente de la República ante los Magistrados de la Corte Suprema de Justicia, el 13 de abril de 1951", Imprenta Nacional, Bogotá, 1951.

134 *Ibídem,* p. 10.

Otro de los "graves males" de la justicia era la politización. En sus palabras: "No ha sido posible libertar nuestra jerarquía judicial de la influencia política, las consideraciones y reflexiones de índole parcialista, las influencias, intrigas y súplicas tenidas en esas divisas". Además, afirmó que la impunidad tenía relación con esa politización porque "[hay una] inmensa gama de hechos punibles, que tienen relación con intereses políticos o que como bandera de parcialismo encubren, disimulan o disfrazan verdaderas transgresiones a la ley penal".[135]

La gravedad del diagnóstico presidencial sobre la administración de justicia parecía tener como propósito influir en el modo como la Corte realizaría la elección de los magistrados de los tribunales superiores, que estaba prevista para finales de abril de 1950, y también crear las condiciones para que el tribunal impulsara o aceptara una reforma judicial. Al cerrar su intervención, el presidente le pidió a la Corte ser muy cuidadosa en la selección de los magistrados de los tribunales y jueces. El presidente de la corporación, el conservador Luis A. Flórez, le respondió que la Corte estaba estudiando la paridad política en los tribunales y ofreció que "la corporación sería muy rígida en la escogencia del personal".[136]

La Corte no tardó en actuar para hacerle ver al presidente de la República que escuchaba muy atentamente sus solicitudes y que con prontitud iba a buscar soluciones a las cuestiones que él les planteaba.[137] Así, al día siguiente de la reunión en Palacio, la Sala Plena decidió que los magistrados de los tribunales superiores, cuyos períodos de cuatro años iniciaban el 1 de mayo de 1951, serían elegidos por esa corporación de manera paritaria y no con base en la representación que los partidos tuviesen en las asambleas departamentales. La decisión, que causó controversia política y debate jurídico, aunque bien podría parecer una simple regla para balancear el color partidista de la rama judicial, sin duda estaba dirigida a asegurarle al conservatismo más plazas en los tribunales de las que tenía en 1947, es decir, en tiempos de las mayorías liberales en las asambleas y en la Corte. Veamos con detalle la interpretación jurídica de la Corte para justificar su decisión:

135 *Ibídem.*

136 *El Tiempo,* 14 de abril de 1951.

137 El presidente Gómez en la instalación del Congreso Nacional en 1951 había dicho: "La crisis en la administración de justicia no es ni más reciente ni menos alarmante [...] Porque la administración de justicia es más un botín político que un campo de acción para la equidad y la ética [...] El origen político del Poder Judicial es en sí mismo anticientífico [...]". Como solución propuso la distribución paritaria de los cargos de la rama judicial entre liberales y conservadores. *Estudios Constitucionales,* Tomos I y II, Ministerio de Gobierno, Imprenta Nacional, Bogotá, 1953, p. 14.

Hasta antes de la reforma constitucional de 1945, la Constitución disponía que los magistrados de los tribunales superiores serían elegidos por la Corte Suprema según ternas presentadas por las asambleas departamentales, teniendo en cuenta la representación de los partidos políticos en esas mismas corporaciones.[138] Sin embargo, la reforma constitucional de 1945 le quitó a las asambleas departamentales ese poder y se lo pasó a la Corte Suprema de Justicia, dejando eso sí la regla de que las designaciones que haría la Corte tendrían como base la proporción en que estuviesen representados los respectivos partidos políticos en esas asambleas. La reforma de 1945 además señaló que "la ley reglamentará la manera de hacer la elección".

Entonces la Corte razonó en este sentido: si bien el constituyente había diferido al legislador el desarrollo de ese mandato constitucional, tal ley no existía, entonces había un vacío sobre la regla de elección de los magistrados. La corporación, además, quiso hacer notar que esta no era la primera vez que era necesario abstenerse de aplicar un mandato constitucional ante la falta de reglamentación legal; trajo como ejemplos otros preceptos de las reformas constitucionales de 1936 y 1945, que, respectivamente, modificaban las inhabilidades de los congresistas y unas restricciones al ejercicio profesional de los abogados. Recordó también que en 1947, cuando se hizo necesario elegir a los magistrados de los tribunales, a quienes se les vencía el período el 1 de mayo de 1950, la Corte Suprema también había reconocido esa misma falta de reglamentación legal de las elecciones y decidió hacer la elección de esos magistrados "con el voto unánime de sus miembros".[139]

La Corte, pues, defendió su postura sobre la elección de los magistrados, y a su juicio ese modo de obrar permitía cumplir con el "fin y el espíritu de la Constitución", cual era que "en materia de elecciones se fije la proporcionalidad de las distintas tendencias políticas", y que "puede conseguirse [...] sobre la base de la representación actual de los partidos en la Corte". Así que, como desde 1950 la Corte había quedado integrada paritariamente por ocho magistrados liberales y ocho conservadores, del mismo modo se integrarían los tribunales superiores de todo el país.

Pero no solo la composición paritaria de los tribunales superiores era un mecanismo para "mejorar la justicia", la Corte decidió que a partir del momento escogería a los magistrados de esas corporaciones judiciales según sus hojas de vida y que investigaría a fondo sobre su "probidad, preparación e inteligencia", y no por

138 Según la prensa liberal, esa propuesta había sido iniciativa de congresistas conservadores cuando se tramitó la reforma constitucional de 1945. *El Tiempo,* 15 de abril de 1945.

139 *El Tiempo,* 15 de abril de 1951.

la "exclusiva benevolencia de quien los postula", lo cual también influiría en que esos magistrados luego pudieran nombrar a los jueces y funcionarios más aptos, y con total independencia, pero sobre cuya "probidad y aptitudes ellos deben responder". Por último, con el fin de lograr que la elección se hiciera en función de una "plena y solidaria responsabilidad corporativa", la postulación de los candidatos a magistrados de los tribunales se haría por no menos de las tres cuartas partes de los magistrados que integraban la Corte Suprema de Justicia.[140]

Como vemos, la Corte Suprema parecía muy dispuesta a colaborar con el presidente Gómez —y con el partido conservador— al garantizarle a esa colectividad no solo una mayor participación en los tribunales superiores que aquella que había tenido en tiempos de gobiernos liberales, sino también la posibilidad de que esas corporaciones nombrasen jueces y funcionarios judiciales con la misma proporción como aquellas habían quedado conformadas.

No obstante el tinte político de la medida tomada por la Corte, también debemos anotar que con ella, tal vez de manera no muy consciente, la corporación daba pasos hacia el fortalecimiento de su rol como máximo nominador de la rama judicial y hasta cierto punto contribuyendo a su independencia de otros poderes públicos, pues, en últimas, la elección de los magistrados de los tribunales se hacía interpretando la reforma constitucional de 1945 en el sentido de que solo la Corte podía fijar el modo como haría esa elección, y que, además, ella era la única encargada de definir quiénes serían esos magistrados y por esa misma vía toda la cadena jerárquica de nombramientos de la administración de justicia.

Para la época en que Gómez llegaba al poder, ya era evidente que la Corte no solo era juzgada por su rol como juez constitucional sino que sus demás responsabilidades la convertían en blanco de críticas. Era cabeza de la rama judicial y por tanto su máximo nominador, de modo que las injerencias políticas en los nombramientos de jueces y magistrados de todo el país de algún modo involucraban a la Corte. El aparato criminal, en últimas, también dependía de ella, pues la justicia penal ordinaria tenía como máximo tribunal a la Corte, de tal manera que esa corporación era responsabilizada por la falta de acción de jueces y magistrados para perseguir y castigar el delito. Para completar, los problemas de morosidad judicial, que en buena parte se debían al impacto de la violencia, con el incremento de los hechos delictivos y de los litigios, de alguna manera salpicaban a la Corte por ser el máximo tribunal del país, del cual dependía toda la estructura judicial de la nación.

Muchas de esas críticas no solo eran aceptadas por la propia Corte sino que parecía dispuesta a atenderlas y a "proponer soluciones". Como veremos, la Corte

140 *El Tiempo,* 15 de abril de 1951.

mantuvo su colaboración con el Ejecutivo, incluso de modo muy proactivo frente al espíritu reformista que rodeaba a la administración Gómez.

Los intentos de reformar la justicia y a la Corte Suprema

El Gobierno de Gómez se había propuesto llevar a cabo una profunda reforma constitucional que quebraba la columna vertebral de la Constitución Nacional reformada por los liberales en 1936. Pero esa reforma no la haría el Congreso sino una Asamblea Nacional Constituyente que sería convocada para tal fin, y que discutiría el proyecto de reforma que prepararía la Comisión de Estudios Constitucionales.[141]

El partido liberal se abstuvo de participar en las elecciones legislativas de 1951 alegando falta de garantías y violencia en contra de los miembros de la colectividad. Así, ese año fue conformado un Congreso homogéneamente conservador que luego aprobó el Acto Legislativo 01 del 9 de diciembre de 1952, que convocaba a una Asamblea Nacional Constituyente (ANAC) que se encargaría de reformar la Constitución. Laureano Gómez sufría graves problemas de salud y desde el 5 de noviembre de 1951 había tenido que ser reemplazado por el designado a la Presidencia Roberto Urdaneta Arbeláez.[142]

Urdaneta dictó el Decreto 1338 de 1952 creando la Comisión de Estudios Constitucionales (CEC), que se ocuparía de elaborar un proyecto de reforma constitucional para que el Gobierno lo presentara a la ANAC, y que debía componerse por miembros de los partidos políticos tradicionales, sin embargo, el liberalismo se abstuvo de participar. Según el decreto, esa comisión se establecía porque "a partir de la fecha de expedición de la Constitución que nos rige se han presentado en el mundo cambios y variaciones de carácter político, económico y social, de muy considerable importancia; que es de conveniencia que se estudien las normas de la Carta Fundamental de acuerdo con las realidades de los tiempos presentes".[143]

La CEC empezó a elaborar el proyecto encomendado y al iniciarse la legislatura ordinaria del Congreso, en julio de 1952, le alcanzó a sugerir al presidente Gómez que aplazara la presentación al Congreso de las ternas para elegir magistrados de la Corte Suprema que deberían iniciar sus funciones en mayo de 1953. Su argumento era que, como la reforma planteaba una profunda reforma judicial, si se elegían nuevos magistrados después sería difícil implementar esas modificaciones.

141 Los trabajos de la Comisión pueden verse en *Estudios Constitucionales*, Tomos I y II, Ministerio de Gobierno, Imprenta Nacional, Bogotá, 1953.

142 Urdaneta ejerció la Presidencia entre el 5 de noviembre de 1951 y el 13 de junio de 1953.

143 Considerando del Decreto 1338 del 21 de mayo de 1952, *Diario Oficial*, p. 1075.

De ese modo, siguieron en sus cargos los magistrados nombrados interinamente por decreto de estado de sitio en 1950.

La CEC debatió extensamente sobre la reforma a la Corte Suprema y al control constitucional, teniendo como horizonte los continuos mensajes de Gómez sobre la administración de justicia, como cuando señalaba que la Corte tendría que ser un:

> Órgano judicial independiente de los otros gobiernos del poder, alejado de la política, renovado por sí mismo automáticamente mediante concursos y ascensos y continua y celosa vigilancia de la moral y rendimiento del trabajo de quienes lo forman [...] Quienes integran la Carrera Judicial no podrán intervenir en política ni aún ejercer el sufragio; deben ser equitativamente remunerados y retirados del servicio al término de la carrera con adecuada pensión de vejez [...].[144]

En el transcurso de los debates de la CEC sobre la administración de justicia, la Corte Suprema siempre mostró una actitud abierta hacia la reforma e incluso le envió a la CEC su propia propuesta de reforma, el 25 de noviembre de 1952, que recogía varios de los criterios adoptados por la corporación desde el comienzo del Gobierno de Laureano Gómez: los magistrados y jueces se elegirían paritariamente entre "ciudadanos afiliados a los dos partidos tradicionales del país", y esas elecciones se harían por "las tres cuartas partes del órgano que tuviere a su cargo la respectiva elección". La propuesta de la Corte, además, establecía un riguroso régimen de incompatibilidades para los funcionarios judiciales, que solo podrían ejercer simultáneamente "el profesorado" y no podrían tener ningún tipo de participación en política distinta al ejercicio del sufragio. Los jueces y magistrados solo podrían ser juzgados por funcionarios de igual o superior jerarquía.

En cuanto a la Corte, la corporación presentó dos propuestas: en la primera, los magistrados serían elegidos por el presidente de la República para períodos de seis años, según una lista que le pasaría la Corte Suprema. En la segunda, los magistrados serían elegidos por el Congreso, de ternas presentadas por el presidente de la República con base en una lista que les presentaría la propia Corte, y "gozarían de las mismas asignaciones y preminencias de los ministros del despacho".[145]

144 Sesión de la Comisión de Estudios Constitucionales del 28 de octubre de 1952, con la presencia del ministro de Justicia, *Estudios Constitucionales, op. cit.,* p. 456.

145 Según la Corte, la primera fórmula fue votada por los magistrados Rodríguez Peña, Camacho, Flórez Gutiérrez, Leyva y Vásquez, mientras que Cuervo proponía suprimir la confirmación por el Senado. Arias Mejía y Bruno insistieron en fórmulas distintas. La segunda fórmula fue votada por Bonilla Gutiérrez, Castillo, Gómez Prada, Holguín, Manotas, Robles y Vargas. Propuesta de reforma constitucional dirigida por la Corte Suprema de Justicia a la CEC, con fecha 22 de noviembre de 1952,

Sobre la "jurisdicción constitucional", la propuesta de la Corte Suprema establecía que la corporación "decidiría definitivamente sobre la exequibilidad de las leyes y los decretos dictados por el Gobierno que fueren acusados ante ella de inconstitucionalidad por cualquier ciudadano, y de los proyectos de ley que por la misma causa objete el Gobierno. La decisión que se pronuncie respecto de las leyes, solo puede versar sobre el contenido de las mismas". Como se puede apreciar, la Corte, en parte, volvía a la fórmula anterior a la reforma constitucional de 1945, cuando la Carta Política no especificaba cuáles eran los decretos del Ejecutivo que podía juzgar la Corte Suprema y esto daba lugar a fallos inhibitorios o a conflictos de competencia con el Consejo Estado. Así mismo, la cláusula de que los fallos de inexequibilidad solo podían referirse al "contenido" de las leyes parecía excluir, de una vez por todas, la posibilidad de ejercer el control constitucional sobre los vicios de trámite en la formación de las mismas.[146]

El uso estratégico del "tiempo" por la Corte Suprema

Precisamente, a raíz de la propuesta de reforma presentada por la Corte, la CEC terminó debatiendo, de manera accidental, el uso estratégico del tiempo por la Corte Suprema de Justicia, es decir, el modo como la corporación a veces prefería retrasar sus decisiones sobre juicios de constitucionalidad, esperando a que operara la sustracción de materia por pérdida de vigencia de las normas demandadas, con lo cual evitaba fallar en momentos en que esta se veía amenazada institucionalmente, o cuando se trataba de cuestiones que enfrentaban a los partidos políticos o algunas de sus facciones, o temas en los cuales tenían intereses el Ejecutivo o el Legislativo. Ejemplos de esta estrategia aparecen narrados en capítulos anteriores, como en el fallo sobre las bananeras de 1931 o varios de los relacionados con "El Bogotazo", entre 1948 y 1949. Así, en la CEC se reunieron doctrinantes, políticos y exmagistrados y algunos de estos últimos reconocieron abiertamente el *"timing"* o uso estratégico del tiempo al que hemos aludido.

También, por ejemplo, en la sesión del 25 de noviembre de 1952 se discutió la necesidad de alejar a los jueces de la interferencia de la política. El reputado constitucionalista Alfredo Araujo Grau dijo que los temas políticos siempre rondaban a la Corte cuando ejercía el control constitucional y que esa era la única vez en

firmada por Gualberto Rodríguez, presidente de la Corte, transcrita por *El Tiempo,* 26 de noviembre de 1952, p. 21.

146 Propuesta de reforma constitucional dirigida por la Corte Suprema de Justicia a la CEC, con fecha 22 de noviembre de 1952, firmada por Gualberto Rodríguez, presidente de la Corte, transcrita por *El Tiempo,* 26 de noviembre de 1952.

que "la Corte se ha dividido en liberales y conservadores", a lo que el exmagistrado Eleuterio Serna respondió: "No siempre". Araujo, entonces, hizo memoria de la sentencia de 1949, relacionada con el anticipo de las elecciones presidenciales en tiempos de Ospina Pérez, y expresó: "Volviendo a lo que se dice, se advirtió un caso fundamental, que lo fue, el de anticipo de las elecciones. Esto obligó al Gobierno a dictar cierto decreto [...]". Serna le contestó a Araujo así:

> Hay que estudiar más a fondo el problema [...] Es verdad que en esa vez, como anota el doctor Araujo, se presentó la división en la Corte, pero hubo muchos factores que la explican. En otras ocasiones hubo dilatada controversia, como en el problema suscitado por unos decretos sobre radiodifusión en estado de sitio parcial en un Departamento (se refería a la sentencia de 1945). Surgieron después los acontecimientos del 9 de abril, y allí se vio cómo la radiodifusora era el arma más formidable. En la cuestión del anticipo de elecciones, los liberales, lo deseaban, pero con el complemento de la radiodifusión y la Policía, dirigidas por estatutos especiales que pudieran favorecer a su partido. Ambicionaban tener a su disposición, como si se dijera, tres armas.

Serna también dijo que al conservatismo (que recordemos había sido minoría en la Corte) lo favorecían los términos constitucionales y legales, con los cuales iba ganando tiempo y evitando las decisiones que se estimaban como un "peligro". Entonces, de modo intempestivo, Araujo pasó a proponer que el Consejo de Estado tuviera a cargo la decisión sobre la inexequibilidad de las leyes, por medio de una de sus salas. Serna de inmediato le contestó que eso podría hacer que se regresara a la época de la Sala de Negocios Generales de la Corte, que se encargaba de recibir todas las demandas de inconstitucionalidad, generando una gran congestión, lo que hizo necesario establecer que todos los magistrados de la Corte conocieran de esos procesos. Entonces en la Comisión surgió la propuesta de incrementar el número de los magistrados, a lo que Serna replicó que con los que había en la actualidad era suficiente pues un mayor número "haría más dilatadas las discusiones sobre inexequibilidad", y sentenció:[147] "Las demoras tienen otras explicaciones: sucede que hay asuntos que guardan cierta relación, como aconteció en las demandas sobre el Colegio San Bartolomé, y el negocio de los dominicanos de Chiquinquirá. La Corte obra en estos casos con prudencia y no se rige solo por el orden cronológico.

147 *Estudios Constitucionales,* Tomos I y II, Ministerio de Gobierno, Imprenta Nacional, Bogotá, 1953, pp. 48-49, pp. 61 y 66.

En otras ocasiones demora las discusiones, para evitar precisamente las influencias, ambientes de la política. La celeridad no es justicia".

Luego, en la sesión de la Comisión del 5 de diciembre de 1952 se retomó el debate sobre las altas cortes[148] y el comisionado Vesga Duarte dijo: "Hay un problema grave y es que los incidentes de inconstitucionalidad no se fallan, cuando mucho aquellos de muy excesiva importancia, y en los que el Gobierno y los partidos tienen alto interés. Los demás quedan archivados. Yo le preguntaba al doctor Serna el motivo de esa situación: de que no fallan innumerables recursos que se presentan a la Corte sobre inconstitucionalidad y me respondió que porque eran numerosísimos los casos que se presentaban".

Ante las palabras de Vesga, el exmagistrado Serna intervino y dijo: "Por una parte [...] la Corte no resuelve los casos en ciertos momentos, sino los deja para después, obrando con tacto y prudencia".[149] Vesga, a su turno, dijo que el asunto central de la discusión sobre el control constitucional a cargo de la Corte Suprema era la politización del tribunal. Serna le replicó que eso no se evitaría aunque se le asignara el control de constitucionalidad al Consejo de Estado.[150]

Así las cosas, en la Comisión de Estudios Constitucionales, tal vez por primera vez, salían a la luz pública las explicaciones políticas sobre los usos estratégicos del tiempo por la Corte Suprema, que en ocasiones decidía cuándo adoptar sus fallos sobre cuestiones que significaban un alto costo político e institucional. El testimonio

148 A la sesión de la CEC concurrieron los magistrados de la Corte Luis Rafael Robles, Agustín Gómez Prada, Luis Gutiérrez Jiménez y Gualberto Rodríguez. Cf. *El Tiempo,* 6 de diciembre de 1952.

149 En la discusión intervino el presidente de la Corte, Gualberto Rodríguez Peña, quien propuso la creación de una "Sala Especial", que según él se podría llamar constitucional si se reservaba exclusivamente a conocer de esa clase de negocios que no se producían de manera tan frecuente. Aunque comentó que la Corte Suprema sí tenía en esos momentos muchos procesos de esa naturaleza, expresó que la demora en resolver esos asuntos se debía a distintas circunstancias. Vesga le preguntó al presidente cuántos asuntos de constitucionalidad había fallado la Corte en los últimos diez años, a lo cual este respondió: "Sí se puede establecer ese dato por las estadísticas que se llevan en la Corte, pero por el momento no puedo contestarle definitivamente, porque no vine preparado para esta pregunta". *Estudios Constitucionales,* Tomos I y II, Ministerio de Gobierno, *op. cit.*

150 Vesga luego insistió en una reforma a la acción de inconstitucionalidad para que solo quien tuviera un interés privado y directo pudiera demandar las leyes. El magistrado Luis Rafael Robles cuestionó la iniciativa de Vesga, así como las otras que pretendían unificar a las altas cortes en salas de la Corte Suprema y dijo que no se ganaría nada incorporando al Consejo de Estado y al Tribunal Supremo del Trabajo a la Corte Suprema de Justicia. En una larga exposición, Robles defendió la autonomía de los órganos judiciales, argumentando que en los tiempos modernos el avance de las teorías jurídicas hacían que se tendiera hacia la especialización, de modo que hoy había áreas civil, administrativa, penal y comercial, que hacían difícil que un abogado fuera experto en tantos y tan complejos campos. Por todo esto, dijo que la especialización de la rama judicial en la Corte, en la justicia del trabajo y en la jurisdicción de lo contencioso administrativo les permitía a esos órganos cumplir mejor sus cometidos. *El Tiempo,* 6 de diciembre de 1952.

del magistrado Serna era contundente. Él reconocía que la Corte sabía administrar muy bien el tiempo como factor de protección institucional o como un modo de acción política. La perspectiva del influyente exmagistrado desnudaba la cruda realidad del papel político de la corporación, en tiempos en que todos apuntaban a que la morosidad en las decisiones de la Corte se debía a factores procesales, a congestión, a falta de personal o a falta de un órgano especializado que se ocupara de los asuntos constitucionales dentro de la corporación.

Todo el debate surgía cuando el Gobierno de Gómez buscaba fortalecer el poder de la Corte Suprema de Justicia, adscribiendo todas las altas cortes a esa corporación, lo que para muchos, por el contrario, significaba debilitar la administración de justicia.[151]

Fin a las iniciativas reformistas

Con base en los trabajos de la Comisión de Estudios Constitucionales, Gómez preparó un proyecto de reforma constitucional que tiraba por la borda las reformas liberales. En general, el "Proyecto Gómez" alteró el pensamiento de la comisión que él mismo había creado.[152] Su propuesta era una de corte autoritario que pretendía perpetuar el poder hegemónico de una facción del conservatismo.

En el proyecto de Gómez la administración de justicia quedaba así: el Consejo de Estado dejaría de ser la cabeza de la jurisdicción contenciosa administrativa y se reemplazaba por una sala que cumpliría estas funciones dentro de la Corte Suprema de Justicia, que se denominaría "Sala de lo Contencioso Administrativo", y la antigua Sala de Negocios Generales se encargaría de los asuntos en materia laboral, con lo cual se suprimía el Tribunal Supremo del Trabajo.[153] En cuanto al control constitucional, la Corte quedaba facultada para ejercer el control automático previo de los

151 Por ejemplo, los miembros de la CEC Serna y Bernal Jiménez se opusieron a que el Tribunal del Trabajo se agregara a la Corte, pues resaltaron la importancia que tenía la autonomía para la justicia del trabajo, en la medida en que con ella "los obreros obtienen pronta y económica resolución de sus querellas". Serna, además, dijo que "en virtud de pactos internacionales vigentes, no era posible abolir la jurisdicción del trabajo incorporándola a la Corte, y que con esa anexión se perdería la rapidez que exigían los juicios del trabajo". *El Tiempo,* 6 de diciembre de 1952.

152 Eduardo Ruiz Martínez, *Apuntamientos a un proyecto de reforma constitucional en Colombia,* Tomo I, Biblioteca de la Contraloría Departamental de Cundinamarca, Imprenta Departamental, Bogotá, 1956.

153 En estas bases también se estipula que la jurisdicción del trabajo se incorpora a la Corte Suprema de Justicia, cosa que luego haría Rojas, en 1954, mediante decreto. *Circular No. 146 del Ministro de Gobierno Luis Ignacio Andrade,* dirigida a los gobernadores, intendentes y comisarios el 6 de mayo de 1953 y que contenía las bases del proyecto de reforma que el Gobierno del presidente Laureano Gómez presentaría a discusión de la ANAC, el 15 de junio de 1953, *Revista Javeriana Tomo 39,* Bogotá, 1953, p. 154, citada por Carlos H. Urán, en *Rojas y la Manipulación del Poder,* Carlos Valencia Editores, Bogotá, 1983, pp. 41-46.

decretos del Gobierno y de las leyes; a la acción de inconstitucionalidad se le fijaba el requisito de que el ciudadano que interpusiera la demanda debía demostrar el interés en la causa cuando la demanda se tratare de un interés particular, y, además, la Corte tendría un término para decidir sobre las demandas.[154]

El proyecto de reforma constitucional de Gómez, como se sabe, ni siquiera alcanzó a ser discutido por la ANAC. De ese modo, ni el Poder Judicial ni la Corte Suprema de Justicia fueron alterados pues Gómez no alcanzó a terminar su período presidencial debido a que, en junio de 1953, el general Gustavo Rojas Pinilla dio un golpe de Estado.

Pasemos ahora a analizar algunas decisiones de la Corte en tiempos de Laureano Gómez.

El giro de la doctrina sobre el control constitucional de las leyes por vicios de trámite

Hacia 1952, en una coyuntura política convulsionada —durante la época conocida como "La Violencia"—, bajo un Gobierno conservador que perseguía al liberalismo hasta intentar reducirlo a su mínima expresión, la Corte decidió un caso en el que cambió la doctrina sobre su competencia para ejercer el control constitucional de las leyes por vicios de trámite.

En efecto, el debate abierto por la corporación desde que en 1912 adoptó la doctrina de la incompetencia para juzgar la constitucionalidad de las leyes por vicios de trámite, se había extendido por cuatro décadas. Y a comienzos de los cincuenta, la polémica doctrina sobrevivía enfrentando una lluvia de críticas. Pero, contrario a la ocurrido en tiempos de la célebre sentencia de la Corte en la que se abstuvo de dirimir sobre un conflicto entre el Ejecutivo presidido por Carlos E. Restrepo y el Congreso liderado por José Vicente Concha, un caso rutinario permitía a la corporación un juicio más sereno para analizar en su mejor luz los argumentos a

154 Sobre los debates de la Comisión sobre el Control Constitucional dicen Malagón y Pardo: "[...] Para Carlos Vesga, la posibilidad de demandar una norma era demasiado amplia. Ello porque, según él, desnaturalizaba la institución jurídica en la medida en que el recurso era público y cualquier persona podía interponerlo y así atiborrar a la Corte con demandas. De todas formas, en ese momento la Corte raramente profería sentencias en ese tipo de proceso, ya que podía arbitrariamente considerar 'inoficiosos' los recursos. La solución en ese caso era el interés en causa, el cual se argumentó poniendo como ejemplo la ley de prensa, que sólo debería ser demandada por un periodista. Igualmente, una ley sobre libertad de cultos debería ser demandada por un protestante [...]". Miguel Malagón Pinzón y Diego Pardo Motta, "Laureano Gómez, la Misión Currie y el proyecto de reforma constitucional de 1952", en *Revista Criterio Jurídico*, Pontificia Universidad Javeriana, Santiago de Cali, Vol. 9, No. 2, 2009, p. 28.

favor de mantener la doctrina, o de cambiarla y asumir la competencia para juzgar las leyes por vicios de trámite. Y ese libre y sereno debate permitió dar un timonazo jurisprudencial, aunque en un fallo que dividió a la corporación.

El cambio se produjo en la sentencia del 28 de julio de 1952,[155] con la ponencia del magistrado Luis Enrique Cuervo,[156] que resolvió la demanda presentada por el destacado abogado, exconsejero de Estado y dirigente conservador Gabriel Carreño Mallarino,[157] el 11 de marzo de 1952, para que se declarara la inexequibilidad de la Ley 9ª de 1951 —por la cual se crea el departamento de Córdoba—. Veamos un poco más en detalle los antecedentes y el contexto en que surgía esta ley antes de continuar con la sentencia de la Corte, que, por cierto, se producía de manera relativamente rápida con respecto a la fecha en que fue presentada la demanda.

Durante cerca de tres décadas, los habitantes y líderes políticos de una región del entonces departamento de Bolívar habían trabajado arduamente para lograr que varios municipios fueran convertidos en un departamento independiente. Sin embargo, las élites económicas y los dirigentes políticos bolivarenses, que contaban con no pocas redes de poder en Bogotá, se habían opuesto a la idea. La cuestión no solo era sensible en términos electorales sino fiscales, tributarios y, desde luego, culturales. El proyecto de ley para la creación del entonces departamento de "Sinú o Entrerríos inició su trámite en 1948.[158] Después de intensas negociaciones dentro y fuera del Congreso, tanto con la dirigencia bolivarense como con los líderes de

155 La Corte estaba integrada por dieciséis magistrados: Agustín Gómez Prada, Gerardo Arias Mejía, Pedro Castillo Pineda, Alberto Holguín Lloreda, Pablo Emilio Manotas, Luis Rafael Robles, Manuel José Vargas, Francisco Bruno, Alejandro Camacho Latorre, Luis Enrique Cuervo A., Luis Gutiérrez Jiménez, Rafael Leyva Charry, Rafael Ruiz Manrique, Ángel Martín Vásquez y los conjueces Bernardo Galvis y Timoleón Moncada (un destacado penalista y constituyente de 1936). Corte Suprema de Justicia, sentencia del 28 de julio de 1952.

156 Cuervo fue un reputado civilista y romanista; enseñó Derecho Romano en la Universidad del Rosario en los años treinta. Fernando Mayorga, *Alfonso López…, op. cit.,* p. 18. Fue autor de *Introducción a la teoría general del contrato en derecho privado,* Editorial Cromos, 1929. Según el prologuista de esta obra, José Alejandro Bermúdez, Cuervo estaba afiliado a la escuela científica de Bonecasse. Citado por: Ricardo Durán Vinazco, en *El contrato (acto o negocio jurídico) y su transformación por la cuestión social en Colombia, genealogía de 1898 a 1948,* tesis de Maestría en Derecho, Universidad Nacional de Colombia, 2010. Disponible en: http://www.bdigital.unal.edu.co/3163/1/694329.2010.pdf. Consultado el 1 de noviembre del 2011.

157 Carreño luego sería magistrado de la Corte, durante la Junta Militar de Gobierno y después de ella, en 1958 y 1959.

158 Al parecer la iniciativa encontró apoyo bipartidista en el Congreso: "En el curso de los debates expusieron conceptos favorables destacados políticos: Fernando Urdaneta Laverde, Gilberto Moreno, Eleuterio Serna, Francisco de Paula Pérez, Darío Samper, Roberto García Peña, Jorge Soto del Corral, Darío Echandía, Jesús María Arias, Alberto Zuleta Ángel, Néstor Pineda P.". "Creación de Córdoba", página oficial de la Gobernación del departamento de Córdoba. Disponible en: http://www.cordoba.gov.co/cordoba/creación. Consultado el 20 de marzo del 2012.

la creación del nuevo ente territorial, al parecer con la importante participación del designado a la Presidencia, Roberto Urdaneta, quien ejercía el cargo en reemplazo del titular Laureano Gómez, el 17 de diciembre de 1951 se aprobó la Ley 9ª de 1952 que creó el departamento de Córdoba.

La nueva ley entraría en vigencia el 18 de junio de 1952. Sin embargo, dada la oposición de importantes políticos bolivarenses, como los ministros Alfredo Araujo y José Gabriel de la Vega, el designado dilató la expedición del decreto reglamentario que se requería para echar a andar al nuevo departamento. El Decreto 1392 se dictó el 10 de junio de 1952, pero en lugar de nombrar a un gobernador se optó por la creación de la Junta de Gobierno de Córdoba. El 23 de agosto tomó posesión del cargo el primer gobernador del nuevo departamento. La entidad territorial que surgía del desmembramiento parecía no tener marcha atrás, aun cuando[159] todavía debía sortear con éxito el juicio de inexequibilidad que se había promovido en contra de la ley que creaba el departamento.

Regresando a la demanda que presentó el abogado Carreño en contra de la Ley 9ª de 1951, este adujo que la ley violaba la Constitución porque se había aprobado por el Congreso sin que se cumplieran los requisitos de trámite fijados por la Carta Política. En particular, sostenía que quienes le habían solicitado al Congreso la creación del departamento de Córdoba no tenían la calidad de concejales de los municipios correspondientes, que, además, en los antecedentes de la ley no había constancia alguna de que esas personas hubiesen presentado la solicitud de creación del nuevo departamento dentro de las sesiones de los respectivos concejos municipales, ni tampoco que ellos representasen las tres cuartas partes de los concejales de la región. Por todo esto, a su juicio, el Congreso, al expedir la Ley 9ª, vulneró el artículo 5º de la Constitución que establecía: "La ley podrá decretar la formación de nuevos departamentos desmembrando, o no, las entidades existentes, siempre que se llenen estas condiciones: 1a. Que haya sido solicitado por las tres cuartas partes de los concejales de la comarca que ha de formar el nuevo departamento [...]".

La discusión sobre la demanda contra la Ley 9ª dio lugar a intensos debates doctrinales y dividió profundamente a los magistrados de la Corte. Así, se marcaron varias tendencias en el seno de la corporación, tal como lo expresa la propia sentencia que empieza con la "advertencia" de que el negocio se repartió al magistrado Alberto Holguín Lloreda, quien presentó una ponencia que dio lugar a numerosas

159 La creación del departamento no solo implicaba establecer un gobernador y una asamblea departamental sino situar en él a un sin número de entidades del orden nacional que tenían su representación en todos los departamentos del país. Incluso se debía crear un distrito judicial con un tribunal superior a la cabeza, en Montería. Cf. Art. 2 de la Ley 9ª de 1951.

sesiones y estudios en donde participaron tanto los magistrados como los conjueces y cada uno de ellos expresó el sentido de su voto, de modo que se terminaron manifestando "tres corrientes". La primera de ellas abogaba por mantener la doctrina de la incompetencia. La segunda pedía modificarla y declarar que la Corte sí era competente para juzgar la constitucionalidad de las leyes por vicios de forma, pero solo cuando ese cargo se adujera dentro de las objeciones presidenciales, es decir, en el caso de proyectos de ley pero no de las leyes. La tercera corriente, que finalmente se impuso, y que se apoyaba en el concepto del procurador general de la Nación, Álvaro Copete Lizarralde, proponía que "la Corte revisara radicalmente su doctrina anterior, admitiendo en adelante que sí puede conocer sobre reparos de inconstitucionalidad, tanto intrínseca como extrínseca, no solo a través de objeciones del señor Presidente de la República, sino también cuando acusan los ciudadanos". Según el tribunal, quince magistrados votaron la parte resolutiva que decidió la exequibilidad de la ley demandada, mientras que la parte resolutiva fue negada por once votos, de modo que la ponencia final fue asignada al magistrado Cuervo.

En su fallo, la Corte recordó el origen de su doctrina de la incompetencia para conocer de demandas de inconstitucionalidad en contra de las leyes por vicios de trámite en su formación, que, como sabemos, se remonta a 1912. Así, elogió a los magistrados de aquella época, aunque dijo: "La jurisprudencia sostenida —con innegable convicción de buena fe— por los miembros de la Corte, desde 1912 hasta el presente, puede estar equivocada". Aclaró también que los magistrados Navarro Eusse y Villegas habían salvado su voto en esa sentencia y con opiniones que ahora la corporación retomaba. Sobre la postura doctrinal que había dominado su jurisprudencia constitucional, el tribunal aceptó que esta había dado lugar a las más severas críticas de los doctrinantes en diferentes momentos y que tales comentarios merecían ser tenidos en cuenta.

Como ejemplos de las posturas opuestas a la doctrina de la incompetencia, la Corte destacó a Francisco de Paula Pérez en su obra *Derecho Constitucional Colombiano* y a Alfredo Araujo Grau en su trabajo *Jurisdicción Constitucional*. Sin embargo, contrastaron el tono de la crítica de Pérez con la de Araujo, pues, no obstante calificar la alta calidad de ambos, dijeron que Araujo "se vale de expresiones exageradas, propias sin embargo del temperamento juvenil de un novel escritor. Porque si bien hay fundamento razonable en tales censuras, no admite esta Sala ciertos términos demasiado libres, quizás reñidos con los miramientos que se deben a los altos poderes nacionales".[160]

160 Corte Suprema de Justicia, sentencia del 28 de julio de 1952, M.P. Luis Enrique Cuervo, *G.J.*, p. 663.

Según la Corte, su postura doctrinal sentada en 1912 llegó a "ampliaciones que llegaron hasta la exageración, en diversos fallos, de los cuales pueden citárse los de 20 de octubre de 1913, 15 de febrero de 1915, 7 de marzo de 1918, 7 de diciembre de 1925, 18 de marzo, y 9 de abril de 1927 y 22 de septiembre de 1949".[161] Así, consideró que había llegado el momento:

> [de] rechazar por injustas y hasta opuestas a la realidad histórica y a la práctica legalista de nuestro país todas aquellas hipótesis —más o menos gratuitas— de maliciosas violaciones de la Carta, ya por parte de nuestras cámaras legislativas, bien por parte de la Presidencia de la República. Cuando es lo cierto que todos los colombianos —a Dios gracias— nos preocupamos por respetar y hacer respetar nuestra sabia Constitución, lo mismo que el emblema de la Patria. Porque si hay que reconocer que a veces se ha vestido el manto del escarnio del Rey de Burlas, de que habla Concha, más ha sido acatada como Ley de Leyes.[162]

Pero para el tribunal, el mundo y el país habían cambiado mucho desde que se fijó la doctrina de la incompetencia, pues "la vertiginosa transformación del país, en su economía y sus costumbres", hacía que ahora "se esté lejos de aquel reposo de que gozaban los patricios de 1912, para legislar", lo que imponía un viraje a la postura de la corporación. Sin embargo, aclaró que tal cambio no significaría que, a través de "postulados extremos" se modificara el papel de "discreto guardián", que debía tener la Corte Suprema, pues la modificación de su doctrina solo permitiría a la corporación actuar previas solicitudes concretas, "sobre fundamentos ciertos y bien probados", relacionados con vicios de trámite en la formación de las leyes, bien por objeciones presidenciales o por demandas ciudadanas.

Así, la Corte puso de presente que su rol estaría muy lejos de ser:[163]

> [Un] desaforado fiscal que llegará hasta el delirio de abrir causas de inexequibilidad contra proyectos y leyes, ante cualesquiera objeciones, acusaciones o demandas, así fueran hechas con ligereza y sin fundamento suficiente [...] Porque la facultad que tiene la Corte y que ahora se reafirma, para pedir informes o allegar documentos que considere necesarios, cuando ellos no se le han suministrado [...] no habrá de

161 *Ibídem,* p. 661.

162 Se refiere a los tratadistas José Vicente Concha, quien también fue presidente en la hegemonía conservadora, como a Miguel Moreno Jaramillo, jurista conservador que hizo parte de la Corte de Oro.

163 Corte Suprema de Justicia, sentencia del 28 de julio de 1952, p. 664.

convertirla en necesidad imperiosa de suplir una prueba que no se trajo, debiendo traerse, como en el caso de autos.

El tribunal insistió en que el control constitucional partía de la aplicación de "rigurosos principios científicos, y no como arbitrio caprichoso", de modo que su intervención no llegaba hasta la revisión de la constitucionalidad de leyes "recientes o de vieja data" para "escudriñar a la primera iniciativa hasta los más apartados rincones de nuestros destartalados archivos oficiales, buscando elementos con qué sembrar la intranquilidad y el desconcierto", pues la Corte "siempre había sido fiel a sus elevados y nobles destinos", así que solo ejercería esta nueva faceta de su control constitucional cuando realmente encontrara elementos serios y probados de que se ha cometido un "desafuero contra el estatuto fundamental y tendrá que remediarlo con los medios que este mismo ha puesto a su alcance". Por último, reconociendo la necesidad de corregir su vieja doctrina de la incompetencia, la Corte reclamó para sí un tratamiento similar al que se daba a los otros poderes públicos, "que están expuestos a errar, aunque nunca consciente y maliciosamente".[164]

Los argumentos para justificar el cambio, es decir, para que la tercera tendencia obtuviera la mayoría de los votos de los magistrados que componían la Corte, en síntesis fueron estos: (1) Porque no era sostenible la distinción entre preceptos sustantivos y adjetivos de la Constitución, ni normas principales y accesorias, o reglas de forma y reglas de fondo. Es decir, todas las normas constitucionales tienen igual valor y, por lo tanto, son superiores a cualquier disposición legal, de modo que cualquier violación de los contenidos constitucionales queda bajo la jurisdicción de la Corte; (2) La jurisdicción constitucional que ejerce la Corte es especial, envuelve a la jurisdicción ordinaria y su poder está por encima de las leyes, y su raíz misma es la soberanía nacional. Las razones para que a ella se atribuya el control de la Constitución obedecen a la decisión del constituyente que soberanamente confió a la Corte su condición de "juez supremo", lo cual abarca tanto a los proyectos de ley como a las leyes.

Una vez formulada la necesidad del cambio doctrinal, la Corte abordó la cuestión de la obligatoriedad de su doctrina fijada en 1912. Primero se valió de la más reciente reforma constitucional de 1945 para determinar si esa enmienda había afectado la postura adoptada por la corporación desde 1912 y encontró que la reforma no limitaba la competencia de la Corte, y que el criterio de que la reforma sí la había limitado era producto de una errónea interpretación de unos comentarios hechos por el presidente Alberto Lleras Camargo cuando se tramitaba la reforma

164 Corte Suprema de Justicia, sentencia del 28 julio de 1952, *op. cit.*, p. 664.

en el Congreso, cuyo ánimo no había sido el de "iluminar la interpretación de la función de control constitucional" de la corporación. Entonces, consideró que el criterio de Lleras no podía tenerse como elemento de juicio para determinar que la reforma de 1945 había querido restringir la facultad de la Corte para ejercer el control de constitucionalidad, pero que, además, si así hubiese sido el punto de vista de Lleras, había suficiente doctrina que respaldaba el argumento de que los antecedentes legislativos no podían servir como fundamento para interpretar un texto jurídico.

Luego la corporación argumentó que ni las sentencias de la Corte dictadas antes de la reforma de 1945, ni las proferidas entre ese año y 1952, podían entenderse como absolutamente "vinculantes" para la corporación. En palabras de la Corte:

> Si la jurisprudencia de la Corte, contenida en sus fallos anteriores, no ligaba a la Corte, ni siquiera como tribunal de casación, bajo la vigencia del art. 10 de la Ley 153 de 1887, que establecía la *doctrina legal más probable* obligatoria para todos los jueces inferiores, artículo que fue sustituido por el 4º de la Ley 169 de 1896, mucho menos pudiera sostenerse ahora, que en funciones de la jurisdicción constitucional, que sigue los progresos de la ciencia, la Corte estuviera ligada por su jurisprudencia anterior. La regla justa la expresa el último artículo citado: Tres decisiones uniformes dadas por la Corte Suprema como tribunal de casación, sobre un mismo punto de derecho constituyen doctrina probable, y los jueces podrán aplicarla en casos análogos, *lo cual no obsta para que la Corte varíe su doctrina en caso de que juzgue erróneas las decisiones anteriores.* Y cuenta con que entonces la Corte solo conocía de asuntos constitucionales por efecto del artículo 90, o sea solamente decidía sobre objeciones del Ejecutivo a los proyectos de ley.[165]

Uno de los autores citado extensamente como respaldo a la tesis de la ampliación de la competencia de la Corte fue Maurice Hauriou, en su obra *Précis de Droit Constitutionel*, cuya edición francesa de 1923 fue traducida por la propia corporación. Así, la Corte hizo suyas estas palabras del autor[166] en donde este justifica la necesidad de intervención del juez constitucional:

> La función creadora del derecho debe estar particularmente sometida a contrapeso y vigilancia [...] Nadie mejor que el juez, nadie más competente que él ni mejor armado para asegurar el *control* de las reglas del derecho. Porque es cabalmente el

165 Cursiva en el texto original. Corte Suprema de Justicia, sentencia de julio de 1952, *op. cit.*

166 *Ibídem*, p. 668.

> funcionario encargado de aplicar esas reglas, de interpretarlas, y de resolver sus conflictos. Al juez toca aplicar las leyes y los reglamentos; es él quien desata los conflictos entre la ley nacional y la extranjera, los de las leyes antiguas con las nuevas, los de la ley misma con su reglamento. Sus armas, muy eficaces, consisten en el rechazo de una regla creada por el poder público, cuando hay alguna razón en derecho para no aplicarla; entonces la obra del poder político resulta desprovista de toda eficacia, es como si no se hubiera realizado, queda herida de parálisis.[167]

Continuando con su cita de Hauriou, la Corte transcribió sus ideas en donde este afirmaba que no había razones para que un juez renunciara a su competencia y a su poder "cuando se trata de contener al poder legislativo en la formación de las leyes ordinarias", pues esto no era más que resolver un conflicto entre una ley ordinaria y una "superlegalidad constitucional", sobre todo habiendo una razón de derecho "que impide la aplicación de aquellas leyes" y es su contradicción con la "super legalidad constitucional".

Según el tribunal, Hauriou también reconocía el escaso desarrollo que el control jurisdiccional de la Constitución había tenido en los países desarrollados, con la excepción de los Estados Unidos, así como la urgencia de avanzar hacia ese control porque "la legislación, muchas veces movida por las pasiones electorales, se ha vuelto una peligrosa amenaza para la libertad". Así, la Corte aceptó la tesis del tratadista francés según la cual: "La declaración de inconstitucionalidad de una ley no es de diferente naturaleza a la declaración de ilegalidad de un reglamento administrativo".[168] Incluso, reprodujo textualmente las palabras de Hauriou en respaldo del control judicial de las enmiendas constitucionales, cuando este señalaba que procedía pues tales reformas vulneraban las reglas de "forma" del procedimiento o el fondo de la legitimidad constitucional, "que está por encima de la superlegalidad misma, porque se compone de principios y los principios están por encima de los textos mismos".[169]

Aunque la corporación reconoció que su referencia al pensamiento de Hauriou podía "haber perdido mucho de su actualidad, particularmente en el ambiente político europeo contemporáneo", quiso destacar que, como lo decía el autor francés, el control constitucional había sido de difícil aceptación en los países

167 Cursiva por fuera del texto original. *Ibídem*, p. 667.

168 *Ibídem*, p. 667.

169 Hauriou continúa argumentando a favor de los principios que respaldan la intervención del juez para frenar al poder y para controlar la ley incompatible con la Constitución, tal como se hace entre los reglamentos administrativos y la ley misma. *Ibídem*, p. 668.

más desarrollados, lo que para la Corte era fuertemente contrastante con el caso colombiano, pues aquí la cuestión había quedado resuelta por los "privilegiados ingenios" que adoptaron la reforma constitucional de 1910, al ser nuestro país uno de los "primeros países de régimen democrático en el mundo en consagrar el principio de la jurisdicción constitucional en el derecho positivo", que, por ser tan avanzado, "costó trabajo que fuera entendido" en Francia, "a quien tanto debemos por la ciencia", y que era la patria de Hauriou.

Es evidente, pues, el esfuerzo de la Corte en mostrar la distinción entre los modos como se había construido el control constitucional europeo y el local; y lo hizo afirmando que en el contexto colombiano el control constitucional de las leyes primero se había establecido en los textos en la reforma de 1910, con lo cual se habría iniciado un "proceso evolutivo en nuestra doctrina constitucional", mientras que en otros países el control se había producido por vía de la interpretación judicial. Por todo esto, para la corporación había llegado el momento de devolverle el vigor a la justicia constitucional colombiana, tal como se quiso en 1910, y reafirmar el "principio integral de la guarda de la Constitución", lo que implicaba asumir el control de constitucionalidad de las leyes, incluyendo los vicios de trámite en su formación.[170]

Tal expansión de la competencia de la Corte quería decir que la corporación juzgaría la constitucionalidad de los vicios de trámite, tanto de las leyes demandadas por los ciudadanos que los alegaran, como también si estos fueran invocados en las objeciones presidenciales a los proyectos de ley.[171] Dijo el tribunal: "Así, entiende la Corte Suprema de Justicia de Colombia, cumplir con este deber como sagrado al reconocer el principio integral de la guarda de la Constitución, por el más alto tribunal, librándolo de las trabas.[172]

Y continuó la corporación:

> La Corte abandona, por tanto, el criterio diferencial hasta ahora defendido, de que se distinguen en la Constitución, preceptos sustantivos y preceptos adjetivos; nor-

170 Según Álvaro Copete Lizarralde, por entonces procurador general de la Nación, la Corte acogió la tesis que él defendió ante la corporación. *Lecciones de Derecho Constitucional, op. cit.*, p. 238, Nota No. 24.

171 La Corte entró en la discusión del valor que tenía la sanción presidencial en el trámite de las leyes y muestra que tratadistas de derecho público francés, como Carré de Malberg, en oposición al tratadista Laband, señalan cómo el presidente no solo sanciona las leyes sino que tiene una función de verificar la regularidad de las leyes aprobadas, incluso hasta tacharlas de violar los preceptos constitucionales, de modo que es un "colegislador".

172 Corte Suprema de Justicia, sentencia de julio de 1952, *op. cit.*, p. 669.

> mas principales y normas accesorias; reglas de forma y reglas de fondo. A todas las tiene la Corte como del mismo valor y de la misma categoría; superiores por todos los conceptos a las disposiciones de las leyes comunes. Una violación cualquiera, de cualquier artículo de la Constitución, queda bajo la jurisdicción de la Corte, siempre que su conocimiento pueda sometérsele, ya sea por el Presidente de la República, en el caso de las objeciones [...] bien sea a través de acusaciones de los ciudadanos [...].

La Corte moderó un poco el alcance de su nueva doctrina y estableció que en la respectiva objeción presidencial por vicios de trámite en las leyes, el Gobierno tendría que adjuntar los antecedentes del proyecto, mientras que si se trataba de una demanda ciudadana, el escrito debería contener las pruebas de la violación del trámite legislativo.

Entonces, si bien la Corte afirmaba su competencia para juzgar leyes por vicios de trámite, en el caso concreto de la demanda del abogado Carreño Mallarino declaró exequible la Ley 9ª de 1951, que creaba el departamento de Córdoba. Para esto, la Corte afirmó que el único cargo formulado por Carreño era que no se había cumplido con el requisito de que las tres cuartas partes de los concejales solicitaran la creación del departamento, lo cual solo exigía que aquellos firmaran tal petición, pero como el demandante no había acompañado con su demanda "la copia de la solicitud respectiva o el certificado supletorio, de no hallarse aquel documento entre los que forman el proceso de la ley, sin que pueda saberse si faltó en absoluto su elaboración, o que existiendo, dejó de remitirse al Congreso, a la Corte no es dable suplir la falta de información por parte del demandante, quien tampoco explicó su abstención". Por todo esto, la conclusión del tribunal era que a falta de prueba debía mantenerse la presunción de constitucionalidad de la ley y por lo tanto declararla exequible.

Como podemos apreciar, con el fallo, la Corte ampliaba doctrinalmente el rango de su competencia para ejercer el control constitucional sobre las leyes, pero al mismo tiempo se auto restringía a la hora de decidir si esta importante ley que modificaba el ordenamiento territorial colombiano violaba la Constitución y optaba por declararla exequible aduciendo la falta de pruebas allegadas al expediente. De este modo, se mostraba dispuesta a ampliar ese rol de juez constitucional, pero tampoco hasta el punto de impulsar el proceso y ella misma solicitar pruebas que no aparecían allegadas al mismo, o a corregir las presuntos deficiencias de la demanda. Tal deferencia al legislador se justificaba con la doctrina de la presunción de constitucionalidad que se atribuía a las leyes.[173] Pero, además, no olvide el lector

173 La Corte incluso acudió al Código de Procedimiento Civil para justificar que era a la parte

que de este modo quedaba a salvo la creación del departamento de Córdoba que ya parecía indetenible.

Siete magistrados salvaron su voto.[174] Gerardo Arias consideró que el cambio de la Corte fue apresurado, sobre todo porque este caso había podido decidirse de plano, es decir, sin necesidad de llevar a la Corte a una división en sus discusiones, ya que la demanda no estaba llamada a prosperar. Los magistrados Holguín Lloreda, Castillo Pineda, Gómez Prada, Robles y Vargas sostuvieron que la Corte era competente en estos casos pero únicamente cuando se tratara de vicios de trámite presentados como objeción presidencial, lo cual justificaban en que así la Corte se pronunciaría sobre la constitucionalidad dentro del propio trámite del proyecto y no con leyes promulgadas, de modo que así se evitaría abrir controversias "peligrosas" en contra de leyes que han entrado en vigor, preservando de esa forma la seguridad jurídica y la estabilidad en las leyes.

Así las cosas, esta sentencia de 1952, que si bien es cierto se produce cuando el país vivía uno de los niveles más altos de violencia bipartidista y de confrontación entre las élites de los partidos liberal y conservador, encontramos esta sentencia que nos pone de presente la autonomía relativa que puede cobrar la doctrina legal en el ejercicio del control constitucional por la Corte Suprema de Justicia. En efecto, esta vez la corporación modificó dramáticamente una postura jurisprudencial que había fijado hacía cuatro décadas, cuando en medio de un ambiente de altísima tensión —entre el Legislativo conservador de Concha y el Ejecutivo de la Unión Republicana de Restrepo— la corporación prefirió abstenerse de decidir sobre la exequibilidad de una ley acusada por vicios de trámite.

La doctrina que había permanecido intocada por cuatro décadas pasaba a ser modificada ahora en un ambiente político aparentemente distensionado. En efecto, aunque la cuestión de la creación del departamento de Córdoba parecía estar alejada de las pasiones partidistas, que en el momento contribuían a arrasar al país en plena época de "La Violencia", no era de poca monta que el tribunal estrenara su cambio doctrinal tumbando una ley que se había abierto paso en medio de intensas negociaciones y de gran oposición, en especial regional. Quizá por eso optó por dar un timonazo a su doctrina, pero sin alterar el curso de los acontecimientos que harían de Córdoba una realidad. Y eso lo logró gracias a que adoptó una postura según la cual al demandante le correspondía demostrar a la Corte la violación

---

demandante y no al juez a quien le corrrespondía allegar las pruebas al respectivo proceso. Para esto citó el artículo 234 del mencionado código "en armonía con el 601 del mismo". Corte Suprema de Justicia, sentencia del 28 de julio de 1952, *op. cit.*, p. 684.

174 Salvaron su voto: Agustín Gómez Prada, Gerardo Arias Mejía, Pedro Castillo Pineda, Alberto Holguín Lloreda, Pablo Emilio Manotas, Luis Rafael Robles y Manuel José Vargas.

de los requisitos constitucionales del trámite de las leyes, sin que la corporación pudiera mover un dedo para, de oficio, determinar si tal procedimiento se había quebrantado. En este caso, al no haber pruebas de la presunta violación de la Carta, la sentencia tenía que ser de inexequibilidad, razonaba la Corte.

De nuevo, sin desconocer la dimensión de la cuestión que tenía la Corte por delante en el juicio a la Ley 9ª, esta se sitúa bastante lejos de los graves enfrentamientos sectarios que caracterizaban el período de "La Violencia". Es probable que, en parte, tal ambiente haya permitido que la Corte discutiera con una mayor libertad sobre cuál sería la trayectoria de una controvertida doctrina que impedía el juzgamiento de las leyes, aunque estas hubiesen sido aprobadas sin el lleno de los requisitos constitucionales. Por último, hay otro indicador del clima de distensión política que rodeaba a la Corte en 1952 y que se aprecia en el origen político de quienes votaron en favor de la sentencia y de quienes salvaron su voto: ambas posturas fueron apoyadas indistintamente por magistrados conservadores y liberales.

Sin duda, este fallo nos muestra a una Corte comprometida con la ampliación de su rol como juez constitucional, con un notable influjo del "neoconstitucionalismo" que empezaba a surgir en Europa luego de la Segunda Guerra Mundial, con la creación de tribunales constitucionales como el alemán y el italiano, que, en el contexto local, la corporación veía plenamente compatibles con la añeja institución colombiana de la acción pública de inconstitucionalidad. De este modo, lo que hacía la Corte era repotenciar esa tradicional función atribuida al tribunal, pero con las "técnicas" neoconstitucionales seminales que indicaban que ni siquiera el Congreso podía actuar fuera de la Constitución cuando creaba las leyes.

Así, lo que por décadas era mostrado por la Corte como una genuina prueba de su respeto por una noción estática de la separación de poderes, según la cual el Congreso no podía estar limitado por la jurisprudencia de la corporación cuando tramitaba leyes, sin importar el modo en que estas hubiesen sido aprobadas, ahora parecía quedar atrás con una nueva interpretación, más dinámica de la separación de poderes en un Estado de Derecho. Esto, por tanto, significaba más control constitucional, menos discrecionalidad política de los poderes públicos, sujeción del poder político a la Constitución y fortalecimiento del papel de la Corte Suprema como guardián de la Carta.

Reflexiones finales sobre el capítulo

Tal como lo pusimos de presente a lo largo del capítulo, este período inicia con una Corte en donde los magistrados que la componen son mayoritariamente de origen liberal. En ese entonces, el tribunal decidió acompañar al Gobierno liberal en sus intentos por mantenerse en el poder, cuando fue amenazado por alianzas de sectores militares con las facciones conservadoras lideradas por Laureano Gómez, y lo hizo respaldando severas medidas tomadas por el Ejecutivo en contra de los conspiradores.

Pero muy pronto la hegemonía liberal empezó a desmoronarse y una firme señal de esto fue la derrota en las elecciones presidenciales de 1946. La Corte, que seguía compuesta por una mayoría de magistrados de origen liberal, en tiempos en que el Congreso estaba dominado por las mayorías del mismo partido, continuó respaldando antiguas medidas del Ejecutivo liberal, aunque este ahora había sido desplazado por el Gobierno conservador. Su apoyo fue sobre cuestiones que no afectaban políticamente al nuevo Gobierno, pero que sí legitimaban las acciones que tomaron los liberales para enfrentar su crisis, en 1945. Al mismo tiempo, con este fallo la corporación le enviaba un mensaje al Gobierno conservador en el sentido en que la doctrina le permitiría contar con una gran libertad de acción dentro del régimen del estado de sitio.

Si la transición del régimen conservador al liberal había tenido pocos traumatismos, al menos para la Corte Suprema de Justicia, la lucha del liberalismo por recuperar el poder, que empieza en firme en 1948, luego del asesinato del caudillo liberal, Jorge Eliécer Gaitán, fue catastrófica. En efecto, el agudo enfrentamiento institucional entre el Congreso liberal y el Ejecutivo conservador por la ley electoral que adelantó las elecciones presidenciales llegó a la Corte y esta al parecer recordó que seguía siendo tan liberal como cuando el Congreso de mayorías liberales así la eligió. El fallo de la Corte, que dio la razón al Legislativo y derrotó al Gobierno de Ospina Pérez, fue el primer paso para que, en pocos días, la corporación fuera arrasada por el régimen de estado de sitio, cuando Ospina estableció nuevas reglas para la votación del tribunal.

La posterior respuesta gubernamental ante una Corte que era percibida como alineada con el liberalismo, es decir, con la oposición, fue conformar una Corte paritaria, que en el fondo lograba disminuir la participación liberal hasta igualarla a la conservadora. Así, como podemos ver, el terreno de la disputa política partidista de "La Violencia" se trasladó a la Corte Suprema de Justicia, no solo a su control constitucional, sino también a su diseño institucional y a su conformación.

Con la llegada de Laureano Gómez al poder hubo iniciativas de reforma judicial que tocaban a la Corte Suprema, pero que no se concretaron. Ese corto período del Gobierno de Gómez nos mostró a una corporación que parecía adaptarse a la continuidad del Gobierno conservador, luego de las medidas que para "moderarla" había tomado Ospina Pérez. La Corte celebró al Gobierno desde la posesión presidencial que se realizó ante la propia Corte, y, al menos en el terreno discursivo, parecía adherir a él. No obstante, en la jurisprudencia de la corporación no existen trazas de que la Corte haya actuado en colaboración con el Gobierno, al menos en los cuatro ejes jurisprudenciales que hemos escogido como puntos de entrada a las decisiones de la corporación.

Poco a poco, a medida que avanzamos hacia la primera mitad del siglo XX, y que se va incrementando la confrontación sectaria entre los partidos liberal y conservador, es más evidente que la Corte Suprema de Justicia se convierte en el blanco de disputas políticas, que no necesariamente tienen que ver con el control constitucional, sino con las demás responsabilidades del tribunal, que difícilmente son separables por los políticos o por la opinión pública.

En efecto, la Corte era criticada por ser la cabeza y máxima nominadora de la rama judicial y por ser incapaz de despolitizar el Poder Judicial. Así mismo, por ser el vértice de la jerarquía de la justicia ordinaria en materia penal, es decir, de la encargada de perseguir y castigar el delito y, por tanto, de la impunidad creciente en plena época de "La Violencia". De igual modo, por la agobiante morosidad judicial que se evidenciaba en todo el país, en parte atribuible a esa violencia generalizada, en especial en las zonas rurales. Y, por último, muchas veces en conjunción con todo lo anterior, por tener que decidir sobre la constitucionalidad de cuestiones que afectaban a las élites de los partidos políticos o a los partidos que dominaban las ramas del poder que se enfrentaban entre ellas en determinados momentos, quedando la Corte como el incómodo árbitro armado de su control constitucional.

Finalmente, es importante señalar que el capítulo pone en evidencia que en medio de las intensas confrontaciones de los partidos políticos —o de sus facciones—, y de las ramas del poder público, la Corte adoptó distintos roles políticos que terminaron por inclinar la balanza en favor de algunos de esos partidos, facciones o ramas. La corporación, o al menos la mayoría de sus magistrados, no pudo resistirse a colaborar con el partido de su preferencia. En parte, lo interesante de todo esto fue que tales posturas siempre pudieron permanecer relativamente ocultas por el discurso jurídico, por el debate doctrinal, que, de todos modos, estaba en el núcleo de los casos que aquí hemos narrado.

Capítulo sexto

LA CORTE BAJO EL RÉGIMEN MILITAR, 1953-1958

Introducción

Como dijimos, Laureano Gómez fue elegido presidente de la República para el período comprendido entre 1950 y 1954. Por razones de salud tuvo que separarse temporalmente de su cargo y en su reemplazo asumió el designado a la Presidencia, Roberto Urdaneta Arbeláez. El 13 de junio de 1953, Gómez intentó retomar el poder pero el general Gustavo Rojas Pinilla, comandante en jefe del Ejército, dio un golpe de Estado que fue apoyado ampliamente por las fuerzas conservadoras opositoras al Gobierno de Gómez y, por supuesto, por el liberalismo.

Con la llegada de Rojas al poder hubo inicialmente un clima de entendimiento y de adaptación de la Corte Suprema de Justicia al nuevo régimen. Pero a finales del año 1953, el general empezó a criticar al Poder Judicial, presentándose roces con la corporación y la renuncia de todos sus magistrados. Rojas no tardó en nombrar sus reemplazos. Esa nueva Corte fue, en términos generales, deferente con el régimen militar y en lo posible evitó decidir casos que pudieran molestar al Ejecutivo.

Durante su Gobierno, Rojas quiso tener una mayor influencia en el más alto tribunal de justicia del país. Encontró que la mejor manera de hacerlo era cambiando el diseño institucional del control constitucional que ejercía la Corte Suprema. Así, con el fin de que no toda la corporación juzgara la constitucionalidad de sus decretos legislativos, creó una sala más pequeña, compuesta por juristas que tuvieran cierta afinidad —o tal vez lealtad— con su régimen, para que se encargara de ese control constitucional. De esta manera surgió la Sala de Negocios Constitucionales dentro de la propia Corte, que desde 1956 se encargó del control constitucional, que hasta entonces estaba atribuido a la Corte en pleno. Ese cambio produjo la inmediata renuncia de los magistrados del tribunal y de paso le permitió a Rojas contar con otra Corte Suprema.

Esa segunda Corte nombrada por Rojas mantuvo un ejercicio relativamente independiente del régimen militar en casos rutinarios, pero en aquellos que pudieran afectar el poder del general Rojas prefirió los fallos inhibitorios.

Rojas tuvo que abandonar el poder y fue sustituido por una Junta Militar de Gobierno a mediados de 1957. Liberales y conservadores, con la aquiescencia de esa Junta, acordaron las bases del pacto político del Frente Nacional, por el cual se haría la transición del régimen militar al poder civil. Durante el breve gobierno de la Junta, los partidos políticos y los gremios jurídicos ejercieron presión sobre ella para que disolviera la Corte Suprema de Rojas, que era considerada la fiel escudera de la dictadura. La Junta prefirió mantener la Corte hasta finales de 1957, cuando sus magistrados fueron forzados a renunciar, pero no sin antes estampar su firma en la sentencia que dio vía libre a los decretos que convocaron a un plebiscito reformatorio de la Constitución, que sentó las bases del Frente Nacional.

La Junta Militar nombró una Corte Suprema compuesta paritariamente por magistrados liberales y conservadores, que permaneció en funciones incluso meses después del retorno al régimen civil de agosto de 1958.

Estos cambios muestran cómo las vicisitudes del régimen político en esta etapa azarosa de la vida nacional afectaron directamente a la Corte Suprema de Justicia. Así, este período en la historia del tribunal pone en evidencia las disputas por el control y la autonomía de la Corte durante el régimen militar, entre 1953 y 1958. Como veremos, en general, la Corte fue deferente hacia ese régimen, bien a través de posturas inhibitorias en fallos que implicaban un alto riesgo político para la corporación o porque en cuestiones rutinarias —o de poco impacto político— optó por un despliegue doctrinal que terminaba siendo favorable al amplio ejercicio de las facultades de excepción por el Ejecutivo.

De la prestigiosa "Corte de Oro" al vergonzante "Capote de Paseo" del dictador: la Corte pierde su prestigio

El golpe de Estado del general Rojas Pinilla

El feroz opositor de la República Liberal que imperó entre 1930 y 1945, el conservador Laureano Gómez, llegó a la Presidencia de la República en 1950, en una campaña electoral realizada en plena violencia bipartidista y luego de que el partido liberal retirara su candidato denunciando la falta de garantías electorales y la represión generalizada del Gobierno, del también conservador Mariano Ospina Pérez.

Recordemos que el presidente Gómez tuvo que separarse temporalmente de su cargo entre 1952 y 1953 debido a graves quebrantos de salud y que fue reemplazado por el designado a la Presidencia Roberto Urdaneta Arbeláez, quien no era hombre de su confianza sino más bien cercano al expresidente Ospina Pérez, furibundo opositor de Gómez.[1]

El 13 de junio de 1953, el general Gustavo Rojas Pinilla, comandante general de las Fuerzas Armadas, asumió el Poder Ejecutivo tras dar un golpe de Estado al presidente Gómez.[2] El golpe, como lo señalan varios autores, era más que anunciado. El historiador Adolfo León Atehortúa resume bien el clima político del momento:[3]

> La necesidad de superar la desbordante situación de violencia en que se encontraba el país, de recuperar para el Estado la funcionalidad de sus instituciones y de restaurar la legitimidad del sistema, produjo el golpe militar del 13 de junio de 1953 [...] Todos lo pedían o esperaban. De manera directa o indirecta, abierta o embozada, la intervención del Ejército empezó a ser apreciada por distintos grupos políticos y económicos. Alfonso López Pumarejo, en el Partido Liberal, postuló con certeza que si la violencia no se detenía, podría devorar al país. Estaba seguro de que el freno a la violencia no era posible con Laureano Gómez en el poder: el periódico *El Siglo* trataba a los liberales de "bandoleros" y el Gobierno pedía a la dirección del partido que definiera su rechazo a ellos. El conflicto, en lugar de resolverse, parecía extremarse [...] La oposición de Gómez a la candidatura de Mariano Ospina, oficializada en abril de 1953, confirmó el temor sobre la continuidad del régimen y acercó a los militares a una importante fracción de los conservadores. [...] Si

1 "Tras los hechos del 6 de septiembre de 1952, la posibilidad de un golpe militar se hizo aún más evidente. Al menos para el embajador norteamericano, su emergencia era irreversible. No solo parecía clara la inspiración, dirección y complacencia de los incendios contra las casas de los dirigentes liberales y la prensa por parte de la fracción conservadora dirigida por Álvaro Gómez y Jorge Leyva, sino que abrumados por la magnitud de la situación, un grupo de oficiales retirados, en unión con otros de servicio activo, empezaron a preparar un golpe con el regreso del General Rojas Pinilla [...] Al finalizar 1952, la eventualidad de un golpe de Estado no procedía solo de la Embajada en Colombia. El Departamento de Estado observaba al Gobierno como una 'dictadura oligárquica' frente a la cual 'cabría preguntarse si el general Rojas Pinilla y el Ejército continuarían dándole pleno respaldo'". Adolfo Atehortúa, "El golpe de Rojas y el poder de los militares", en *Revista Folios, Segunda época,* No. 31, 2010, p. 35.

2 Sobre el Gobierno de Rojas véase: Vernon Lee Fluharty, *La danza de los millones. Régimen militar y revolución social en Colombia (1930-1956),* El Áncora Editores, Bogotá, 1981; Carlos Horacio Urán, *Rojas y la manipulación del poder: Rojas Pinilla en la violencia y el poder,* Carlos Valencia Editores, Bogotá, 1983; Silvia Galvis y Alberto Donadio, *El Jefe Supremo,* Planeta, Bogotá, 1988; Álvaro Tirado, "Rojas Pinilla. Del golpe de opinión al exilio", en *Nueva Historia de Colombia,* Tomo II, *Historia Política, 1946-1986,* Planeta, Bogotá, 1989; César Augusto Ayala Diago, "El discurso de la reconciliación. Análisis cuantitativo de las intervenciones de Gustavo Rojas Pinilla entre 1952 y 1959", en *Anuario Colombiano de Historia Social y de la Cultura,* No. 18-19, Universidad Nacional de Colombia, Bogotá, 1991; y Adolfo José Atehortúa, "El golpe de Rojas y el poder de los militares", en *Revista Folios, Segunda época,* No. 31, 2010.

3 Adolfo José Atehortúa, "El golpe de Rojas y el poder de los militares", *op. cit.,* p. 34.

Gómez combatía la candidatura de Ospina, la opción por la intervención militar adquiría mayor vigencia: sólo ella podría recuperar el poder político de los partidos y detener la violencia.

Es importante tener en cuenta que hubo múltiples expresiones de las diferencias irreconciliables entre el general Rojas y Laureano Gómez. El general había dado sobradas muestras de desconocer la autoridad del segundo y de profesar lealtad al designado presidencial y al expresidente Ospina.[4] El detonante de la ruptura entre ambos fue la detención y tortura del empresario Felipe Echavarría, cuya libertad inmediata pidió Gómez, pero que Rojas y el Ejército no acataron. Gómez retomó la Presidencia y ordenó la baja del general Rojas pero el ministro de Guerra no aceptó la orden y renunció, Gómez nombró en su reemplazo a Jorge Leyva y decidió que el general Régulo Gaitán asumiría el cargo de Rojas.[5]

Como vimos páginas atrás, durante su Gobierno, el presidente Gómez había logrado que el Congreso le aprobara la convocatoria a la Asamblea Nacional Constituyente (ANAC), cuya misión fundamental sería realizar una profunda reforma a la Constitución y, en especial, una contrarreforma a la Carta con respecto al giro hacia el constitucionalismo social y laico que había significado la reforma constitucional de 1936.[6] Lo paradójico fue que la misma ANAC de 1952 terminó encargándose de legitimar el golpe de Estado del general Rojas en contra de Gómez: mediante el Acto Legislativo 01 del 18 de junio de 1953, ese órgano asumió las competencias que la Constitución le atribuían al Senado y declaró la vacancia en la Presidencia de la República para confirmar que "es legítima la Presidencia de la República que ejerce el general Gustavo Rojas Pinilla".[7]

4 "Podría parecer que Rojas no soñara con la toma del poder en junio de 1953. Sin embargo, su ascenso a la Presidencia de la República se veía venir. El *Diario de Colombia* fundado por un nuevo movimiento dentro del conservatismo —el alzatismo— destacó y promovió desde su primera edición en septiembre de 1952 al General Rojas Pinilla; presentándolo ante los colombianos como la personalidad capaz, junto con las Fuerzas Armadas, de sacar al país de la profunda crisis social en que se debatía. De paso, la llegada al poder de los militares, truncaría los propósitos corporativistas excluyentes del laureanismo, y produciría un rescate de la doctrina conservadora, objetivo y causa esencial del surgimiento y sentido de la actividad política de los alzatistas". César Augusto Ayala Diago, "El discurso de la reconciliación...", *op. cit.*, p. 206.

5 Adolfo Atehortúa, "El golpe de Rojas y el poder de los militares", *op. cit.*

6 La convocatoria de la Asamblea Nacional Constituyente (ANAC) había sido aprobada por el Congreso en la primera legislatura de 1951 y la segunda legislatura de 1952. El Ejecutivo sancionó la convocatoria el 9 de diciembre de 1952.

7 Luego, mediante el Acto Legislativo 02 de 1954, la ANAC amplió su composición con diputados designados por el propio general Rojas, en representación de los partidos liberal y conservador, la Iglesia y las Fuerzas Armadas. En 1954 se creó otra Comisión de Estudios Constitucionales que proponía

La Corte Suprema de Justicia, como las mayorías políticas, parecía sumarse a ese "clamor nacional" por el cambio. Pero, como veremos en seguida, pronto llegaron las tensiones del general Rojas con la administración de justicia y este presionaría cambios en la conformación del tribunal. Al finalizar el Gobierno de Rojas, la percepción de la opinión pública y de la mayor parte de la comunidad de juristas era que el régimen militar[8] había convertido al tribunal en el "Capote de Paseo" del dictador, la "Cortesana" o la "Corte de los Milagros", denominaciones que despectivamente le atribuyeron en aquel entonces.

Rojas quita una Corte Suprema y pone otra

Las tensiones entre Rojas y la Corte Suprema aparecieron rápidamente. Hacia finales de 1953, el general empezó a expresar públicamente que el Poder Judicial no estaba a la altura de las necesidades de la nueva era que su Gobierno había inaugurado. Opinaba que la administración de justicia estaba politizada, no era profesional y necesitaba reformas urgentes. En buena parte, Rojas expresaba su molestia con que un juez penal hubiera ordenado la libertad de un empresario que había sido acusado por los militares de ser un terrorista. Como se recordará, por las presuntas torturas a Felipe Echavarría, el presidente Laureano Gómez quiso remover al general Rojas de la Comandancia del Ejército, en junio de 1953.[9]

---

reformar 202 de los 273 artículos de la Constitución; a la Comisión, Rojas la llamó: "admirable, pulcra y trascendentalmente patriótica". Eduardo Ruiz Martínez refleja la gran admiración que en algunos sectores producía el "proyecto" constitucional de la Comisión y, por supuesto, del régimen de Rojas. Dice Ruiz: "[...] de adoptarse este conjunto de artículos propuestos, por la Asamblea [...] necesariamente se lograría un equilibrio en las normas de nuestra Ley Fundamental, que sin encaminarse por experiencias exóticas, sí actualiza y hace perdurables en los preceptos de la Carta los principios fundamentales que informan nuestras instituciones y que rigen al país desde 1886". Eduardo Ruiz Martínez, *Apuntamientos a un proyecto de reforma constitucional en Colombia,* Tomo I, Biblioteca de la Contraloría Departamental de Cundinamarca, Imprenta Departamental, Bogotá, 1956, p. XVI.

8 Conviene matizar la noción de "régimen militar" en los términos que propone Marco Palacios cuando señala: "El término 'militar' que califica al Gobierno de Rojas requiere aclaraciones. La legitimidad inicial del régimen provino de su proyecto de pacificación y reconciliación nacional. Rojas, el alto mando militar y la coalición ospino-alzatista controlaron el Estado y hasta mediados de 1955 contaron con apoyo liberal y de la jerarquía eclesiástica. Si bien en los últimos meses de la dictadura la oposición trató de separar al 'usurpador' de las Fuerzas Armadas, durante todo el mandato gobernó en su nombre, con su estado mayor de generales y con su respaldo". Marco Palacios, *Entre la legitimidad y la violencia, op. cit.,* p. 211.

9 Para Rojas, los funcionarios judiciales debían ser "escogidos y probados por sus antecedentes morales y de capacidad profesional, a fin de que la administración de justicia no sea desprestigiada por la ignorancia o envilecida por el dinero, ni mucho menos interferida por las influencias partidistas, porque como diría un gran moralista, 'entre la política y la justicia toda inteligencia es corruptora y todo contacto es pestilencia'". *El Tiempo,* 12 de noviembre de 1953, pp. 1 y 14.

Pero la gota que rebosó la copa de la Corte fue el discurso que pronunció el general en Cartagena, el 11 de noviembre de 1953, cuando hizo afirmaciones sobre la impunidad y politización que aquejaban al Poder Judicial, al que acusó de actuar movido por intereses partidarios.[10] Luego de dos días de sesiones plenarias y de varias horas de deliberaciones, la noche del 13 de noviembre, la Corte en pleno dimitió ante el Ejecutivo. En su renuncia motivada, los magistrados defendieron con firmeza al Poder Judicial, a los magistrados y a los jueces frente a las acusaciones indiscriminadas que Rojas había lanzado en su discurso.[11] En la carta de renuncia dijo la Corte:

> Las decisiones judiciales podrán ser muchas veces equivocadas, porque el error es patrimonio común de los humanos. Cierto que un juez puede incurrir en abusos y desatinos; pero es muy difícil que, a lo largo de las etapas judiciales, prevalezcan el error o la mala fe. Lo aseguran a su excelencia los magistrados de la Corte Suprema; cuyo testimonio seguirá siendo irrecusable ante la conciencia de la gente honrada, y lo confirma la confianza con que nacionales y extranjeros entregan su suerte al juicio de los tribunales de Colombia, y el respeto con que se someten luego a sus decisiones.

Según la corporación, Rojas dejaba a la Corte en una situación excepcionalmente incómoda para seguir administrando justicia. Así que "con toda consideración y respeto presentamos a su excelencia renuncia de nuestros cargos, en la esperanza de que esto pueda servirle para la realización de sus programas de gobierno".[12] Así renunciaron los magistrados Pablo Emilio Manotas, Gerardo Arias

10 El discurso se tituló "Paz, Justicia y Libertad: postulados invariables del Actual Gobierno". Allí se refirió al obstáculo que para cumplir la anhelada justicia representaba la actual administración de justicia del país y comentó que el ministro de Justicia ya había explicado las reformas que eran necesarias, lo que incluía la profesionalización de jueces y magistrados. En parte, el argumento de Rojas para justificar su acusación sobre la politización e incapacidad de la rama judicial era el sonado "caso Echavarría", relacionado con el proceso penal que se inició por la presunta tortura de este empresario, que recordemos fue atribuida al Ejército cuando Rojas era su comandante y que en gran medida ocasionó que el presidente Laureano Gómez pidiera el retiro de Rojas. Según Rojas, la justicia en lugar de investigar los nexos de Echavarría con actividades terroristas, prefirió dejarlo en libertad argumentado falta de evidencias.

11 El Tribunal Supremo del Trabajo no se refirió al tema, mientras que el Consejo de Estado dijo en la misma fecha que no trataría el tema porque: "[...] seguramente el teniente general Rojas Pinilla no se había referido a la justicia contencioso administrativa". Entre tanto, el procurador general de la Nación respaldó al presidente Rojas.

12 Un tiempo después, seis miembros del Tribunal Supremo del Trabajo y cuatro consejeros de Estado también renunciaron. Álvaro Tirado Mejía, "Rojas Pinilla. Del golpe de opinión al exilio", *op. cit.*, p. 114.

Mejía, Alfonso Bonilla Gutiérrez, Francisco Bruno, Alejandro Camacho Latorre, Pedro Castillo Pineda, Luis A. Flórez, Agustín Gómez Prada, Luis Gutiérrez Jiménez, Rafael Leyva Charry, Luis Rafael Robles, Gualberto Rodríguez Peña, Rafael Ruiz Manrique, Manuel José Vargas y Ángel Martín Vásquez.

En las regiones también hubo reacciones: varios tribunales superiores de los distritos judiciales, como los de Bogotá, Bucaramanga, Buga, Cali, Barranquilla y Medellín, enviaron comunicados resaltando la labor del Poder Judicial y planteando que los infractores de las leyes que pertenecieran a la rama debían ser investigados y sancionados. Algunos, como el Tribunal Superior de Popayán, incluso pidieron visitas especiales de funcionarios que fueran a auditar el trabajo de los despachos de esas corporaciones.[13]

Rojas rápidamente encontró una salida a lo que se llamó la "crisis de la justicia". Su fórmula buscaba mantener el espíritu de reconciliación y el carácter suprapartidista que había acompañado su llegada al poder. Por eso anunció en un discurso que la Corte la conformarían paritariamente ocho liberales y ocho conservadores, y que se integraría: "[...] por los más renombrados juristas, que por su consagración capacidades experiencias y estudios comprendan en todo instante la altura de su misión, tengan dotes para fallar cuando la ley sea oscura y deficiente y puedan desentrañar los principios tutelares del derecho, las razones para sostener la justicia, sin que la jurisprudencia se petrifique o vuelva las espaldas a las exigencias de la vida contemporánea". Según Rojas, se pretendía que en la nueva corporación "sus magistrados como guardianes de la Constitución y de las Leyes y mantenedores del sagrario de los derechos humanos, sean los más ilustres y respetados ciudadanos en quienes veamos varones ejemplares y probos cuyas sentencias sean catecismos de verdad, integridad y sabiduría, que se cumplan no tanto por su obligatoriedad coercitiva, como por la majestad que encarnan y la fuerza moral que representan y traducen".[14]

En cuanto a la carta de renuncia de la Corte saliente, Rojas afirmó: "Los actuales magistrados de la Corte, en forma decorosa, en acto que salva su prestigio, y con el agradecimiento del Gobierno [...] han presentado su renuncia y sacrificado sus cargos [...] Con esta actitud, ellos cierran en forma enaltecedora la etapa más alta

13 En las ediciones de *El Tiempo* del 15 y 16 de noviembre de 1953 aparecen fragmentos de los comunicados. En la edición del 16 de noviembre también aparecen las acusaciones del subcontralor general de la Nación, coronel Ruiz Novoa, en contra del Consejo de Estado, a quien critica por sus fallos que generan caos en la administración.

14 El discurso del general fue calificado por *El Tiempo* como "espléndido". *El Tiempo,* 29 de noviembre de 1953.

de su magistratura".[15] Y, por último, el general anunció su intención de someter a la ANAC una propuesta para que en lo sucesivo los magistrados de las altas cortes no fueran elegidos por el Congreso sino que los nombramientos los hiciera el presidente de la República, para así evitar la injerencia política en esas designaciones.[16] Esto dijo:[17]

> [Si es el presidente] quien debe gobernar con criterio nacional, buscando el beneficio general con prescindencia de lo que pueda perjudicar el prestigio del país, entrabar su progreso, de conocer los derechos y libertades ciudadanas y de todo aquello que en cualquier forma vaya contra la buena marcha de la administración, es natural que las entidades o las personas encargadas del control deben ser escogidas por él para que sin ninguna traba, pueda asumir por entero la responsabilidad [...] Se es primer magistrado no por el hecho de haber llegado a esa alta posición, sino por la confianza y la fe que despierten en los gobernantes sus actuaciones de gobernante.

Con el Decreto Legislativo 3110 del 27 de noviembre de 1953,[18] Rojas puso fin a la llamada "crisis judicial" nombrando una Corte interina que quedaba conformada paritariamente por magistrados liberales y conservadores, que ejercerían sus cargos hasta que el Congreso nombrara una Corte en propiedad. Los nuevos magistrados eran los liberales Carlos Arango Vélez,[19] Manuel Barrera Parra,[20] Aníbal Cardozo

15 Discurso del general Rojas Pinilla pronunciado en Bucaramanga el 18 de noviembre de 1953. Transcrito el 29 de noviembre de 1953 en *El Tiempo*.

16 "A fines de 1953 atacó la corrupción judicial, que todavía en muchos distritos seguía en manos de abogados y tinterillos laureanistas. Para combatir la impunidad estableció la composición paritaria de la Corte Suprema de Justicia y satisfizo a los liberales al llevar a dicha corporación a sus eminentes juristas, Darío Echandía entre ellos. La Corte debía reorganizar toda la rama judicial, lo que nunca intentó". Marco Palacios, *Entre la legitimidad y la violencia, op. cit.*, p. 211.

17 *El Tiempo,* 29 de noviembre de 1953.

18 Nótese que aparecen los nombres de algunos miembros de la llamada "Corte de Oro". Ministerio de Justicia, Decreto 3110 del 27 de noviembre de 1953, *Diario Oficial,* Año XC, No. 28359, Bogotá, lunes 30 de noviembre de 1953, p. 1.

19 Había sido senador en 1928, ministro de Guerra en el Gobierno del presidente Olaya Herrera en 1932, alcalde de Bogotá en 1937, candidato a la Presidencia por el partido liberal en 1943 y luego ministro de Educación de la administración de López Pumarejo.

20 Fue senador de la República, ministro de Gobierno, embajador en varios países y profesor de derecho. Había sido ministro de Minas y Petróleos en el Gobierno de Alfonso López Pumarejo, en 1945, y ministro de Gobierno en el Gobierno de Mariano Ospina Pérez, en 1946.

Gaitán,[21] Darío Echandía,[22] Roberto Goenaga,[23] Ricardo Jordán Jiménez,[24] Néstor Pineda[25] y Antonio Rocha;[26] y los conservadores Luis Felipe Latorre,[27] Fernando Londoño y Londoño,[28] Germán Orozco Ochoa,[29] José J. Gómez, Eduardo Rodríguez Piñeres,[30] Guillermo Salamanca,[31] Alberto Zuleta Ángel[32] y Domingo Sarasty.[33]

21 Hizo parte de la Corte de Oro de 1935.

22 Fue juez civil del circuito hasta 1927, cuando fue nombrado magistrado del Tribunal Superior de Ibagué. Participó activamente en la campaña presidencial de Enrique Olaya Herrera, fue pilar fundamental en el cambio de las estructuras sociales de la República, tema conocido como la política de la Revolución en Marcha. En 1930 hizo parte de la Dirección Nacional Liberal. En 1931 fue senador y en 1934 representante a la Cámara por el Tolima. Fue ministro de Gobierno y luego ministro de Educación de la administración del presidente López Pumarejo. Fue embajador de Colombia ante El Vaticano y le correspondió la negociación de un nuevo Concordato en plena República Liberal. Como designado a la Presidencia reemplazó al presidente López Pumarejo en 1944. Fue famosa su calificación del golpe de Rojas como un "golpe de opinión". Cf. http://web.presidencia.gov.co/asiescolombia/presidentes/50.htm. Descargado el 20 de agosto del 2013.

23 Destacado jurista y militante del partido liberal desde los años treinta.

24 Reconocido penalista. Personero municipal de Cali, juez civil y penal del Circuito de Cali, magistrado de la Sala Penal del Tribunal Superior de Cali, había estado en la Corte Suprema en 1944.

25 Ocupó varios ministerios en gobiernos liberales. Fue ministro de Minas y Petróleos de Eduardo Santos entre 1941 y 1942, y de Alfonso López Pumarejo entre 1942 y 1944.

26 Hacía parte de la llamada "Escuela del Tolima", inspirada por Alfonso López Pumarejo. Recordemos que integró el prestigioso grupo de juristas de la Corte de Oro de 1935.

27 "Luis Felipe Latorre, profesor en varias de nuestras universidades, abogado experto como pocos, sensible a las necesidades de nuestra población, abogado de la Presidencia de la República en la administración Olaya Herrera, padre de 'las doce leyes', entre ellas, en orden cronológico, la de prescripción, 120 de 1928, y la trascendental de capacidad jurídica de la mujer casada y del régimen de bienes en el matrimonio, la 28 de 1932, autor de libro relativo a los procesos en materia civil, Magistrado de la Corte Suprema [...]". Fernando Hinestrosa, *Discurso en la inauguración de la sede del Instituto Colombiano de Derecho Procesal*, Bogotá, 28 de febrero del 2001. Disponible en: http://www.icdp.org.co/esp/instituto/discurso_hinestrosa.html Descargado el 10 de enero del 2013.

28 Se graduó como abogado de la Universidad del Cauca, político conservador que había sido diputado a la Asamblea del Cauca, concejal de Manizales, representante a la Cámara por Caldas, gobernador del mismo departamento, embajador y juez. Fue ministro de Relaciones Exteriores en el Gobierno de Ospina Pérez. Famoso por su capacidad oratoria y amplia formación humanística.

29 Hacia 1940 se desempeñaba como magistrado del Tribunal Superior de Medellín.

30 Considerado entre los juristas más destacados de Colombia en el siglo XX. Abogado egresado de la Universidad Nacional. Fue autor de varios libros y artículos y profesor universitario. Participó en diversas comisiones redactoras de influyentes reformas legales. Recibió diversos honores y reconocimientos nacionales e internacionales.

31 Destacado abogado y político. Había sido ministro de Comercio e Industria en 1948, en el Gobierno de Ospina Pérez, y congresista en 1949.

32 Era un reputado abogado civilista, hermano de Eduardo Zuleta, magistrado de la Corte de Oro y exministro conservador. Fue decano de la Facultad de Derecho de la Universidad Nacional.

33 Nariñense. Fue el primer ministro de Gobierno del gabinete de Laureano Gómez, en 1950. Es famoso su discurso de posesión del presidente Gómez en el mismo año, en calidad de presidente de

El episodio de la "crisis judicial" tuvo una alta carga retórica. La Corte, aunque se retiraba dando muestras de independencia, al mismo tiempo expresaba su "respetuoso" disenso con el Gobierno del general Rojas. Esa retórica llegó a tal extremo que los nuevos nombramientos no solo fueron bien recibidos por amplios sectores del país, en especial de las dirigencias de los partidos, sino que hubo expresiones de apoyo a los nuevos miembros de la Corte por parte de los magistrados salientes. Por ejemplo, el presidente de la corporación, Pablo Emilio Manotas, dijo: "La constitución de la nueva Corte es uno de los grandes aciertos del señor presidente de la República. La nómina me parece brillantísima e inmejorable, y para los actuales magistrados es un extraordinario honor ser reemplazados por tan eminentes y distinguidos juristas". Por su parte, el magistrado Nelson Pineda no dudó en señalar que "mejores sustitutos no hemos podido tener [...]".[34] Tan mesuradas palabras de la Corte saliente mostraban la precaución de los juristas frente a un régimen que contaba con amplio apoyo, tanto de las élites políticas como de la opinión pública, o la procura por evitar la censura política del Gobierno militar. Por su parte, el general Rojas despedía a la Corte con gratitud, simulando su "respeto por las instituciones legítimamente constituidas".

La empatía de la nueva Corte con el régimen militar

Después de la renuncia del pleno de la Corte, el general Rojas cumplió su promesa de nombrar una corporación integrada paritariamente por magistrados conservadores y liberales, para lo cual contó con el apoyo de las élites políticas respectivas. La nómina de la corporación era de lujo, incluía nombres de juristas que para aquel entonces contaban con excepcional prestigio profesional: Eduardo Rodríguez Piñeres, Alberto Zuleta Ángel, Antonio Rocha y Darío Echandía.

El 1 de febrero de 1954, el general Rojas, "con la asistencia de los altos jefes de las fuerzas de tierra, mar y aire, de distinguidos personajes civiles del Gobierno militar, de señalados abogados y miembros de la rama jurisdiccional y directorios de diarios de Bogotá y notables elementos de la sociedad bogotana",[35] realizó una solemne posesión de los nuevos magistrados e instaló la Corte Suprema de Justicia que había sido nombrada por el Ejecutivo en noviembre de 1953.[36] En el acto que

---

la Corte Suprema de Justicia. Había sido juez municipal, magistrado del Tribunal Superior de Nariño, diputado a la Asamblea por el mismo departamento, diplomático, representante a la Cámara y senador.

34 *El Tiempo,* domingo 29 de noviembre de 1953.

35 *El Tiempo,* 2 de febrero de 1954, primera página.

36 El expresidente Darío Echandía tomó posesión de su cargo de magistrado días después, al regresar de los Estados Unidos. Domingo Sarasty se posesionó tras dejar su cargo como embajador de

tuvo lugar en el Salón Amarillo del Palacio de la Carrera, sede presidencial, Rojas aprovechó la ocasión para pronunciar un discurso en donde expresó su "política" sobre la rama judicial y la Corte Suprema:[37]

> [...] El Gobierno interpreta con fidelidad el sentir del pueblo colombiano, al declarar solemnemente que el acto de vuestra instalación fija una fecha memorable en los destinos de la patria, porque, respondiendo a los anhelos del país, hoy se inicia la transformación de su sistema judicial, bajo el signo de la integridad ética y de la honestidad profesional, con soluciones legales, prontas y eficaces [...] de acuerdo con las exigencias de la vida y de los derechos que tienen los ciudadanos para esperar pronta y eficaz justicia.

A renglón seguido, el general criticó el origen político de la Corte a partir de la reforma constitucional de 1910. A su juicio, haber dejado al Congreso la facultad de elegir a los magistrados había hecho de la Corte un lugar de "mezquinas ambiciones banderizas" y abierto las puertas "para que en los tribunales y juzgados primaran las intrigas y demás consideraciones extrañas al buen servicio".[38] Por oposición, Rojas destacó la manera directa como él había escogido a los nuevos magistrados de la Corte Suprema, "con el alborozado respaldo de la ciudadanía".

En su intervención propuso que, con el fin de alejar el sectarismo partidista de la Corte y de la rama judicial, en la reforma constitucional que se proyectaba para ser discutida y aprobada por la ANAC se consagrara que "el jefe de Estado, con plena libertad, designe la primera Corte de Justicia" y se estableciera que "los magistrados sean vitalicios y que las vacantes, cuando se produzcan, sean llenadas por el primer mandatario, de ternas elaboradas por la misma Corte". Además, dijo que la reforma debía contemplar que la Corte designaría a los magistrados de los tribunales de distritos judiciales, para que estos, a su vez, eligiesen a los jueces, sin ningún criterio de origen político. Para todo esto, señaló como necesaria la organización de una "seria carrera judicial y la reglamentación del ejercicio de la profesión de abogado en beneficio de los que saben entender y practicar los altos deberes de tal sacerdocio".[39]

Colombia en México. Como presidente de la Corte fue electo Eduardo Rodríguez Piñeres, como presidente de la Sala Civil, Alberto Zuleta Ángel, como presidente de la Sala de Negocios Generales, Aníbal Cardozo Gaitán, y como presidente de la Sala Penal, Jesús Estrada Monsalve. *El Tiempo*, 3 de febrero de 1954, p. 23.

37 *Ibídem.*

38 *Ibídem.*

39 *Ibídem*, p. 18.

El general Rojas elogió con insistencia las altísimas calidades morales y el prestigio profesional de los abogados que integraban la Corte, de quienes dijo serían protagonistas de la "gran cruzada" para que Colombia "desintoxique a sus hijos del maldito odio sectario", cruzada que "han emprendido las Fuerzas Armadas, con la fe en Cristo y el recuerdo de Bolívar". Para tal efecto, fue enfático en la necesidad de que la Corte "barriera" el sectarismo de los tribunales y juzgados. Entonces aprovechó para recalcar que los niveles de colaboración del Ejecutivo con la rama judicial eran tan altos, que incluso ya había atendido la solicitud de la Corte de "señalar el período de los magistrados seccionales"; lo cual, como veremos enseguida, significaba que la nueva Corte quedaba facultada para remover de inmediato a todos los magistrados de los tribunales y nombrarles sus reemplazos.[40]

La respuesta de la Corte al discurso del general Rojas le correspondió a Eduardo Rodríguez Piñeres, decano de los magistrados, quien empezó diciendo que la de Rojas era una "hermosa oración" ofrecida a la Corte Suprema de Justicia y no se ahorró elogios para el general. Manifestó que el Gobierno había dado claras muestras de que el Poder Judicial tendría, en adelante, el más alto lugar que jamás haya tenido. La adhesión al régimen quedaba grabada así: "Le pusisteis sello inmarcesible a la situación que atravesaba el país en materia del Poder Judicial, reclutado, si así puede decirse, de una manera antidemocrática, antirrepublicana y anticonstitucional. Vamos a entrar en una vida nueva y sois vos, excelentísimo señor, el que habéis dado la senda que debemos recorrer". Rodríguez también se refirió a la politización que, por años, había afectado a la justicia y en particular a la Corte: "Me suena a mí, y me ha sonado siempre mal al oído, esa expresión de magistrado liberal, de magistrado conservador, magistrado es magistrado y nada más. Y así debe ser y hay que buscar el medio de que todos los sucesores nuestros tengan en sus mentes ese concepto: ser magistrados y nada más que magistrados, ni liberales, ni conservadores".

El magistrado no solo apoyó la propuesta de reforma a la Corte lanzada por Rojas, sino que celebró que fuese el mismo general quien "designe por primera vez una vez expedida la reforma constitucional, una Corte Suprema de Justicia". Además, dijo sobre la reforma: "Yo creo que hay que completar la obra de manera más firme, más sólida, dándole a esa nueva Corte el carácter de vitalicia, desde luego vigilada por el Ministerio de Justicia. Pero debemos también tratar de que el

40 El general cerró su intervención diciendo: "Como católico y como patriota integral, la mejor invocación que puedo hacer para que tengáis éxito completo en vuestra alta misión, es que Dios os envíe en todo instante su luz y su verdad y que la bandera nacional aparezca siempre ante vuestra conciencia, con sus colores fraternalmente confundidos, como símbolo de igualdad ante la ley". *El Tiempo,* 2 de febrero de 1954, p. 18.

cuerpo judicial formado por ella y los Tribunales y Juzgados sea como el Ejército, como la Iglesia, una institución enteramente independiente". Para esto sugirió que la Corte debería designar a todos los magistrados de los tribunales superiores, con carácter vitalicio, y que las vacantes en la Corte fueran llenadas por los tribunales pues: "De esta manera, al cabo de tres o cuatro elecciones, en el transcurso de cinco o diez años, ya el Poder Judicial formaría un cuerpo sólido y verdaderamente independiente; se olvidarían todos sus miembros que han sido o son liberales o conservadores y no se acordarían de esto sino en los días en que fueran a depositar sus papeletas en las urnas". Y así cerró su discurso: "[...] ésa es la idea que tengo hace mucho tiempo: un Poder Judicial que se renueve por sí mismo. Cuando lo tengamos así, al frente del Palacio de Justicia, bajo una diosa de ella con su balanza, se podría poner este epígrafe: *Noli me tangere*".[41]

Un detalle que podría parecer tan solo anecdótico bien podría dar cuenta de la renovada y firme relación que prometía el régimen militar con el tribunal. El Gobierno ordenó que la Corte tuviera como nueva sede el edificio contiguo al Palacio de la Moneda, que era propiedad del Banco de la República, considerado por la prensa de la época como "uno de los más suntuosos de la ciudad".[42] Hasta la fecha, la Corte funcionaba en una sede más modesta, en el Edificio Peña, en el centro de Bogotá.

Tal como dijimos atrás, Rojas no solo renovó la Corte Suprema de Justicia sino que también tuvo lugar un revolcón en los cargos de magistrados de los tribunales de distrito judicial de todo el país: el mismo día en que se instalaba la Corte, al amparo del estado de sitio, el Ejecutivo dictó el Decreto Extraordinario 0275 por el cual el Ejecutivo dispuso que los períodos de los magistrados de los tribunales seccionales serían de cuatro años y que estos empezarían a regir el 1 de febrero de 1954. El decreto interpretaba que si la reforma constitucional de 1945 había guardado silencio sobre aquellos períodos era necesario colmar ese vacío por "vía legal". La medida claramente buscaba que la nueva Corte Suprema pudiera disponer de toda la nómina de los magistrados de los tribunales pues, según la citada reforma

41 Corte Suprema de Justicia, Sala Plena, "Respuesta dada por el Dr. Eduardo Rodríguez Piñeres al discurso pronunciado por el Excmo. señor Presidente de la República, Teniente General Gustavo Rojas Pinilla, al dar posesión a los honorables magistrados", *G.J.*, Tomo LXXVII, Nos. 2138-2139, Bogotá, enero, febrero y marzo de 1954.

42 Según *El Tiempo,* la adecuación de la nueva sede de la Corte se encomendó al destacado arquitecto caucano Hernando González Varona, quien contribuyó en importantes obras como el Edificio Murillo Toro y la restauración de inmuebles como el Salón Elíptico del Congreso y el Palacio de San Carlos. *El Tiempo,* 2 de febrero de 1954, p. 18.

de 1945, esa corporación tenía la facultad de hacer tales nombramientos.[43] Así, por ejemplo, entre febrero y mayo de 1954, la Corte sustituyó a los magistrados de los tribunales de Bogotá, Barranquilla, Cartagena, Cali, Santa Marta, Pamplona, San Gil y Bucaramanga.[44]

Por último, la empatía de la Corte Suprema con el régimen militar, o la continuidad institucional que tanto los partidos políticos como diversos sectores sociales y económicos le permitieron mantener al gobernante de facto, se puede apreciar en actos como los de la concesión de permisos para salir del país que el tribunal, en "receso del Senado", le otorgó al general Rojas. Por ejemplo, el 22 de julio de 1955, aquel solicitó permiso para ir al Ecuador a entrevistarse con el general José María Velasco Alvarado, presidente de ese país. Al día siguiente de la solicitud, la Sala Plena de la Corte por unanimidad le concedió el permiso a Rojas en una impecable resolución que brilla por sus fundamentos jurídicos. En el permiso concedido por la corporación se puede apreciar cómo la Corte se apega a la "nueva estructura" de legalidad que se había ido configurando tras el golpe militar:[45]

> De conformidad con lo dispuesto en el artículo 128 de la Constitución, corresponde de ordinario al Senado de la República conceder permiso al Presidente para salir del territorio de la Nación durante el ejercicio de su cargo. La Corte tiene también esta misma atribución, de manera excepcional, en receso del Senado [...] La excusa, la licencia o la renuncia, si se resuelven favorablemente, conducen al no ejercicio del empleo. En la competencia de la Corte Suprema de Justicia va, pues, envuelta la facultad de resolver sobre el hecho de que el titular de la Presidencia de la República se separe del ejercicio de su cargo. Cuando el primer mandatario viaja en visita

43 El decreto establecía que los períodos de los magistrados de los tribunales superiores sería de cuatro años contados a partir del 1 de febrero de 1954. Así mismo, que los actuales magistrados "durarían en el ejercicio de sus cargos hasta el 31 de enero del presente año". Decreto 275 del 1 de febrero de 1954.

44 Varios de los magistrados que fueron removidos por la Corte demandaron las destituciones ante el Consejo de Estado, que declaró la nulidad de aquellos actos. Para el Consejo de Estado, el Decreto 275 no guardaba relación con ningún hecho de orden público que lo justificara: "[...] El estatuto dictado por el Gobierno quebrantaba normas de nuestra Carta Política [...] y, en tales circunstancias, la Corte Suprema no estaba obligada a aplicarlo. Por el contrario, ha debido atenerse a los preceptos constitucionales en la elección de Magistrados de los Tribunales Superiores. Como al realizar los actos acusados dio aplicación preferencial a un decreto extraordinario incompatible con la Constitución Nacional, esa alta entidad jurisdiccional infringió los artículos A) de las disposiciones transitorias del Acto Legislativo número 03 de 1910, 160 y 215 de nuestra Carta fundamental y su decisión está viciada de nulidad". Consejo de Estado, Sala de lo Contencioso Administrativo, sentencia del 7 de abril de 1960, consejero ponente Carlos Gustavo Arrieta.

45 Corte Suprema de Justicia, *G.J.*, Tomo LXXX, No. 2155, Bogotá, julio de 1955, pp. 623-624.

oficial a otro país, se produce mientras tanto el no ejercicio de la Presidencia en el territorio nacional [...] El Presidente de la República, en la visita que proyecta al país hermano, habrá de ejercer las funciones constitucionales inherentes a su cargo de supremo director de las relaciones diplomáticas [...] sin perder su investidura presidencial ni las prerrogativas ni las preeminencias que tiene como Jefe de Estado [...] En consecuencia, la Corte Suprema de Justicia, Sala Plena, concede al Excelentísimo señor Presidente de la República, Teniente General, Gustavo Rojas Pinilla, el permiso solicitado.

La Sala Plena de la Corte no solo concedió el permiso a Rojas sino que posesionó en su reemplazo al brigadier general Gabriel París. En el acta de posesión de París del 30 de julio de 1955, la Corte fundamentó el reemplazo en la Presidencia en el Acto Legislativo 01 de 1954, que, recordemos, legitimó el golpe de Estado del general Rojas, y en el artículo 31 del Código Judicial, que facultaba a la Corte para posesionar al encargado del Poder Ejecutivo en receso del Senado.

El control del estado de sitio por la segunda Corte Suprema de Rojas: 1954-1956

El general Rojas gobernó mediante decretos legislativos dictados al amparo del estado de sitio declarado por el Gobierno de Ospina Pérez, en noviembre de 1949, cuando, recuerde el lector, fueron clausurados el Congreso, las asambleas departamentales y los concejos municipales.

Ante la Corte nombrada por el general Rojas, en 1954, se presentaron varias demandas ciudadanas que solicitaban la inexequibilidad de las medidas dictadas al amparo del estado de sitio, vigentes desde 1949. Algunas le significaban a la Corte un desafío político importante en la medida en que tocaban intereses del régimen militar. Otras no tenían esa dimensión y se trataban más bien de justicia rutinaria, aunque en ellas la Corte no desaprovechó la ocasión para fijar doctrinas que permitían al régimen de Rojas ejercer un amplio poder al amparo del régimen de estado de sitio.

Los límites a la propiedad fijados por medidas de estado de sitio

Una de las sentencias de la Corte Suprema de Justicia reconformada por el general Rojas, a comienzos del año 1954, fue aquella que resolvió la demanda de inconstitucionalidad dirigida en contra del Decreto 2460 *bis* del 13 de octubre de 1952, dictado durante el Gobierno de Laureano Gómez. Para una mejor comprensión de la decisión tomada por la Corte conviene revisar algunos antecedentes del decreto demandado. Para empezar, la Ley 57 de 1948 fijó un plan de obras que debían ejecutarse con motivo de la IX Conferencia Internacional Americana, que se celebraría en Bogotá entre marzo y abril de 1948. Según la Corte, esa ley autorizaba al Gobierno a hacer las expropiaciones necesarias y a declarar la utilidad pública sobre los predios que se requirieran para la ampliación, pavimentación y arborización del "Paseo de los Libertadores", que unía a Bogotá con el "Puente del Común por la antigua zona del Ferrocarril del Norte". El Gobierno cumplió el mandato legal dictando el Decreto 1659 del 14 de agosto de 1951, que declaró la respectiva utilidad pública y dispuso que en caso de que no fuere posible un arreglo con el interesado se procedería a la "expropiación, de acuerdo con las leyes de la materia". Sin embargo, el Gobierno cambió esas reglas de juego con el Decreto 2460 de 1952, al establecer que el valor de las zonas declaradas de utilidad pública en el Decreto 1659 sería el correspondiente al avalúo catastral que tenían los predios con fecha 14 de agosto de 1951. De este modo, el Decreto 2460 establecía unas reglas para la expropiación que eran distintas a las dispuestas en las leyes vigentes, pues estas fijaban el precio según el avalúo comercial.

El 23 de marzo de 1954, el abogado Mauricio Mckenzie, actuando a nombre propio y en representación de los ciudadanos Héctor Patiño Triana y José del C. Cristancho, demandó ante la Corte el Decreto 2460 *bis* de 1952.[46] Según Mckenzie, el decreto vulneraba la Constitución porque excluía a los propietarios de la fijación del precio de los inmuebles expropiados; imponía la retroactividad a una ley que afectaba la propiedad privada; establecía una disposición confiscatoria que significaba un grave perjuicio para el propietario pues se le negaba un justo avalúo, y se eliminaba la diferencia entre el valor comercial y el valor catastral de un inmueble. Por último, consideró que el artículo 121 de la Constitución limitaba las facultades del Ejecutivo bajo el estado de sitio y que el decreto contenía medidas sobre "urbanismo y transportes suntuarios" que no guardaban relación alguna con la turbación del orden público. En palabras del demandante, dentro de las facultades del Ejecutivo para develar la conmoción interior que produjo el 9 de abril de 1948, "no era necesario que se hiciera una autopista, suntuaria y holgada, de Bogotá a Chía

46 Mackenzie fue un exitoso abogado especializado en negocios comerciales, civiles, bancarios y administrativos. Era egresado de la Universidad Nacional. Fue diputado a la Asamblea del departamento del Atlántico. Ejerció como profesor de derecho comercial. Fue autor de *Estudio sobre la pena capital, Derecho cambiario colombiano, Derecho hipotecario, Seguros comerciales terrestres* y *Los ideales de Bolívar en el derecho internacional americano.* Fue presidente de la Academia Colombiana de Jurisprudencia. Disponible en: http://www.acj.org.co/index.php?mod=mauricio_mackenzie. Consultado el 15 de septiembre del 2011.

ni que para ello la Nación se apoderase de las zonas de terreno correspondientes, sin pagar el justo precio sino la ínfima cifra que aparece en el catastro".[47]

Con la ponencia del magistrado Néstor Pineda Castillo,[48] la Corte decidió la demanda de Mackenzie el 10 de agosto de 1954, es decir, casi seis meses después de haber sido admitida, y declaró la inexequibilidad de los artículos 1º y 3º del decreto demandado porque encontró que esas disposiciones, al fijar el avalúo catastral como precio del inmueble expropiado, lesionaban la propiedad privada. Para la corporación, toda expropiación debía tener en cuenta el avalúo comercial del inmueble correspondiente y ese valor de ninguna manera quería decir lo mismo que el avalúo catastral. De igual modo, estableció que el decreto demandado afectaba el debido proceso porque cuando un propietario acudiera a un juez en ejercicio de sus acciones indemnizatorias este solo tendría en cuenta el valor de su inmueble según el avalúo catastral. Dijo la Corte: "La expropiación de la propiedad privada se valida en cuanto no signifique una transgresión de la regla del debido procedimiento legal, que constituye una garantía sustantiva de la libertad civil, y esta exige que la limitación impuesta por la ley a los derechos individuales sea razonable en vista del fin que forma su objeto". También consideró que el decreto vulneraba el "principio de igualdad ante la ley", porque fijaba una regla para la expropiación que solo era aplicable a los propietarios de los predios necesarios para la ampliación, pavimentación y arborización del "Paseo de los Libertadores", que unía a Bogotá con el "Puente del Común por la antigua zona del Ferrocarril del Norte", mientras que en los demás casos de expropiación se aplicaban las leyes generales sobre la materia, logrando, estos sí, el beneficio de la justa y plena indemnización que ordenaba la Constitución.

Con respecto a los límites constitucionales del Ejecutivo para afectar la propiedad mediante normas expedidas en tiempos de turbación del orden público, la Corte recordó que, según el artículo 30 de la Constitución, en tiempos de paz solo procedía la expropiación por sentencia judicial e indemnización previa, o sin indemnización para el caso de una declaratoria de utilidad pública aprobada por mayoría absoluta del Congreso, mientras que en el caso de guerra solo podía haber

47 Corte Suprema de Justicia, sentencia del 10 de agosto de 1954, M.P. Néstor Pineda Castillo, *G.J.*, Tomo LXXVII, No. 2140, Bogotá, abril de 1954, p. 326.

48 La Corte estaba integrada por Néstor Pineda Castillo, Roberto Goenaga, Manuel Barrera Parra, Aníbal Cardozo Gaitán, Luis Enrique Cuervo, Darío Echandía, Jesús Estrada Monsalve, José J. Gómez R., José Hernández Arbeláez, Ricardo Jordán Jiménez, Luis F. Latorre, Alfonso Márquez Páez, Néstor Pineda, Eduardo Rodíguez Piñeres, Domingo Sarasty, Luis Zafra Morante y Alberto Zuleta Ángel. Salvaron voto los magistrados Echandía, Pineda y Rodríguez Piñeres. Corte Suprema de Justicia, sentencia del 10 de agosto de 1954, *op. cit.*

ocupación temporal del inmueble, pero nunca una expropiación sin indemnización (artículo 33). Es decir, que el decreto demandado era abiertamente contrario al artículo 33 de la Constitución. Dijo la Corte:[49]

> Sus disposiciones se encuentran en evidente pugna con él, puesto que someten la propiedad privada, durante el estado de sitio, a reglamentaciones y limitaciones diferentes a las prescritas por la norma constitucional, el decreto viola por lo mismo el propio artículo 121, que se invocó para dictarlo, porque desde el momento en que la Constitución ha previsto las restricciones "al derecho de propiedad para el estado de sitio por causa de guerra exterior o de turbación del orden público interno", ese texto constitucional restrictivo no tendría sentido ni operancia si no se interpretara una limitación a los poderes legislativos del Gobierno, o sea, que el Gobierno no tiene más facultades para limitar el contenido y el ejercicio de la propiedad que las previstas en el texto constitucional que contempla el estado de guerra.

El salvamento de voto de los magistrados liberales Darío Echandía y Néstor Pineda Castillo da pistas de lo ocurrido dentro de la Corte. Cuentan que el proyecto de ponencia que el magistrado Pineda presentó a la Sala Plena incluía un capítulo sobre "Estudio del artículo 121 de la Constitución", que, según ellos, hubiera servido para reafirmar la competencia de la Corte para fijar límites al estado de sitio, pero que ese capítulo fue rechazado por la mayoría. Señalaron que ese proyecto partía de la teoría general del derecho y del derecho constitucional para justificar con contundencia que la Corte debía decidir definitivamente sobre los decretos dictados por el Ejecutivo en ejercicio de las atribuciones de estado de sitio, pues de ningún modo se podía aceptar que esos decretos, por el solo hecho de ser dictados por el Gobierno, gozaran de un sello de legitimidad, pues el propósito de la Constitución era: "[...] impedir la posibilidad de un exceso o desviación de los poderes presidenciales en estado de sitio, que ponga los decretos del Gobierno en conflicto con las normas constitucionales".

Para los dos magistrados disidentes, las medidas de excepción que autorizaba la Constitución tenían como propósito restablecer la normalidad constitucional y el retorno al imperio del orden jurídico a través de unos medios que tenían límites: "[...] si esos decretos no tienen relación alguna, lógica, ni real con dicho fin, ellos deben ser declarados inexequibles. La legitimidad de esos actos del Ejecutivo se mide por la llamada regla de racionalidad *(rule of reasonableness)*, es decir, por la

49 *Ibídem*, p. 328.

relación lógica entre el medio y el fin".[50] Expresaron que esa doctrina fue fijada por la Corte en las sentencias del 12 de junio de 1945 ("Cuartelazo de Pasto") y del 9 de julio de 1948 ("El Bogotazo"). Así, después de citar en extenso el fallo de 1945, concluyeron que "debe mantenerse esta doctrina de la Corte por ser esta la acorde con los textos de nuestra Carta Política fundamental y con los principios universales que informan el derecho público de los estados democráticos".

Note el lector cómo los dos destacados juristas liberales, Echandía y Pineda Castillo, insistían en que este era el momento para que la Corte fijara una postura firme sobre los límites de las facultades del Ejecutivo bajo el régimen de estado de sitio. Sin embargo, ellos no encontraran eco en las mayorías de la corporación. La Corte, pues, no estaba dispuesta a fijar límites doctrinales que pudieran darle a entender al general Rojas que el tribunal pretendía limitar el estado de sitio justo cuando él gobernaba mediante esa poderosa herramienta jurídica.

Por su parte, el salvamento de voto del magistrado Eduardo Rodríguez Piñeres defendió la competencia de la Corte para controlar los decretos que se expidieran bajo el amparo del estado de sitio con el argumento de que tales facultades tenían límites. En este caso, razonó que en el decreto demandado se habían rebasado esos límites y, por tanto, se había vulnerado la Constitución.

En suma, si bien la Corte en este caso asumió la competencia para juzgar la constitucionalidad del decreto demandado, prefirió centrarse en el estudio del mismo pero según las normas constitucionales sobre la propiedad privada, la expropiación, la igualdad y el debido proceso, pero no sobre las facultades presidenciales dentro del estado de sitio. Esta movida argumentativa era una estrategia rentable si de lo que se trataba era de ejercer el control constitucional sin evitar confrontaciones futuras con un régimen —y una realidad nacional— en donde se legislaba ordinariamente mediante decretos de estado de sitio. Así, si bien el decreto se declaró inexequible y este fue uno de aquellos que no produjo tensiones con el Gobierno de Rojas, es importante apreciar que la sentencia evadía la discusión sobre las facultades presidenciales dentro del estado de sitio y precisamente lo hacía en tiempos en que Rojas ejercía el poder al amparo de ese régimen. Es decir, que la Corte se abstuvo de entrar a discutir los límites de las facultades gubernamentales dentro del estado de sitio. Tal vez obraba así porque de este modo evitaba verse abocada a juzgar si todo decreto dictado por Rojas, que en la práctica reemplazaba las leyes, cumplía con la finalidad constitucionalidad del restablecimiento del orden público.

50 Salvamento de voto de Darío Echandía y Néstor Pineda a la sentencia del 10 de agosto de 1954, *op. cit.*

La prórroga al receso de la ANAC

Para 1955, Rojas había decidido gobernar a su antojo, entonces prefería a una ANAC cesante por algún tiempo. Así dictó el Decreto 1974 del 19 de julio de 1955, justo un día antes de que se reanudara el período de sesiones de ese órgano. Rojas argumentó razones de orden público para aplazar el inicio de las sesiones. La ANAC, según el acto legislativo que ella misma había dictado, debía funcionar durante 150 días que se contaban a partir del 20 de julio de 1955. Decía el decreto de Rojas:

> Que la reunión ordinaria de Corporaciones, el Congreso, o de las que cumplan las funciones del mismo, es incompatible con el estado de sitio, de acuerdo con la naturaleza de esta y con la tradición institucional del país. Que como muy bien lo ha establecido la Corte Suprema de Justicia en varias ocasiones [...] frente a los preceptos del Estado Constitucional que garantizan los derechos individuales y sociales y organizan las instituciones, "los poderes extraordinarios del Presidente en el estado de sitio, correspondientes a su responsabilidad y a los deberes que la Constitución le señala para la guarda del orden público, son siempre fuente de restricción". Que de conformidad con la interpretación auténtica unánimemente adoptada por la Comisión 5ª de la Asamblea Nacional Constituyente y Legislativa, al estudiar el proyecto de Acto Legislativo número 2 de 1954, que establece para tal entidad la reunión por derecho propio, en casos de turbación del orden público, para la Asamblea Nacional Constituyente Legislativa en sus relaciones con el Gobierno, rigen las mismas normas y prácticas que para el Congreso.[51]

El demandante del Decreto 1974, cuyo nombre no se incluye en la sentencia, consideró que este vulneraba la Constitución, en especial la reforma constitucional expedida por la ANAC en 1954. La Corte, en una escueta sentencia, se pronunció sobre la demanda casi un año después de expedido el decreto demandado, en sentencia del 28 de junio de 1956, con la ponencia del magistrado Ricardo Jordán Jiménez. Para la Corte, si bien el demandante planteaba una "pugna entre un acto constitucional y un decreto legislativo", no le correspondía a la corporación pronunciarse sobre esa controversia porque el decreto demandado ya había perdido su vigencia, pues para el momento en que la Corte iba a dictar su fallo ya habían expirado los 150 días que, contados a partir del 20 de junio de 1955, tenía la ANAC para reunirse. Entonces estimó que no había lugar a pronunciarse sobre un decreto

51 Corte Suprema de Justicia, sentencia del 28 de junio de 1956, M.P. Ricardo Jordán Jiménez, *G.J.*, No. 2169 de 1956.

que "ya no existe". Dijo la Corte:[52] "La demanda no tiene hoy vigencia, [...] así que, por lo mismo, y no obstante su gran importancia, no podrá referirse la Corte, porque, de conformidad con reiterada jurisprudencia, únicamente le corresponde a ella ejercer su ministerio de velar por la integridad de la Constitución cuando está vigente el acto acusado pues sólo así es posible averiguar si este viola algún precepto de la Carta [...].

Con el fallo, la corporación prefería abstenerse de juzgar las decisiones políticas de Rojas a través de la inveterada práctica de la dilación de los procesos de constitucionalidad, lo cual, sin duda, terminaba favoreciendo el ejercicio del poder sin límites del general Rojas.

La barrida general de la Policía Nacional de 1948 a juicio de la Corte en 1956

El 28 de junio de 1956, con la ponencia del magistrado Jesús Estrada Monsalve,[53] la Corte se pronunció sobre la demanda presentada por el abogado Alfonso Uribe Noguera en contra del Decreto de Estado de Sitio 1403 del 30 de abril de 1948,[54] mediante el cual el presidente Ospina Pérez ordenó dar de baja a todo el personal al servicio de la Policía Nacional. El demandante acusó la inconstitucionalidad del decreto porque estimó que vulneraba los derechos adquiridos de los miembros de la Policía, que habían sido reconocidos por la Ley 72 de 1947. El decreto había sido una reacción del Gobierno de Ospina Pérez en contra del sector de la Policía Nacional de filiación liberal que participó directamente en los hechos de "El Bogotazo". Esta afirmación del demandante resulta ilustrativa:

> Huelga decir que los disturbios y graves acontecimientos ocurridos el 9 de abril y siguientes, provocaron una conmoción interior de repercusiones trascendentales cuyos efectos exigían el ejercicio gubernamental inmediato de facultades extraordinarias, desde el punto de vista que resulta apenas lógico e imperativo el decreto que hubo que declarar turbado el orden público y en estado de sitio toda la República; del mismo modo que las circunstancias anormales y de pánico surgidas a raíz de los

52 Corte Suprema de Justicia, sentencia del 28 de junio de 1956, *op. cit.*, p. 44.

53 Fue un destacado miembro del partido conservador. En 1944 había hecho parte del Directorio Nacional de ese partido. Fue consejero de Estado en 1952. El 25 de mayo de 1953, Roberto Urdaneta, quien ejercía la Presidencia bajo encargo, lo nombró como su ministro de Educación. Luego fue uno de los abogados defensores del general Rojas Pinilla ante el juicio que le siguió el Senado en 1959.

54 Corte Suprema de Justicia, sentencia del 28 de junio de 1956, M.P. Jesús Estrada Monsalve, *G.J.*, No. 2169, 1956, p. 40.

> sucesos de abril, impusieron la acción enérgica del Gobierno para contrarrestar en lo posible las funestas consecuencias de orden social, político y económico engendradas por la rebelión. Empero la actitud del Jefe del Ejecutivo en tal evento debía ceñirse en forma rigurosa a la norma jurídico-constitucional que señala sus funciones, sin que estas lo trocaran en legislador *"ad hoc"* o en usurpador de atributos públicos que la Carta reservara exclusivamente al Congreso.[55]

Para el tribunal, el decreto demandado había perdido vigencia por lo que, "como lo ha dicho la Sala en constante jurisprudencia, no hay lugar a decidir en el fondo sobre la disposición o disposiciones acusadas".[56] Agregó que después de expedido el decreto en mención se produjeron otras normas que también lo derogaron, de modo que esa pérdida de vigencia terminaba por "reforzarse".

Note el lector que la decisión de la Corte se produjo ocho años después de expedida la norma demandada. La corporación mostraba un alto sentido de la oportunidad y del manejo del tiempo en los fallos. Pronunciarse tanto tiempo después de que se había producido la crisis de orden público en la que el presidente Ospina había dictado las medidas de estado de sitio en mención, sin duda mantenía a la Corte fuera de cualquier tensión con el Ejecutivo.

Si bien es cierto que la decisión de la Corte ocurría lejos del "tsunami" político de los meses siguientes a "El Bogotazo" de 1948, se debe considerar que la sentencia fue dictada en otro ambiente político e institucional complejo y que la materia del decreto bajo examen de la Corte era de interés para el régimen militar. Y al menos dos factores relacionados con el fallo en parte podrían explicar la abstención de la Corte para pronunciarse de fondo. En primer lugar, aunque el tribunal sostuvo que para el momento del fallo el decreto ya había dejado de existir, la medida sí había producido efectos jurídicos pues se trataba ni más ni menos que de la remoción fulminante de todos los miembros de la Policía Nacional. Un eventual fallo de inconstitucionalidad no solo habría significado que el Gobierno estaba limitado para disponer del cuerpo policial en caso de graves hechos de orden público, por ejemplo, por insubordinación de sus miembros, como en 1948, sino porque habría reabierto las disputas jurídicas de quienes habían perdido sus cargos en la Policía de aquella época.

El segundo factor tiene que ver con que el manejo de la Policía Nacional era un asunto prioritario para la gobernabilidad del régimen de Rojas Pinilla en 1956. En efecto, hasta antes del golpe de Estado de 1953, la Policía dependía del Ministerio

55 *Ibídem.*

56 *Ibídem.*

de Gobierno, con un jefe civil. La preocupación de Rojas sobre la indómita Policía fue tanta que el mismo día en que se tomó el poder dictó un decreto adscribiéndola a las fuerzas armadas, es decir, junto al Ejército, la Armada y la Fuerza Aérea, de modo que quedaba subordinada al Comando General de las Fuerzas Armadas y al Ministerio de Guerra, mejor dicho, bajo el manto militar. Así, Rojas no solo buscaba unificar el mando sino garantizar la lealtad de la Policía al régimen militar. Este podía ser un importante factor para que la Corte prefiriera abstenerse de decidir sobre cuestiones que pudieran afectar las políticas de Rojas sobre la Policía, aun cuando de por medio estuvieran los derechos adquiridos que reclamaban los miembros de esa institución, afectados por las medidas de 1948.

Como vemos, parecían haber poderosos motivos para que la Corte de 1956 no quisiera pronunciarse sobre el decreto de 1948, que había sacudido las estructuras de la conflictiva Policía Nacional en tiempos de Ospina Pérez, pero que seguía siendo una cuestión sensible para el régimen de 1956.

La modificación de las vacaciones judiciales por decreto de estado de sitio

El 28 de junio de 1956, la Corte resolvió la demanda de inexequibilidad presentada por el ciudadano Luis Enrique Carvajal, el 27 de septiembre de 1954, en contra del Decreto de Estado de Sitio 3664 del 12 de diciembre de 1950 dictado por Laureano Gómez, que modificaba los días de vacancia judicial. El Gobierno había justificado la medida porque: "[...] el lapso de vacaciones judiciales señalado en la [...] Ley 105 de 1931 es mucho más largo que el que fijan otras leyes para las vacaciones de los demás empleados públicos, sin que ello tenga justificación [...]", y que modificar el tiempo de vacaciones que disfrutarían los funcionarios del Poder Judicial era una "medida tendiente a intensificar el servicio de la justicia [que] contribuirá en forma eficaz al restablecimiento del orden público".[57]

Esta vez la ponencia del fallo le correspondió al magistrado Manuel Barrera Parra. Aunque la Corte consideró que la demanda era un memorial "bastante defectuoso, confuso y carente de técnica", expresó que en una interpretación amplia de las reglas de los juicios de constitucionalidad "llena las exigencias mínimas", y así, contrario al concepto del Procurador, quien señala que la demanda no cum-

57 El decreto limitaba los días de vacancia judicial a los festivos nacionales, los festivos católicos "de guardar", los de Semana Santa y el lapso comprendido entre el 20 de diciembre y el 10 de enero. Corte Suprema de Justicia, sentencia del 28 de junio de 1956, M.P. Manuel Barrera Parra, *G.J.*, No. 2169 de 1956, p. 20.

ple las formalidades legales, la Corte opta por decidir sobre ella". Es decir, que la corporación se esforzó por tratar de encausar la demanda de modo que se pudiera adelantar el respectivo juicio de constitucionalidad.

En la sentencia aparece una destacable cantidad de referencias a la teoría constitucional y, además, abunda en la reconstrucción de la jurisprudencia de la propia Corte y en las doctrinas fijadas en los conceptos del procurador sobre estados de sitio. Como si esto fuera poco, también se apoya en algunos elementos de los debates sobre la expedición de la Constitución de 1886 y de la Comisión de Estudios Constitucionales de 1954. Con todas esas herramientas, la Corte afirmó su competencia para juzgar decretos de estado de sitio, pero en especial justificando su facultad constitucional para pronunciarse sobre la conexidad que debe existir entre el contenido de las medidas que se toman para restablecer el orden público y el contenido de las leyes que resultan suspendidas en virtud de tales decretos.

Así, la corporación se movió entre dos extremos. Por un lado, el de justificar los límites constitucionales de los poderes de excepción del Ejecutivo, afirmando que al juez constitucional le correspondía vigilar atentamente esos límites, es decir, en una reafirmación de su facultad para controlar los decretos de estado de sitio. Y de otro, con la búsqueda de una "nueva concepción de orden público" que le permitiera establecer esos límites constitucionales. De este modo, consideró que el control constitucional del estado de sitio era un asunto de verificación de las competencias del Ejecutivo:[58]

> En un régimen de derecho no se concibe actividad alguna del Gobierno que pueda ejercerse arbitrariamente, ejercerse sin sujeción a normas constitucionales o legales, pues cualesquiera que sean las razones de la gravedad y urgencia de las situaciones que se presenten, los funcionarios del Estado solo podrán enfrentarlas por los medios tomados del derecho preexistente y en ningún caso abrogarse poderes discrecionales que sobrepasen los que se derivan del orden jurídico constituido en la nación. Característica del Estado de Derecho, afirma Carl Schmitt, es que toda actividad del Estado está repartida de modo exhaustivo en una suma de competencias claramente delimitadas en la ley [...] Un problema como el de las facultades extraordinarias concedidas al Gobierno en estado de sitio es, al fin y al cabo, una cuestión de competencia de los funcionarios del Estado, o sea, saber hasta dónde pueden extenderse o cuáles son sus límites dentro del contenido de la norma que les confiere.

58 *Ibídem.*

La consecuencia de este modo de razonar, dijo la Corte, era que, en un régimen de derecho, la función del juez constitucional consistía en limitar los excesos del poder, pero dentro de un esquema de "colaboración armónica entre los poderes":[59]

> Ni el Presidente de la República puede verse restringido en el ejercicio legítimo de los poderes extraordinarios concedidos para el restablecimiento de la normalidad, ni la Corte Suprema de Justicia puede permanecer indiferente e inactiva por lo que atañe a su deber de decidir sobre la exequibilidad de los decretos legislativos que fueren acusados ante ella como violatorios de la ley fundamental. Al ejercer tal atribución, la Corte habrá de colocarse en plano elevado de la autonomía que constitucionalmente le corresponde, pero sin invadir la que se reconoce así mismo al primer mandatario dentro de nuestro sistema de gobierno presidencial.

Luego de afirmar que el Ejecutivo tenía unos límites constitucionales para actuar dentro del régimen del estado de sitio, la Corte exploró cuál debía ser su papel como juez constitucional de los decretos de estado de sitio, y así expuso algunas orientaciones, que entendía, debían inspirar su control constitucional:[60]

> a) No estorbar la acción del Ejecutivo, como supremo guardián del orden público, dirigida al cumplimiento de sus ponderosos deberes y al ejercicio de sus facultades extraordinarias para la restauración de la paz y la seguridad social; b) Impedir el quebranto de las garantías básicas que la Constitución mantiene para todo tiempo, en lo tocante a la organización del Estado, y a los derechos individuales y sociales; c) cuidar de que los decretos legislativos que se sometan a juicio de la Corte cumplan la finalidad de contribuir al restablecimiento del orden público.

Su siguiente paso fue analizar en qué consistía la turbación del orden público, pues de ese modo se podía determinar si el Ejecutivo había obrado dentro de los límites de la Constitución, cuando tomó acciones para restablecer el orden público que él consideró turbado. En este punto, la Corte introdujo una nueva doctrina sobre lo que significaba el "orden público" en la Constitución colombiana. Así, dijo que había llegado el momento de que la jurisprudencia constitucional adaptara las concepciones modernas sobre la interpretación de la Constitución, según la realidad, es decir, sobre los hechos actuales que el constituyente del siglo XIX no previó. Entonces estimó que era necesario ampliar la noción de "orden público",

59 *Ibídem.*

60 *Ibídem*, p. 33.

pues esta ya "no está referida hoy a una mecánica concepción del orden policiaco de la nación, sino que abarca un determinado orden económico, un determinado orden social, un determinado orden político y moral".[61]

La Corte estrenó esta nueva doctrina sobre el orden público en el juicio al decreto sobre vacancia judicial, de modo que estimó que no aparecía en "forma clara y evidente, falta de conexión de la norma acusada con el restablecimiento del orden público", pues dentro de una época de anormalidad por conmoción interna era previsible que para la "restauración de la paz y la tranquilidad social" fuera necesario "intensificar el trabajo de los funcionarios encargados de administrar justicia, a fin de que los delitos sean investigados y sancionados eficazmente y de que todos los derechos tengan oportuna protección por parte del Estado". Entonces, para la Corte, en tiempos de anormalidad era "natural" que el Gobierno pudiera exigirles un mayor esfuerzo a los funcionarios públicos "para un rendimiento extraordinario en sus labores". Así, la corporación encontró una plena conexidad entre la finalidad del decreto y el restablecimiento del orden público, de modo que su juicio era que el Ejecutivo había actuado dentro de los límites constitucionales.

Como podemos ver, la doctrina de la Corte le amplió al Ejecutivo su radio de acción dentro del estado de sitio, pues acuñó una nueva noción de orden público en la cual cabía un amplio repertorio de posibilidades. Con esto daba rienda suelta a los poderes de excepción, algo que era crucial en tiempos de un régimen que, como el de Rojas, gobernaba bajo decretos de estado de sitio.

Como vemos, el fallo de la Corte enviaba un doble mensaje al régimen militar. Por un lado, le hacía notar que la corporación afianzaba su poder como juez constitucional, pero, por otro, se mostraba muy dispuesta a tolerar un amplio rango de ejercicio del poder de excepción por parte de ese régimen, gracias a la reinterpretación de la noción de orden público en la Constitución.

Por último, esa nueva noción de orden público que adoptó la Corte, como lo veremos en las páginas siguientes, pocos meses después sería apropiada por el general Rojas Pinilla precisamente para asestarle un duro golpe a la integridad del tribunal al crear una Sala de Negocios Constitucionales, dentro de la misma Corte.

61 Esta concepción guardaba estrecha relación con lo expresado por el presidente Ospina Pérez, cuando al justificar el estado de sitio y el cierre del Congreso, el 9 de noviembre de 1949, dijo que su Gobierno entendía el orden público no limitado a la función de policía o a la tutela de la tranquilidad, sino que esa noción comportaba "una serie de valores jurídicos, económicos y sociales, cuyo mantenimiento y servicios suscite un equilibrio orgánico en la vida de la Nación y en el interior del Estado". En palabras de Ospina, un "concepto de orden público integral". "Alocución del señor Presidente de la República...", *op. cit.*, pp. 555-556.

Las reformas constitucionales del "jefe supremo"

Entre los años 1955 y 1956, la Corte se negó a ejercer el control constitucional de las reformas a la Constitución aprobadas por la ANAC en favor del general Rojas. La ANAC, como dijimos, era un órgano colegiado que para entonces se había abrogado las funciones de cuerpo constituyente y de legislador ordinario en reemplazo del clausurado Congreso de la República. Así, mediante el Auto del 28 de octubre de 1955, con la ponencia del magistrado Luis Enrique Cuervo, el tribunal rechazó la demanda presentada por el ciudadano Germán Molina Callejas[62] en contra de los actos legislativos 01 del 18 de junio de 1953 y 01 del 30 de julio de 1954.[63] Recordemos brevemente en qué consistían esas reformas constitucionales. La de 1953 había legitimado la toma del poder por Rojas, y también había previsto que, si para 1954 las condiciones para ejercer el sufragio no eran adecuadas, a juicio del Gobierno se podría prorrogar la fecha de las elecciones presidenciales o convocar a la ANAC para que esta eligiera al presidente, caso en el cual el general Rojas quedaría en el Gobierno hasta la posesión de su sucesor. La reforma de 1954 establecía una ampliación de los miembros de la ANAC, incluyendo representantes de las Fuerzas Armadas y de la Iglesia Católica, y también determinaba que, el 3 de agosto, la misma ANAC elegiría al presidente de la República para el período

62 Molina Callejas aparece como demandante de varias acciones que fueron falladas por el Consejo de Estado a finales de la década de los veinte y en los treinta. Fue también uno de quienes, en 1931 y 1936, demandaron ante la Corte el contrato Chaux-Folson que el presidente Olaya celebró con la Colpet y la Sagoc y que permitía la explotación petrolera de los yacimientos de El Catatumbo. Luis Humberto Hernández, *América Latina: petróleo y conflicto. Pasado y presente,* Ciencia Política No. 5, enero-junio del 2008, p. 129. También fue autor de los libros *Concesión Barco: el contrato sobre los petróleos del Catatumbo ante la Corte Suprema de Justicia, demanda de nulidad y otros documentos,* Tipografía Industrial, Medellín, 1936, y de *Los monopolios de la Tropical Oil Company y de la Andean National Corporation: Petróleos de Barrancabermeja y oleoducto a Mamonal,* Cromos, Bogotá, 1941.

63 Ya desde 1936, con motivo de la reforma constitucional liberal, José Gnecco Mozo había puesto de presente la posibilidad de que se pudieran demandar reformas constitucionales. Para Gnecco, la "revolución triunfante" había sido una de las razones más frecuentemente usadas en Colombia para "derogar una Constitución". En efecto, señalaba que una vez una revolución triunfaba y lograba imponer sus principios y una Constitución, porque tenía el poder, "sería infantil pretender que se han violado los cánones constitucionales". Por oposición, consideraba que una Constitución aprobada en el "curso normal y pacífico" del país, debía "ser revisable por el órgano jurisdiccional que tenga la guarda de la magna carta. Él dirá si lo que se dio como Constitución lo es en realidad o no llegó a ser viable. La cuestión nos parece indudable; salvo que ante las jurisprudencias moderadas de la Corte, de considerar que ley es lo que se da en forma de tal, y que no tiene facultad para declarar inexequible lo que formalmente se le da como Constitución, contra las constituciones inconstitucionales no hemos conocido todavía entre nosotros recursos". José Gnecco Mozo, *La reforma constitucional de 1936: comentario jurídico al acto reformatorio de la Constitución,* Editorial ABC, Bogotá, 1938, pp. 355-356.

constitucional que iba de 1954 a 1958, lo que en últimas extendía la Presidencia de Rojas hasta 1958, si acaso él llegaba a ser elegido.

El magistrado Cuervo estimó que lo primero que debía hacer un juez para resolver sobre una demanda era verificar si era competente para pronunciarse sobre ella. Su respuesta fue contundente: la Constitución claramente excluía la posibilidad de formular demandas de inconstitucionalidad en contra de reformas constitucionales, pues su control constitucional se limitaba a las leyes. Según su criterio, la Corte Suprema de Justicia, siendo un "órgano constituido", de ningún modo podía controlar a un poder constituyente. Sobre las reformas a la Constitución dijo:[64] "Estos actos, una vez expedidos, no están sujetos a revisión de ninguna especie por ninguno de los poderes constituidos; porque ello implicaría admitir el absurdo de que hay derecho contra derecho, la tesis es tan clara, tan evidente, que sería inoficioso detenerse a analizarla".

Para la Corte, toda reforma a la Constitución provenía de un poder constituyente y por esta razón la enmienda escapaba al control de la corporación, sin importar la naturaleza de la asamblea constituyente (la ANAC) que había aprobado las reformas demandadas.

Pero las demandas contra las reformas constitucionales de la ANAC no cesaron. El 12 de enero de 1956, el mismo Germán Molina Callejas solicitó a la Corte que declarara la inconstitucionalidad del Acto Legislativo 02 del 24 de agosto de 1954, que establecía que desde el 20 de julio de 1955 la misma ANAC ya no solo sería el órgano encargado de hacer precisas reformas constitucionales, sino que se convertiría en un sustituto del clausurado Congreso al autoproclamarse como órgano legislativo. Además, la misma reforma extendía el período de funcionamiento de la ANAC hasta el 7 de agosto de 1958. Según Molina, esa reforma transgredía la Constitución porque iba en contra del Acto Legislativo 01 de 1952 aprobado por el Congreso de la República bajo el Gobierno de Laureano Gómez, que, recordemos, había convocado a la ANAC y le había fijado precisas funciones como cuerpo constituyente.

El 30 de enero de 1956, el magistrado Ignacio Gómez Posse dictó un auto rechazando de plano la demanda de Molina Callejas. La Corte reiteró que no era competente para juzgar reformas constitucionales porque sus facultades se reducían al artículo 214 de la Carta Política, que bien claro le señalaba que solo podía juzgar

64 Corte Suprema de Justicia, auto del 28 de octubre de 1955, M.P. Luis Enrique Cuervo, *G.J.*, No. 2159, p. 862.

la constitucionalidad de las leyes, de modo que los actos legislativos quedaban fuera del alcance del control del tribunal.[65]

Como podemos ver, las dos demandas se referían a reformas constitucionales que establecían el marco legal del régimen del general Rojas. La Corte prefirió la inhibición. De este modo el tribunal evadió el juzgamiento de las reglas que habían cubierto con un manto de legalidad el Gobierno de facto, evitando así un seguro enfrentamiento con el régimen militar. En efecto, un eventual juicio a las "reformas constitucionales" habría forzado a la Corte a evaluar la compleja situación jurídica de las reformas de la ANAC, partiendo de la vacancia presidencial decretada por esta y la legitimación de Rojas en el poder en 1953, siguiendo con la sustitución del Congreso por parte de la ANAC y terminando con la extensión de la permanencia de Rojas en el poder. Con sus abstenciones para juzgar esas controvertidas reformas, la Corte mostraba que el piso jurídico sobre el que reposaba el régimen no estaba sujeto a discusión.

El general Rojas y su "pequeña Corte Constitucional"

Para el año 1954, el nombramiento de una nueva Corte Suprema de Justicia había sacudido la independencia del tribunal. Pero ahora el general Rojas quería ir más allá. Entonces dictó un decreto legislativo que afectaba notablemente la organización de la Corte y que tendía a lograr una mayor injerencia del Ejecutivo en el control constitucional. Con el Decreto 1762 del 26 de julio de 1956[66] se establecía una "Sala de Negocios Constitucionales" dentro de la Corte, que en adelante se encargaría de los juicios de constitucionalidad. Entre los considerandos del decreto se lee: "Que la práctica ha demostrado la necesidad de crear en la Corte Suprema de Justicia una Sala especializada en Derecho Público; Que corresponde al Presidente velar porque en toda la República se administre pronta y cumplida justicia; Que toda medida tendiente a tecnificar el servicio de justicia contribuye al restablecimiento de la normalidad".[67]

La Sala de Negocios Constitucionales estaría conformada por ocho magistrados provenientes de las demás salas que ya componían la Corte y tendría como función: "[...] decidir definitivamente sobre la exequibilidad de los actos legislativos

65 Corte Suprema de Justicia, Sala Unitaria, auto del 30 de enero de 1956, M.P. Ignacio Gómez Posse, *G.J.*, Tomo LXXXII, Nos. 2163 y 2164, pp. 9-10.

66 De la Corte interina nombrada por Rojas en 1953, renunciaron en 1956: Luis Felipe Latorre, José J. Gómez, Ricardo Jordán Jiménez, Roberto Goenaga y Aníbal Cardozo Gaitán. *Diario Oficial*, No. 29091, Bogotá, 28 de julio de 1956.

67 *Ibídem.*

objetados por el Gobierno como inconstitucionales o de las leyes o decretos que de conformidad con la Constitución puedan ser acusados ante ella por cualquier ciudadano, previa audiencia del Procurador General de la Nación". Esta, sin duda, podría ser interpretada como una reforma constitucional por vía de decreto, pues, recordemos que, para ese entonces, la Constitución vigente le confiaba la guarda de la Constitución a la Corte Suprema y no a una sola de sus salas.[68]

La reforma del general Rojas bien podría ser vista como un paso más hacia la especialización del control constitucional colombiano, pero, con el nuevo diseño institucional, lo que el régimen militar lograba era una mayor influencia sobre la Corte. Gracias al decreto, el pleno de la corporación dejaba de tener a cargo los juicios de constitucionalidad de los decretos del general y de los esporádicos actos legislativos de la ANAC, y ahora esas funciones pasaban a ser competencia de una Sala de Negocios Constitucionales conformada por magistrados que el propio Rojas escogería de entre quienes, por entonces, conformaban la Corte que él mismo había nombrado en 1954.

Varios de los magistrados, no obstante que algunos le debían su nombramiento al general Rojas, reaccionaron en contra de la reforma a la Corte Suprema y prefirieron renunciar a sus cargos. El general no tardó en aceptarles esa dimisión mediante el Decreto 1935 del 17 de agosto de 1956 y en nombrarles sendos reemplazos.[69] Así, aceptó la renuncia de Luis Felipe Latorre, José J. Gómez, Manuel Barrera P., Aníbal Cardozo Gaitán, Roberto Goenaga, Agustín Gómez Prada, José Hernández Arbeláez, Ricardo Jordán J., Julio Pardo, José J. Rodríguez, Luis Zafra e Ignacio Gómez Posse. En su reemplazo nombró a Daniel Anzola Escobar, Enrique Arámbula Durán, José Enrique Arboleda Valencia, Jesús María Arias, Juan Benavides Patrón, Santiago Correa Copete, Miguel A. Constaín, Guillermo Garavito Durán, Guillermo Hernández P., José Jaramillo Giraldo, Pablo Emilio Manotas, Juan Manuel Pachón P., Sergio Antonio Ruano, Luis Sandoval Valcárcel, Elberto Téllez Camacho y Francisco de Paula Vargas.

La creación de la Sala de Negocios Constitucionales fue ampliamente criticada por la comunidad jurídica. Por ejemplo, un numeroso grupo de abogados, representado en el Colegio de Abogados y de Juristas de Medellín y Antioquia, dirigió

68 En el decreto de Rojas, además, se suprimía el Tribunal Supremo del Trabajo y sus magistrados pasaban a quedar adscritos a la Sala de Casación Laboral que se creaba dentro de la Corte. El decreto también ordenaba nuevas remuneraciones para los veinte magistrados y demás funcionarios de la Corte Suprema. Como se puede ver, no solo se trataba de una reforma al control de constitucionalidad, sino de una modificación importante a la estructura y organización de las altas cortes, que tocaba principalmente a la Corte Suprema de Justicia.

69 *Diario Oficial*, No. 29121, 3 de septiembre de 1956.

una comunicación al general Rojas pronunciándose en contra de la creación de la nueva Sala. Rojas les contestó que su decreto se ajustaba a la Constitución porque esta señalaba que la Corte se dividiría en salas y se integraría por el número que establezca la ley, pero sin que en ninguno de sus artículos se determinara que debía ser la Sala Plena de la Corte la encargada de conocer de los juicios de constitucionalidad, de manera que asignar esa tarea a la nueva Sala de Negocios Constitucionales no transgredía la Carta. También expresó que él no había abusado de las atribuciones constitucionales del estado de sitio y se mostró muy sorprendido con la "arcaica teoría de que las facultades excepcionales" solo se "enderezan a regular alteraciones de orden público", pues lo que había hecho era apoyarse en el criterio amplio y "moderno" sobre la noción de orden público que la propia Corte había fijado en su sentencia del 28 de junio de 1956, que mencionamos atrás. Tal noción, entendía el general, tenía un sentido mucho más amplio, de modo que las medidas extraordinarias del Ejecutivo podían extenderse legítimamente a las "causas políticas, sociales y económicas que hayan originado o mantengan la anormalidad". Así mismo, insistió en que la creación de la nueva Sala correspondía al más legítimo interés de su Gobierno en garantizar la agilidad del trabajo de la Corte Suprema:

> Es posible que muchos de ustedes ignoren que en la honorable Corte Suprema de Justicia cursan actualmente 135 demandas de inexequibilidad [...] Con razón se promovió el año pasado un movimiento en la opinión pública, dirigido por órganos de la prensa y por notables ciudadanos, entre los cuales se contaban muchos de ustedes, encaminado a pedirle a la Corte que no postergara más su pronunciamiento sobre las demandas de inconstitucionalidad que tenía pendientes.

Pero Rojas también expuso razones de tipo técnico para crear la Sala de Negocios Constitucionales dentro de la Corte:[70]

> La Corte, aunque hacía toda clase de esfuerzos por ponerse al día, no lograba hacerlo, pues para reunir la Sala Plena con la frecuencia que el número y la importancia de estos negocios requería, debía hacerlo con menoscabo de las otras Salas que verían paralizada su actividad [...] Se creyó conveniente entonces crear la Sala de Negocios Constitucionales. Dedicada exclusivamente a conocer de tales asuntos, les daría evasión oportuna. Además, una Sala integrada por especialistas en la materia sería una garantía de acierto. Más que una Corte Plena, en la que por razones obvias no se puede aspirar a que cuando menos la mayoría de los magistrados sean

70 *G.J.*, No. 271-273, p. 422.

especialistas en derecho constitucional. La Sala de Asuntos Constitucionales consagraría de este modo, en materia importante, la acertada y moderna tendencia de acabar con el conocimiento promiscuo en la administración de justicia de los países más adelantados y aspiración permanente de nuestros reformadores.

En cuanto a la acusación de que los ocho magistrados de la nueva Sala de Negocios Constitucionales ahora impondrían su voluntad sobre la Sala Plena de la Corte, que se componía de veinte magistrados, Rojas rechazó con vehemencia que se dudara del criterio jurídico de los excelsos juristas que ejercían la magistratura en esa corporación. Por último, sobre la crítica de que el nombramiento de los nuevos magistrados por parte de su Gobierno sustraería los actos del Ejecutivo del control de la Corte, Rojas les contestó que era inaceptable que se acusara de prevaricadores al presidente de la República y a la Corte:

No comprendo por qué si es el Congreso el que elige a los magistrados de la Corte, y ese mismo Congreso crea las Salas y distribuye los asuntos de que debe conocer, no hay peligro de ninguna especie, aunque esa misma Corte vaya a juzgar actos del Congreso que la elige, y no obstante que en los Congresos una exigua minoría selecta impone su criterio a la inmensa mayoría heterogénea y gregaria. Pero si son el Presidente de la República y sus Ministros quienes, a falta del Congreso hacen esas mismas cosas, entonces resulta gravísimo y perjudicial, aunque el Presidente y sus Ministros sean tan responsables, tan ilustrados y tan honestos como la minoría selecta del Congreso, cuando menos.[71]

Uno de los pocos constitucionalistas que formuló reparos —aunque mesurados— a la creación de la Sala fue Álvaro Copete Lizarralde, quien en la segunda edición de su libro *Lecciones de Derecho Constitucional*, de 1957, comentó:[72]

Hallándose en prensa esta edición, el Gobierno Nacional dictó un decreto por medio del cual se crea en la Corte Suprema de Justicia una Sala de Negocios Constitucionales [...] Aunque la reforma puede no contrariar la letra de la Constitución, es evidente que quebranta el espíritu del control jurisdiccional en ella establecido, por dejar en manos del Ejecutivo la escogencia del personal que debe integrar la Sala que en lo sucesivo decidirá de las demandas de inconstitucionalidad.

71 *G.J.*, *op. cit.*, p. 422.
72 Álvaro Copete Lizarralde, *op. cit.*, p. 259, Nota No. 46.

No obstante las críticas de los juristas, Rojas no dio un paso atrás en su decisión de crear la Sala de Negocios Constitucionales, que funcionó hasta finales de 1957. Así el general lograba su "pequeña Corte Constitucional".

La nueva Corte Suprema de Justicia, con su flamante pequeña Corte Constitucional, no tardó en manifestar públicamente su "compromiso" con el régimen, tal como lo podemos leer en la proposición unánime de la Sala Plena de la corporación del 25 de septiembre de 1956:[73] "La Corte Suprema de Justicia en Sala Plena, presenta su respetuoso saludo al Excelentísimo Señor Presidente de la República, Teniente General, Gustavo Rojas Pinilla, y al reconocer los altos sentimientos que lo animan a favor de una administración de justicia cada día más recta, pronta y eficaz, le manifiesta la voluntad de todos sus miembros de colaborar armónicamente en la realización de tan altos fines".

Por último, hubo algunos hechos que mostraban alguna cercanía política de la Corte con el Ejecutivo. Por ejemplo, después de designar por decreto a José Enrique Arboleda Valencia como magistrado, en septiembre de 1956 lo nombró como su ministro de Gobierno.[74] Poco después, el general también nombró al magistrado Jesús María Arias como ministro de Agricultura.[75]

La Sala de Negocios Constitucionales del general Rojas

El general Rojas conformó la Sala de Negocios Constitucionales con magistrados que estaban asignados a otras salas de la Corte Suprema. Los magistrados que pasaron a la nueva Sala fueron Daniel Anzola Escobar,[76] Enrique Arámbula Durán,[77] Abelardo Gómez Naranjo,[78] Juan Manuel Pachón Padilla, Camilo Rincón Lara,[79]

73 Proposición aprobada el 25 de septiembre de 1956, publicada en la *G.J.*, Tomo LXXXII, Nos. 2171-2173, agosto-octubre de 1956, p. 423.

74 Carlos Horacio Urán, *Rojas y la manipulación del poder, op. cit.*, p. 101.

75 El 29 de enero de 1957, la corporación aprobó una proposición por el nombramiento de Arias: "La Corte presenta un efusivo saludo de congratulación [...] por la nueva y merecida distinción que le ha hecho el Gobierno Nacional". *G.J.*, Tomo LXXIV, No. 2177, enero y febrero de 1957, p. 5.

76 En 1940 ya había hecho parte de la Sala de Casación Civil de la Corte. Fue consejero de Estado hacia 1950.

77 Después de salir de la Corte fue magistrado del Tribunal Superior de Cúcuta, pensionándose en 1977. Falleció en 1982. Su hermano, el general Marcos Arámbula, fue un destacado oficial del Ejército y ocupó altos cargos militares durante el régimen de Rojas y hasta su retiro en 1964; entre otros, llegó a ser jefe del Estado Mayor Conjunto de las Fuerzas Militares.

78 Era hermano de Pedro A. Gómez Naranjo, quien fue magistrado de la Corte y consejero de Estado.

79 Abogado de la Universidad del Rosario. Fue magistrado del Tribunal Superior del Huila.

Sergio Antonio Ruano,[80] Luis Sandoval Valcárcel y Domingo Sarasty Montenegro. El 29 de septiembre de 1956, el laboralista Enrique Arámbula, presidente de la sala, hizo el primer reparto de los procesos relacionados con los juicios de constitucionalidad que llevaba el pleno de la Corte y que ahora pasaban a la Sala de Negocios Constitucionales.

El rastreo de la jurisprudencia de la Sala de Negocios Constitucionales nos muestra que, en general, ese órgano decidió sobre pocos asuntos de trascendencia política. En las cuestiones sobre las que podría tener algún interés el régimen, la Corte decidió a su favor. La corporación usó de manera selectiva su doctrina sobre los límites del Ejecutivo para dictar medidas dentro del estado de sitio.

Por otro lado, varios de los asuntos tramitados por la Corte se referían a derechos laborales de miembros de las Fuerzas Armadas, de modo que la acción pública de inconstitucionalidad se convirtió en una forma de litigar tales derechos.

Una inhibición sobre la reforma judicial

El 13 de febrero de 1957, con la ponencia de Abelardo Gómez Naranjo,[81] la Sala de Negocios Constitucionales resolvió la demanda de inexequibilidad presentada por el ciudadano Pedro Yancés Salcedo[82] en contra de varios artículos del Decreto Legislativo 2421 del 17 de julio de 1948.[83]

En primer lugar, es importante que vayamos a los antecedentes de la norma demandada. El decreto había sido dictado por el presidente Ospina Pérez con el propósito de fortalecer el aparato investigativo criminal del Estado, a escasos meses de ocurrido "El Bogotazo", cuando se expresaba la necesidad de reducir la impunidad que carcomía al país. Entre sus medidas, el decreto establecía que los jueces de instrucción criminal serían nombrados para períodos de un año, modificando así la regla de que podían ser removidos en cualquier momento por decisión del Ejecutivo. Sin embargo, el decreto tuvo corta vigencia pues a escasos seis meses, el 13 de diciembre de 1948, un Congreso dominado por el liberalismo y opositor al Gobierno de Ospina aprobó la Ley 90 de 1948 y en ella no concedió al Ejecutivo

80 Conservador. Era laboralista, tuvo varios cargos en el Ministerio de Trabajo y fue magistrado del Tribunal Supremo del Trabajo hacia 1952, junto a Alejandro Córdoba y Juan Benavides Patrón. Gobernador del departamento de Nariño entre 1953 y 1956.

81 Corte Suprema de Justicia, Sala de Negocios Constitucionales, sentencia del 13 de febrero de 1957, M.P. Abelardo Gómez Naranjo, *G.J.*, Tomo LXXXIV, No. 2177, 1957, p. 8.

82 Había sido parlamentario en representación del gaitanismo.

83 La corporación ni siquiera transcribió el decreto demandado, ni los argumentos de la demanda, ni tampoco el concepto del procurador general de la Nación.

conservador las facultades necesarias para convertir el Decreto 2421 en norma legal permanente. De ese modo, una vez el presidente levantó el estado de sitio, el 13 de diciembre de 1948, las medidas que reorganizaron los juzgados de instrucción criminal perdieron vigencia y se produjo la remoción fulminante de varios jueces de instrucción criminal, aun cuando ellos se encontraban dentro del término de un año, para el cual habían sido elegidos. Como era de esperarse, esto dio lugar a controversias legales y a numerosas demandas de nulidad por parte de los jueces destituidos.[84]

La Corte decidió evadir el asunto de la legalidad del decreto que les había fijado período a los jueces de instrucción criminal. En un fallo escueto la Sala dijo que "en ejercicio de la jurisdicción constitucional consagrado en el artículo 214 de la Carta, no había lugar a resolver" sobre la demanda, pues el 13 de diciembre de 1948 se había levantado el estado de sitio bajo el cual había sido dictado el decreto demandado y que por lo tanto este había dejado de existir. Dijo la corporación: "Exequible, según la acepción jurídica, es lo que se puede ejecutar o llevar a efecto. De modo que para que se pueda fallar sobre la exequibilidad o inexequibilidad de una ley o de un decreto legislativo, es menester que tenga al menos posible cumplimiento, pues el acto que no lo tiene, no puede tener eficacia práctica, ni es susceptible de ocasionar violación alguna de las disposiciones de la Constitución Nacional".

La Sala prefirió inhibirse de tomar una decisión de fondo sobre el asunto recurriendo a una doctrina que de cuando en cuando hacía visible: la de inhibirse de decidir sobre la constitucionalidad de decretos que habían perdido su vigencia, por "sustracción de materia". Como vemos, si bien el decreto demandado produjo efectos legales constituyendo o modificando derechos de carácter laboral, para la fecha en que la corporación resolvía sobre la demanda ya había pasado casi una década desde que este se había dictado y desde que se había promovido ante la corporación la respectiva acción de inconstitucionalidad. Sin duda la corporación se había tomado su tiempo para dejar pasar la cuestión de tener que pronunciarse sobre una medida de estado de sitio, pero además con respecto a un asunto que había generado un alto nivel de controversia legal —y política—, como era la estabilidad laboral de los jueces de instrucción criminal.

La Corte, a ocho años de haberse dictado la medida, también evitó asumir posturas doctrinales sobre el estado de excepción, en tiempos en que, como dijimos, el régimen militar gobernaba bajo decretos legislativos y cuando la propia Corte también había sido reintegrada por normas dictadas bajo el estado de sitio.

84 Por ejemplo, la demanda de nulidad presentada en 1949 por el juez Francisco Chávez y resuelta por el Consejo de Estado en la sentencia del 27 de noviembre de 1951.

LA FINANCIACIÓN DE LOS JUZGADOS MUNICIPALES

El 19 de febrero de 1957, con la ponencia del magistrado Camilo Rincón Lara, la Sala[85] resolvió la demanda de inconstitucionalidad presentada por Severo Galindo Díaz, que había sido admitida por la corporación el 10 de diciembre de 1953, dirigida contra del artículo 14 del Decreto 1231 del 1 de junio de 1951, que ordenó a los alcaldes municipales asumir los gastos ocasionados por el funcionamiento de los juzgados municipales, incluyendo los sueldos del personal de esos despachos.

El decreto demandado tiene estos antecedentes. Con la Ley 75 de 1945 y el Decreto 672 de 1946 se había dispuesto que el Ministerio de Gobierno atendería los gastos que demandaba el personal, las asignaciones de los juzgados municipales, sus gastos de funcionamiento, junto con los demás cargos de la administración de justicia. Las dos normas materializaban el viejo anhelo de los gobiernos liberales de fortalecer el Poder Judicial con la nacionalización de los juzgados municipales y que había sido ordenada por la reforma constitucional de 1945. El Decreto 1231 de 1951, cuya inconstitucionalidad se solicitaba, suspendía la Ley 75 y el Decreto 672, y en su lugar disponía que "los alcaldes tomarán las medidas conducentes a fin de facilitar el suministro por parte del Municipio, de locales, útiles, y elementos para el mejor funcionamiento de los Juzgados Municipales". Es decir, que liberaba a la nación de la carga de asumir dichos gastos.

Galindo Díaz dijo a la Corte que el Gobierno había dictado el Decreto 1231 sin tener una idea aproximada del costo que este representaba para las administraciones municipales. Además que, teniendo en cuenta la falta de recursos que afectaba a los municipios y los efectos de la municipalización de los gastos de los juzgados municipales, podía evidenciarse que el decreto había afectado la administración de justicia, pues esos juzgados no contaban con recursos adecuados para funcionar. Así mismo, denunció que los juzgados municipales habían quedado a merced de las alcaldías, en donde mandaban los "caciques de pueblo", afectando la "independencia que debía primar en la administración de justicia". Por último, argumentó que el decreto también vulneraba la Constitución porque la reforma constitucional de 1945 había establecido que la justicia era "un servicio público de cargo de la nación", de modo que si los juzgados municipales hacían parte de la administración de justicia, la nación debía sostenerlos.

85 La Sala estaba integrada por Enrique Arámbula Durán, Daniel Anzola Escobar, Abelardo Gómez Naranjo, Juan M. Pachón Padilla, Camilo Rincón Lara, Sergio Antonio Ruano, Luis Sandoval Valcárcel y el conjuez Pablo Emilio Manotas.

La Sala, en primer lugar, se refirió a los propósitos de la reforma constitucional de 1945 y señaló que esta había querido separar a los concejos municipales de su nefasta injerencia en los nombramientos de los jueces municipales y por eso le había quitado tal atribución a esas corporaciones públicas, pero que, además, en un esfuerzo por tecnificar a la administración de justicia, había dispuesto que aquellas tampoco tendrían a su cargo el pago de los demás gastos de funcionamiento de los juzgados municipales. Como resultado de la reforma de 1945, expresó la Corte que "sin consultarse la realidad fiscal nacional" se le cargaron al presupuesto nacional los gastos de los juzgados municipales, que quedaron bajo el Ministerio de Gobierno, pero que esa nueva responsabilidad fue insostenible para la nación y por eso fue necesario establecer un impuesto para financiar esos gastos, aunque a la postre eso no fue suficiente, de modo que el Ejecutivo había tenido que dictar el decreto demandado suspendiendo aquellas normas que dejaban solo a la nación a cargo de los mencionados gastos y en su lugar estableció que esa responsabilidad la compartía la nación con los municipios.

La Sala expresó que el decreto demandado, al asignar a los municipios la responsabilidad de facilitar el funcionamiento de los juzgados, de ningún modo había querido señalar que la nación dejaría de pagar los sueldos de los jueces o que esta se desligaría de toda responsabilidad sobre ellos, pues estos jueces seguían siendo empleados de la nación. Así, consideró que el decreto lo que había querido era que cada municipio asumiera su responsabilidad de velar por una eficiente justicia, contribuyendo al sostenimiento de los despachos judiciales que operaban bajo su jurisdicción.

Con respecto a la acusación según la cual el Ejecutivo se había excedido en sus facultades constitucionales del estado de sitio para dictar el decreto demandado, la corporación encontró que el Gobierno estaba plenamente facultado para suspender leyes reglamentarias de la Constitución al amparo del estado de sitio y por tanto declaró exequible el decreto demandado. Dijo la corporación:[86]

> El fenómeno que se contempla no es el de oposición de la ley a la Constitución, sino el de simple suspensión de aquella por Decreto dictado en uso de facultades conferidas por el artículo 121 de la Ley de Leyes al Gobierno, cuestión perfectamente distinta a la planteada en la demanda. Puede haber leyes inconstitucionales, pero no hay leyes ilegales. Que tal medida sea inconveniente o conveniente, es problema que no corresponde decidir a la Corte.

86 Corte Suprema de Justicia, Sala de Negocios Constitucionales, sentencia del 19 de febrero de 1957, M.P. Camilo Rincón, *G.J.*, No. 2177 y 2188, p. 23.

De esta manera, para la Sala, si la materia del decreto legislativo correspondía a una de aquellas competencias legislativas atribuidas al legislador ordinario, entonces el Gobierno podía suspender esa ley dentro del régimen de estado de sitio.

Con este fallo la corporación dejaba en pie una importante medida para las finanzas públicas y le dio su visto bueno a un decreto que había suspendido las herramientas legales que desarrollaban la reforma constitucional de 1945. La Sala evitó que el Gobierno Nacional tuviera que asumir en su totalidad la financiación del funcionamiento de los juzgados municipales, insistiendo en una "corresponsabilidad" entre la nación y los municipios para el sostenimiento de esos juzgados. Pero, además, como podemos ver, la movida estratégica de la corporación le ofreció al Ejecutivo un importante espacio para dictar decretos de estado de sitio. En efecto, si bien la medida había sido expedida por el Gobierno de Laureano Gómez, para la época del fallo el general Rojas gobernaba mediante decretos legislativos, de modo que la doctrina de la Sala respaldaba la postura según la cual si la materia de esos decretos correspondía a una de aquellas atribuciones constitucionales del legislador ordinario, el Ejecutivo podía dictar decretos que suspendieran esas leyes.

La prima de vuelo en una pensión de la Fuerza Aérea

El 21 de febrero de 1957, la Sala resolvió la demanda presentada el 24 de septiembre de 1956 por el abogado Víctor Cock,[87] en representación del teniente Rafael Torres Fernández, y que solicitaba la inexequibilidad del artículo 106 del Decreto Legislativo 3220 de 1953 y del artículo 4º del Decreto 0251 de 1954, que excluyeron la prima de vuelo del cómputo para la pensión de retiro de los oficiales de vuelo de la Fuerza Aérea. Cock acusó las dos normas de violar la Constitución al considerar que hacían más gravosos los requisitos para que aquellos oficiales obtuviesen la pensión de retiro, afectando así los derechos adquiridos protegidos por la Carta Política.

La Sala consideró que en este caso los dos decretos eran inexequibles porque en efecto desconocían los derechos adquiridos de oficiales, como el teniente Torres, pues la Ley 6ª de 1936 determinaba el cómputo de las primas de vuelo en la pensión de retiro de los aviadores militares mientras que los decretos demandados la excluían de ese cómputo. De este modo, razonó el tribunal, se vulneraba el artículo 31 de la Constitución que prescribía: "Los derechos adquiridos con justo título con arreglo a las leyes civiles por personas naturales o jurídicas, no pueden

87 Quien había sido magistrado de la Corte Suprema.

ser desconocidos ni vulnerados por leyes posteriores".[88] Dijo la corporación que un "Principio universal admitido y que constituye reiterada jurisprudencia de la Corte es la noción de derecho adquirido", que según su criterio "moderno" consistía en que, por regla general, las normas nuevas modificaban las anteriores en situaciones abstractas, mientras que debía hablarse de la regla de irretroactividad de las leyes posteriores a situaciones concretas. Para el tribunal, entonces, cuando se habían creado situaciones que originaban un derecho subjetivo a favor del asociado, lo general era que este no se afectara, salvo por "motivos de interés público".

Como podemos ver, ni el demandante ni la Corte abordaron la cuestión de los límites presidenciales dentro de las facultades de estado de sitio. Ambos consideraron los decretos legislativos como unas leyes más que al modificar una ley anterior afectaban los derechos adquiridos protegidos por la Constitución. De este modo, la corporación ejerció su labor de administrador de la justicia constitucional rutinaria, protegiendo a un militar que había recurrido en busca de la protección de sus derechos y decidió garantizárselos por la vía de una sentencia de inexequibilidad de una norma general y abstracta. Aunque se trataba de dos decretos dictados por el régimen militar, la materia que estos regulaban no significaba que una inexequibilidad de los mismos desafiara la autoridad de ese régimen, sino que se trataba de una decisión que se enfocaba en una controversia laboral originada por la inconformidad de los servidores de las Fuerzas Armadas con motivo de la expedición de dos normas que encontraban lesivas a sus derechos.

El retiro de los oficiales de las Fuerzas Militares

El 22 de febrero de 1957, con la ponencia del magistrado Daniel Anzola Escobar, la Sala de Negocios Constitucionales decidió sobre la demanda presentada por el abogado Guillermo Neira Mateus, quien pidió declarar inexequible el artículo 7º de la Ley 137 de 1948, que había establecido que el retiro voluntario de los oficiales de las Fuerzas Militares "para los oficiales hasta el grado de Mayor o similares inclusive, sólo podrá solicitarse cuando el interesado haya servido por lo menos tres años en cada grado". Según Neira, esa norma vulneraba los derechos adquiridos reconocidos en el artículo 31 de la Constitución porque modificaba las situaciones individuales de quienes con anterioridad a la ley ya habían cumplido con los requisitos de acceder a una pensión de retiro, de acuerdo con la Ley 6ª de 1936.

88 Corte Suprema de Justicia, sentencia del 21 de febrero de 1957, M.P. Enrique Arámbula Durán, *G.J.*, No. 2177 y 2188, p. 26.

Para la Sala, la Ley 137 de 1948 no violaba la Constitución porque no modificaba situaciones individuales ni derechos adquiridos pues estos debían interpretarse según el artículo 28 de la Ley 183 de 1887, que determinaba la "forma de aplicación en el tiempo de la nueva ley con respecto a ellos". Entonces, estimó que la Ley 137 preservaba tales derechos pues a quienes ya tenían derecho al retiro antes de la vigencia de la Ley 137 este se les debía respetar bajo la interpretación de los criterios establecidos por la Ley 183 de 1887, la cual debía armonizarse con una correcta interpretación del artículo 23 de la Constitución,[89] que obligaba al Estado a actuar solo bajo el amparo de ley previa.

Note el lector que en este caso la corporación no aplicó el criterio doctrinal formulado unos cuantos días atrás en el caso que acabamos de narrar. Mientras que en la sentencia sobre la pensión de retiro de los oficiales de vuelo de la Fuerza Aérea declaró inexequibles dos decretos legislativos por afectar derechos adquiridos reconocidos por una ley anterior a ellos, en este fallo prefirió declarar exequible otra norma también acusada de violar derechos adquiridos pero esta vez recurrió a la interpretación del principio de irretroactividad por la vía de la aplicación de la Ley 153 de 1887.

Como podemos ver, en general estos fallos dejan ver a una Sala de Negocios Constitucionales que de distintos modos dejaba amplísimo margen de libertad para que el Ejecutivo dictara normas al amparo del estado de sitio, lo que, desde luego, implicaba suspender las leyes vigentes en tiempos en que el Congreso estaba clausurado.

Por último, es posible que la proveniencia de los magistrados de la Sala, que habían sido miembros del recién liquidado Tribunal Supremo del Trabajo, haya tenido alguna relación con la tendencia de la corporación de tramitar las reclamaciones laborales por vía de demandas de inconstitucionalidad. Al mismo tiempo, es importante reflexionar sobre las razones para que algunos miembros de las Fuerzas Armadas fueran quienes hicieran uso de la acción pública de inconstitucionalidad para formular reclamos de naturaleza laboral. Tal vez esta sea una señal de un cierto empoderamiento castrense en épocas de un Gobierno militar.

89 El artículo se refiere al principio de legalidad como elemento del debido proceso en materia penal, pero la Corte lo hace aplicable en este caso para las situaciones en donde el Estado procede sin "motivo previamente definido en las leyes". "ARTÍCULO 23: Nadie podrá ser molestado en su persona o familia, ni reducido a prisión o arresto, ni detenido, ni su domicilio registrado, sino a virtud de mandamiento escrito de autoridad competente, con las formalidades legales y por motivo previamente definido en las leyes [...] En ningún caso podrá haber detención, prisión ni arresto por deudas u obligaciones puramente civiles, salvo el arraigo judicial".

La Corte de la Junta Militar de Gobierno, 1957-1958

Rojas deja el poder a la Junta Militar: la Corte de Rojas se queda

En marzo 1957, la Asamblea Nacional Constituyente (ANAC) autorizó la reelección del general Rojas hasta 1962, período que no se pudo cumplir porque el general se vio obligado a dejar el poder debido a presiones políticas, económicas y sociales, y, hasta cierto punto, por el escaso respaldo del estamento militar a su proyecto político.[90] El general salió del país y le entregó el poder a una Junta Militar de Gobierno, el 10 de mayo de 1957.[91] Entre tanto ya habían avanzado las negociaciones entre los líderes de los partidos liberal y conservador (Frente Civil) que buscaban recuperar el poder y habían logrado acordar las bases para la transición al Gobierno civil, a través de un régimen de repartición bipartidista del poder.[92]

Una vez la Junta Militar asumió el poder, el Frente Civil y otros sectores de la sociedad que habían forzado la salida de Rojas y que en parte habían facilitado la transmisión del mando, ejercían presión para que la Junta clausurara la ANAC y disolviera cuanto antes a la Corte que se había convertido en el "capote de paseo" del dictador.[93] Por ejemplo, el líder conservador Guillermo León Valencia, en una alocución dirigida al país, dijo que había que darle "un compás de confianza, pero vigilante" a la Junta y exigió que se disolvieran tanto la ANAC como la Sala Constitucional de la Corte, que había sido complaciente con las decisiones del "régimen rojista"; aquella "Suprema Cortesana" como se denominaba en los corrillos bogotanos.[94]

90 Sobre la dejación del cargo por el general Rojas, la transmisión del mando a la Junta Militar de Gobierno y la transición al Gobierno civil véase: Johathan Hartlyn, "Military Governments and the Transition to Civilian Rule: the Colombian Experience of 1957-1958", en *Journal of Interamerican Studies and World Affairs*, Vol. 26, No. 2, Center for Latin American Studies at the University of Miami, mayo 1984, pp. 245-281; y *La Política del Régimen de Coalición, op. cit.*

91 La Junta la componían cinco militares que hacían parte del régimen de Rojas: el mayor general Gabriel París (presidente), quien era su ministro de Guerra; el general Rafael Navas, comandante del Ejército; el mayor general Deogracias Fonseca, comandante de la Policía; el brigadier general Luis F. Ordóñez, director de los servicios de inteligencia, y el contralmirante Rubén Piedrahita, ministro de Obras Públicas.

92 Sobre la negociación y puesta en marcha de los pactos bipartidistas véase: Jonathan Hartlyn, *op. cit.* Sobre el proceso de transición del régimen militar al régimen civil véase el completo estudio de Andrés Dávila Ladrón de Guevara, *Democracia pactada, op. cit.*

93 Señala Charria: "Desde diversos frentes se decía que el movimiento del 10 de mayo quedaba incompleto con la mera expulsión de Rojas Pinilla y se exigía de la Junta la disolución de la Asamblea Nacional Constituyente y de la Corte Suprema de la dictadura". Alfonso Charria Angulo, *¿Plebiscito, referéndum o dictadura?: La Constitución de Barco*, Impresores Iberoamericanos, Bogotá, 1988, p. 35.

94 Eduardo Pizarro Leongómez, "La profesionalización militar en Colombia (III): Los regímenes

La Junta dictó el Decreto 0919 del 10 de mayo de 1957,[95] por el cual se suspendían las sesiones de la ANAC pero sin referirse a la Corte Suprema. Luego tardaría hasta el 26 de julio de ese año para disolver la ANAC y no lo hizo mediante un decreto sino a través de una simple declaración.[96] Ese camino evitaba los tropiezos jurídicos de clausurar mediante decreto un órgano, que, no obstante estar desprestigiado y carecer de legitimidad, gozaba de una intrincada legalidad y de rango constitucional al haber sido creada, reformada —y manipulada— mediante distintos actos legislativos, desde 1952.[97] Esto se lee en la declaración de la Junta:

> La Junta Militar de Gobierno y los Ministros del Despacho Ejecutivo, teniendo en cuenta:
> 3º. Que en el país no existe organismo constituyente ni legislativo aceptado por la Nación, y que es indispensable reestructurar el régimen democrático e institucional a través del sufragio popular, [...]
> 5º. Que la opinión pública, expresada en declaraciones de la Jerarquía Eclesiástica, de la Comisión Paritaria, y en solicitudes formuladas por la prensa, los colegios de abogados, los profesores universitarios, los sindicatos obreros y los representantes de grandes núcleos sociales, ha manifestado su inconformidad con la subsistencia de la Asamblea Nacional Constituyente y Legislativa,
> Declaran:
> PRIMERO: Que por decreto de esta misma fecha convocarán al país a elecciones presidenciales y legislativas. Segundo. Que queda disuelta la Asamblea Nacional Constituyente a que se refiere el Acto Legislativo número 1 de 1957, y que no reconocen acto alguno que emane de la citada Asamblea.

---

militares (1953-1958): El Gobierno de Gustavo Rojas Pinilla", en *Análisis Político,* No. 3, Iepri, Universidad Nacional de Colombia, Bogotá, enero-abril de 1988.

95 *Junta Militar de Gobierno: Itinerario Histórico,* Secretaría General de la Junta, Tomo I, del 10 de mayo al 31 de diciembre de 1957, Bogotá, 1957, p. 249.

96 Charria señala que esta declaración de la Junta se produjo después de que el general Rojas dijera en un mensaje enviado desde su exilio: "Hoy por hoy la Asamblea Nacional Constituyente y legislativa es la única entidad que tiene el país con indestructibles bases legales y jurídicas. Su constitucionalidad solo pueden discutirla los ignorantes, y ha quedado fuera del alcance de la Junta Militar, pues cualquier decreto o disposición que expidiera con la intención de resolverla, sería ilegal y solo tendría efectos pasajeros. Nadie puede desconocer o ignorar que su origen arranca del último Congreso Nacional, es decir de lo que todos reconocemos como las verdaderas instituciones democráticas". Alfonso Charria Angulo, *op. cit.,* p. 36.

97 El mismo 26 de julio, el Decreto 0148 convocó a elecciones presidenciales para el primer domingo de mayo de 1958, y se determinó que las elecciones legislativas tendrían lugar en fecha que indicaría el Gobierno.

Había pasado un par de meses desde que la Junta Militar asumiera el poder y la Corte de Rojas aún seguía en funciones. Se hablaba de la grave crisis que sacudía a la corporación, que era el centro de los ataques de los dirigentes políticos y de diversos sectores que habían participado en la lucha contra el régimen militar. La corporación era llamada "La Corte amiga de Rojas". Precisamente, uno de los más fuertes debates sobre la corporación en la Comisión Paritaria de Reajuste Institucional ocurrió el 1 de agosto de 1957, cuando el destacado jurista Gonzalo Vargas Rubiano replicó a quienes defendían la permanencia de los actuales magistrados bajo el argumento de la "inamovilidad". Vargas se refirió al papel deferente de la Corte con el régimen militar y la necesidad de removerla como parte de la "Revolución del 10 de mayo" que había depuesto a Rojas. Veamos su testimonio:[98]

> El acto más grave perpetrado por la dictadura contra las instituciones nacionales, después de la usurpación de la soberanía por la ANAC, fue el golpe de Estado contra la Corte producido con el Decreto de 1956. Decreto que fue el fruto oprobioso de una delación hecha por unos magistrados que mancharon su investidura [...] llevaron a oídos del César la noticia de que iba a salir una sentencia de inexequibilidad que le rompía una vértebra a la dictadura. Los restantes doce magistrados renunciaron como protesta por la intromisión abusiva, y con ella no solo salvaron su propio decoro sino el de la institución que honraron. Entonces el príncipe gobernante procedió a llenar las sillas vacantes con personal dócil ante el estupor nacional. Y por eso Rojas anunció en aquella ocasión, en agosto de 1956 [...] que al fin el Gobierno tenía una Corte amiga. Por eso la nueva entidad nació descalificada [...] Es pueril y profundamente equivocado invocar un texto de la Constitución para mantener en sus cargos a los actuales magistrados y consejeros contrariando el ímpetu del movimiento revolucionario que quiere rescatar cuanto antes la Corte y el Consejo de Estado. Caído Rojas debe caer su camarilla cortesana [...].

A medida que pasaban los días crecía la desconfianza y el desprestigio de la Corte. El tribunal intentó responder a las críticas con una "carta televisada" que leyó su presidente José Jaramillo Giraldo,[99] quien defendió la corporación frente a

98 "La Corte amiga de Rojas debe borrarse del escenario nacional", transcripción de la intervención de Gonzalo Vargas Rubiano en la Comisión de Reajuste Institucional. *El Tiempo,* 8 de agosto de 1957, p. 9.

99 Jaramillo había nacido en Manizales. Estudió derecho en la Universidad del Cauca. Antes de llegar a la Corte había sido un combativo político liberal que incluso presidió el Senado en 1946. Luego fue dirigente del partido Anapo fundado por Rojas, congresista de ese partido y candidato presidencial en 1966.

las solicitudes de disolución y la propuesta de la Comisión de Reajuste Institucional de que la Junta la renovase cuanto antes. Juan Uribe Cualla, otro de los miembros de la Comisión de Reajuste y redactor de la propuesta de renovación total de la Corte, replicó a Jaramillo señalando la crisis de la Corte:[100]

> La organización intangible de la Corte destruida por un decreto de estado de sitio para impedir un fallo adverso a los intereses del Gobierno, que así se constituía en juez y parte; la escogencia del nuevo personal de la nueva entidad entre los seguidores incondicionales y probados del régimen dictatorial, más claramente entre los servidores de la llamada, tal vez con rigor pero con exactitud: "Cofradía de Esaú", el que vendió su progenitura por un plato de lentejas: el premio de quienes no fueron relatores de la Corte sino sus delatores: la designación de magistrados entre quienes constitucionalmente estaban impedidos para recibir esa designación por pertenecer al cuerpo legislativo [entre ellos al presidente de la Corte]; la escogencia para la nueva ANAC de la reelección de cuatro magistrados, el reparto de prebendas diplomáticas, para ir a transmisiones de mando a Lima, Quito [...], entre los jueces, sus premios en su calidad de embajadores, ministros plenipotenciarios, con remuneraciones fastuosas en divisas, que legalmente no podían aceptar sin dejar vacante las magistraturas [...].[101]

La crisis también se advertía en la frágil posición de la corporación que intentaba mantener "la normalidad" pese a que su desahucio estaba casi decretado. Por ejemplo, con motivo del nombramiento del magistrado Jorge Valencia Arango para la Sala Laboral del Tribunal Superior de Bogotá, se dijo que aunque este contaba con los votos de la mayoría de la corporación para ser elegido, la Corte se dividió porque el candidato era "un rojista que había compartido todos los favores de la dictadura y eso era inconveniente e inoportuno".[102] Finalmente la corporación lo eligió en medio de fuertes críticas de la opinión pública.

Prestigiosos profesores, decanos de facultades de derecho y juristas de todo el país venían solicitando a la Junta Militar que renovara la Corte y el Consejo de Estado. Por ejemplo, en el "Memorial de abogados" del 17 de julio de 1957, que

100 "La Corte ha perdido la confianza de la Nación: afirma Uribe Cualla". *El Tiempo,* 17 de agosto de 1957, p. 15.

101 Uribe también destacó que en muestra de patriotismo, anteponiendo intereses de la nación, seis magistrados de la Corte habían ofrecido su renuncia a la Junta Militar tan pronto esta llego al poder: Anzola, Benavides Patrón, Ruano, Constaín y Hernández Peñaloza. *Ibídem.*

102 Según el periódico, Valencia era secretario de la Universidad Nacional y había salido de ahí tan pronto "se produjo el derrocamiento de la dictadura". *El Tiempo,* 15 de agosto de 1957, p. 3.

encabezaba Ricardo Hinestrosa Daza, acompañado de nombres como los de Jorge Gutiérrez Anzola, Leopoldo Uprimny, Abel Naranjo Pinzón, Arturo Valencia Zea y Alfredo Vásquez Carrizosa, expresaba que no sería posible la reconstrucción del país "mientras sobrevivan, en su actual composición, organismos constituidos por la dictadura, a la cual se entregaron, como la Corte Suprema cuya designación se originó en un acto violatorio de la Carta, de la independencia y dignidad del Tribunal de Justicia".[103]

El plebiscito reformatorio de la Constitución ante la Corte Suprema

Seguía su curso el año 1957 y la dirigencia de los partidos liberal y conservador continuó negociando su regreso al poder. La fórmula acordada consistía en una alianza bipartidista que les garantizaría el ejercicio del poder y la exclusión de otras posibles fuerzas políticas, por un término inicial de doce años.[104] En la declaración de Sitges (1957), los líderes de los dos partidos por primera vez plantearon la realización de un plebiscito para darle legitimidad y perdurabilidad al pacto. Al parecer esta fórmula surgió de algunos estudiantes y fue acogida ante la ausencia de alternativas diferentes a la de la desgastada "asamblea constitucional".[105]

Entre agosto y diciembre de 1957, la dirigencia de los dos partidos y representantes de la Junta elaboraron el texto que sería sometido a votación popular en el plebiscito. La Junta acogió casi en su totalidad los textos de los acuerdos bipartidistas, pero le incluyó la destinación de un porcentaje mínimo del presupuesto general de la nación para la educación, así como la integración de la Corte y del Consejo de Estado por el sistema de cooptación, con representación paritaria de los dos partidos políticos y la regla del ejercicio vitalicio de los cargos de los magistrados de ambas corporaciones. Con los decretos legislativos 0247 y 0251 del 4 y 9 de octubre de 1957, la Junta convocó al pueblo a un plebiscito para reformar la Constitución.[106]

El ciudadano Pedro Nel Rueda Uribe, de origen conservador, quien en diversos espacios políticos y académicos era uno de los pocos hombres influyentes de la época que había expresado públicamente su abierta oposición al acuerdo bipar-

103 Memorial de abogados a la Junta Militar de Gobierno, del 17 de julio de 1957. *El Tiempo*, 18 de julio de 1957.

104 Luego, con el Acto Legislativo 01 de 1959, la alternancia en la Presidencia de la República sería de dieciséis años, en los órganos de elección popular de doce años y en la rama judicial sería indefinida.

105 Andrés Dávila, *Democracia pactada*, *op. cit.*

106 El encabezado del Decreto 0247 decía: "La Junta Militar de Gobierno de la República de Colombia interpretando la opinión nacional expresada en los acuerdos suscritos por los partidos políticos [...]".

tidista del Frente Nacional,[107] demandó la inconstitucionalidad de los decretos que convocaban al plebiscito de 1957. En su opinión, los decretos vulneraban la Constitución porque establecían un procedimiento de reforma constitucional diferente al autorizado por la Constitución.[108] Además, estimó que los únicos facultados para reformar la Constitución eran los "representantes constitucionales de la Nación entera, son los individuos de una y otra cámara, es decir los miembros del Congreso", y por lo tanto, convocar a hombres y mujeres mayores de veintiún años para participar en un plebiscito es reemplazar a los legisladores por medio de personas "sin facultades y sin la calidad de legisladores".[109]

La Corte que había conformado el general Rojas Pinilla en 1956 seguía en funciones a pesar de las múltiples solicitudes de renovación. Ese mismo tribunal se pronunció sobre la demanda de Rueda en contra de los decretos que convocaban al referendo que había sido programado para el día 1 de diciembre de 1957. Cuando faltaban cuatro días para el referendo, el 28 de noviembre, con la ponencia del magistrado Guillermo Hernández Peñaloza, la corporación se declaró inhibida para fallar.

La corporación en primer lugar argumentó que la Junta Militar de Gobierno había tenido su origen en la dejación del cargo del ciudadano que legítimamente ejercía la Presidencia y que la fuente del poder de ese órgano era un movimiento revolucionario que se había llevado a cabo el 10 de mayo de 1957, sin que se le hubiera opuesto poder alguno y contando con apoyo mayoritario. Luego afirmó que la democracia debía concebirse como un sistema que descansaba en los partidos

107 Otro notable opositor a la idea del FN fue Alfonso López Michelsen.

108 Sectores liberales criticaron la demanda de Rueda Uribe. *El Tiempo* señaló: "Si un jurista prestigioso y competente, o simplemente cualquier ciudadano común, pero sin vínculos con la dictadura, hubiera demandado ante la Corte el decreto que convoca al plebiscito para reformar la Constitución, su actitud sería respetable, aunque no se compartieran sus tesis. Todo el mundo tiene derecho a disentir en una sociedad democrática. Pero el derecho al disentimiento, como todos los derechos conlleva deberes y alguna autoridad moral para asumir actitudes contrarias a la opinión común. Un servidor de tiempo completo de la dictadura, de un grupo de gentes que acabó con los últimos vestigios de la Constitución, no puede, evidentemente, convertirse, de la noche a la mañana en guardián de la suprema ley. El espectáculo es excesivamente grotesco [...] Ahora ha resultado quien se sepa de memoria la Constitución y levante el artículo 214, cuando en el Gobierno contribuyó a destruir todos lo demás con sus parágrafos e incisos agazapado en el 121. Pasó por Suiza, a sueldo del dictador, y allá se enteró de cómo funciona la Confederación Helvética, pero se quedó completamente ayuno de las costumbres democráticas de aquel país [...] La Constitución no está muerta por el hecho de que la mayoría de los magistrados se hayan declarado incompetentes en este caso particular. La Constitución había muerto desde mucho antes, cuando el desvelado guardián de su integridad formaba parte del Gobierno que acabó con ella, y de paso con la paz, la justicia y la libertad. ¿Qué tal el diablo haciendo ostias?".

109 Corte Suprema de Justicia, Sala Plena, sentencia del 28 de noviembre de 1957, M.P. Guillermo Hernández Peñaloza, *G.J.*, Nos. 2188-2188-2190 de 1957, pp. 433-434.

políticos, que en este caso habían llegado a un acuerdo rodeado del más amplio "clamor popular":[110]

> De tiempo atrás se viene sosteniendo que, para terminar con la lucha de los partidos, deberían distribuirse por mitad el ejercicio del poder, no en una sola de sus ramas, sino en todas y de hecho se había concretado en cuanto hace la jurisdiccional. Posteriormente, aquel principio tuvo su desarrollo lógico en la aspiración a una reforma constitucional que, por hallar inadecuados los medios previstos en la misma Constitución o por el de Asamblea Nacional Constituyente, debía someterse directamente al pueblo [...] Estos postulados en que se concretan las bases del movimiento, hacen ver cómo no se trata de una reforma total de la Constitución. De donde puede afirmarse que la revolución tampoco es total sino parcial, y el derecho para convocar al pueblo para que apruebe o impruebe la reforma no lo deriva propiamente de todas las normas consagradas en la Carta, sino del poder mismo de la revolución, del estado de necesidad en que esta se halla de hacer tal reforma, y del ejercicio de la soberanía latente en el pueblo como voluntad constituyente, o sea lo que denominan los expositores, el momento del pueblo constituyente.[111]

La corporación recordó que el control constitucional de los actos reformatorios de la Constitución estaba por fuera de su competencia. Para llegar a esta conclusión, la Corte primero analizó la "naturaleza de los decretos" y consideró que aunque ambos se habían dictado invocando las facultades de estado de sitio del Ejecutivo, los contenidos de ellos no se referían a preceptos de orden legal, que era lo característico de los decretos de estado de sitio, sino que eran de carácter constitucional. Entonces, para la Corte era claro que aquellos decretos se habían dictado por el "estado de necesidad de la revolución" y no porque estos guardasen coherencia con la noción de decretos de estado de sitio que establecía la Constitución en su artículo 121.

La movida argumentativa de la Corte arroja luces sobre la coyuntura política y el ambiente institucional de alta tensión política que rodeó al tribunal. Si la corporación consideraba que los decretos de la Junta se habían dictado bajo el amparo del estado de sitio, el camino a seguir era decidir sobre su exequibilidad. Sin embargo, al considerar que esos decretos, por su contenido, no guardaban relación con las

110 La mayoría de la Corte la integraron Juan Benavides, Daniel Anzola, Miguel Antonio Constaín, Enrique Giraldo Zuluaga, Abelardo Gómez Naranjo, Guillermo Hernández Peñaloza, Pablo Emilio Manotas, Camilo Rincón, Luis Sandoval, Domingo Sarasty, Alberto Téllez, Francisco de P. Vargas y Remigio González Gooding (conjuez).

111 Corte Suprema de Justicia, Sala Plena, sentencia del 28 de noviembre de 1957, *op. cit.*, p. 444.

medidas propias del estado de sitio porque apuntaban a reformar la Constitución, permitían al tribunal argumentar su falta de competencia para juzgar esas medidas, pues recordemos que ya desde el año 1953 había sostenido su incompetencia para pronunciarse sobre demandas dirigidas en contra de reformas constitucionales.

Así las cosas, por la "naturaleza jurídica de los decretos", la Corte se inhibió para conocer de la demanda presentada por Rueda Uribe, pues entendió que ella no estaba facultada para juzgar la constitucionalidad de actos tendientes a modificar la Carta Política, así estos tuviesen la forma de un decreto dictado al amparo del estado de sitio.[112]

El fallo fue aprobado por doce magistrados mientras que siete salvaron su voto. El salvamento de voto consideró que la Junta Militar no era un gobierno parcialmente revolucionario y de facto y por tanto sus actos no podían estar al margen del control jurisdiccional. Así, entendieron que la Corte era plenamente competente para conocer de la constitucionalidad de los decretos de estado de sitio dictados por la Junta, pues estos se enmarcaban en un régimen de excepción plenamente establecido en la Constitución Política. Así mismo, la minoría estimó que la mayoría que componía la Corte se había equivocado al afirmar que el contenido de los decretos demandados tenía un rango constitucional y no legal, pues eso equivalía a aceptar que la rama ejecutiva podía reformar la Constitución, situación que la Carta en ninguna parte autorizaba.

La postura disidente de los siete magistrados también nos ofrece evidencias sobre el ambiente político del fallo. Por ejemplo, ellos le recordaron a sus colegas que votaron mayoritariamente la sentencia que la Sala Plena había dirigido una comunicación dirigida a la Junta Militar, el 9 de agosto de 1957, en donde había sentado su posición enérgica frente a la posibilidad de que un acuerdo partidista disolviera la Corte hasta que se eligiera el nuevo Congreso, pues advertían los enormes peligros de subvertir el orden institucional. Dice el salvamento:

112 "Al mediodía de ayer, la Corte firmó fallo sobre el Plebiscito: Incompetente se declaró la mayoría [...] Hasta las once de la noche del miércoles se prolongó la última sesión plenaria de la Corte, en la cual se procedió a hace la votación formal, por mayoría de votos, frente a las tesis conocidas en cuanto a la demanda de inexequibilidad de los decretos del plebiscito. Como es sabido, unos sostenían la tesis de la incompetencia y otros los de la competencia. La votación vino a continuar la de tanteo hecha al mediodía del sábado pasado. En efecto, doce magistrados más el conjuez doctor González Gooding, votaron el sentido de declarar la incompetencia de la corporación. Los siete magistrados restantes votaron por la competencia. Los siete magistrados salvaron su voto en escrito conjunto. Dos de estos —Estrada Monsalve y Pachón Padilla— habían dicho el sábado que votaban por la competencia pero salvando su derecho de retractarse luego. Sin embargo, al producirse la votación definitiva conservaron el criterio inicial. En esta forma la Corte canceló ayer mismo, haciendo entrega de copias del fallo a la prensa, el capítulo sobre la demanda del doctor Rueda Uribe [...]". *El Tiempo*, 29 de noviembre de 1957, p. 3.

> Pero hay un documento que por sí solo debió haber sido suficiente para excluir de la controversia toda posibilidad de abstención para conocer del negocio, fundada en el origen del acto (investidura irregular del gobernante) [...] y que reza en lo pertinente: "Ninguna perturbación en el Órgano Ejecutivo, *ya se efectúe por los caminos de la revolución o por los cauces legales,* debe acarrear cambios en las demás ramas del poder legítimamente constituidas, *porque la permanencia e intangibilidad* de las instituciones *es el presupuesto indispensable de toda sociedad organizada.* Reemplazar una Corte *de jure* por una *de facto sería invertir los términos mismos de la Constitución a la que se desea regresar, según se ha dicho* [...] Colombia es, desde hace algún tiempo, una nación organizada, *y sus instituciones no están a merced de revoluciones anárquicas, que las desconozcan, retrotrayendo el país a su nebulosa original.*[113]

Concluyen los magistrados disidentes:[114] "Entre los partidos pueden suscribirse armisticios para la pacificación del país y ello es laudable. Sólo que entre la revolución y la Carta no hay, ni puede haber, transacciones ni pactos. Para el Tribunal que tiene su guarda, el Estatuto es sagrado".

Por otra parte, el reto de mantener o disolver la Corte Suprema, tal como lo dijimos previamente, empezó a solucionarse con la salida de varios magistrados. Así, mediante el Decreto 2385 del 29 de noviembre de 1957 se aceptó la renuncia de seis de ellos y se designó a otros en interinidad.[115] La renuncia ocurrió justo al día siguiente de la sentencia de la Corte (28 de noviembre) que declaró su incompetencia para juzgar la constitucionalidad de los decretos de estado de sitio expedidos por la Junta para convocar al plebiscito reformatorio de la Constitución.[116]

113 Acento en el texto original. Corte Suprema de Justicia, Sala Plena, sentencia del 28 de noviembre de 1957, *op. cit.*, p. 444.

114 Corte Suprema de Justicia, Sala Plena, salvamento de voto de los magistrados Arámbula, Buenahora, Cadena, Estrada, Garavito, Pachón y Ruano a la sentencia del 28 de noviembre de 1957, *op. cit.*, p. 453.

115 Decreto 2385 del 29 de noviembre de 1957, *Diario Oficial.*

116 *El Tiempo* no tardó en elogiar la decisión de la Junta Militar. En su edición del 29 de noviembre, sección "Opinión", tituló "La Nueva Corte". Y comentó que era un acierto que, tal como el ministro de Justicia había anunciado en un discurso en Medellín, la Corte Suprema de Justicia sea removida antes de la fecha plebiscitaria, porque eso le daba más legitimidad a la jornada. Estimó que estuvo bien que la Junta no hubiera accedido al clamor popular de designar una nueva Corte antes de que esta se pronunciara sobre el plebiscito, pues era una muestra de respeto a la autonomía judicial. Dijo que el "proceso revolucionario iniciado el 10 de mayo" tenía que incluir la remoción de la Corte: "Era de veras inverosímil que el victorioso movimiento nacional que dio en tierra con la dictadura, no hubiese podido alcanzar la sustitución de los magistrados que se plegaron dócilmente al tirano y fueron hechura suya e instrumento fácil de su voluntad. Hoy el Gobierno vuelve por el prestigio de una institución que nunca debió obscurecerse. Que nunca debió mancillarse [...]". Y luego, cierra señalando que: "Con la reforma plebiscitaria van a establecerse las bases de una administración judicial liberada de toda interferencia

Los magistrados a quienes se les aceptó la renuncia fueron Domingo Sarasty, Juan Benavides Patrón, Miguel Antonio Constaín,[117] Guillermo Hernández Peñaloza, Sergio Antonio Ruano y Daniel Anzola Escobar. En su reemplazo se nombraron en interinidad a Darío Echandía, Alfredo Cock Arango, Samuel Arango Reyes, Roberto Goenaga, Ricardo Jordán Jiménez, Hernando Carrizosa Pardo, Samuel de Sola Roncallo, Pedro Pacheco Osorio, Benjamín Iragorri Díez, Arturo C. Posada, Héctor Martínez Guerra, Luis Fernando Paredes Arboleda, Arturo Valencia Zea, Gustavo Salazar Tapiero, José Hernández Arbeláez, Jorge García, Roberto de Zubiría, Jorge Sanabria, Luis A. Bravo y Luis Eduardo Mejía. Note el lector que dejaban la corporación todos los magistrados que componían la Sala de Negocios Constitucionales creada por Rojas en 1956, y que regresaban varios de los juristas que habían salido de la Corte con motivo de las tensiones con el general Rojas Pinilla en 1956.

La prensa de la época nos entrega valiosos elementos de juicio sobre el clima político que rodeó el fallo sobre el plebiscito y el fin de la última Corte Suprema establecida por el general Rojas Pinilla. Por ejemplo, se informó que la Junta y el ministro de Justicia se habían reunido para estudiar "el problema de la Corte Suprema de Justicia integrada hasta hoy por elementos totalmente adictos al Gobierno del exgeneral Rojas Pinilla y cuya permanencia hasta ahora en sus sillas se debió solamente a las circunstancias de que a su estudio se hallaba la demanda incoada por el doctor Pedro Nel Uribe contra los decretos contentivos de la reforma constitucional plebiscitaria". Así mismo, dijo la prensa de la época que la Junta no había tomado antes la decisión de cambiar a los magistrados de la Corte con el fin de evitar presiones sobre la constitucionalidad del plebiscito pero que, una vez producido el fallo, la Junta había decidido reemplazarlos "colmando así un anhelo nacional consistente en ver a la Corte libertada de los elementos supérstites de la dictadura que la integraban [...] La nueva Corte, encabezada con la ilustre figura del expresidente Echandía, actuará también en forma interina hasta tanto el Congreso designe en propiedad a los nuevos magistrados".[118] Por último, bajo el título "Nueva Corte Suprema designó ayer el Gobierno: brillante nómina de magistrados", dijo *El Tiempo* del 30 de noviembre de 1957:[119]

---

sectaria, augusta como corresponde a su misión altísima y austera, como ha sido siempre para honor de Colombia. Pero para que esta conquista ganara su primera batalla era precisa la modificación del supremo tribunal, tal como va a producirse". *El Tiempo,* 29 de noviembre de 1957.

117 Conservador. Egresado de la Universidad el Cauca, en donde fue profesor de derecho laboral por varios años. Había sido miembro del Tribunal Supremo del Trabajo.

118 *El Tiempo,* 30 de noviembre de 1957.

119 *Ibídem.*

La Junta nombró interinamente a diez magistrados conservadores y diez liberales: Darío Echandía, expresidente de la República; Alfredo Cock Arango, exmagistrado de la Corte Suprema de Justicia; Samuel Arango Reyes, exministro de Justicia y exmagistrado del Tribunal Superior de Santander; Roberto Goenaga, exmagistrado de la Corte; Hernando Carrizosa Pardo, exgobernador de Cundinamarca; Samuel de Sola Roncallo, exmagistrado en el Atlántico; Pedro Pacheco Osorio, exmagistrado en Bolívar; Benjamín Iragorri Díez, exmagistrado en el Cauca; Héctor Martínez Guerra, exgobernador de Nariño; Luis Fernando Paredes Arboleda, magistrado en el Cauca; Arturo Valencia Zea, tratadista y catedrático de derecho civil; Arturo C. Posada, exmagistrado en Cundinamarca; Gustavo Salazar Tapiero, exgobernador del Huila; José Hernández Arboleda, exmagistrado en Cundinamarca y tratadista de derecho civil; Jorge Vélez García, exsecretario de la Facultad de Derecho y actual secretario de la Universidad Nacional; Roberto de Zubiría, exmagistrado en Bolívar; Jorge Sanabria, exmagistrado del Tribunal Superior del Tolima; Luis Alberto Bravo, exmagistrado del Tribunal Supremo del Trabajo y Luis Eduardo Mejía J.

La perspectiva de la prensa sobre la coyuntura de la salida de la Corte de Rojas y el fallo sobre el plebiscito de 1957 la refuerza el salvamento de voto de los magistrados a la sentencia sobre los decretos que convocaban al plebiscito, en donde se da fe de que la amenaza de la disolución de la Corte siempre estuvo latente, lo que los magistrados disidentes llamaron "atentado a las instituciones legítimas del Estado de Derecho".[120] Así las cosas, es evidente que la Corte actuó bajo la presión de su disolución, y que ese fue uno de los factores que incidió en que la corporación se declarara inhibida para decidir sobre la constitucionalidad de los decretos que permitieron realizar el plebiscito reformatorio de la Constitución, que, como sabemos, terminó en la reforma constitucional de 1957, que posibilitó avanzar hacia la constitución del Frente Nacional. El fallo inhibitorio de la Corte, empero, no

120 Al respecto, dice Charria Angulo: "[…] Había continuado en ejercicio de sus funciones la Corte Suprema de Justicia procedente de los decretos de Rojas Pinilla, aunque solo se sostenía por la voluntad de la Junta Militar, puesto que ante los civiles se hallaba en completo descrédito y desde sus primeras sesiones la Comisión Paritaria había recomendado al Gobierno destituirla y nombrar una Corte Paritaria en interinidad, en su reemplazo, mientras el Congreso elegía magistrados en propiedad. La Junta nunca aceptó la campaña en contra de la Corte del período de Rojas y la mantuvo funcionando hasta darle la ocasión de que fuera esa Corte la que se pronunciara sobre la constitucionalidad de los decretos 247 y 251 convocatorios del Plebiscito, como en efecto sucedió al dictar la sentencia del 28 de noviembre en que se consideró inhibida o incompetente para conocer de la exequibilidad de esos decretos. Desde diversos frentes se decía que el movimiento del 10 de mayo quedaba incompleto con la mera expulsión de Rojas Pinilla y se exigía de la Junta la disolución de la Asamblea Nacional Constituyente y de la Corte Suprema de la dictadura". Alfonso Charria Angulo, *¿Plebiscito, referéndum o dictadura?..., op. cit.*, p. 41.

fue suficiente para salvar la nómina de magistrados del tribunal, pues recordemos que al día siguiente de su sentencia todos presentaron su renuncia ante la Junta Militar de Gobierno.

Un punto final a la disputa sobre Panamá con los Estados Unidos: 1958

A la nueva Corte Suprema integrada por decreto de estado de sitio de la Junta Militar de Gobierno le correspondió ejercer el control sobre la única demanda que hubo en contra de leyes aprobatorias de tratados públicos, en este período de transición.[121]

En la sentencia del 30 de enero de 1958, con la ponencia del magistrado Gabriel Carreño Mallarino,[122] la Corte decidió sobre la demanda presentada por el ciudadano Germán Molina Callejas en contra de la Ley 56 de 1921, que aprobaba las modificaciones incorporadas por el Senado de los Estados Unidos al Tratado Urrutia-Thompson, de 1914.[123] El cargo central del demandante era que el tratado, al haber sido modificado por el Congreso de los Estados Unidos luego de que aquel había sido aprobado por Colombia mediante la Ley 14 de 1914, no podía ser reconsiderado por el Congreso de Colombia por medio de otra ley, sino que el tratado de 1914 debía sustituirse por otro y debía iniciarse el trámite de ratificación de ese nuevo tratado por el Congreso colombiano. De este modo, para Molina Callejas, la aprobación de la Ley 56 de 1921 transgredía la Constitución.

La Corte en primer lugar distinguió los tratados públicos de los contratos, con el fin de superar la confusión que su jurisprudencia había mantenido por varias décadas. Dijo la corporación:[124]

> El modo como se celebran los tratados públicos es semejante pero no igual al trámite y perfeccionamiento de contratos de derecho privado. En esta materia los

121 La Corte estaba integrada por Roberto Goenaga, Antonio Vicente Arenas, Luis Alberto Bravo, Gabriel Carreño, Alfredo Cock Arango, Samuel de Sola Roncallo, Roberto de Zubiría, Ignacio Escallón, José Hernández Arbeláez, Benjamín Iragorri Díez, Ricardo Jordán Jiménez, Armando Latorre Rizo, Héctor Martínez Guerra, Luis E. Mejía J., Pedro Pacheco Osorio, Luis Fernando Paredes, Arturo C. Posada, Jorge Sanabria, Arturo Valencia Zea y Jorge Vélez García. Nótese que de los magistrados nombrados por el Decreto 2385, expedido por la Junta Militar de Gobierno, permanecían en la Corte doce de ellos: Goenaga, Jordán, Paredes, Iragorri, Cock, De Sola, Posada, Mejía, De Zubiría, Bravo y Pacheco. Corte Suprema de Justicia, sentencia del 20 de enero de 1958, *G.J.*, Tomo LXXXVIII.

122 *Ibídem*, p. 9.

123 Molina es el mismo demandante de las reformas constitucionales aprobadas en el régimen de Gustavo Rojas Pinilla, en 1955 y en 1956.

124 Corte Suprema de Justicia, sentencia del 20 de enero de 1958, *op. cit.*

> particulares interesados ejerciendo su capacidad legal tratan sobre el asunto que desean resolver, y puestos de acuerdo acerca de las respectivas cláusulas, llenan las formalidades legales y el contrato queda perfecto. Eso es todo. En el terreno de las relaciones internacionales la capacidad de las altas partes para vincularse en un tratado está, según normas de las correspondientes Constituciones, sujeta a ciertas reglas ineludibles, las cuales se explican por la diferencia que hay entre las personas naturales o jurídicas de derecho privado y las grandes entidades de derecho público. Tales normas vienen a ser verdaderos cauces o canales necesarios para que la personalidad de los Estados se manifieste con la necesaria eficacia [...].

También consideró que la Ley 56 de 1921 no podía declararse inconstitucional porque su contenido había sido ratificado indirectamente por la reforma constitucional de 1936, que modificó los límites de Colombia, incluyendo las nuevas fronteras con la República de Panamá. Además, para la Corte, la Ley 14 de 1914, que aprobó la negociación del Tratado Urrutia-Thompson, tenía su vigencia restringida a la aprobación de los Estados Unidos. Entonces, como los Estados Unidos no aprobó el Tratado Urrutia-Thompson tal como lo había hecho Colombia sino que le incluyó unas modificaciones, lo que había hecho el Congreso colombiano era aceptar esas modificaciones con la Ley 56 en 1921. Dijo la Corte:[125]

> Desde el punto de vista del mero derecho internacional positivo sería temerario afirmar que el Senado de Washington no podía proponer modificaciones a un texto que todavía no era a la sazón ley para las altas partes contratantes. Volvió pues el tratado con sus modificaciones al estudio del Congreso colombiano en el año de 1921 y la Ley 16 de ese año aprobó el texto definitivo sin reparos de ninguna naturaleza [...] La Ley de 1914, por versar sobre un tratado público, no podía considerarse como acto jurídico perfecto y complejo *rationae materiae* sino en cuanto su contenido fuese aprobado por la otra parte contratante de acuerdo con sus normas constitucionales [...] Las leyes colombianas que aprueban tratados públicos deben, como cualesquiera otras leyes, estar bien avenidas con los cánones de la Constitución: pero no hay que confundirlas en lo atañidero a su vigencia con las leyes comunes cuyo campo de acción —salvo algunos casos de derecho internacional privado— no puede exceder los límites del territorio de la República.

Es decir, que en este caso la Corte no se declaró incompetente para conocer de demandas en contra de leyes aprobatorias de tratados públicos sino que juzgó

125 Corte Suprema de Justicia, sentencia del 20 de enero de 1958, *op. cit.*

la constitucionalidad de una ley que, a su juicio, no aprobaba un tratado sino que era una simple "confirmación" del Congreso colombiano a las modificaciones que le hizo al tratado el Senado de los Estados Unidos.

Como vemos, el tribunal bien pudo mantener su doctrina de la incompetencia para conocer sobre las demandas de inconstitucionalidad dirigidas en contra de las leyes aprobatorias de tratados internacionales y así declararse inhibida para fallar sobre esta demanda, sin embargo, el pronunciamiento de la Corte en este caso parece necesario para ponerle un punto final al litigio sobre Panamá, pues algunos tenían dudas sobre la constitucionalidad de la Ley 56 de 1921, que en realidad era el segundo capítulo de la disputa sobre el arreglo binacional en el caso de Panamá, iniciado en 1914. Una eventual inhibición no tendría la misma fuerza legitimadora de esta sentencia que declaró la constitucionalidad de la Ley 56 de 1921.

De todos modos, la Corte corrió pocos riesgos al hacer esta modificación doctrinal sobre el control constitucional de las leyes aprobatorias de tratados públicos. La Corte estaba salvaguardada de una posible declaratoria de inconstitucionalidad de la ley demandada, pues tenía dos argumentos poderosos que salían a respaldar la constitucionalidad de la ley: que el Tratado aprobado por la Ley 56 de 1921 ya había sido ratificado indirectamente por la reforma constitucional de 1936, y que la Ley 56 tan solo incorporaba modificaciones hechas por los Estados Unidos a un tratado, pero de ningún modo significaba que se aprobaba un nuevo tratado binacional.

Así las cosas, la Corte quiso hacer notar que no estaba ejerciendo un control de constitucionalidad, de fondo, sobre una ley aprobatoria de un tratado internacional, sino que simplemente estaba juzgando una ley de 1921, que modificó lo aprobado previamente por la Ley 4 de 1914. Es decir, que la corporación pretendía mantener su doctrina según la cual carecía de competencia para juzgar la constitucionalidad de las leyes que aprueban tratados públicos, pero al mismo tiempo ejercer tal control. Y esto solo lo podía lograr si negaba que la Ley 56 de 1921 fuera una ley aprobatoria de un tratado internacional, y más bien le daba el estatus de una simple ley que había aprobado unas modificaciones hechas por el Senado de los Estados Unidos,

Reflexiones finales sobre el capítulo

La Corte bajo el régimen militar, entre 1953 y 1958, nos muestra varias facetas políticas. En primer lugar, una corporación que pasó de ser un órgano sitiado por el partidismo político durante la caída del régimen liberal y el regreso de los conservadores al poder, a quedar atrapada en plena coyuntura crítica del régimen político con el ascenso de los militares al poder en 1953.

La Corte que saludó la llegada del general Rojas al Poder Ejecutivo muy pronto se enfrentó con el régimen que buscaba una profunda reforma judicial y tener la ocasión de reconfigurar la corporación. Con la renuncia de la Corte, los nuevos magistrados, aunque habían sido nombrados con la venia de los dos partidos tradicionales y en milimétrica integración paritaria, se comportaron de manera obsecuente con el régimen y estratégicamente escogieron entre las inhibiciones sobre cuestiones que importaban políticamente al régimen de Rojas o los despliegues doctrinales que en casos de justicia rutinaria ampliaban el ámbito del ejercicio de las facultades del estado de sitio por el Ejecutivo.

Pero esta segunda luna de miel de Rojas con la Corte se rompió cuando este decidió establecer una Sala de Negocios Constitucionales en el seno de la corporación y provocó la renuncia masiva de los magistrados de la Corte, con lo cual Rojas buscaba conformar un tribunal aún más deferente con su régimen. Así, la Corte Suprema de Justicia pasó, en cuatro años, a ser percibida y denominada el "Capote de paseo" del dictador o la "Cortesana".

Con la salida de Rojas del poder y la llegada de la Junta Militar de Gobierno, la Corte se convirtió en el único de los tres poderes nacionales que siguió en pleno funcionamiento.[126] La Corte de Rojas de 1956 permaneció en ejercicio no obstante que los partidos que negociaban la transición al régimen civil urgían a la Junta la disolución de la corporación. La Corte prefirió un nuevo acomodamiento estratégico y avaló los decretos que convocaban al referendo de 1957, dando muestras de su gran capacidad de alinearse con el régimen y de no sacrificarse ante los "tsunamis" políticos.

Por último, durante los cinco años que cubre este período podemos notar con claridad que la corporación supo evadir el ejercicio del control constitucional que suponía un enfrentamiento con el régimen militar o un conflicto que pudiera minar su posición institucional. El uso selectivo de sus doctrinas sobre el control de las reformas constitucionales, sobre los decretos de estado de sitio y sobre los tratados públicos sirvieron a este propósito.

126 El Consejo de Estado también se mantuvo en funcionamiento, pero a su vez sufrió los embates del régimen militar.

www.ingramcontent.com/pod-product-compliance
Lightning Source LLC
LaVergne TN
LVHW061259191026
PP19718000003B/2
* 9 7 8 9 5 8 7 7 4 0 8 8 2 *